百味美食

BAIWEIMEISHI · BAIWEIMEISHI · BAIWEIMEISHI

金牌湘菜

最科学、最全面、最实用的现代家庭烹饪手册

《百味美食》编委会 编

延边人民出版社

图书在版编目（CIP）数据

金牌湘菜／《百味美食》编委会编.—延吉：延边人民出版社，2009.2
（百味美食）
ISBN 978-7-80698-548-9

Ⅰ.金… Ⅱ.百… Ⅲ.菜谱－资料－中国 Ⅳ.I213.5

中国版本图书馆 CIP 数据核字(2008)第 025519 号

责任编辑：张光朝

金牌湘菜

《百味美食》编委会 编

延边人民出版社出版发行
社址：吉林省延吉市友谊路 363 号 邮编：133000
网址：http://www.ybcbs.com
印刷：腾飞印刷有限责任公司
新华书店总经销

开本：700×1000mm 1/16 印张：168 字数：4300 千字
2009 年 2 月第 1 版 2009 年 2 月第 1 次印刷

ISBN 978-7-80698-548-9
定价:237.60 元(全 12 册)

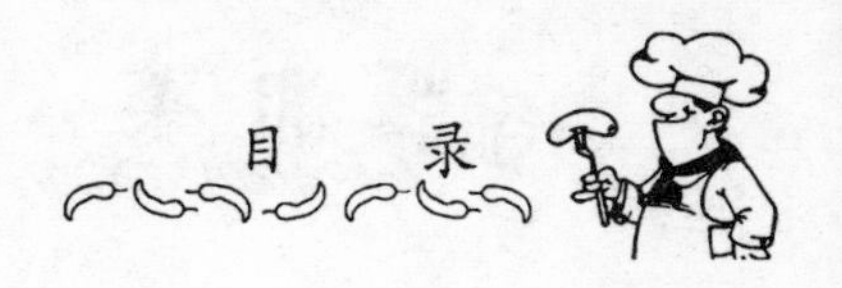

目 录

蔬菜类

火锅汤菜类

冷菜类

蛋　品　类

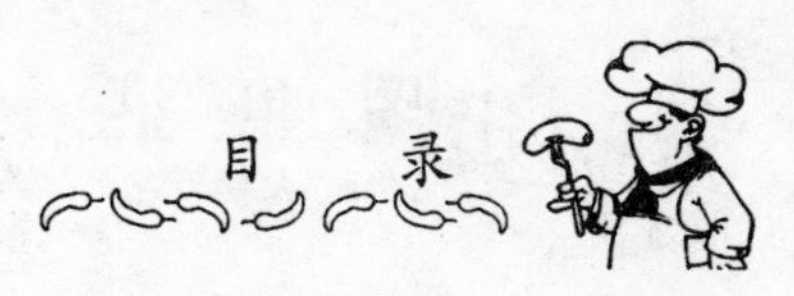

鸽 类

鱼 类

虾 蟹 类

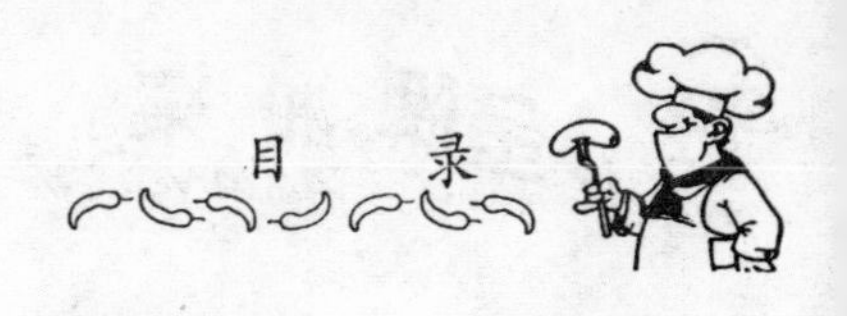

鸭　类

猪肉类

牛羊肉类

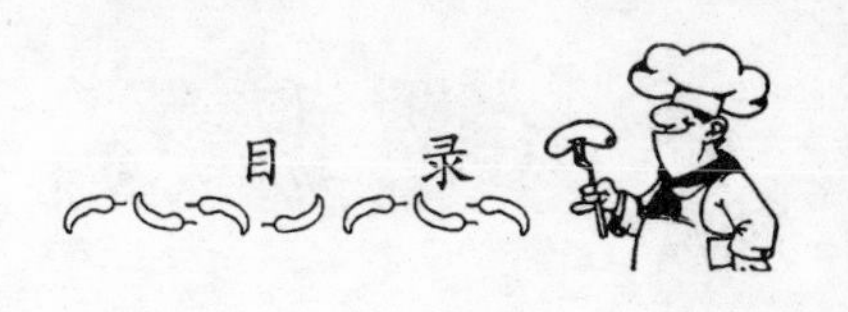

山珍海味类

野 味 美

豆腐素菜类

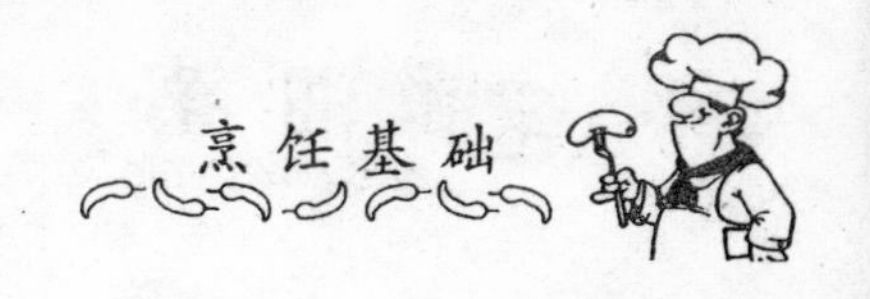

烹饪基础

第一节　烹饪原料的种类

我国地域辽阔,物产富足,可供食用的烹饪原料非常丰富。

烹饪原料的种类,按照自然界来源划分,有动物性、植物性和矿物性三种。在动物性与植物性原料中,按照加工的情况又可分为鲜活原料与干货原料。鲜活原料指的足新鲜的果品、蔬菜、肉品、腑脏品、蛋品、乳品以及水产品类等。干货原料指的足经过脱水晒干可贮藏的果品、蔬菜等,或经过干燥加工的动物性原料。下面将日常采用的主要烹饪原料的特点、性质分别加以说明。

一、植物性原料

谷类:谷类通称粮食,是我国人民的主要食物。我国足盛产谷类作物的国家,所产的品种主要有稻米(包括糯米、籼米、粳米等二种)、小麦、小米、高梁、玉米等。

豆类:我国豆类的品种很多,产量也很丰富,主要品种有黄豆、红豆、绿豆、蚕豆、豌豆、刀豆、扁豆、四月豆、毛豆等。通常是以鲜豆或干豆作副食品。千豆作副食品一般是加工成豆腐、香干、百叶、豆芽。有的干豆则用作主食。豆类及豆制品在烹饪原料中占有重要地位,既可充主料,也可充辅料,与肉品或其他主料一同烹制。用干豆类作主料,可以卤制,油酥。豆制品中的豆粉、豆酱、豆豉、豆油、酱油等,则又是烹调中的原料。

叶菜类:叶菜是指以肥嫩菜叶作为烹饪原料的蔬菜。叶菜的品种很多,常见的有大白菜、小白菜、菠菜、芥蓝菜、冬苋菜、油菜、芹菜、韭菜、排菜、青菜、雪里蕻、蕹菜(空心菜)、苋菜、木耳菜、茴香菜、红菜、芫荽、香椿、豆苗等。

茎根类:茎根类中的茎菜,是指以菜的细嫩茎秆和变态茎为烹饪原料的蔬菜。茎菜的种类很多,生长在地上的有芥蓝头、莴笋、蒜苗以及茭白等;生长在泥上中的有马铃薯、白薯、荸荠、竹笋、藕、百合、圆葱、大蒜头、姜、莴笋、芋头等。

茎根类中的根菜是指以变态的肥大直根为烹饪原料的蔬菜,有萝卜、胡萝卜、凉薯、山药等。

茎根菜大都含有淀粉,也有些含有挥发的芳香油,具有鲜美辣味,如葱、蒜、姜之类,可作烹调中的调料。茎根菜含水较少,适丁贮藏。

花菜类:花菜类是指以花作为烹饪原料的蔬菜。花菜品种不多,常见的有黄花、韭菜花、木金花、白菊花、白荷花、玫瑰花、桂花和菜花等。花菜是植物最嫩和最容易消化的部分,营养丰富。

果菜类:果菜类是指以其果实为烹饪原料的蔬菜。

茄果菜类:有番茄(西红柿)、茄子、辣椒等。

瓜果类:有东瓜、南瓜、西瓜、西葫芦、丝瓜、苦瓜、黄瓜、菜瓜、笋瓜、香瓜等。

鲜果类:常用作烹饪原料的有樱桃、菠萝、梨、桔、柚、橙、苹果、香蕉等。

干果类:干果常见的有核桃仁、花生仁、瓜仁、杏仁、松子、莲子、枣子、栗子、桂圆、荔枝、葡萄干等。

食用菌类:如口蘑、麻菌、香菇、羊肚菌、黑木耳、白木耳、黄耳、榆耳、石耳、猴头菌等。

海菜类:如海带、紫菜、海蜇皮等。

油脂类:植物性油脂作烹饪用的有花生油、豆油、芝麻油、菜籽油、茶籽油、棉籽油等。它可以在人体内产生热量,既足烹饪加热的传导体,又是烹饪调料,能增加食物的香味。

调味品类:糖、醋、酱油、酱、酒等,大都来自植物性原料。其他如人料(又名八角、大茴)、花椒、胡椒、桂皮、丁香、石落子、砂仁、陈皮、芥茉、茶等香料和某些中药材也是常见的植物性调味品。

淀粉制品:淀粉制品作为烹饪原料最常见的是粉丝(又称粉条)。粉丝主要是由豆类、高粱、玉米、马铃薯、白薯等提炼出的淀粉而制成的。团粉(芡粉)是烹饪的重要调料之一。团粉较好的是豆类的淀粉,含淀粉量较多,粘力也大,色泽也较鲜明。

二、动物性原料

家畜肉品:主要指猪、牛、羊等肉品。此外,尚有马、驴、骆驼、鹿、家兔等以及野生的野猪、黄羊、熊等。这些肉品在菜肴中也有应用。

家畜脏腑品:家畜脏腑品包括可食用的脑、舌、心、肝、腰、肺、肠、肚等。

家禽肉品:主要指鸡、鸭、鹅等肉品。此外,在菜肴中应用的还有鸽、鹌鹑、山鸡、野鸡、野鸭、大雁、斑鸠、麻雀等。

家禽脏腑品:家禽脏腑品包括脑、舌、心、肝、盹、肠等,滋味鲜美、爽口,可制作各式菜肴。其中肝、盹更是常用的烹饪原料之一。

水产品:水产种类很多,包括鱼、虾、蟹、龟、鳖、蚌、螺等。水产品的品质与营养成分,按其种类的不同而有所不同。

鱼的种类很多,淡水鱼有鲤鱼、鲫鱼、鲢鱼、鳝鱼、鳜鱼、鲥鱼、青鱼、草鱼、鲇鱼、白鱼、鳅鱼、肥鱼、鳊鱼、刀鱼、银鱼等;海水鱼有黄鱼、带鱼、鱿鱼、鲳鱼、海蜒、墨鱼等。

蛋品:蛋品是烹饪中通常必备的原料。常用的蛋品有鸡蛋、鸭蛋、鹅蛋、鸽蛋、鹌鹑蛋等,以鸡蛋用得最多。

动物性原料的制品:常见的家畜肉及脏腑制品有火腿、腊肉、咸肉、熏肉、肉灌肠、肉腊肠、肝腊肠、香肚等;家禽肉及脏腑制品有风鸡、板鸭、咸水鸭、咸鸭盹、鸡肝、腊肠等;水产制品有腊鱼、腌鱼、糟鱼、鱼籽干、虾干、干虾籽、淡菜以及鱼卤、虾酱等;蛋制品有咸鸭蛋、皮蛋、糟蛋等。这些制品给烹饪菜肴增加了很多的花色品种。动物性油脂:有猪油、羊油、牛油(包括奶油)、鸡油、鸭油、蚝油等。

山珍海味类:这类原料大多是产量较少,取之不易,营养价值较高,因此一般菜肴很少选用。常见的种类有燕窝、熊掌、鹿筋、猴头菌、银耳、鱼翅、鱼唇、鱼肚、鱼皮、鲍鱼、海参、干贝、鳖裙等。其中除猴头菌、银耳为植物性原料外,余均属动物性原料,并多为干制品。

三、矿物性原料

矿物性烹饪原料数目不多,主要有盐、碱、小苏打、明矾、硼砂、石灰、发酵粉等。

盐:是主要的调味品,可分海盐、池盐、井盐、岩盐四种。精炼的白盐,咸味稍次于粗盐。

纯碱:在烹饪中常用以制馒头等。

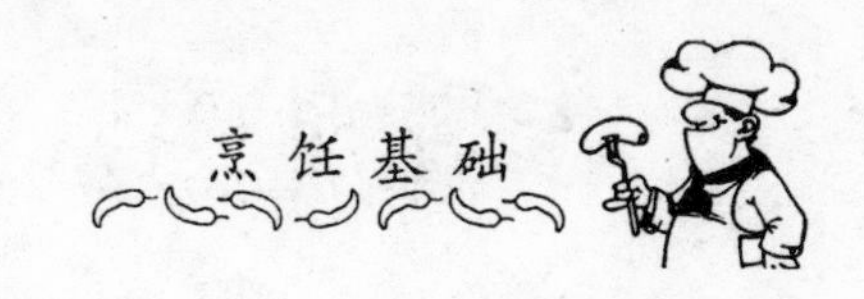

小苏打:作用与碱相同,但碱性不如纯碱强。

明矾:俗称白矾或生矾,用途最广,它的水溶液呈酸性。要使某此非发酵而食松软,多以它和碱掺用,如制油条时,即需明矾。

硼砂:也是一种碱性物质,如发鲍鱼时,放点硼砂,容易松软发透。

石灰:多用于肠肚的初步加工。

发酵粉:是一种包括酸性物质、碱性物质、填充料脱水后的混合物,有较好的发酵作用。

第二节　原料的检验与选择

一、原料检验与选择的基本知识

在烹饪操作中,必须善于检验与选择原料,因为菜肴的质量好坏,一方面取决于烹饪技术,另一方面则取决丁原料本身质量如何,以及选用是否适当。检验与选择原料,一般应注意以下几点。

(一)熟悉各种原料的出产季节

各种动植物原料都有季节性,都有它的盛产时期和低产时期、肥壮时期和瘦弱时期。以鱼类为例,河水鱼一般在冬季少活动,肥美多脂肪,到了春季活动较多,肉质就瘦老起来;但鲥鱼却以市夏到端午产卵期间最为鲜嫩肥美。家畜在秋末、冬初季节,因饲料足,肌肉最肥。植物性原料,则以春夏季鲜嫩者较多。由此可见,在不同季节里选用烹饪原料,应对原料的品质、肥嫩程度有所了解。

(二)熟悉产地

我国上地辽阔,物产丰富,由丁各地自然环境、物产品种以及种植和管理方法有所不同,因而生产出来的原料在质量上也有高低。熟悉原料的小同产地,就可以采购到优质的原料,同时也可以根据小同品种的原料,采取相应的烹饪方法。例如,北京填鸭最适丁做烤鸭,普通鸭子则可以烹制红烧鸭、炒鸭丁、鸭块等。

(三)熟悉各种原料不同部位的用途

各种原料的各个部位,有着不同的特点。例如,猪、羊、牛、鸡、鸭等,体内肌肉都有瘦肥老嫩之分,因而有的适于爆炒,有的适丁烧煮,有的适于卤酱,有的适于煨汤。猪里脊肉义瘦义嫩,可以做肉丝、肉丁、肉片;猪肋条肉有肥有瘦,适宜丁红烧。因此必须了解和掌握各利,原料不同部位的特点,用得恰当,使菜肴精美可口。

(四)鉴别各种原料的质量

对各种原料的质量进行检验和选择,不仅关系到菜肴的色、香、味,更重要的足关系到食者的健康。这是烹饪技术人员必须特别注意的。一般在选择原料时,应合乎下列几点营养卫生的要求:

①不能选用有病或带病菌的家畜、家禽、水产品等,以防止把病原体传染给食用者。

②含有生物毒素的鱼、蟹、野菜、果仁、菌类等,以及含有机、无机毒素的香料、色素的原料,均不能选做烹饪的原料,以防止食物中毒。

③原料不应有腐败、发霉、变味以及虫蚀、鼠咬等变质现象。

关丁鉴别原料质量的方法,一般有感官检验、理化检验以及微生物检验等。目前最简便易行的方法,是采用感官检验,即用人的各种感官,包括鼻、口、眼、耳、手等来鉴别原料的品质。感官检验方法通常足检验原料外部特征,如形状、色泽、气味、质地等等。经验丰富的烹饪技术人员,可以只看一看原料的表面颜色,或用手触摸一下原料的外部,就能鉴别原料的鲜、陈、老、嫩和有无变质。这种通过不断实践而积累起来的经验,值得重视和认真学习。

二、几种主要原料检验与选择的标准和方法

(一)植物性原料

1. 谷类

(1)新鲜程度　没有受到仓虫或微生物破坏、没有发生强烈的物理、化学变化、能进行正常生理活动的粮食都是新鲜粮食。它具有应有的颜色和光泽,没有异味(酸败霉臭味)和不正常的滋味(甜味),这些都可以用感官来鉴定。

(2)水分每种粮食都有它的含水量标准,含水量不宜过火,否则就会影响其贮存和出饭率。不同含水量的粮食不宜一起存放。

(3)杂质粮食的杂质有两种:一种是砂石、泥尘、草屑、草子和金属屑;一种是其他粮食和病粒、虫咬粒、瘪粒等。品质好的粮食杂质少。

(4)粒重和容重　这是指同一个品种的粮食1000粒的重量和一定容积的重量。这两种重量都大,则表明粮食的品质优良,颗粒饱满;如果一种重量轻丁另一种,或者两种重量都轻,这说明其品质较差。

2. 鲜豆和豆荚

对鲜豆和豆荚的选择,应根据其生产季节适当选用。而干豆类一般则以粒大、均匀、质地坚实、富有光泽者较好。豆制品中,常用者有豆腐、豆腐干、豆腐衣等。其选择标准虽各有不同,而一般以质地细嫩均匀、厚薄一致、水分适当者为好。

3. 果蔬类

果蔬类的品种也很多,其中根菜类以生脆不干缩、表皮光亮滑润、水分充足为好。叶菜类以叶肥壮、色泽鲜艳,菜质细嫩者为好。瓜果类以色泽鲜艳、硕壮、无斑点、具有该品种特有的清香气味者为好。

(二)动物性原料

1. 畜禽类

猪、牛、羊等家畜肉的选择,以肉质紧密、富有弹性、色泽和气味正常者为好。如猪肉以皮薄膘肥,且肥膘部分色泽雪白、瘦肉部分呈淡红色者较好。质量差的猪肉,不仅肉质松软,而且色泽发暗、气味不正常。

鸡、鸭、鹅等家禽的选择,人致可分为活禽类与光禽类(指已经宰杀退毛处理的)两种。对活鸡、鸭、鹅等家禽的选择,主要看其羽毛足含丰满滑润,行动是否活泼;对光鸡、鸭、鹅等的选择,则以肉质肥壮,坚实和色泽白洁新鲜为标准。此外,肉质老嫩,往往取决于其年龄大小。年龄越大,肉质越老。从外表看,老鸡的胸骨硬,脚上鳞片粗糙无光日不整齐,羽毛粗糙发卷。老鸭、鹅则嘴坚硬,羽毛蓬松,脚上鳞片粗糙。

对家畜、家禽肉类的选择,还应熟悉各种肉类不同部位的特点,进行分档取料,结合肉质老嫩,根据不同烹调要求,适当选用。例如,炒鸡丁、鸡片以嫩鸡较好,而煮汤则以老鸡较为适宜;卤制牛肉以牛腱子肉为宜,而炒、熘牛肉片、丝,则以牛里脊为宜。

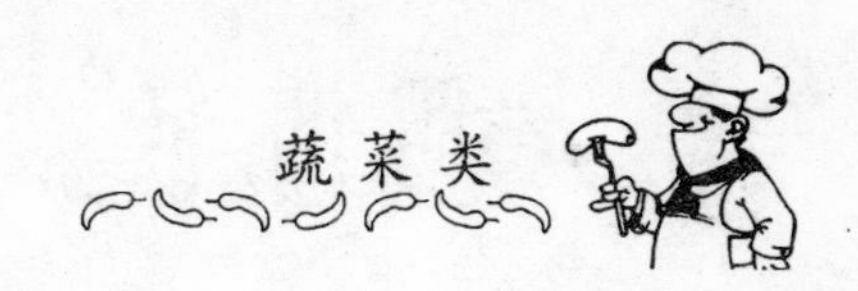

蔬 菜 类

附:熬制素菜汤的方法

素菜的原料因本身的鲜美滋味不够浓厚,所以需熬制素菜汤来增加鲜浓滋味。现将熬制素菜汤的方法介绍如下:

吃全斋的纯正汤

黄豆芽3000克,草菇200克(或冬菇、鲜蘑菇等),红枣200克,清水1000克,熬制3小时后沥去渣即可。

吃素的上汤

用瘦肉、老鸡、火腿熬制。

凤尾莴笋

【原料】 主料:嫩莴笋带叶5公斤。

调料:猪油1000克(实耗100克),盐10克,味精1.5克,鸡汤200克,湿淀粉15克,胡椒粉0.5克。鸡油15克。

【制　法】

1. 将莴笋剥去边叶,砍去老的一节,留尖约7厘米长,尖上的几瓣嫩叶留下来,削去皮和筋,用绳捆扎。

2. 猪油烧到六成热时,先将莴笋尖竖立在油锅内炸5分钟左右,然后解去绳,将叶子下入油锅拖一下,放在漏勺中沥干油后再倒入锅内,放盐、味精、鸡汤和胡椒粉稍焖入味,用湿淀粉调稀勾芡,用筷子挟入盘内摆整齐,把汁浇在莴笋上,放鸡油即成。

【特点】 形似凤尾,清香味美。

冬菇藕夹

【原料】 主料:嫩白藕500克(选用直径5厘米大的)。

配料:水发冬菇100克,鸡蛋1个,面粉50克。

调料:花生油1000克(实耗100克),盐5克,味精1.5克,料酒25克,花椒粉0.5克,湿淀粉25克,香油15克。

【制　法】

1. 将藕切去节,削去皮,一切两开成半圆形,平放在砧板上(凸的一面朝上),先切3毫米厚(不切断),约切四分之三深度,再切3毫米厚(切断),如此切完为止,用少许盐腌软。

2. 冬菇切去蒂并洗净,大的改成块,挤干水分。将花生油烧沸,下入冬菇煸炒,烹料酒,放入盐和味精,炒入味后装入盘内晾凉,夹入藕内。

3. 用鸡蛋、面粉、湿淀粉和适量的水调制成糊。

4. 将花生油烧到六成热时,把藕夹裹上蛋糊,用筷子逐个挟入油锅,炸至表面凝固时捞出,全部炸完后并清去面尾。

5. 食用时,将藕夹重炸焦酥呈金黄色,滗去油,撒入花椒粉,放香油簸几下,装入盘内即成。

【特点】 外焦酥,内香脆,味鲜美。

焦炸香椿芽

【原料】 主料:嫩香椿芽250克。

配料:鸡蛋1个,面粉50克。

调料:花生油1000克(实耗100克),盐5克,味精1克,花椒粉0.5克,香油15克,湿淀粉30克。

【制 法】

1.香椿摘去蔸根和边叶,洗净后沥干水分。

2.用鸡蛋、面粉、湿淀粉、适量的盐以及味精和水调制成糊,放入香椿芽拌匀。

3.将花生油烧到七成热时,用筷子将香椿逐个挟入油锅,炸至呈黄色捞出。

4.食用时,将香椿重炸焦酥呈金黄色,滗去油,撒花椒粉,放香油,簸几下后装入盘中即成。

【特点】 焦酥嫩,味鲜美。

虾蛋烧冬笋

【原料】 主料:鲜冬笋1500克。

配料:鲜虾蛋50克。

调料:猪油500克(实耗100克),料酒25克,盐5克,酱油15克,白糖2克,味精1.5克,汤150克,葱15克,姜10克,湿淀粉15克,香油15克。

【制 法】

1.冬笋剁去根部老蔸,左手捏住头部,右手用刀尖由头部划至尖部,刀插入壳内,刀背往右一斜,把壳剥下,削去内皮,再刮去笋衣,顺切1.5厘米厚的片;若个头长人的可先将头部横切1至2片后,再顺块,用刀拍松后再切成尖条。葱白切成花,余下的葱和姜拍破。

2.虾蛋装入白碗内,用水冲洗,拣去虾脚、须以及杂质,去尽沙(可将虾蛋倒入另一个白碗,使沙质沉淀2~3次,以去尽沙为止),滗干水分,放入拍破的葱姜和料酒,上笼蒸熟,取出后再去掉葱、姜。

3.将猪油烧沸,下入冬笋尖炸全呈黄色,倒入漏勺沥油;锅内留50克油,下入冬笋、虾蛋、酱油、盐、味精和白糖,先炒一下再加入汤稍焖,用湿淀粉调稀勾芡,放香油和葱花,装入盘内即成。

【特点】 脆嫩鲜香,味道可口。

炒鲜双冬

【原料】 主料:干厚冬菇50克,净冬笋300克。

调料:猪油500克(实耗150克),料酒25克,盐5克,酱油25克,味精1.5克,鸡汤100克,胡椒粉0.5克,葱10克,湿淀粉15克,白糖1.5克,香油15克。

【制 法】

1.冬菇用温水泡发,剔去蒂并洗净,大的切开。冬笋切成4厘米长、3厘米宽、3毫米厚的片。葱切成段。

2.将猪油烧沸,下入冬笋煸炸出香味,然后倒入漏勺沥油;锅内留100克油,下入冬菇炒一下,随倒入冬笋,放入酱油、盐、白糖、味精、胡椒粉,炒入味后再加入鸡汤,用湿淀粉调稀勾芡,放葱段和香油,装入盘内即成。

【特点】 冬菇醇香,冬笋松脆,味道鲜美。

什锦素烩

【原料】 主料:水发冬菇50克,熟冬笋50克,红萝卜150克,白萝卜150克,土豆150克,莴笋头250克,削皮荸荠100克,熟面筋50克,水发豆笋50克,小白菜500克。

调料:猪油500克(实耗100克),盐10克,味精2.5克,胡椒粉1克,鸡汤500克,湿淀粉25克,鸡油15克。

【制 法】

1.冬菇去蒂洗净,大的改开。冬笋剞成树叶形花刀,切成3毫米厚的片。红萝卜、白萝卜、莴笋头均削去皮,削成橄榄形。荸荠戳成菊佐形。土豆削去皮,切成斜方形,在边上剞齿花刀,切6毫米

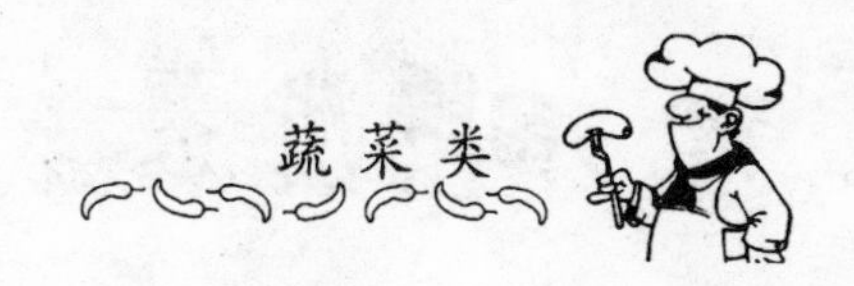

厚块。面筋片成3厘米长、2厘米宽、6毫米厚的片。豆笋切成4厘米长的条。小白菜摘去边叶，留苞，洗净。

2. 猪油烧到六成热时，下入红萝卜、白萝卜、莴笋头炸5分钟，继而下入冬笋、土豆、荸荠炸一下（切勿炸黄，保存本色），再倒在漏勺中沥油，然后放入砂钵内，加入鸡汤和盐稍焖一下。

3. 将猪油烧到六成热时，下入白菜苞、冬菇、面筋煸炒，加入盐、味精、豆笋以及焖熟的各种原料，用湿淀粉调稀勾芡，放胡椒粉，装入盘内，淋鸡油即成。

【特点】 色彩美观，品种多样，味道鲜美。

注：素什锦的原料可根据应时素菜和当地特产搭配好。

炸素螃蟹

【原料】 主料：土豆500克（或红薯）。

配料：鸡蛋1个，面粉50克。

调料：花生油1000克（实耗100克），盐5克，白糖150克，湿淀粉25克。

【制　法】

1. 土豆削去皮，洗一遍，切成5厘米长的丝（粗细同火柴棍一般），放入清水内，捞出来用盐腌一下，再挤干水分。

2. 用鸡蛋、面粉、湿淀粉和适量的水调制成糊，放入土豆丝拌匀。

3. 将花生油烧沸，用手捏一把上糊的土豆丝（25克左右），再用大拇指按平，手心朝下，下入油锅内，炸成黄色即成螃蟹形，捞出（如此全部炸完）。

4. 食用时，下入油锅重炸至呈金黄色，倒入漏勺沥油。锅内放入白糖和50克水，用瓢不断推动，收成浓糖汁，然后将炸焦的素螃蟹倒进来，翻簸几下，使其裹上糖汁，待稍凉不粘连时，装入盘内即成。

【特点】 焦脆、香甜、可口。

冻菌蒸芽白

【原料】 主料：芽白2个（重约2500克）。

配料：鲜冻菌500克，熟火腿150克，净冬笋200克。

调料：盐15克，味精2.5克，胡椒粉1克，鸡汤1000克，鸡油25克。

【制　法】

1. 芽白砍去老蔸，掰去几层边叶，留芯。将芽白一切两开，再将蔸切开几刀，下入开水锅煮过，挤去水分，装入汤WF内。

2. 清除冻菌根上的泥沙，撕去表皮并洗净，斜片成2厘米宽的条。火腿切成4厘米宽、3厘米长、3毫米厚的片；冬笋刨成树叶形花刀，切成3毫米厚的片，分别摆成扇形，放入盐、味精和鸡汤，上笼蒸约1小时，取出后放胡椒粉和鸡油即成。

【特点】 酥烂清爽，味鲜可口。

注：冻菌是谷皮树和柳树木堆生长出来的，一蔸有几朵或十几朵，有大有小，皮面灰白色，内肉质洁白，形似扇状，每年在存冬两季气候冷时才出土，故称冻菌。

竹荪凤尾白菜

【原料】 主料：竹荪25克，小白菜1500克。

配料：虾仁100克，鸡蛋2个，熟瘦火腿25克。

调料：料酒25克，盐15克，味精2.5克，胡椒粉1克，鸡汤1000克，干淀粉25克，鸡油15克。

【制　法】

1. 竹荪先用温水洗一遍，再用温水泡上胀透，洗净泥沙后切成5厘米长的段，小的一切两开，大的切成三四条，下入开水锅氽过，用凉水漂上。火腿切成末。

2. 虾仁用刀捶剁成细茸，放入鸡蛋清、味精、淀粉、冷鸡汤和适量的盐，搅拌成馅。

3. 小白菜摘去边叶留小苞，用开水氽过，用冷水过凉，一切两开，修改成凤尾形，摊在平盘内，用干净白布按干水分，撒上干淀粉，将虾馅酿在白菜苞上，再撒上火腿末。

4. 食用时，将凤尾白菜上笼蒸3分钟左右，取出后装入汤WF内。另外将鸡汤、竹荪、盐、味精放入锅中烧开，调好味，撇去泡沫，倒入装有凤尾白菜的汤WF内，撒胡椒粉，放鸡油即成。

【特点】 色彩鲜艳，汤清爽口，味道鲜美。

白汁三元

【原料】 主料：红萝卜500克，白萝卜500克、莴笋头500克。

调料：猪油500克（实耗100克），盐10克，鸡汤500克，味精2.5克，胡椒粉1克，湿淀粉25克，鸡油15克。

【制　法】

1. 将红萝卜、白萝卜、莴笋头（即三元）均刮去皮和筋，削成直径3厘米大的圆球形（或圆鼓形）。

2. 将猪油烧到六成热时，下入三元，用小火焖炸八成烂再倒入漏勺，沥干油后复倒入锅内，放入盐和鸡汤焖10分钟左右，加味精和胡椒粉，用湿淀粉调稀勾芡，然后分别摆入长盘内，淋鸡油即成。

【特点】 素雅清淡，味道鲜美。

南岳寒菌

【原料】 主料：鲜重阳菌1000克。

配料：大蒜50克，猪肉250克（肥瘦各半）。

调料：猪油100克，盐10克，味精2克，胡椒粉1.5克，葱15克，姜15克，湿淀粉25克，香油15克，汤500克。

【制　法】

1. 重阳菌摘去带，在清水中浸泡15分钟后，用清水连续洗3～4遍，洗净泥沙，沥干水分。

2. 猪肉切成片。葱、姜拍破。大蒜切成2厘米长的段。

3. 将猪油烧沸，下入葱、姜煸炒，继下入肉片、寒菌煸炒，加入盐和汤，烧开后倒入砂钵内，用小火煨半小时，然后去掉猪肉、葱、姜。

4. 食用时，将寒菌倒入锅内，收浓汁，放入大蒜、味精和胡椒粉，用湿淀粉调稀勾芡，放香油，装入盘内即成。

【特点】 柔软浓香，味极鲜美。

注：湖南省大部分地区属于丘陵地带，林木繁茂，土地肥沃，每年农历九月间生长出土一种体厚肥嫩的蘑菇，因民谣中有“九月重刚，移火进房”一说，故名寒菌。以南岳出产的寒菌肉质鲜嫩，味极鲜美。

酿鲜寒菌

【原料】 主料：鲜寒菌750克（选用直径3厘米大，有转边的）。

配料：虾仁馅200克，熟瘦火腿25克，冬苋菜苞20个。

调料：猪油100克，盐10克，味精1.5克，胡椒粉1克，鸡油15克。

【制　法】

1. 葱白切成花，余下的葱和姜拍破。冬苋菜苞要洗净。

2. 将寒菌摘尽蒂茎，用清水浸泡15分钟后换水连续洗3～4遍，沥干水分后装入沙钵内，放入葱、姜和盐，上笼蒸半小时取出，倒入漏勺沥干水分（原汤保留待用），摊在乎盘中（皮面朝下），再用干净白布按干水分，撒上干淀粉，然后将虾馅挤在寒菌花纹上，使寒菌边缘卷起部分都寒进馅，再撒上火腿末。

3. 食用前5分钟，将酿寒菌上笼蒸熟取甘；同时，将猪油烧沸，下入冬苋菜苞加盐炒熟，用来拼边。另外，将猪油烧到六成热时，倒入寒菌原汤、味精、胡椒粉，调好味，用湿淀粉调稀勾芡，浇盖在

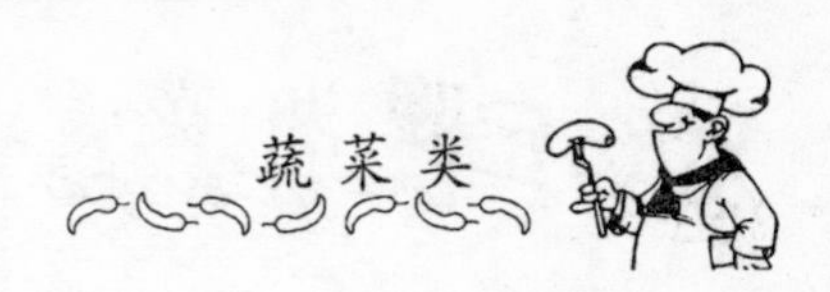

酿寒菌上，淋鸡油即成。

【特点】 软嫩鲜香，味道鲜美。

蛏干烧萝卜

【原料】 主料：干蛏干 100 克，白萝卜 1500 克。

配料：猪肉 200 克（肥瘦各半）。

调料：猪油 500 克（实耗 100 克），料酒 25 克，味精 1.5 克，鸡汤 250 克，胡椒粉 1 克，葱 15 克，姜 10 克，湿淀粉 25 克，鸡油 15 克。

【制　法】

1. 葱白切成段，余下的葱和姜拍破。猪肉切成人片。

2. 蛏干用温水洗一遍，放入冷水锅煮发后（或上笼蒸发）捞出，摘去肠杂等，再用温水洗到无沙质为止。将 50 克猪油烧沸，下入肉片和蛏干炒一下，烹料酒，加入葱、姜和适量的水，装入碗内上笼蒸烂后，去掉肉片、葱、姜。

3. 白萝卜洗净，削去皮，切成 2 厘米厚的片，再切成 2 厘米厚的条，然后切成 5 厘米长斜条，削成橄榄形。

4. 将猪油烧六成热时，下入萝卜用小火焖炸至八成烂，倒在漏勺中沥干油，再复倒入锅内，加入鸡汤、盐、味精和蛏干，焖入味，用湿淀粉调稀勾芡，撒入胡椒粉和葱段，装入盘内，淋上鸡油即成。

【特点】 软烂鲜香，味鲜可口。

鸡油南瓜苏

【原料】 主料：嫩南瓜苏 1500 克。

调料：鸡油 100 克，味精 1.5 克，鸡汤 100 克，胡椒粉 0.5 克，香油 15 克。

【制　法】

1. 南瓜苏摘去老叶，剥去筋，下入开水锅余过，用清水揉搓去毛，挤于水分。

2. 食用时，将鸡油烧到六成热，下入南瓜苏煸炒，放盐和鸡汤稍焖一下，然后加入味精、胡椒粉和香油炒匀，装入盘内即成。

【特点】 清淡爽口，味道鲜美。

椒盐芋头丸

【原料】 主料：白芋头 1000 克。

配料：鸡蛋 2 个，金钩 50 克。

调料：花生油 1000 克（实耗 100 克），盐 5 克，味精 1.5 克，胡椒粉 1 克，花椒粉 0.5 克，干淀粉 50 克，香油 15 克，葱 15 克。

【制　法】

1. 金钩泡发切成末。葱白切成花。

2. 芋头削去皮并洗净，上笼蒸熟，取出后放在砧板上，用刀压成泥，加入鸡蛋、金钩末、葱花、盐、味精、胡椒粉和干淀粉搅匀。

3. 将芋头泥挤成直径 3 厘米大的丸子，下入烧沸的花生油油锅，炸至焦酥呈金黄色再滗去油，加入花椒粉和香油，装入盘内即成。

【特点】 外焦内软，香酥味鲜。

奶汤冻菌菜苞

【原料】 主料：鲜冻菌 1000 克，小白菜 3000 克。

调料：猪油 500 克（实耗 50 克），盐 10 克，味精 2.5 克，奶汤 1000 克，胡椒粉 1 克，鸡油 15 克。

【制　法】

1. 清除冻菌蔸上的泥沙，撕去面上一层皮并洗净，装入沙钵内上笼蒸熟，取出后斜片成 2 厘米宽的条。

2. 小白菜摘去边梗和叶，将小苞洗净待用。

3. 食用时，将猪油烧到六成热，下入白菜苞煸炒一下，再倒入漏勺沥油。另外，将奶汤放入锅内烧开，下入白菜苞、冻菌、盐、味精和胡椒粉，烧开并调好味，撇去泡沫，装入汤 WF 内，放鸡油即成。

【特点】 冻菌软嫩，汤浓味鲜。

盐蛋黄烧黄瓜

【原料】 主料：嫩黄瓜 1500 克。

配料:盐蛋6个。

调料:猪油500克(实耗100克),料酒25克,盐10克,味精1.5克,鸡汤500克,胡椒粉0.5克,鸡油15克,湿淀粉25克,葱10克。

【制 法】

1. 将黄瓜刮去皮,切去两端的蒂,切开成四条,剔去籽,再切成4厘米长、3厘米宽的斜方块。葱切段。

2. 盐蛋用水洗净后上笼蒸熟(或用水锅煮熟亦可),取出晾凉后,将盐蛋一切两半,取出蛋黄,切成小指甲一般大小的方丁。

3. 食用时,将猪油烧到六成热,下入黄瓜焖炸熟,倒入漏勺沥油;锅内留50克油,将黄瓜倒入锅内,加入鸡汤、盐、味精和胡椒粉焖入味,用湿淀粉调稀勾芡,再下入盐蛋黄和葱段拌匀一下,装入盘内,淋鸡油即成。

【特点】 蛋香瓜嫩,味道可口。

注:丝瓜、茄子亦町用盐蛋黄烧制。

奶油四宝

【原料】 主料:罐头蘑菇150克,白萝卜500克,红萝卜500克,小白菜2000克。

调料:猪油500克(实耗100克),鸡汤500克,盐10克,白糖1.5克,味精1.5克,胡椒1克,鸡油10克,湿淀粉15克,奶油50克。

【制 法】

1. 红萝卜和白萝卜刮去皮,切成4厘米长的斜条,然后削成橄榄形。小白菜摘去边叶,留苞,洗净。蘑菇下入开水内氽过,用冷水过凉。

2. 猪油烧到六成热时,下入红、白萝卜,待油温上升时,将锅端离火位,萝卜焖炸至酥烂时(炸时应保持本色)捞出。

3. 食用时,将猪油烧到六成热时,下入白菜苞煸炒一下,倒入漏勺沥干油,然后将白菜苞复倒入锅内,下入蘑菇、红萝卜、白萝卜、盐、糖、鸡汤、味精,焖入味后加入奶油和胡椒粉,用湿淀粉调稀勾芡,分别摆入盘内,淋鸡油即成。

【特点】 色彩鲜艳,味道鲜美。

注:此菜可根据不同季节来更换配制的原料。

羊肚菌烧乌金白

【原料】 主料:干羊肚菌150克。

配料:乌金白2500克,五花肉250克。

调料:猪油100克,料酒25克,盐10克,白糖1.5克,味精1.5克,鸡油250克,胡椒粉0.5克,湿淀粉25克,香油15克。

【制 法】

1. 羊肚菌用温水泡上,待涨发透后捞出,除去根部的泥沙,轻轻抓洗两遍,用碗装上。五花肉刮洗干净,切成7毫米厚的片,放入开水锅内氽过,捞出后洗净血沫,放到装有羊肚菌的碗内,加料酒、盐、白糖和鸡汤,上笼蒸2小时后,取出挑去五花肉(作其他用)。

2. 乌金白摘去边叶留苞,洗净。

3. 将猪油烧到六成热时,下入乌金白加盐煸炒,然后将蒸好的羊肚菌倒进来,加味精调好味,用湿淀粉调稀勾芡,放胡椒粉和香油,装盘即成。

【特点】 清香柔软,味美可口。

注:羊肚菌亦可用青菜头、萝卜来烧制。

草菇烧丝瓜青

【原料】 主料:嫩丝瓜2000克。

配料:新鲜草菇(或草菇罐头)500克。

调料:猪油100克。料酒25克,盐10克,味精1.5克,鸡汤500克,胡椒粉0.5克,湿淀粉25克,鸡油15克,葱15克。

【制 法】

1. 除掉草菇根部的泥沙,用清水洗

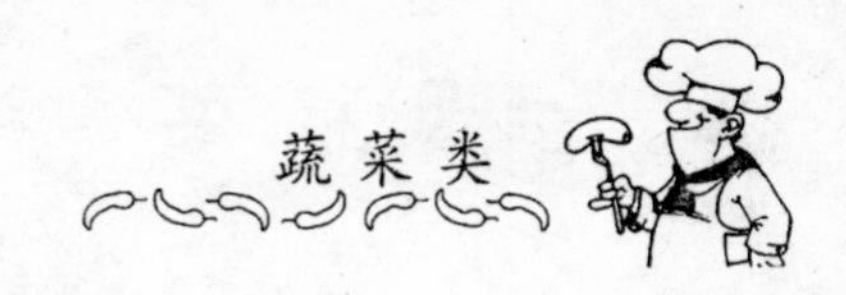

净，下入开水锅余过后，用开水氽上。

2. 丝瓜刮去粗皮（注意不要把嫩青皮刮掉），切开成四条，剔去一点瓤，切成4厘米长、3厘米宽的斜方块。葱切段。

3. 将猪油放入锅内烧到六成热，下入丝瓜青烧一下便倒入漏勺沥油；锅内留50克油，下入草菇、丝瓜青、盐、味精、胡椒粉烧入味，放葱段，用湿淀粉调稀勾芡，装入盘内，淋鸡油即成。

【特点】 丝瓜碧绿，草菇鲜嫩，味道鲜美。

注：草菇亦可与冬瓜或小白菜苞一起烧制。

板栗烧白菜心

【原料】 主料：小白菜2500克。

配料：大板栗250克。

调料：猪油500克（实耗100克），盐10克，白糖5克，味精1.5克，鸡汤200克，胡椒粉0.5克，湿淀粉15克，香油15克。

【制　法】

1. 在板栗凸的一面用刀砍一字刀，在开水中烫一下捞出，把板栗肉取出并除去黑烂部分，将板栗切成1厘米厚的片，下入油锅用小火炸酥，捞出待用。小白菜摘去边叶留苞，洗净。

2. 猪油烧到六成热时，下入白菜苞煸炒一下，倒入漏勺沥干油，然后再倒入锅内，放入板栗，加盐、汤、白糖和味精稍焖入味，用湿淀粉调稀勾芡，撒胡椒粉，放香油，装入盘内即成。

【特点】 板栗酥香，白菜柔软，味鲜可口。

麻辣冬笋尖

【原料】 主料：冬笋1 500克。

配料：小红辣椒15克，大蒜25克。

调料：猪油500克（实耗150克），料酒25克，盐10克，酱油15克，醋15克，味精1.5克，花椒粉0.5克，鸡汤100克，湿淀粉15克，香油10克。

【制　法】

1. 冬笋加工的方法见“虾蛋烧冬笋”。小红辣椒切成末。大蒜切成花。用汤、酱油、醋、味精、湿淀粉和香油兑成汁。

2. 将猪油烧沸，下入冬笋尖炸干水分，然后倒入漏勺沥油；锅内留50克油，下入红辣椒末、花椒粉、大蒜花并加盐炒一下，将炸好的冬笋尖放进来，烹料酒，冲下兑汁，翻炒几下即成。

【特点】 麻辣香脆，爽口味鲜。

腐卤薄片冬笋

【原料】 主料：冬笋2000克。

调料：猪油500克（实耗150克），料酒25克，红腐卤25克，盐2.5克，味精1.5克，白糖10克，鸡汤100克，大蒜25克，湿淀粉15克，香油10克。

【制　法】

1. 冬笋砍去根部老蔸，剥去外壳，削去内皮，刮去笋衣，大的一切两边，再切成薄片。大蒜切成花。

2. 食用时，将猪油烧到六成热，下入冬笋煸炒，然后倒入漏勺沥干油，再将冬笋倒入锅内，烹料酒，放入腐卤、盐、白糖、味精、鸡汤和大蒜花，用湿淀粉调稀勾芡，淋上香油，装入盘内即成。

【特点】 色彩红亮，脆嫩鲜香，味道可口。

滑熘玉米笋

【原料】 主料：罐头玉米笋1听。

配料：鸡蛋清4个，红萝卜200克，小白菜苞12个。

调料：猪油1000克（实耗100克），料酒15克，精盐10克，味精1克，胡椒粉1克，白糖2克，鸡汤250克，葱10克，姜10克，干淀粉20克，湿淀粉15克，鸡油10克。

【制　法】

1. 葱和姜捣烂，用料酒和少许水取

汁。红萝卜削去皮，顺直刻几条线在周围，斜切成2厘米厚的片，下入温油锅浸炸八成烂，倒入漏勺沥油。白菜苞洗净。

2. 将玉米笋改成4厘米长的段，下入汤锅加盐烧开氽过，捞出用盘装上，放入葱姜酒汁、胡椒粉、白糖、味精拌入味。

3. 鸡蛋清装入带沿的深盘内，用筷子打起发泡，放入适量的干淀粉调成雪花蛋糊。

4. 食用时将玉米笋逐条裹上雪花蛋糊，下入五成熟的油锅内（切勿粘连在一起，以免影响质量），用温火炸至雪花糊凝固（保存本色）捞出；锅内留50克油，下白菜苞和红萝卜片，加盐炒入味，相间地摆在盘子的周围。锅内放入鸡汤、盐、味精烧开，用湿淀粉调稀勾流芡汁，下入玉米笋裹上芡汁，装入放红萝卜、白菜苞的盘中，淋鸡油即成。

【特点】 玉笋滑嫩，味道鲜香。

辣味连环苦瓜

【原料】 主料：肥嫩苦瓜600克（选用直径4厘米大的）。

配料：小红辣椒50克，大蒜子100克。

调料：花生油150克（实耗100克），料酒15克，精盐10克，味精1克，辣椒酱20克，湿淀粉15克，香油15克。

【制　法】

1. 将红辣椒去蒂去籽，洗净，切成小颗。大蒜于剥去皮，切去蒂，洗净，三分之一拍烂剁成米，三分之二下入油锅浸炸熟捞出待用。用辣椒酱、盐、味精、湿淀粉、汤、香油兑成汁。

2. 将苦瓜两端蒂切去，横切成1厘米厚的圆片，挖去瓤和籽，用盐腌一下后下入开水锅氽过，倒入漏勺沥千，用清水过凉，挤干水分。

3. 食用时，锅内放入油烧到六成热，下入苦瓜用温火煎一面，再翻边煎另一面后，下入大蒜子和蒜泥、红椒米煸一下，烹料酒，随倒入兑汁，收浓汁入味，一个搭一个成连环形圈摆放盘内，中间放火蒜子即成。

【特点】 色泽红亮，苦瓜酥烂，香辣微苦，下饭佳肴。

煎焖苦瓜

【原料】 主料：大白苦瓜1000克。

配料：大蒜子50克。

调料：花生油150克，盐15克，辣椒油15克，味精1.5克，葱10克，豆豉15克，香油10克。

【制　法】

1. 苦瓜切成5厘米长的筒，放入开水锅中煮熟，捞出来放到冷水内，去籽，挤干水分，改成3厘米宽的块。

2. 大蒜子剥去皮并洗净，切片。葱切花。豆豉用开水泡出味。

3. 将花生油烧沸，下入苦瓜煎至两面呈金黄色后，放入大蒜片、盐、辣椒油、味精和豆豉水焖入味，收干汁，放香油和葱花，装入盘内即成。

【特点】 香辣微苦，家常风味，适宜下饭。

虾蛋烧茄子

【原料】 主料：嫩白茄子750克。

配料：鲜虾蛋50克，大蒜子50克。

调料：花生油1000克（实耗100克），料酒25克，盐5克，酱油15克，味精1.5克，汤100克，湿淀粉15克，葱10克，姜10克，香油15克。

【制　法】

1. 将茄子切去蒂，削去皮，先切成2厘米大的条，再切成4厘米长的斜条。

2. 虾蛋加工的方法见“虾蛋烧冬笋”。蒜子去蒂去皮，拍烂剁成米。葱切成花。姜切成米。

3. 用汤、盐、酱油、味精、香油、湿淀粉和葱花兑成汁。

4. 将花生油烧沸，下入茄子炸至呈

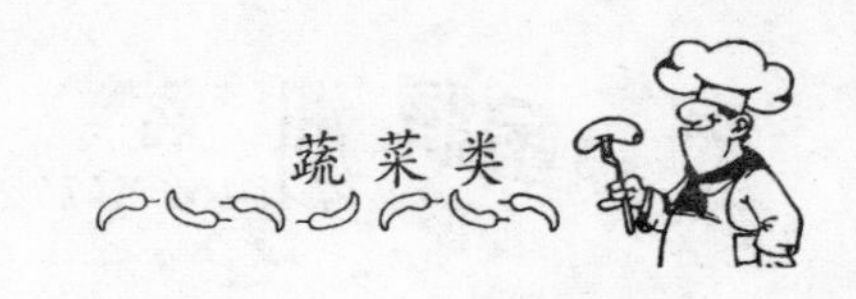

金黄色，倒入漏勺沥油：锅内留一点油，下入姜、蒜米炒一下，再将茄子和虾蛋倒入锅内，冲入兑汁，簸炒几下即成。

【特点】 柔软酥香，味道鲜美。

九味烹茄子

【原料】 主料：嫩白茄子 750 克。

调料：花生油 1000 克（实耗 100 克），料酒 10 克，精盐 8 克，味精 1 克，白糖 5 克，花椒粉 1 克，辣椒酱 10 克，蒜子 15 克，葱 15 克，姜 15 克，香醋 10 克，湿淀粉 15 克，香油 10 克。

【制　法】

1. 葱切成花。姜切成米。蒜子去蒂去皮拍烂剁成米。

2. 将茄子切去蒂，削去皮，先切成 3 厘米厚人的条，再切成 3 厘米长的斜条。用汤、盐、白糖、香醋、味精、辣椒酱、香油、湿淀粉和葱花兑成汁。

3. 食用时，锅内放入油烧到七成热，下入茄子炸全呈金黄色，倒入漏勺沥油；锅留底油，下入花椒粉、姜米、蒜米炒一下，将茄子复倒入锅内，烹料酒，随即倒入兑汁，翻簸几下，装入盘内即成。

【特点】 色泽红亮，麻辣柔软，香鲜味美。

龙眼冬瓜

【原料】 主料：厚冬瓜一块（重 2000 克左右）。

配料：虾茸料 200 克，生咸蛋黄 6 个，红辣椒 50 克，小白菜苞 16 个。

调料：猪油 500 克（实耗 120 克），料酒 10 克，精盐 10 克，味精 1 克，干淀粉 15 克，湿淀粉 15 克，鸡油 10 克。

【制　法】

1. 将红辣椒去蒂，去籽，洗净，切成小尖角片。咸蛋黄做成龙眼珠形（计 20 个）。小白菜苞洗净。

2. 冬瓜削去皮，剔去部分软瓤，切成 4 厘米大的斜方块，用模具在冬瓜面部挖空圆眼，下入开水锅煮 5 分钟，捞入冷水内透凉，取出装入盘内，用净白布按干水分，圆眼内撒点干淀粉，将虾茸料填入，面上放 1 个咸蛋黄珠，眼圈周围插入红辣椒尖角作眼放出光，做完后，摆入铝盘内。

3. 食用时，将放龙眼冬瓜的铝盘下火煎熟，滗去油，烹料酒，放入鸡汤、盐、味精焖入味，用湿淀粉勾芡，取出分 3 行摆入盘中；另用锅放入油烧到六成热，下入白菜苞加盐炒入味，拼在龙眼冬瓜空行处，淋鸡油即成。

【特点】形似龙眼，色彩美观，冬瓜软烂，清淡味美。

如意冬瓜卷

【原料】 主料：冬瓜 2 块（选用 14 厘米大的方块，重约 1500 克）。

配料：虾仁 120 克，猪肥膘肉 30 克，熟瘦火腿 100 克，鸡蛋清 2 个，青菜松 40 克，小白菜苞 12 个。

调料：猪油 60 克，料酒 15 克，精盐 8 克，味精 1 克，胡椒粉 1 克，葱 10 克，姜 10 克，干淀粉 10 克，湿淀粉 20 克，鸡汤 200 克，鸡油 10 克。

【制　法】

1. 葱和姜捣烂，用料酒和少许水取汁。火腿切成米。小白菜苞洗净。

2. 虾仁洗净，沥干水分，和肥膘肉片一起捶剁成细茸，放入葱姜酒汁、胡椒粉、鸡蛋清、适量的盐、味精和湿淀粉搅拌成火腿虾茸料。

3. 将冬瓜削去外层粗皮（注意保存绿色嫩皮），片下带绿色嫩皮 6 毫米厚的大片（保持厚薄一致），下入开水锅氽过，捞入冷水内过凉，用净白布按干水分，摊放木板上（绿色皮朝下），摸上干淀粉，铺一层火腿虾茸料，两端各安 1 条青菜松，两端向中间卷去，在合拢处用干淀粉粘合，装入摸油的平盘内，上笼用温火蒸 8 分钟即熟取出，晾凉后切成 1 厘米厚的块,分3行平摆放大圆盘内。

4. 食用前6分钟,将如意火腿冬瓜卷上笼蒸热取出;同时将白菜苞下入油锅加盐炒入味,拼在冬瓜卷的空行处。锅内放入鸡汤,余下的盐和味精,烧开,用湿淀粉调稀勾芡,加入鸡油,浇盖在如意火腿冬瓜卷和菜苞上即成。

【特点】 色泽美观,鲜嫩醇香,清淡味美。

火夹青菜头

【原料】 主料:肥嫩青菜头1000克,熟瘦火腿150克。

配料:嫩青菜苏12个。

调料:猪油100克,精盐6克,味精1克,胡椒粉1克,鸡汤200克,湿淀粉25克,姜10克,鸡油15克。

【制 法】

1. 将青菜头的皮剥去,削去筋,洗净,切成5厘米长,3厘米宽、1厘米厚的片,下入开水锅煮熟,捞入凉水内过凉。青菜苏摘洗净。姜切成米。

2. 将火腿剔去杂质,切成5厘米长、2厘米宽,5毫米厚的薄片。

3. 备长腰盘1个,将青菜头1片、火腿1片整齐地按梯形分两行摆在腰盘中,放入适量的盐、味精,上笼蒸20分钟取出,滗出原汤待用。同时将姜米、青菜苏下入油锅加盐炒一下,再放入汤焖入味,拼在火夹青菜头两边。锅洗净,放入油烧到六成热,放入鸡汤和原汤、盐、味精、胡椒粉烧开,用湿淀粉调稀勾芡、浇在火夹青菜头和青菜苏上,淋鸡油即成。

【特点】 色彩美观,菜头软烂,火腿醇香,清淡味美。

朝珠双冬芽白卷

【原料】 主料:水发冬菇150克,净生冬笋200克。

配料:芽白叶500克,大红萝卜400克。

调料:猪油100克,料酒10克,精盐10克,味精1克,胡椒粉1克,白糖2克,鸡汤250克,葱25克,湿淀粉50克,香油10克,鸡油15克。

【制 法】

1. 红萝卜用挖圆珠工具挖成珠(计12个),下入油锅用温火浸炸熟,用盘装上。将芽白叶清洗净,下入开水锅氽过,捞入冷水内过凉,挤干水分,剔去梗厚部分,修成12厘米大的块(计20块)。葱切成3厘米长的段。

2. 将冬笋切成3厘米长的小韭菜叶,冬菇切成丝,下入六成熟油锅内煸炒出香味,烹料酒,放入适量的盐,味精、白糖、胡椒粉、鸡汤,用湿淀粉勾少许芡,用盘装上,晾凉后,加入葱段、香油拌匀成馅,分成20份。

3. 将芽白叶摊开放木板上,逐块放1份双冬馅,包裹成3厘米大、4厘米长的卷,用碗扣好。

4. 食用前10分钟,将双冬芽白卷和红萝卜珠上笼蒸热取出,翻扑盘中,红萝卜珠拼在周围。同时锅内放入鸡汤、盐、味精烧开,用湿淀粉调稀勾芡,加入鸡油,浇盖在朝珠芽白卷上即成。

【特点】 冬菇醇香,冬笋脆嫩,色美味鲜。

熘柴把双冬

【原料】 主料:水发冬菇250克(选用直径6厘米大的),净熟冬笋250克。

配料:大红辣椒100克,干黄花菜30克,小白菜苞16个。

调料:猪油500克(实耗120克),料酒15克,精盐8克,酱油10克,味精1克,胡椒粉1克,白糖2克,葱50克,鸡汤150克,湿淀粉20克,香油10克。

【制 法】

1. 冬菇去蒂洗净,和冬笋都切成5厘米长、1厘米大方条。大红椒去蒂去籽洗净,和葱都切成与冬菇、冬笋一样大小

的长条。白菜苞洗净。

2. 将黄花菜的根部摘去，用冷水洗一遍，挤干水分，摊放木板上（汁 20 根）。每根黄花菜上，放冬菇和冬笋各 5 根、红椒和葱段各 2 根，捆成柴把。用鸡汤、酱油、盐，白糖、味精、胡椒粉、湿淀粉兑成汁。

3. 锅内放入油烧到六成热，下入白菜苞加盐炒入味，用盘装上另用锅放入油烧到七成热，下入柴把双冬稍炸一下，倒入漏勺沥油，随后复倒锅内，烹料酒，冲下兑汁，翻炒几下，淋香油，整齐地分两行摆入长盘内，将白菜苞拼在空行处和两边即成。

【特点】 冬菇醇香，冬笋脆嫩，微辣鲜香。

火锅汤菜类

四生片火锅

【原料】　主料:鸡脯肉 100 克,桂鱼肉 100 克,猪里脊肉 100 克,猪腰 150 克。

配料:鱼丸 100 克,肉丸 100 克,净冬笋 50 克,水发香菇 50 克,冬苋菜 250 克,菠菜 250 克,芥兰菜 250 克,芽白叶 200 克。

调料:猪油 100 克,料酒 50 克,盐 15 克,味精 5 克,鸡汤 1500 克,胡椒粉 2.5 克,葱 50 克,辣椒油 100 克。

【制　法】

1. 鸡脯肉、桂鱼肉和里脊肉均剔去筋,猪腰片去尽臊,将以上四种肉类,分别片成极薄的片,摆放四个碟内,将料酒、味精调匀淋上。

2. 冬苋菜、菠菜、芥兰菜和芽白叶均摘洗干净,分别用碟子装上。胡椒粉、味精、盐、葱花也分别用小碟装上。辣椒油用两个小碗装上。

3. 冬笋切成薄片。香菇去蒂,大的要改块。

4. 食用时,将鸡汤、鱼丸、肉丸、冬笋片、香菇、盐和味精放入锅中烧开,调好味,撇去泡沫,加入猪油,装入酒精火锅内(或木炭火锅)盖好上桌,点燃酒精将火锅烧开,随上四生菜、四蔬菜以及调料等,边下边吃。

【特点】　汤滚鲜嫩,冬季时菜,自烫自食,别有风味。

注:亦可加上生鸡蛋、油条,馓子、粉丝等配料。

什锦大火锅

【原料】　主料:水发海参 150 克,水发鱼肚 150 克,熟鸡肉 50 克,净冬笋 50 克,水发香菇 50 克,鱼丸 100 克,肉丸 100 克,猪里脊肉 150 克,桂鱼肉 150 克,水豆腐 4 大片,干粉丝 50 克,冬苋菜 250 克,芽白叶 250 克,葱 50 克。

调料:猪油 150 克,料酒 50 克,盐 20 克,味精 5 克,鸡汤 1500 克,胡椒粉 2.5 克,辣椒油 100 克。

【制　法】

1. 海参和鱼肚均片成 4 厘米长、3 厘米宽的片,放入冷水锅内烧开捞出,用开水泡上。熟鸡肉片成片。冬笋切成薄片。香菇去蒂,大的切开。

2. 里脊肉和桂鱼肉片成薄片,分别摆入盘内淋上料酒。粉丝用开水泡发,切成 2 厘米长段。豆腐切成 4 厘米长、2 厘米宽、1.5 厘米厚的片,用开水烫过。冬苋菜、芽白叶摘洗干净。以上四种原料分别用盘装上。盐、味精、胡椒粉和葱花分别用碟装上。辣椒油用两个小碗装上。

3. 将鸡汤、鱼丸、肉丸、海参、鱼肚、鸡片、冬笋片、香菇、盐和味精放入锅内烧开并调好味,撇去泡沫后加入猪油,再装入火锅内。

4. 食用前 10 分钟,把木炭烧红,挟入火锅管内,将火锅烧开盖好上桌,随上上列原料和调料即成。

【特点】　品种多样,滚烫味鲜,别有风味。

菊花生片大火锅

【原料】 主料:鸡脯肉150克,桂鱼肉150克,猪里脊肉150克,鸡肫200克,猪肚尖头200克,猪腰200克。

配料:净冬笋100克,水发香菇100克,油条2根,馓子4根,水发粉丝300克,大白菊花3朵,香菜200克,芽白叶200克,菠菜250克,冬苋菜250克,芥兰菜250克,鲜鸡蛋12个。

调料:猪油150克,酱油150克,香醋150克,芝麻酱100克,香油150克,鸡汤2000克,葱25克,姜25克,料酒50克,胡椒粉2.5克,盐50克。

【制 法】

1. 冬笋切成薄片。香菇去蒂并洗净,大的切开。葱一半切成花,姜一半切成米,余下的葱和姜捣烂用料酒和少许水浸泡后取汁。

2. 鸡脯肉、桂鱼肉、猪里脊肉均剔去筋,片成5厘米长、3厘米宽的薄片(越薄越好),分别摊在盘内。鸡肫切开成两块,将两侧白色筋皮剔去,片薄片。剔去猪肚尖头的油和筋,猪腰一片两开,剔去腰臊,两样都洗净,切成5厘米宽的块,直剞一字花刀,再斜片成鱼鳃形的片,分别摊放在盘内。然后,再将以上6种生片,都洒上葱姜洒汁。

3. 油条切成5厘米长的段,再切成条;馓子掰散,分别下入油锅炸酥,用盘装上。细粉用开水泡发并切成16厘米长,用盘装上。

4. 菊花摘下花瓣,切去花尖。芽白叶掰成块,菠菜、冬苋菜、芥兰菜和香菜都摘洗干净。以上生菜分别装入盘内。鲜鸡蛋洗净,用盘装上。

5. 将芝麻酱用凉开水解散成汁并装入小碗内。酱油、香醋、辣椒油和香油也分别装入小碗内。

6. 将盐、味精、胡椒粉、葱花和姜米分放在两个小碟内,每碟五样。

7. 将鸡汤、冬笋片、香菇、味精和适量的盐放入锅内烧开,调好味,加入猪油,倒入酒精火锅内,并盖上盖,随同以上各种主料、配料、调料一起上桌,用火柴点燃酒精,将火锅烧开后揭开盖,由客人将喜爱的食物用筷子挟入滚汤内烫过,捞出后自放调料拌食即成。

【特点】 品种多样,汤滚味鲜,冬季时菜,别有风味。

银鱼火锅

【原料】 主料:干银鱼50克。

配料:猪肉200克(肥三瘦七),净冬笋150克,水发香菇25克,干粉丝50克,菠菜150克,芽白叶150克,大蒜25克。

调料:猪油100克,盐15克,味精2.5克,汤100克,胡椒粉1克。

【制 法】

1. 银鱼用冷水泡发,拣去杂质洗净;猪肉、冬笋、香菇均切成丝;粉丝用开水泡发,切成2厘米长的段,装入火锅内。

2. 芽白切成条洗净,菠菜摘洗净,分别装入碟内。大蒜切成丝。

3. 在锅中放入汤,下入肉丝用筷子拨散余熟,捞出来撇去泡沫,再下入肉丝和冬笋丝,烧开,调好味,然后装入火锅内,放入银鱼、香菇丝。

4. 食用前10分钟,将烧红的木炭挟入火锅管内,火锅烧开后放入猪油、味精、胡椒粉、大蒜丝并盖好上桌,随上芽白、菠菜即成。

【特点】 汤滚味鲜,十分可口。

三鲜火锅

【原料】 主料:鱼丸100克,肉丸100克,蛋卷100克。

配料:猪瘦肉100克,熟鸡100克,净冬笋50克,水发香菇50克,干粉丝50克,菠菜250克,芽白叶200克,大蒜25克。

调料:猪油100克,盐15克,味精2.5

克,汤1000克,胡椒粉1克。

【制　法】

1. 猪肉、冬笋均切成薄片。鸡肉片成片。香菇去蒂,大的切开。大蒜切成斜段。

2. 粉丝泡发捞出,切成20厘米长的段;菠菜摘洗净;芽白叶切3厘米宽的块,洗净后分别用碟装上。大蒜切成段。

3. 先将粉丝放入火锅内,再放入鱼丸、肉丸、蛋卷、冬笋、肉片、香菇、鸡片以及盐、汤、猪油,然后将火锅盖好。

4. 食用前10分钟,将木炭烧红后挟入火锅管内,烧开时加入味精,大蒜和胡椒粉,盖好上桌,随上芽白和菠菜即成。

【特点】　汤滚开,味鲜美。

注:亦可加入海参、鱼肚等配料。

鱼杂豆腐火锅

【原料】　主料:鲜鱼白、鱼子500克。

配料:净冬笋50克,水发香菇50克,嫩豆腐4大片,大蒜50克,干红椒1克。

调料:猪油150克,料酒50克,盐15克,味精2.5克,汤1000克,姜15克。

【制　法】

1. 鱼白、鱼子用清水洗净,沥干水分。

2. 冬笋切成薄片。香菇去蒂后将大的切开。姜切米。干红辣椒切末。大蒜切斜段。豆腐改成4厘米长、2厘米宽的条。

3. 将猪油烧沸后下入豆腐,待其煎至两面呈黄色时装入火锅内。

4. 将猪油烧到六成热时下入鱼子、鱼白,煎熟后再放入姜米、红辣椒末,烹料酒,加入汤和盐,烧开便装入火锅内盖好。

5. 食用前10分钟,把木炭烧红并挟入火锅管内。火锅烧开后,揭开盖,放入大蒜和味精调味,然后盖好上桌即成。

【特点】　香辣汤滚,味鲜可口。

冻豆腐火锅

【原料】　主料:冻豆腐24块。

配料:猪瘦肉200克,净冬笋50克,水发香菇50克,冬苋菜500克,芽白叶300克,大蒜50克。

调料:猪油150克,盐15克,味精2.5克,酱油15克,汤1000克,胡椒粉1克。

【制　法】

1. 冬季下雪结冰时,将豆腐放在室外,如结成冰块,即为冻豆腐(夏天亦可将豆腐放入冰箱冷冻室内冰冻)。

2. 先将冻豆腐用开水解冻,捞出并沥干水分,改切成4厘米长、3厘米宽、1厘米厚的片。猪肉、冬笋均切薄片。香菇去蒂,大的切开。大蒜切段。冬苋菜摘洗净,芽白掰成块洗净,分别用盘装上。

3. 将冻豆腐、猪肉片、冬笋和香菇放入火锅内,再放入汤、盐、猪油和味精盖好。

4. 食用前10分钟,把烧红的木炭挟入火锅管内,烧开后揭开盖,加入大蒜、胡椒粉,然后盖好上桌,随上芽白和冬苋菜即成。

【特点】　汤滚烫,味鲜美,冬季佳肴。

龙井虾仁汤

【原料】　主料:虾仁250克。

配料:龙井茶25克,鸡蛋1个。

调料:料酒25克,盐15克,味精2.5克,鸡汤1000克,普汤500克,胡椒粉0.5克,干淀粉25克,葱10克,姜10克。

【制　法】

1. 葱白切成段,余下葱和姜捣烂用料酒取汁。鸡蛋去黄留清。

2. 虾仁洗净并沥干水分,用葱姜酒汁以及蛋清、盐、干淀粉调匀浆好,待用。

3. 用开水将龙井茶泡上,随后把水滗掉,再将开水冲入,使之发出香味。

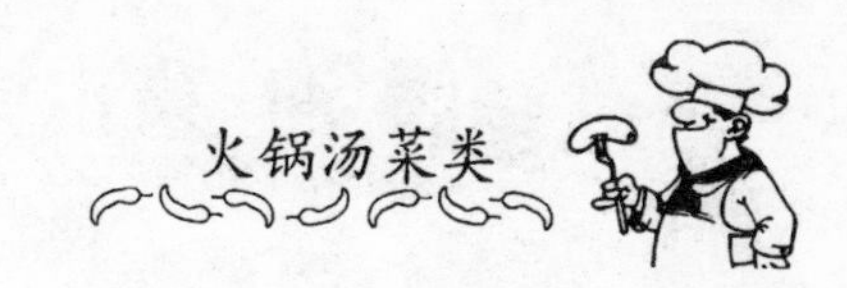

4. 将鸡汤、盐和味精在锅中烧开，取适量的茶水滗入鸡汤内，烧开调好味，撇去泡沫，然后装入汤 WF 内，撒上胡椒粉和葱段。

5. 在锅内放入普汤，烧开后下入浆好的虾仁，随即用筷子轻轻拨散，待散开已熟时，即用漏勺捞出，倒在香茶水鸡汤中即成。

【特点】 茶水香，虾滑嫩，汤鲜美。

注：①此菜在吃重油菜后，有解油腻、助消化的作用。

②鸡脯片亦可按此法制作。

竹荪双脆汤

【原料】 主料：猪肚尖头 2 个，鸡肫 8 个。

配料：竹荪 15 克，豆苗 250 克。

调料：料酒 25 克，盐 15 克，味精 2.5 克，胡椒粉 1 克，葱 5 克，鸡汤 1250 克，普汤 500 克，鸡油 10 克。

【制　法】

1. 猪肚尖头的初步加工见"汤泡肚尖花"，用刀在光的一面直剞一字花刀，再横斜刀剞三刀一断的 2 厘米宽的鱼腮形的片，然后切成 4 厘米长的片。鸡肫切开成两块，将两侧白色的筋皮剔去洗净，剞同肚尖一样的鱼腮片。肚尖花和鸡肫花分别用少许碱和清水腌约 1 小时，再用清水漂去碱味。

2. 竹荪用温水泡透，洗净泥沙，切成 5 厘米长的段，粗的切二刀三条，细的一切两条，用开水氽过，再用冷水漂上。豆苗摘苞洗净，葱切成段。

3. 将鸡汤、竹荪、盐和味精放入锅内烧开，调好味，撇去泡沫，加入豆苗苞再装入汤溘内，撒上胡椒粉和葱段，放鸡油。

4. 在锅中放入普汤、盐和料酒，烧开后下入鸡肫花和肚尖花，氽熟即用漏勺捞出，装入盘中并拌上胡椒粉，待竹荪鸡汤上桌，将肚尖和鸡肫花倒入竹荪鸡汤内即成。

【特点】 脆嫩爽口，汤鲜味美。

注：双脆氽烫时，要掌握好火候，不熟透，会带血；过老，则吃不动。

口蘑锅巴汤

【原料】 主料：口蘑 30 克。

配料：锅巴 200 克，豆苗 250 克。

调料：猪油 1000 克（实耗 50 克），盐 10 克，味精 2.5 克，胡椒粉 1 克，鸡油 15 克，鸡汤 1250 克，葱 10 克。

【制　法】

1. 口蘑加工的方法见"芙蓉鸡片"。豆苗摘苞洗净。葱切段。

2. 锅巴用手掰成约 3 厘米大的块（如潮湿时应烤干）。

3. 将汤、口蘑、盐和味精放入锅中烧开并调好味，撇去泡沫，加入豆苗苞，装入汤 WF 内，然后撒胡椒粉和葱段，放鸡油。另外将猪油烧沸，下入锅巴，移用温火将其炸成焦酥呈浅黄色捞出，装入盘内，随同口蘑鸡汤上桌，将锅巴倒入口蘑鸡汤内，发出喳喳的响声即成。

【特点】 锅巴香酥，汤鲜味美。

黄耳鱼片汤

【原料】 主料：黄耳 50 克，净鳜鱼肉 300 克。

配料：鸡蛋 1 个，嫩丝瓜 250 克 。

调料：料酒 25 克，盐 15 克，鸡汤 1250 克，普汤 500 克，葱 10 克，姜 15 克，干淀粉 15 克，味精 2 克，胡椒粉 1 克，鸡油 15 克。

【制　法】

1. 黄耳用温水泡透，削去根，洗净泥沙，片成薄片，再用开水冲漂涨透。葱白切段，余下的葱和姜一起捣烂，用料酒取汁。

2. 桂鱼肉片成 5 厘米长、3 厘米宽、6 毫米厚的片，用葱姜酒汁、蛋清和干淀粉调匀浆好。

3. 丝瓜刮去粗皮(注意保存青色)切去蒂,切成四开,片去瓤,切成3厘米长的象眼块(或鸟形块)。

4. 将鸡汤放入锅内,下入黄耳、盐和味精,烧开调好味,撇去泡沫,再放入丝瓜青,烧开便装入汤 WF 内,撒胡椒粉,葱段。

5. 将普汤、料酒和盐放入锅内烧开,将浆好的鱼片撒入锅内,用筷子轻轻拨动,待熟时即用漏勺捞出,放入黄耳鸡汤内,放上鸡油即成。

【特点】 清爽滑嫩,汤鲜可口。

注:鸡片和虾片亦可按此法制作。

口蘑腰片汤

【原料】 主料:猪腰子 250 克。

配料:口蘑 15 克,净冬笋 50 克。

调料:盐 15 克,味精 1.5 克,料酒 25 克,鸡汤 1000 克,普汤 500 克,胡椒粉 1 克,葱 10 克,鸡汤 15 克。

【制　法】

1. 猪腰撕去外皮膜,片成两边,再片净腰臊,翻过来在面上直剞一字花刀,再斜片成鱼鳃状,用清水洗一遍,再用清水泡上。

2. 口蘑用温水泡透,滗出原水澄清待用;将口蘑抠去泥沙,漂洗干净,片成薄片,用原水泡上。冬笋切成薄片。葱切段。

3. 在锅中放入鸡汤和口蘑原水,加入冬笋片、盐和味精,烧开调好味,撇去泡沫并装入汤瓯内,撒胡椒粉和葱段,放鸡油。

4. 将普汤和盐在锅中烧开,下入腰片氽熟,用漏勺捞出后放入口蘑鸡汤即成。

【特点】 嫩脆香,味鲜美。

注:鸡肫花片亦可按此法制作。

海蜓紫菜汤

【原料】 主料:海蜓 25 克,紫菜 15 克。

调料:鸡汤 1000 克,盐 10 克,味精 1.5 克,葱 10 克,胡椒粉 1 克,鸡油 15 克。

【制　法】

1. 海蜓、紫菜分别选去杂质并清洗干净。葱切成花。

2. 食用时,将鸡汤、海蜓、盐和味精放入锅内烧开,调好味,撇去泡沫,再放入紫菜烧开便装入汤 WF 内,撒胡椒粉和葱段,淋上鸡油即成。

【特点】 解凉清火,味道鲜美。

银鱼生鸡丝汤

【原料】 主料:干银鱼 50 克,生鸡脯肉 200 克。

配料:鸡蛋 1 个。

调料:料酒 25 克,盐 15 克,味精 1.5 克,胡椒粉 1 克,普汤 250 克,清鸡汤 1000 克,干淀粉 15 克,鸡油 15 克。

【制　法】

1. 银鱼剪去头和尾,用冷水浸发并拣洗干净。

2. 鸡脯肉剔去筋,切成 5 厘米长的细丝,用蛋清、干淀粉和适量的盐调匀浆好。

3. 食用时,将普汤、料酒、盐和银鱼放入锅内烧开,氽过捞出并装入汤撬 WF 内。另外,在锅中放入鸡汤,撒入鸡丝,用筷子轻轻拨散待白色时即捞出,放入装有银鱼的汤 WF 里,汤内加入盐和味精,烧开,撇去泡沫并调好味,撒葱花、胡椒粉,放鸡油即成。

【特点】 汤清鲜嫩,味道可口。

鸡茸豆花汤

【原料】 主料:鸡柳条肉(或鸡脯肉)200 克。

配料:熟瘦火腿 25 克,鸡蛋 5 个,豆苗 500 克。

调料:盐 10 克,料酒 25 克,味精 1.5 克,普汤 500 克,清鸡汤 1000 克,胡椒粉 1

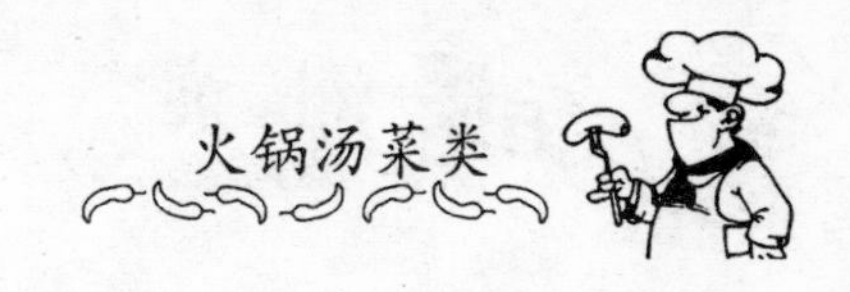

克,鸡油 15 克,葱 15 克。

【制　法】

1. 鸡柳条肉剔去筋,将一大块生肉皮垫在砧板上,再用刀和刀背将鸡柳条肉捶剁成细茸,放入少许凉汤和料酒解散。

2. 火腿切成末。葱切成花。豆苗摘苞洗净。

3. 鸡蛋去黄用清,再用筷子打起成雪花泡,放入鸡茸、盐和干淀粉并搅成糊状。

4. 食用时,将普汤放入锅中烧开,将调好的鸡茸均匀撒入,用瓢轻轻推动锅底,以免粘锅(这时要注意汤不能大开,以免鸡茸冲散不成团),待熟了浮起时,用漏勺捞出,装入汤 WF 内。另外将清鸡汤、盐和味精放入锅内烧开调好味,撇去泡沫,加入豆苗苞,再舀入鸡茸豆花的汤 WF 内,撒胡椒粉、火腿和葱花,放鸡油即成。

【特点】 汤清滑嫩,味鲜可口

酸辣纹丝汤

【原料】 主料:熟鸡血 200 克,包子豆腐 8 块。

配料:猪瘦肉 50 克,鸡蛋 1 个,排冬菜 25 克。

调料:猪油 50 克,盐 15 克,味精 1.5 克,酱油 2.5 克,醋 15 克,辣椒粉 1 克,葱 10 克,湿淀粉 25 克,鸡汤 1000 克,鸡油 15 克。

【制　法】

1. 鸡血、豆腐均切成 5 厘米长的细丝,装入清水碗内。猪肉切成 5 厘米长的丝,用少许盐以及湿淀粉浆好。

2. 鸡蛋打散加入适量的盐和湿淀粉,搅匀后用锅烫成蛋皮,再切成 5 厘米长的丝。排冬菜洗净,剁成末。葱切成段。

3. 将猪油烧到六成热,下入辣椒粉、排冬菜末炒一下,随即放入鸡汤、鸡血、豆腐丝、酱油、味精和醋,烧开并调好味,然后把肉丝撒入锅内,撇去泡沫,装入汤 WF 内,再撒入蛋皮丝、葱段,放鸡油即成。

【特点】 酸辣嫩,味鲜美。

鱼丸菠菜汤

【原料】 主料:净白鱼肉 300 克。

配料:净冬笋 50 克,水发香菇 50 克,嫩菠菜 250 克,鸡蛋 2 个。

调料:猪油 50 克,料酒 25 克,盐 10 克,味精 1.5 克,胡椒粉 1 克,葱 15 克,姜 15 克,鸡汤 1000 克,鸡油 15 克。

【制　法】

1. 冬笋切成薄片。菠菜摘芯,洗净。葱和姜捣烂,用料酒取汁。

2. 将白鱼肉用刀背捶剁成细茸,先用冷汤浸发打散,加入适量的盐和冷汤,用力向一个方向搅动(搅到发亮上劲即取一点放到水中,以浮起水面时为准),然后加入蛋清、猪油和葱姜酒汁,搅匀成鱼丸料。

3. 在锅中放入冷水,将鱼料挤成直径 2 厘米大的丸子,上火烧开煮熟,随即加入冷水(以免肉质不嫩),然后用碗装上。

4. 将油烧到六成热,下入冬笋片、菠菜,炒熟后装入汤 WF 内。另外在锅内放入鸡汤、盐和味精,烧开再放入鱼丸,撇去泡沫后装入盛有冬笋和菠菜的汤 WF 内,撒上胡椒粉,放鸡油即成。

【特点】 鱼丸软嫩,汤鲜味美。

腐乳卤蛋汤

【原料】 主料:鲜鸡蛋 5 个。

调料:红腐乳卤 50 克,盐 5 克,味精 1.5 克,鸡汤 500 克,胡椒粉 1 克,葱 10 克,鸡油 25 克。

【制　法】

1. 鸡蛋打散,加入适量的汤和盐搅匀,上笼蒸熟取出。葱切成花。

2. 将鸡汤、腐乳卤和味精放入锅内烧开，调好咪并装入汤 WF 内，然后用瓢将蒸熟的蛋一片一片地舀入腐乳卤汤内，撒胡椒粉、葱花，放鸡油即成。

【特点】 色洋红，鸡蛋嫩，味鲜可口。

鳅鱼附蛋汤

【原料】 主料：小条泥鳅 500 克。

配料：鸡蛋 3 个。

调料：猪油 100 克，料酒 50 克，盐 10 克，味精 1.5 克，葱 15 克，姜 15 克，鸡油 15 克。

【制　法】

1. 泥鳅用清水活养 1 天，使泥腥味从口里吐出，再用清水洗一遍，沥干水分。葱白切花，余下葱和姜拍破。

2. 将猪油烧到六成热，下入拍破的葱、姜煸炒，再下入泥鳅并立即盖上盖，以免泥鳅蹦出锅外，然后揭开盖，烹入料酒，加入适量的水，烧开后移用小火炖烂。

3. 将鸡蛋打开，装入碗内搅散。

4. 食用时，将炖好的泥鳅去掉葱、姜后倒入锅内，加入盐和味精烧开，调好味，撇去泡沫，再将鸡蛋用漏勺流入锅内，即熟。将泥鳅蛋汤装入汤 WF 内，撒胡椒粉、葱仡和鸡油即成。

【特点】 泥鳅酥烂、汤浓鲜美。

什锦蛋丁汤

【原料】 主料：鲜鸡蛋 5 个。

配料：猪瘦肉 50 克，熟鸡肉 50 克，蘑菇 50 克，净冬笋 50 克，熟火腿 25 克，滑熟虾仁 50 克，豆苗 250 克，罐头青豆 25 克。

调料：盐 10 克，味精 1.5 克，鸡汤 1250 克，葱 10 克，胡椒粉 1 克，鸡油 15 克。

【制　法】

1. 火腿、猪肉、鸡肉、蘑菇、冬笋均切成 1.5 厘米大的片，装入碗内并加汤上笼蒸 10 分钟取出。葱切成段。豆苗摘苞洗净。

2. 鸡蛋打开，蛋清和蛋黄分别用碗装上，蛋清兑入三分之一的冷汤，蛋黄兑入二分之一的冷汤，将它们加入适量的盐搅匀，分别装入摸上油的深边平盘内，上笼蒸熟，取出晾凉后用刀划成 1.5 厘米见方的丁。

3. 将鸡汤、虾仁、味精、盐以及蒸好的配料、蛋白蛋黄丁放入锅内烧开，调好味，撇去泡沫，再下入豆苗、青豆和葱段，然后装入汤 WF 内，放胡椒粉和鸡油即成。

【特点】 色彩鲜艳，汤鲜味美。

火腿冬瓜汤

【原料】 主料：熟火腿 100 克，冬瓜 1000 克。

调料：盐 10 克，味精 1.5 克，鸡汤 1000 克，胡椒粉 1 克，鸡油 15 克，葱 10 克。

【制　法】

1. 火腿切成 4 厘米长、3 厘米宽、3 毫米厚的片。葱切成段。

2. 冬瓜削去皮和软瓤，切成 4 厘米宽的长条，削去边角，再切成 1 厘米厚的块。

3. 将火腿、冬瓜放入沙钵内，再放入鸡汤和盐，先在旺火上烧开，再移用小火炖 10 分钟，加入味精调好味，装入汤 WF 内，撒胡椒粉、葱段，放鸡油即成。

【特点】 汤鲜香，味可口。

注：①可将火腿、冬瓜都切成丝来制作。

②亦可用金钩代替火腿。

寒菌双冬汤

【原料】 主料：小寒菌 750 克，净冬笋 50 克，冬苋菜 500 克。

调料：猪油 50 克，盐 10 克，汤 500

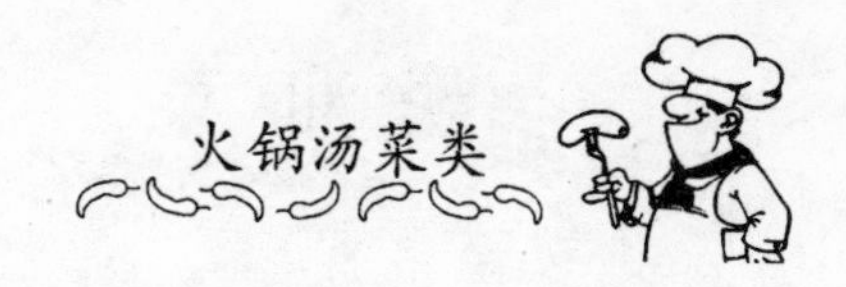

克，味精 1.5 克，胡椒粉 1 克，葱 10 克，姜 10 克，鸡油 15 克。

【制　法】

1. 寒菌摘去蒂，放入清水内浸泡半小时左右，再用清水漂洗二三遍，洗至无泥沙杂草为止，然后放入拍破的葱、姜和适量的盐，上笼蒸 1 小时后取出，再去掉葱姜。冬笋切成薄片。冬苋菜摘苞洗净。

2. 将猪油烧到六成热，下入冬笋片、冬苋菜加盐炒一下，再加入汤、蒸好的寒菌以及盐和味精，烧开并调好味，装入汤 WF 内，然后撒胡椒粉，放上鸡油即成。

【特点】 寒菌软嫩，汤浓味鲜。

金钩菜花汤

【原料】 主料：金钩 50 克，菜花 500 克。

调料：料酒 25 克，盐 10 克，味精 1.5 克，鸡汤 1000 克，胡椒粉 1 克，葱 10 克，姜 10 克，鸡油 15 克。

【制　法】

1. 菜花切去梗和叶，切成 2 厘米大的颗。葱白切段，余下葱和姜拍破。

2. 金钩选去杂质，洗一遍后用冷水泡上。

3. 将金钩、料酒、拍破的葱、姜和鸡汤在沙锅中烧开，再放入菜花，移用小火炖 5 分钟即烂；加入味精和盐，调好味，装入汤 WF 内再撒胡椒粉和葱段，放上鸡油即成。

【特点】 酥烂香鲜，味道可口。

牛肉土豆汤

【原料】 主料：肥肋条牛肉 1000 克。

配料：土豆 500 克，大蒜 25 克。

调料：料酒 25 克，盐 10 克，味精 1.5 克，胡椒粉 1 克，桂皮 25 克，葱 15 克，姜 15 克。

【制　法】

1. 牛肉切成 4 厘米长、3 厘米宽、1 厘米厚的片，用冷水泡约 2 小时后，连水倒入锅内烧开，撇去泡沫(要随起随撇，直到牛肉熟透，不见泡沫为止)。牛肉熟透后倒入沙钵内，放入拍破的葱、姜以及桂皮，料酒、盐，移用小火炖烂，然后去掉葱、姜、桂皮。

2. 土豆削去皮，切成滚刀块，用碗装上，放入牛肉汤，上笼蒸烂取出。火蒜切成段。

3. 食用时，将土豆倒入牛肉内，上火烧开后加味精和大蒜调好味，然后装入汤 WF 内并撒上胡椒粉即成。

【特点】 汤清味鲜，酒饭均宜。

冷菜类

姜醋白鸡

【原料】 主料:仔母鸡1只(重约1000克)。

调料:盐5克,酱油10克,味精1克,香醋10克,姜15克,香油15克。

【制 法】

1. 将鸡宰杀去净毛,开膛去内脏洗净,下入开水锅中白煮,水开时,泡沫随起随撇,撇尽后把鸡捞出,用清水洗一遍,再下入汤锅煮熟为止,用原汤泡上,凉后捞出,用白净布抹干水分,刷上香油,以免干裂。

2. 姜切成末,加入上列调料兑成汁。

3. 食用时将鸡去骨(或带少许骨),砍成条后装盘,浇上兑汁即成。

【特点】 姜味鲜香,清淡爽口。

注:鸭、猪瘦肉、猪腰、肝、肚等亦可按此法制作。

油辣肥鸡

【原料】 主料:仔母鸡1只(重约1000克)。

调料:盐7.5克,醋10克,味精1克,花椒子20粒,小鲜红椒10克,葱10克,姜10克,香油25克。

【制 法】

1. 鸡宰杀去净毛,开膛去内脏洗净,下入开水锅中白煮,待水开时,泡沫随起随撇,撇尽后把鸡捞出,用清水洗一遍,再入汤锅煮熟捞出,用净布抹干水分,刷上香油,以免干裂。

2. 小红椒、姜、葱、蒜都切成末,用香油烧沸淋熟,加入盐、醋、味精和少许汤兑成的汁。

3. 食用前半小时,把鸡去骨(或带少许骨),砍成条扣入碗内,将兑汁三分之二倒入鸡肉内入味。

4. 食用时,将鸡翻扑盘内,浇上余下的兑汁即成。

【特点】 香辣微酸,味道鲜美。

注:鸭、猪瘦肉和牛、羊肉亦可按此法制作。

香糟冻鸡

【原料】 主料:仔母鸡1只(重约1000克)。

调料:料酒25克,盐5克,酱油15克,糖5克,味精1克,香油10克,香糟50克,葱10克,姜10克。

【制 法】

1. 鸡宰杀去净毛,开膛去内脏洗净,下入开水锅内煮一下捞出,用清水洗一遍,用刀将鸡颈、翅、腿取下,再将鸡身一剖两开,装入钵内(皮朝下),加放拍破的葱、姜。

2. 香糟加进上列调料和适量的汤搅匀,倒入白布袋内,用绳将口扎紧,放在鸡的上面,上笼蒸烂取出,将蒸鸡的原汤滗出,晾凉成冻。

3. 食用时,将鸡腿和脯肉去骨,片成片,扣入碗内,带少许骨垫底,翻扑盘内,另将蒸鸡原汤冻(撇去面上鸡油作其他用)搅成稀冻,浇在鸡上,淋香油即成。

【特点】 香鲜味美,冬季佳肴。

注:鸭、鸽亦可按照此法制作。

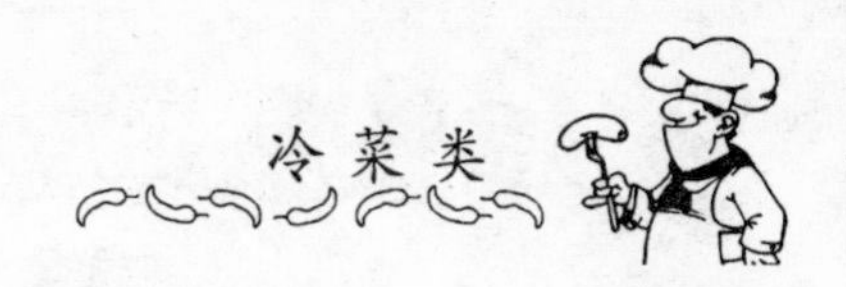

火夹鸡片

【原料】 主料:白卤熟鸡250克,熟火腿150克。

调料:味精1克,鸡汤50克,香油10克。

【制 法】

1. 鸡去净骨,火腿削去杂质,鸡用斜刀片成5厘米长、3厘米宽、0.3厘米厚的片,火腿切同鸡肉一样大小的薄片,扣入碗内,放一片鸡,再放一片火腿,如此放完为止。

2. 用上列调料兑成汁。

3. 食用时,翻扑盘内,浇上兑汁即成

【特点】 红白鲜香,味道可口。

注:鸽、鸭亦可按此法制作。

火腿鸡卷

【原料】 主料:仔母鸡1只(重约1000克),熟瘦火腿150克。

调料:葱15克,姜15克,料酒25克、盐8克,味精2克,糖5克,干淀粉15克,花椒子20粒,香油15克。

【制 法】

1. 鸡宰杀去净毛,由背脊骨开膛去内脏洗净,去净骨,用拍破的葱、姜、花椒子及上列调料把鸡腌约1小时。

2. 腌制的葱、姜、花椒子挑去不要,将鸡放在砧板上,皮朝下,将鸡肉理平,修改整齐,撒上干淀粉。

3. 火腿切成2厘米大的长方条,放在鸡肉的一端,向前滚成圆筒,用净布裹上,再用绳扎紧捆好,上笼蒸1小时取出,晾凉,解去绳布,刷上香油,以免干裂。

4. 食用时,切片摆盘,淋香油即成。

【特点】 呈红白色,味道鲜香。

注:鸭、鸽亦可按此法制作。

粉皮鸡丝

【原料】 主料:白卤熟鸡肉250克。

配料:干团粉100克(即蚕豆粉)。

调料:姜10克,蒜子10克,盐5克,味精1克,香油15克,汤50克。

【制 法】

1. 熟鸡去净骨,切成粗丝,用上列调料泡上。姜切末。蒜子去皮捣成泥状。

2. 干团粉用冷水泡上,搅动沉淀后滗去水,换清水冲漂,连续2次,至无异味为止,过箩筛。

3. 用锅烧开水,向一个带沿的平铝盘舀入团粉浆,放在开水锅内,烫熟成薄粉皮,用手浇水下入冷水盆内透凉取出,切成丝,再下入开水锅汆过捞出晾凉。

4. 食用时,将粉皮丝、姜末、蒜泥放入鸡丝一起拌匀,淋香油,装盘即成。

【特点】 滑嫩爽口,味道鲜美。

注:鸭亦可按此法制作。

卤鸡三件

【原料】 主料:鸡翅膀6只,鸡肫6只,鸡爪8只。

调料:味精1克,香油15克。

【制 法】

1. 鸡翅膀去净毛,鸡肫撕去黄皮和油筋,鸡爪去净毛并剁去爪尖洗净,一齐放入开水锅汆过捞出再洗净,然后放入卤汤锅内,用小火煨到酥烂、能去骨为止(不宜太烂)。

2. 鸡翅膀去骨,鸡爪用刀拍松去骨,鸡肫切片,分别扣入碗内,放入卤汁。

3. 食用时,翻扑盘内,淋香油即成。

【特点】酥烂鲜香,适于下酒。

注:"盐水三件",亦可按此法制作,红卤汤改用白卤汤。

芥末鸡条

【原料】 主料:白卤熟仔母鸡肉500克。

调料:蒜子10克,姜10克,芥末25克,盐5克,味精1克,醋10克,香油15克。

【制 法】

1. 鸡去净骨,切成5厘米长、0.5厘

米粗的条。

2. 姜切末。蒜子去皮捣烂成泥。

3. 芥末用开水调湿，用纸封严，加温约15分钟后再加入上列调料和姜末蒜泥，搅匀成汁。

4. 食用时，将调好的汁倒入鸡条内，拌匀装盘即成。

【特点】 清淡爽口，通七窍，刺激食欲。

注：①鸭、猪瘦肉亦可按此法制作。

②喜欢吃辣味的，可拌上辣椒油。

火腿穿鸡翅

【原料】 主料：鸡翅膀12只。

配料：熟火腿50克，冬笋250克，水发冬菇50克。

调料：料酒25克，盐5克，味精1克，花椒子10粒，葱10克，姜10克，香油10克。

【制　法】

1. 将鸡翅膀去毛洗净，用开水汆过，加入料酒、拍破的葱姜、花椒子和盐，上笼蒸烂（能去骨为准），取出晾凉，用刀砍成三段（翅尖不用），将翅膀两段去净骨待用。

2. 冬笋去掉老头，剥去外壳，削去内皮，煮熟切成丝。冬菇去蒂洗净切成丝。火腿切成丝。

3. 将冬菇、火腿、冬笋丝灌入已去骨的翅膀里，切去两头伸出部分，整齐扣入碗内，放入原汤上笼蒸10分钟取出，晾凉。

4. 食用时，翻扑盘内，淋香油即成。

【特点】 香脆味鲜，适于下酒。

陈皮香鸡

【原料】 主料：仔母鸡1只（重约1000克）。

调料：花生油500克（实耗50克），姜15克，料酒25克，盐5克，酱油25克，糖15克，醋5克，香油15克，花椒子10粒，干红椒6个，葱15克，陈皮15克。

【制　法】

1. 鸡宰杀去净毛，由背脊骨开膛去内脏洗净，加工成3厘米见方的块，用料酒和盐将鸡腌约半小时。

2. 干红椒去蒂切短节。陈皮洗净切块。葱、姜拍破。

3. 花生油烧沸后，将鸡块下入油锅炸成黄色，倒入漏勺沥油。锅内留一点油，先将花椒子炸一下捞出不要，随下入干红椒、陈皮炸成紫红色，再加入葱和姜煸一下，即下入鸡块和上列调料，加入适量的水烧开，倒入沙钵内，用小火煨约半小时（以鸡能去骨为准），收干汁，晾凉。

4. 食用时，去掉葱、姜、陈皮和辣椒，装盘，淋香油即成。

【特点】 麻辣香鲜，下酒佳肴。

注：①鸽、鸭、鹅亦可按此法制作。

②此菜冷热均可食用。

熏　鸡

【原料】 主料：嫩鸡1只（重约1000克）。

调料：料酒50克，酱油25克，白糖40克，盐10克，香油25克，姜15克，葱15克，花椒子20粒。

熏料：木炭500克，大米50克，粗茶叶25克。

【制　法】

1. 将鸡宰杀，去净毛，开膛去内脏洗净，沥干水，用盐、料酒、酱油、糖15克、拍破的葱、姜和花椒子将鸡腌约3小时（在鸡脯和鸡腿等肉厚处多搓几遍，腹内要撒些盐进去，用两手抱鸡晃动几下，使盐渗透鸡肉）。

2. 把腌好的鸡放入蒸笼内蒸半小时取出，拣出葱、姜、花椒子，将鸡沥干水分。

3. 将木炭放入大耳锅内，再放进大米、茶叶、白糖，然后放铁丝架一块，将鸡

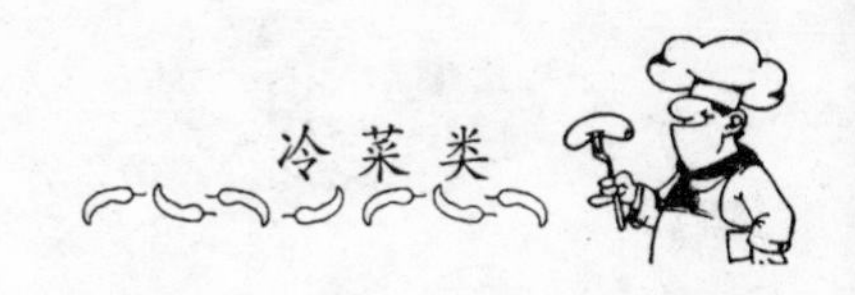

放在铁丝架上面，盖上盖。

4. 食用前 20 分钟，将锅上火，烧红木炭，冒人烟时即端离火，直到烟把鸡熏得呈金黄色时取出，连骨砍成条，装盘，淋上香油即成。

【特点】 烟浓香，味鲜美。

风 鸡

【原料】 主料：肥仔母鸡 1 只（重约 1250 克）。

调料：盐 50 克，花椒 20 粒，料酒 50 克，葱 15 克，姜 15 克，白糖 25 克。

【制 法】

1. 鸡宰杀去净毛，由右翅下开一口，手指伸进肛门抠断肛门处，然后由开口处取出内脏和嗉子，砍去翅尖的二段，洗净并抹干水分，用炒好的花椒、盐，加上糖和料酒，在鸡全身揉搓，并把余下的盐放入鸡腹内，用双手摇晃几下，使盐粘满鸡身。将鸡装入陶器后，放在 15℃ 左右的地方，每天翻 1 次，腌约七八天，取出抹干水分，将两膀撑起，再用一空竹管插入肛门处，以便空气流通，然后挂于通风高处，使其吹干水分为止。

2. 将鸡取下用温水浸泡半小时，内外洗净，加葱、姜和料酒，上笼蒸熟后取出晾凉，去骨，用手撕成条装盘，淋香油即成。

【特点】 鲜香味美，别有风味。

注：此菜为冬季佳肴，其他季节不宜做。

盐水鸡肫

【原料】 主料：鸡肫 500 克。

配料：香菜 150 克。

调料：料酒 25 克，盐 10 克，味精 2 克，花椒子 20 粒，桂皮 10 克，葱 15 克，姜 15 克，鸡汤 100 克，香油 15 克。

【制 法】

1. 葱、姜拍破。香菜摘洗净。

2. 鸡肫撕去内黄皮和油筋，洗净，下入开水锅内氽过捞出，洗净血沫，装入陶器内，放入花椒子、桂皮、葱、姜、料酒、盐、味精、鸡汤，上笼蒸 2 小时左右取出，晾凉，将鸡肫切成约 1 厘米厚的片，摆入盘内，拼香菜，淋香油即成。

【特点】 酥烂鲜香，味美可口。

香腊鸡肫

【原料】 主料：新鲜鸡肫 500 克。

调料：盐 15 克，糖 10 克，花椒子 20 粒，硝少许。

燃料：木炭 500 克，锯木屑 2500 克。

【制 法】

1. 鸡肫撕去油筋和内部的黄皮，洗净并沥干水分。

2. 用锅先把花椒子和盐炒烫，倒出晾凉，加白糖，将鸡肫揉搓后放入陶器内（切勿用金属盆装），腌约 7 天左右，冬季每 2 天翻一次，秋季放在凉爽之处，每天翻一次（或放进不结冰的冰箱）。

3. 把腌好的鸡肫取出，穿在竹签上，每个之间留有间隔，两头用绳扎紧，挂于通风处吹干。

4. 用熏柜烧红木炭，放上锯木屑后就冒出烟来，将鸡肫熏上烟，至鸡肫呈金黄色时取出，仍挂在通风之处，待水分晾干。

5. 把鸡肫用温水洗一遍，上笼蒸约 1 小时左右取出，晾凉，刷上香油，以免干燥。食用时，切薄片，装盘，淋香油即成。

【特点】 色泽红润，烟味咸香。

注：鸡、鸭、鹅、鱼、牛和羊肉等都可按此法制作。

五香卤鸭

【原料】 主料：肥淮鸭 1 只（重约 1500 克）。

调料：味精 1 克，香油 10 克。

【制 法】

1. 鸭宰杀去净毛，开膛去内脏洗净，下入开水锅内白煮，待开时捞出，放到清水里挟去残存的绒毛，洗净后再下入红卤汤锅内，用微火煨到能去骨为止（不宜太烂），捞出后晾凉，刷上香油，以免干裂。

2. 食用时，将颈翅骨拍松剁条，装入盘内，再把腿和脯肉斜片成5厘米长、1厘米厚的片盖在上面，浇上卤汁、香油即成。

【特点】 香酥烂，味鲜美。

注：鸡、鹅、猪瘦肉，牛、羊肉以及腰、肝、肚等均可按此法制作。

盐水肥鸭

【原料】 主料：肥北京鸭1只（重约2000克）。

配料：净香菜100克。

调料：盐15克，香油10克，花椒子20粒。

【制　法】

1. 鸭宰杀去净毛，开膛去内脏洗净，用清水泡约4小时，泡去血水，捞出晾干水分。

2. 用锅上火先把花椒子和盐炒烫，倒出晾凉。

3. 将鸭用盐揉搓，脯和腿多揉搓几遍，腹内放进一点盐，用双手抱鸭摇晃几下，使盐沾满鸭身，腌约2天，其中翻一次。取出后用清水洗一遍，放进白卤锅内用微火煮熟，以能去骨为准（不宜煮的太烂），捞出晾凉，刷上香油，以免干裂。

4. 食用时，将鸭翅和颈骨拍松，砍成条装盘，再将腿和脯肉砍条盖在上面，淋香油，拼香菜即成。

【特点】 皮白肉红、鲜香可口。

注：鸡，鹅亦可按此法制作。

水晶鸭块

【原料】 主料：肥北京鸭1只（重约2000克）。

配料：肉皮150克（或用冻粉亦可），大红蕃茄1个，净香菜叶100克。

调料：盐10克，味精2克，糖15克，葱10克，姜10克，香油10克。

【制　法】

1. 将肉皮刮洗干净改成块，放入开水锅内煮过捞出，洗净。

2. 将鸭宰杀去净毛，开膛去内脏洗净，放入开水锅内煮一下，捞出后挟去残存的毛，洗净血沫，用钵装上，加放肉皮、拍破的葱、姜、盐、料酒和适量的水，上笼蒸至七成烂时取出，去净骨，片成厚薄一致，用物压平，再切成3厘米长斜象眼块。香菜摘洗干净。蕃茄切成瓣。

3. 将蒸鸭的原汤去掉肉皮和葱姜，撇净浮油，加入味精调好味，过箩筛，装入平瓷盘内，再将鸭肉摆进去，每块相距2厘米。然后，在鸭块上放香菜叶，使其凝结成冻（夏季可放进冰箱冷藏室）。

4. 食用时，切成象眼块，摆在盘的周围，中间摆上香菜和蕃茄瓣即成。

【特点】 亮似水晶，味道可口。

红曲香鸭

【原料】 主料：肥淮鸭1只（重约1500克）。

配料：香菜100克。

调料：红曲25克，花椒子10粒，八角10克，料酒50克，盐20克，白糖15克，味精2克，香油10克，葱10克，姜10克。

【制　法】

1. 鸭宰杀去净毛，开膛去内脏洗净，用盐10克在鸭身揉搓腌约1小时，沥干水分。葱、姜拍破。红曲加适量的水熬取汁。香菜摘洗净。

2. 将鸭下入开水锅内煮一下，捞出后挟去残存的毛，洗净，放入垫底折的沙锅内，再放入红曲汁、葱、姜和上列调料，先在旺火上烧开，再用小火煨到七成烂（以能去骨为准），取出晾凉，刷上香油，以免干裂。

3. 食用时，将颈骨和翅膀用刀拍松，砍成条，装盘后再将脯肉和腿肉，砍成条

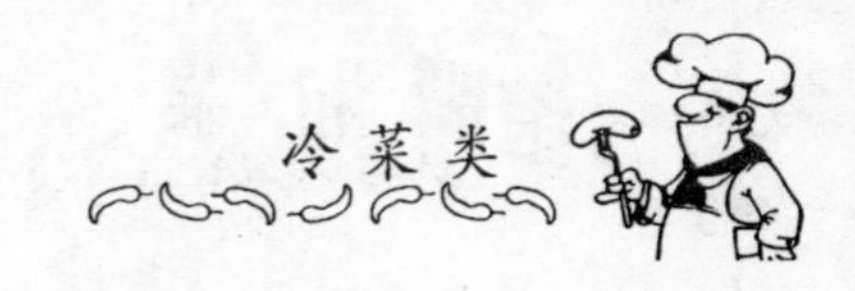

盖在上面，淋上香油，拼香菜即成。

【特点】 色彩红艳，酥香味鲜。

注：鸡、鹅亦可按此法制作。

香卤鸭掌

【原料】 主料：鸭掌 24 只。

配料：香菜 100 克。

调料：味料 15 克，香油 15 克。

【制　法】

1. 鸭掌清去粗黄皮洗净，下入开水锅煮到六成烂时（以能去骨为准）捞出，用凉水泡上，由掌背剖开抽去筋骨，剔去掌底趼皮和爪甲，用水洗净，再下入卤汤锅煨半小时，取出晾凉，刷上香油，以免干燥。

2. 食用时，将鸭掌装入盘内，用香卤汤和味精、香油兑汁浇上，拼上香菜即成。

【特点】 鸭掌香脆，味鲜可口。

水晶鸭掌

【原料】 主料：鸭掌 20 只。

配料：猪肘肉 500 克，肉皮 100 克。

调料：料酒 50 克，味精 1 克，鸡汤 250 克，盐 10 克，香油 15 免，姜 10 克，葱 10 克。

【制　法】

1. 鸭掌初步加工的方法见“香卤鸭掌”。香菜摘洗干净。

2. 将猪肘和肉皮刮洗干净，放入开水锅内氽过，用清水洗净，放入钵内，再放入鸭掌、料酒、拍破的葱、姜、鸡汤和盐，上笼蒸烂后，取出肘肉作其他用途，去掉葱、姜、肉皮，取出鸭掌摆在瓷平盘内；将原汤撇净浮油，加入味精，调好味过箩筛，灌入鸭掌内，再在每一鸭掌上放上香菜叶，晾凉凝结成冻（或放入冰箱内冷藏室内）。

3. 食用时，用小刀将鸭掌修去边沿的冻，摆入盘内，淋香油即成。

【特点】 亮如水晶，味鲜可口。

油酥红虾

【原料】 主料：大活虾 500 克。

配料：香菜 100 克。

调料：花生油 500 克（实耗 50 克），盐 5 克，料酒 25 克，白糖 15 克，醋 10 克，香油 25 克，葱 10 克，姜 10 克。

【制　法】

1. 将活虾洗一遍，挑去杂质，用剪刀剪去须尖和脚，再用清水洗一遍，用料酒和盐腌半小时，用漏勺沥干水分。

2. 姜切成小片、葱切成段，香菜摘洗干净。

3. 将花生油烧到七成熟时，把腌好的虾子下入油锅炸酥，倒入漏勺沥油。

4. 再将锅放入香油，下入姜片煸炒，随倒入炸好红虾、葱段、白糖和醋，炒几下，装入盘内晾凉。

5. 食用时，摆入盘中，拼香菜叶即成。

【特点】 色彩红亮，鲜香味美。

盐水套虾

【原料】 主料：活虾子 500 克。

配料：净香菜 100 克。

调料：料酒 25 克，盐 10 克，味精 1 克，香油 15 克，花椒子 10 粒，葱 15 克，姜 15 克。

【制　法】

1. 虾子洗净泥沙，挑去杂质，用手挤去头部、脚须和前身的壳，留下尾部的壳，再洗一遍并沥干水分。

2. 将冷水放入锅内，下入虾子，加上料酒，水烧开后捞出虾子，撇去泡沫，再加入拍破的葱、姜、花椒子、盐、味精，煮出香味就下入虾子，烧开后随即装入碗内，晾凉。

3. 食用时，把 2 只虾套成圆形，摆放盘中，周闹拼香菜，淋香油即成。

【特点】 红白鲜艳，味道鲜嫩。

腐卤醉虾

【原料】 主料:大活虾子 500 克。

配料:香菜 150 克。

调料:酱油 10 克,醋 15 克,味精 1 克,红腐卤汁 10 克,香油 15 克,花椒粉 0.5 克,葱 10 克,姜 10 克,蒜 10 克。

【制　法】

1. 虾子洗净泥沙,挑去杂质,用剪刀剪去须和脚,放入清水内洗一遍,沥干水分。

2. 香菜摘叶洗净。葱、姜、蒜都切成末,加入上列调料及花椒末,兑成汁。

3. 食用时,把香菜放入碗内,再放入虾子,翻扑盘内,随同兑汁上桌,揭开碗,倒入兑汁时,虾即活蹦乱跳,食时蘸汁即成。

【特点】 鲜嫩味美,别有风味。

如意虾卷

【原料】 主料:净虾仁 200 克。

配料:鸡蛋 4 个,熟瘦火腿 25 克,青菜叶 100 克。

调料:花生油 500 克(实耗 50 克),料酒 25 克,盐 8 克,味精 1 克,香油 15 克,干淀粉 30 克,葱 10 克,姜 10 克。

【制　法】

1. 虾仁洗净,沥干水分,用刀拍烂,再捶剁成茸;葱、姜捣烂用料酒取汁,再加入蛋清 2 个、盐 5 克、湿淀粉 15 克、味精和适量的汤,搅拌成馅。

2. 青菜叶切成细丝,下入油锅炸焦(切勿炸黄),捣碎。火腿切成末,待用。

3. 鸡蛋打散,加入盐 3 克、湿淀粉 15 克和适量的水,搅匀后在锅中烫成蛋皮,摊放木板上,修改成 20 厘米宽、25 厘米长的长方块;将虾馅铺平刮匀,然后将火腿末、青菜末各放一端,两端向中间卷去,在合拢处填入虾馅;用一平盘摸上油,将虾卷放入盘内,上笼蒸 10 分钟左右取出,晾凉。

4. 食用时,切成 1.5 厘米厚的片,摆放盘中,淋香油即成。

【特点】 色彩鲜艳,鲜嫩味美。

注:①用净冬笋煮熟,旋成长薄片,亦可按此法制作。

②此菜冷热均可食用。

油酥嫩仔鱼

【原料】 主料:小嫩仔鱼 500 克(小鲫鱼亦可)。

配料:小红椒 25 克。

调料:植物油 1000 克(实耗 100 克),料酒 50 克,盐 5 克,醋 10 克,味精 1 克,香油 15 克,葱 10 克,姜 10 克。

【制　法】

1. 将嫩仔鱼的鳃和内脏去掉,洗净后用料酒加盐腌约半小时,再用漏勺沥干水分。

2. 小红椒、葱、姜均切成末,加入上列调料兑成汁。

3. 油烧沸后,将嫩鱼炸焦酥至金黄色时滗去油,随将兑好的汁冲入锅内,翻簸几下,装盘即成。

【特点】 焦酥香,味鲜美。

糖酥鲫鱼

【原料】 主料:小活鲫鱼 500 克。

调料:植物油 1000 克(实耗 50 克),料酒 50 克,盐 5 克,糖 100 克,醋 50 克,酱油 10 克,葱 50 克,姜 50 克,香油 25 克。

【制　法】

1. 鲫鱼去鳞、鳃、鳍,开膛去内脏,洗净后用料酒和盐腌半小时,用漏勺沥干水分。

2. 姜切小片,葱切长段。

3. 油烧沸后,把腌好的鲫鱼下入油锅,炸焦酥捞出。

4. 将锅垫底 AAA,放葱、姜,再放入油炸好的鲫鱼、上列调料和水,在旺火上烧开后,移用小火煨到鱼刺酥软为准,收

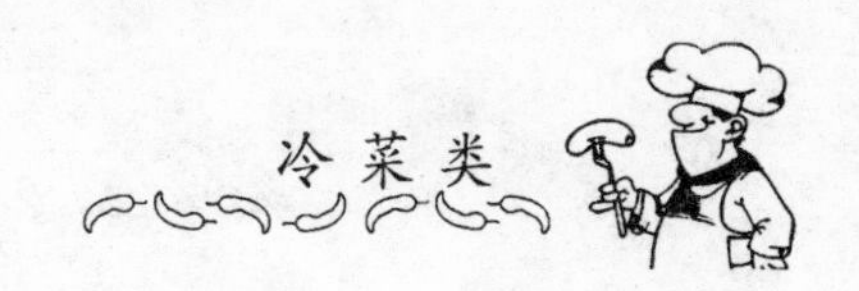

干汁装盘晾凉。

5. 食用时砍成条(小个鱼不改刀),装盘,淋香油即成。

【特点】 甜酸香酥,味道可口。

软酥鲫鱼

【原料】 主料:小活鲫鱼 500 克。

调料:料酒 50 克,冰糖 100 克,酱油 25 克,香醋 50 克,盐 10 克,香油 10 克,葱 50 克,姜 50 克。

【制 法】

1. 鲫鱼去鳞、鳃、鳍,开膛去内脏洗净,沥干水分。葱切长段。姜切薄片。

2. 将砂钵垫上底轿,先放入葱、姜各一半,再放入鲫鱼,上面再盖上余下的葱、姜,加上料酒、盐、冰糖、酱油、醋和适量的水后,盖上瓷盘,在旺火上烧开,然后撇去泡沫,移用微火煨 10 小时,煨至鱼刺已酥烂、汁已浓为准,放香油装盘即成。

【特点】 甜酸可口,江浙口味。

茄汁酥鱼

【原料】 主料:大活鲤鱼 1 条(重约 1500 克)。

调料:植物油 1000 克(实耗 100 克),料酒 50 克,盐 10 克,白糖 100 克,醋 50 克,香油 25 克,蕃茄汁 150 克,葱 15 克,姜 15 克。

【制 法】

1. 除去鱼的鳞、鳃、鳍、内脏并洗净,由脊背骨剖开成两边,再斜片成瓦形块,用料酒和盐腌约半小时。葱、姜都切成末。

2. 油烧沸后,将鱼逐块下入油锅(炸时油要沸,火要旺,要少下勤炸,若油温低,多下会粘连在一起),炸成焦酥呈金黄色,倒入漏勺沥油。

3. 锅中留一点油,下入姜末煸炒,随后下入蕃茄汁、糖、醋、葱花,再倒入炸好鱼块,收汁后装盘晾凉。

4. 食用时,砍成条装盘,淋香油即成。

【特点】 甜咸香酥,美味可口。

注:亦可用葱、姜末、五香粉烹制,叫五香酥鱼。

瓜姜拌鱼丝

【原料】 主料:活桂鱼肉 250 克。

配料:甜瓜姜 100 克,鸡蛋 1 个。

调料:香油 100 克,料酒 25 克,盐 3 克,干淀粉 15 克。

【制 法】

1. 将挂鱼切成 5 厘米长的段,再片成 3 毫米的片,然后切成丝,用鸡蛋清、盐,淀粉浆好,拌点香油。

2. 甜瓜姜切成细丝。

3. 锅内放入香油,烧到六成热时,下入鱼丝,用筷子拨散滑熟,然后倒入漏勺沥油,装盘晾凉。

4. 食用时,将鱼丝和甜瓜姜丝拌匀即成。

【特点】 甜咸香辣,味道可口。

注:鸡脯肉亦可按此法制作。

烤酥香肉

【原料】 主料:猪弹子肉 500 免(又名梅子肉)。

调料:花生油 1000 克(实牦 100 克),料酒 50 克,盐 5 克,白糖 50 克,白醋 15 克,香油 15 克,葱 10 克,姜 10 克。

【制 法】

1. 猪肉洗净,放在砧板上用滚刀片成 3 毫米厚的大片(左手按住肉,右手持刀平片进去,左手把肉扒向左转动,片成大长片)。然后把一半葱,姜拍破,加上盐和料酒,将肉腌约 3 小时,取出后摊开在铁丝网上,用烤炉烤到半干湿,再切成 4 厘米长,3 厘米宽的片。

2. 余下葱切段,姜切丝,加入糖,醋和适量的汤兑成汁。

3. 将花生油烧沸下入肉片炸熟,移

用小火焖炸呈焦酥,滗去油,将糖醋汁倒入,翻炒几下,装入盘内晾凉。

4. 食用时,摆入盘内,淋香油即成。

【特点】 焦酥香脆,甜酸可口。

注:烹制此菜可用辣椒香油代替糖醋。

玫瑰香肉

【原料】 主料:猪腱子肉500克。

调料:花生油500克(实耗50克),盐15克,白糖10克,花椒子20粒,硝少许,香油10克,葱10克,姜10克。

【制 法】

1. 猪腱子肉放入拍破的葱、姜、盐、糖、花椒子和硝揉搓,腌约5天左右(每天翻1次)取出,用清水洗一遍,沥干水分。

2. 将花生油烧沸,下入腌好的腱子肉,炸5分钟后就移用微火焖炸至酥香,然后捞出晾凉。

3. 食用时,切片装盘,淋上香油即成。

【特点】 色如玫瑰,香鲜味美。

叉烧香肉

【原料】 主料:猪后腿瘦肉500克。

调料:盐5克,酱油5克,糖10克,花椒子20粒,料酒25克,香油10克,葱10克,姜10克。

【制 法】

1. 腿肉切成5厘米宽、3厘米厚的长条,用拍破的葱、姜和上列调料将肉腌2小时。

2. 用木炭将烤炉烧红,把腌好的肉(腌肉原汁保留待用)用小钩挂进烤炉,烤到快熟时,把肉取出在腌肉原汁中浸过,再挂进烤炉,直到熟透时取出,晾凉。然后刷上香油,以免干燥。

3. 食用时,切片装盘,淋香油即成。

【特点】 肉酥香,味鲜美。

注:牛里脊、羊腿肉亦可按此法制作。

水晶肴肉

【原料】 主料:猪蹄膀1个(约重1500克)。

配料:肉皮250克。

调料:桂皮10克,八角10克,花椒子20粒,小茴香10克(以上四样用布裹好),料酒50克,硝少许,盐25克,冰糖25克,味精2克,葱15克,姜25克。

【制 法】

1. 将蹄膀去骨,修去四周肥皮碎肉,用烧红的烙铁把蹄膀的残毛去掉,在清水中刮洗干净后,抹干水分。再用小竹扦在肉上扎些小眼。取炒好的花椒、盐、白糖和少许硝拌匀,在蹄膀上来回揉搓,使其进入,然后放到盆中腌四五天,至内部呈红色时为止。蹄膀腌好后,将其放入温水内刮洗干净,同时把肉皮也刮干净,一起用开水煮一下,捞出洗净。

2. 将沙锅垫底AAA,先放入清水(水量以没过食物为限)和拍破的葱、姜各15克以及上列调料,再把蹄膀放入,先在旺火上烧开,撇去泡沫,移用小火焖煮,时间根据肉的老嫩决定,一般煨九成烂,约三四小时。余下姜切末。

3. 煨好后,把蹄膀取出,粘在肉上的油卤要刮干净,用深盘把肉装好(皮朝下),再把锅内卤汤撇净浮油过箩筛,倒入蹄膀内,用重物压紧,冷透后,放入冰箱冷藏室内。

4. 食用时,切成1厘米厚的片摆到盘中,淋香油,另上一小碟镇江醋,内放姜末。

【特点】 色透亮,肉红,味香嫩,不腻。

烤里脊肉

【原料】 主料:猪里脊肉500克。

调料:盐8克,料酒25克,白糖5克,味精1克,香油10克,葱10克,姜10克。

【制 法】

1. 里脊肉整块去筋去骨,用竹扦扎

些小眼，以便于进味和尽快烤熟，用上列调料和拍破的葱、姜揉搓，腌2小时。

2. 把腌好的肉放入烤盘，再放进烤箱烤熟，烤时要注意调节火力，以免烤焦，如色不均匀时，可用菜叶把色重处盖上再烤，务必使颜色一致、烤到肉熟、两面颜色一致时取出，刷上香油，以免干燥。

3. 食用时，横切成片，摆盘淋香油即成。

【特点】 香酥味鲜，适宜下酒。

注：牛、羊里脊亦可按此法制作。

捆肘卷

【原料】 主料：猪肘肉5000克。

调料：盐150克，白糖100克，白酒50克，花椒子25克，葱100克，姜100克，香油100克。

【制　法】

1. 将肘肉残存的毛挟去，刮洗干净，抹干水分。

2. 先用锅把花椒子炒热，继下入盐炒烫，倒出晾温（以不烫手为准）。葱、姜拍破。用竹扦在肘子肉上扎些眼（以便盐等进入内部），用盐、糖、花椒子、酒、葱、姜在肘肉上揉搓腌上，放入陶器盆内（皮向下，最上一层皮向上），腌约5天（其中翻2次）。

3. 把腌好肘肉用温水刮洗一遍，抹干水分用净白布裹成圆筒，再用绳捆紧，装入盆内，用旺火沸水蒸2小时取出，解开绳布，重卷裹1次，再蒸半小时取出，凉透解去绳子和布，刷上香油，以免干燥。

4. 食用时，切开成半圆形，切薄片摆盘，淋香油即成。

【特点】 色泽红润，香味鲜美。

芥末白片肉

【原料】 主料：猪后腿肉（即肥瘦连得很紧的肉或前夹缝肉）400克。

调料：芥末粉10克，蒜子15克，姜10克，酱油15克，香醋5克，盐3克，味精1克，香油15克。

【制　法】

1. 猪肉洗净，下入开水锅内煮熟（切勿煮烂），用原汤泡上晾凉。

2. 芥末制法见“芥末鸡条”；蒜子去皮，放少许盐，捣成泥，加上香油和凉开水搅匀（这样色白不变）；姜切末，加入上列调料兑成汁（芥末亦可另上）

3. 食用时，将肉取出，剔去皮和部分肥肉，切成5厘米长、3厘米宽的薄片（越薄越好），将兑好的调料倒入拌匀，装盘即成。

【特点】 香鲜，爽口。

注：牛肉亦可按此法制作，但足要煮成八成烂为准。

陈皮牛肉

【原料】 主料：牛后腿肉500克。

调料：陈皮15克，花椒子20粒，干红椒10克，葱10克，姜10克，花生油500免（实耗50克），盐8克，糖10克，料酒50克，味精1克，香油15克。

【制　法】

1. 牛腿肉剔去筋洗净，切成5厘米长、3厘米宽、0.3厘米厚的片（或切粗丝亦可），用料酒和盐腌1小时。

2. 将花生油烧沸，下入腌好的牛肉炸5分钟捞日。锅中稍留一点油，先将花椒子炸一下再捞出不要，然后下入陈皮和干红椒，炸成紫红色，随下入葱、姜和牛肉片，再放入适量的水和上列调料，倒入沙钵内，用小火煨到松软，收干汁后晾凉。

3. 食用时，挑去陈皮、葱、姜，将牛肉装入盘内，淋香油即成。

【特点】 麻辣酥香，下酒佳肴。

盐水牛肉

【原料】 主料：牛腱子肉500克。

调料：盐15克，糖10克，葱10克，姜

10克，花椒子20粒，料酒50克，硝少许，香菜100克，香油15克。

【制　法】

1. 牛腱子肉用盐、糖、花椒子和硝揉擦腌上(冬季一星期，夏季3天，其中翻动2次)，取出后要洗净。香菜摘洗干净。

2. 用锅下入牛腱子肉以及拍破的葱、姜、料酒和适量的水(水以没过牛肉为准)，煮到七成烂为止。捞出晾凉，刷上香油，以免干燥。

3. 食用时，切薄片摆盘，淋香油，拼香菜即成。

【特点】 色彩红润，适宜下酒。

辣油牛肚

【原料】 主料：牛肚1000克。

调料：葱10克，姜15克，石灰100克，料酒25克，盐10克，味精克，辣椒油25克，醋10克，香油15克。

【制　法】

1. 将石灰放入热水1000克搅化，再下入牛肚泡约半小时，用刀刮去黑皮油筋，冲洗干净，用冷水烧开煮一下，再换水煮烂，然后放入料酒、盐、葱和姜继续煮一下，用原汤泡上晾凉。

2. 食用时，将牛肚捞出，斜片成薄片(或切丝)。锅内放入香油烧沸，下入花椒子炸一会儿后(捞出不要)，将油倒在牛肚上，再放入上列调料拌匀，装盘即成。

【特点】 麻辣香鲜，酒饭均宜。

注：羊肚亦可按此法制作。

拌肚尖花

【原料】 主料：猪肚尖250克。

配料：黄瓜300克。

调料：花椒子20粒，葱10克，姜10克，蒜子10克，碱10克，盐8克，味精2克，香油25克。

【制　法】

1. 将猪肚尖用刀片去两面筋和油，洗净。先顺剞一字刀，再横斜剞三刀一断的鱼鳃形片，切5厘米长的块，用碱腌约半小时后，用清水漂去碱味。

2. 待锅中的水烧开后(水要多一些，否则不脆嫩)，下入肚尖花汆熟(动作要快，一熟即捞)，然后放入凉开水中漂上。

3. 黄瓜去籽，切蓑衣花刀片，用盐腌一下，挤干水分。葱、姜、蒜均切成末。

4. 食用时，捞出肚尖花挤干水分。另外，用锅将香油烧沸，下入花椒子，炸一下就捞出不要，再下入葱、姜、蒜，炒出香味后倒在肚尖花上，加进黄瓜和上列调料拌匀，装盘即成。

【特点】 脆嫩清爽，味道鲜美。

注：此菜亦可加入辣椒油或芥末粉等来拌。

凉拌腰片

【原料】 主料：猪腰400克。

配料：黄瓜300克，水发香菇25克。

调料：盐5克，酱油15克，味精1克，香油15克，花椒子20粒，葱10克，姜10克，蒜子10克。

【制　法】

1. 猪腰整个撕去外层薄膜，用刀片成两半，再片去腰臊，洗净。切时，先直剞一字刀，再横斜剞三刀一断的鱼鳃形片，用清水漂净血水。

2. 香菇去蒂洗一遍，大的改块。黄瓜去籽，切蓑衣花刀，用盐腌一下，挤干水分。葱、姜、蒜均切成末。

3. 用锅将水烧开(水要多一些，否则不脆嫩)，下入腰片汆熟捞出(动作要快，一熟即捞)，放入凉开水内漂上。

4. 食用时，将腰片挤干水分，同时把香油烧沸，下入花椒子，炸一下捞出不要，再下入葱、姜、蒜，炒出香味后倒在腰片上，加上黄瓜和上列调料拌匀，装盘即成。

【特点】 脆嫩清爽，味鲜可口。

注：鸡肫和肝亦可按此法制作。

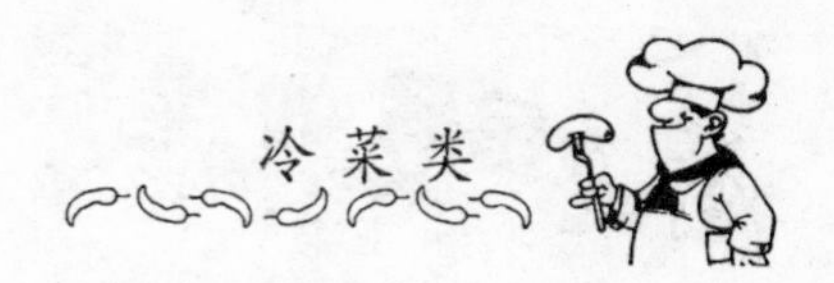

芥末白肚

【原料】 主料:肥猪肚1个。

配料:盐75克,醋25克,料酒50克,味精1克,香油25克,花椒子20粒,芥末粉10克,葱25克,姜25克,蒜子10克。

【制 法】

1. 猪肚用刀剔去污油,刮净表面涎液,洗净后放入开水锅余过,捞出来要刮去白色膜皮,用盐50克。醋25克揉搓,刮洗干净后用冷水煮。水烧开后,将其捞出,除去异味,放入沙锅内,加上料酒、盐和拍破的葱、姜,煮烂后端开,晾凉。

2. 芥末的制法同“芥末鸡条”,加入味精、盐和香油后,兑成汁。余下的葱、姜、蒜切末。

3. 食用时,将猪肚取出,斜刀片成薄片,把锅中的香油烧沸,下入花椒子,炸一下后就捞出不要,然后下入葱、姜、蒜,炒出香味后,同已兑好的汁一起倒入肚片内拌匀,装盘即成。

【特点】 柔软肥嫩,味道鲜美。

金银猪肝

【原料】 主料:猪肝500克,肥膘肉150克。

调料:料酒25克,盐13克,糖5克,花椒子20粒,味精1克,葱10克,姜10克,香油10克。

【制 法】

1. 将肥膘肉切成1.5厘米大的条,用盐3克腌上。葱、姜拍破。

2. 猪肝改成5厘米宽的长条,用拍破的葱、姜、花椒子以及上列调料腌约2小时,取出后,用钩刀将肥膘肉条钩上,由一头进,另一头出,把肥膘条灌在猪肝内。

3. 用木炭烧红烤炉,将腌好的金银猪肝用小钩钩上(腌猪肝原汁保留待用),挂进烤炉内烤到快熟时取出,在腌猪肝的原汁内浸卤一下,再挂进烤炉,烤熟透后取出晾凉,刷上香油,以免干燥。

4. 食用时,切片摆盘,淋香油即成。

【特点】 香酥味美,下酒佳肴。

五香火肠

【原料】 主料:猪人肠头2根(每根长约20厘米)。

配料:猪前夹缝肉300克,熟瘦火腿150克。

调料:料酒50克,盐50免,酱油25克,糖15克,醋50克,味精1克,香油15克,桂皮15克,八角15克,葱15克,姜15克。

【制 法】

1. 将猪人肠放在水案上,用竹片刮尽涎液,内外冲洗干净,下入开水锅余过即捞出(不宜太熟,否则收缩太人),用盐、醋揉搓,用清水冲洗直到无异味为止。

2. 猪肉片成0.7厘米厚的火片,火腿切成约1.3厘米宽的条(应根据肠的大小决定),用猪肉片包裹在火腿条的周围,再灌入人肠内,然后将肠两头用绳捆紧,放入垫有竹底轿的沙钵内,再放入拍破的葱、姜以及料酒,八角、桂皮、盐、酱油和适量的水,在小火上煨约1小时后取出晾凉,刷上香油,以免干燥。

3. 食用时,切圆片摆盘,淋香油即成。

【特点】 香酥味鲜,冷热均宜。

五色彩肠

【原料】 主料:猪人肠头2根(每根约20厘米长)。

配料:瘦猪肉500克,瘦火腿100克,水发金钩50克,鸡蛋3克,香菜100克。

调料:料酒50克,盐10克,味精1克,白糖5克,葱10克,姜10克,湿淀粉50克,香油15克。

【制 法】

1. 猪人肠头翻洗加工方法与“五香

火肠”同。葱、姜捣烂用料酒取汁。香菜摘洗干净。

2. 猪肉洗净，切成1厘米见方的丁。鸡蛋打开，蛋清、蛋黄分别用碗装上打散，再分别倒入摸上油的盘内蒸熟取出，连同火腿、金钩一起切成猪肉一样大的丁，加入盐、味精、白糖、葱、姜，酒汁和湿淀粉，搅拌成馅。

3. 将大肠头一端用绳扎紧，把肠子另一端套在喇叭漏斗上，将馅用竹扦灌进肠子内，再用细尖钢针在肠子上扎些眼，以便通气，灌满后用绳扎紧，下入卤汤锅内，用小火煨1小时左右即熟，取出后晾凉，抹上香油，以免干燥。

4. 食用时，切成约0.6厘米厚的片，摆入盘内，拼上香菜，淋香油即成。

【特点】 色彩美观，香鲜味美。

冻羊糕

【原料】 主料：羊肉500克。

配料：猪蹄500克，香菜100克，干红椒5个。

调料：酱油50克，盐5克，料酒50克，味精1克，香油10克，桂皮15克，葱10克，姜10克。

【制　法】

1. 羊肉烙净残存的毛，用温水泡上，刮洗干净后剁成块，下入冷水锅烧开煮过，捞出洗净。

2. 猪蹄放在火上燎过，泡入温水内，刮洗干净，剁成块，下入冷水锅烧开煮过，捞出洗净，连同羊肉一起放入垫着竹底AAA钵中，再放入适量的水、桂皮、干红椒、拍破的葱、姜以及料酒、盐、酱油，盖上盖，先放在大火上烧开，再用小火煨烂透捞出，挑去葱、姜、干椒、桂皮不要，拆净骨，皮和肉掰成小块。

3. 将锅放在火上，倒入原汤，随下入拆下的小块羊肉和猪蹄，烧开后再熬10分钟，撇净浮油，放入味精，调好味，装入长瓷盘内，冻上（如温度高时，放入冰箱冷藏室内）。

4. 食用时，切成小象眼块，摆盘淋香油，拼上香菜即成。

【特点】 味道鲜美，冬季佳肴。

拌海蜇皮

【原料】 主料：海蜇皮300克。

调料：净姜5克，糖10克，盐5克，味精1克，醋10克，香油15克。

【制　法】

1. 海蜇用冷水浸泡一下，撕去紫红色的膜皮，用清水洗至无沙粒为止，再用清水漂去咸味，切成4厘米宽的长条，横切1厘米宽的一字刀，三分之二切断，三分之一连着，再切4厘米宽的块。姜切末。

2. 将海蜇用六熟的温水烫卷后，即用凉开水泡上（要注意：烫的时间长了，抽缩太大，并且不脆）。

3. 食用时，将海蜇捞出，挤干水分，放入姜末和上列调料拌匀，装盘即成。

【特点】 脆嫩，爽口。

注：可加入黄瓜或莴笋、藕来拌，还可切成丝来拌。

糖醋蜇头花

【原料】 主料：海蜇头300克。

配料：嫩黄瓜250克，红樱桃5粒。

调料：白糖100克，白醋15克，盐3克。

【制　法】

1. 海蜇头用冷水泡上，搓抓几次，用清水洗净沙质，然后下入开水锅内，烫至脆嫩时捞出，放入凉水内，片成薄片，洗后用冷开水泡上。

2. 黄瓜洗净，一切两开，去籽，切成2厘米长的蓑衣花刀，用少许盐腌一下。红樱桃一切两开。姜切成末。

3. 食用时，捞出海蜇花和黄瓜挤干水分，用碗装上，放入白糖、醋、盐和姜末，抖匀后装入盘内，撒上红樱桃即成。

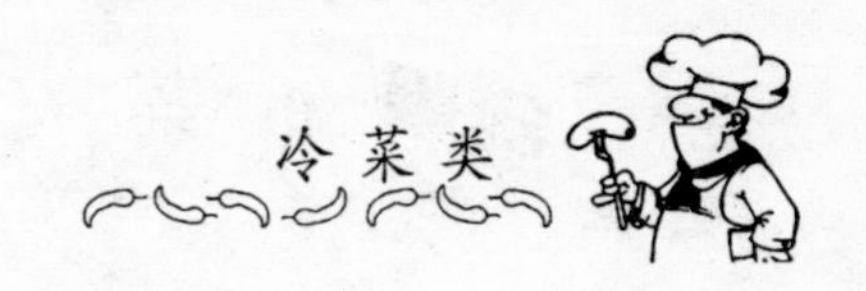

【特点】 色彩美观，甜酸脆嫩。

拌瓜皮虾

【原料】 主料：海蜇皮250克。

配料：嫩黄瓜500克，金钩50克。

调料：料酒25克，盐5克，味精2克，白糖5克，米醋10克，香油25克，姜10克。

【制　法】

1. 海蜇加工法见“拌海蜇皮”，要挤干水分。姜切末。

2. 黄瓜洗净，整条一切两半，平放砧板上（青皮朝上）用斜刀切蓑衣花刀，至3厘米长再切断成块，用盐腌软，挤干水分。

3. 金钩洗一遍，用温开水泡发，下入香油锅内炒出香味，烹料酒，用碗装上。

4. 食用时，将海蜇、黄瓜、金钩、姜末放在一起，加味精、白糖、醋和香油拌匀，装入盘内即成。

【特点】 脆嫩爽口，清香味美。

注：亦可改用辣椒油或糖醋汁来拌食。

冬菇面筋

【原料】 主料：面粉500克。

配料：水发冬菇50克。

调料：花生油1000克（实耗100克），盐50克，酱油25克，糖10克，汤250克，味精1克，香油25克，花椒子20粒。

【制　法】

1. 面粉用盐50克和水200克和好，反复揉搓，再抓起反复摔打，直到上劲，放入瓷盆内用湿布盖好，醒2小时后，用大木盘放清水，将醒好的面粉放在水内揉搓（要整块揉搓，不要弄散），水变浑了就换水，如此揉搓，直到水不浑时，即成面筋。每500克面粉约洗200克左右，放在平瓷盘内按平（约1厘米厚），用沸水旺火蒸约半小时（亦可下入开水锅内，盖上盖，用旺火煮熟。），取出晾凉后，斜片成4厘米长、3厘米宽的片。

2. 冬菇切去蒂洗净，大的改块。葱、姜拍破。

3. 将花生油烧沸，下入面筋炸成黄色捞出，将油倒去。锅内另放香油，下入花椒子炸一下（捞出不要）再下入葱、姜煸炒，然后下入冬菇面筋和上列调料，稍焖收干汁，装入盘内晾凉。

4. 食用时，挑去葱、姜，装盘即成。

【特点】 柔软香，味鲜美。

注：洗成面筋后切成小它油炸，叫炸面筋泡。

冬菇菱角

【原料】 主料：大嫩红菱角1000克。

配料：水发冬菇100克。

调料：香油50克，盐5克，糖15克，味精1克，姜10克，葱10克。花椒子20粒。

【制　法】

1. 菱角用刀剥去外壳，削去紫色膜皮，下入开水锅氽熟，用冷水漂上。

2. 冬菇切去蒂，大的改块洗净。葱和姜要拍破。

3. 将香油烧沸，下入花椒子炸一下，便捞出不要，再下入葱、姜煸炒，继下入菱角和上列调料稍焖，收干汁后晾凉。

4. 食用时，挑去葱、姜，装盘，淋香油即成。

【特点】 香嫩、爽口、味鲜。

油辣佛手笋

【原料】 主料：鲜嫩冬笋1000克（玉兰片亦可）。

调料：花生油500克（实耗100克），盐8克，糖3克，味精1克，辣椒油15克，香油10克，花椒子20粒，汤150克。

【制　法】

1. 冬笋砍掉头部老蔸，剥去外壳，削去内皮，下入开水锅内煮熟，再用冷水凉透，用刀一切两开，由笋尖向头部片成薄片,但不要片断,片的深度为五分之四,五分之一连着,再切成丝即成佛手形。

2. 将花生油烧沸,下入佛手笋,炸去水分呈黄色时捞出。锅内另放香油,下入花椒子炸一下捞出不要,再下入炸好的佛手笋以及列调料,稍焖,收干汁晾凉,装盘后淋上香油即成。

【特点】 香辣脆嫩,味道鲜美。

糟冻冬笋

【原料】 主料:鲜嫩冬笋 1000 克。

配料:母鸡肉 500 克。

调料:料酒 15 克,香糟 50 克,酱油 15 克,盐 5 克,味精 1 克,汤 100 克,香油 10 克,葱 10 克,姜 10 克。

【制　法】

1. 冬笋砍去老蔸部分,剥去外壳,削去内皮,小的一切两半,大的切 2 厘米厚的片,再切成尖条,用钵装上。

2. 鸡砍成块,下入开水锅氽过洗净,放在冬笋上面;香糟加入汤调散,再加进上列调料搅匀,灌入净白布袋内,用绳扎紧,放在鸡块上面,上笼蒸 2 小时,视鸡蒸烂时取出,将原汤滗出另装成冻,取出鸡另作它用。

3. 食用时,将冬笋装盘,糟冻撇尽油,搅成稀冻,盖在冬笋,淋香油即成。

【特点】 香冻味鲜,脆而松,冬季佳肴。

菊花荸荠

【原料】 主料:削皮荸荠 500 克。

调料:番茄汁 100 克,香油 50 克,盐 3 克,白糖 10 克,汤 100 克。

【制　法】

1. 用小刀在荸荠侧面周围剞上角齿花刀,掰成两开成菊花形,用开水氽熟捞出。

2. 将香油烧沸,下入荸荠煸炒,随放入上列调料,收干汁,晾凉后装盘,淋香油即成。

【特点】 似红菊花,甜咸香脆。

荤素十锦

【原料】 主料:熟瘦火腿 50 克,熟鸡脯 50 克,水发冬菇 50 克,鸡蛋 3 个,熟冬笋 50 克,四月豆 100 克,韭花 100 克,大红辣椒 100 克,绿豆芽 200 克。

调料:盐 5 克,味精 2 克,汤 100 克,香油 50 克,湿淀粉 10 克。

【制　法】

1. 冬菇切去蒂。冬笋片成薄片。将香油烧沸,下入冬笋、冬菇,加少许盐煸炒入味,装盘晾凉。

2. 鸡蛋的清和黄分别用碗装上,蛋清打散兑入适量盐和汤搅匀,装入摸上油的盘内,上笼蒸熟,取出晾凉。蛋黄加入盐、汤和湿淀粉搅匀,用锅烫成蛋皮。

3. 四月豆、韭黄摘去老根和筋,绿豆芽摘去花和根,大红辣椒去蒂去籽,都分别下入开水锅氽熟,拌上盐和香油。

4. 将上列各种原料都切成 5 厘米长丝(要求大、小、长、短整齐),配好色,摆在盘子周围,中间放各种混合的原料丝。

5. 食用时,将味精、香油、汤兑汁淋上即成。

【特点】 五光十色,清爽可口。

油淋芽白饼

【原料】 主料:包得紧的芽白 1500 克。

配料:小鲜红辣椒 25 克。

调料:盐 5 克,酱油 15 克,白糖 100 克,醋 15 克,香油 25 克,花椒子 20 粒。

【制　法】

1. 芽白剥去老边叶,切去老蔸部分,左手抓住头部,右手持刀切下 3 厘米厚的饼,随后在头部剞上斜十字花刀,再切下芽白饼 2—3 个,切至叶为止,放入盘内。小红辣椒切丝。

【特点】 似红菊花,甜咸香脆。

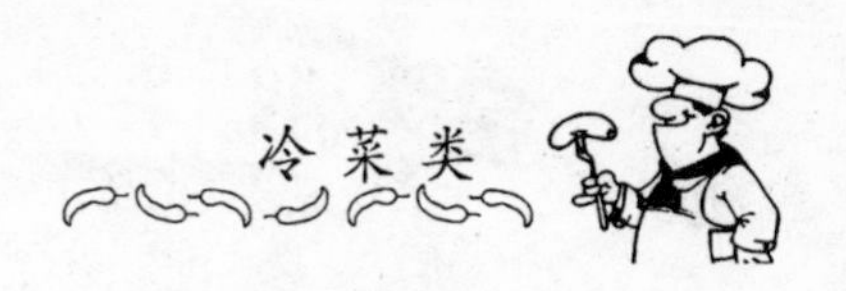

三丝莴笋卷

【原料】 主料:莴笋头1000克。

配料:大红辣椒50克,大青辣椒50克,绿豆芽150克,鸡蛋2个。

调料:盐8克,味精1克,香油25克,湿淀粉10克。

【制 法】

1. 大红辣椒和大青辣椒均去蒂去籽切细丝,绿豆芽摘去花和根,均用开水汆熟捞出,放香油和盐拌匀晾凉。鸡蛋打散,放盐、淀粉和适量的水搅匀,用锅烫成蛋皮切丝。将上列配料放入上列调料拌匀。

2. 莴笋头削去皮筋,切成5厘米长的筒,用盐腌软后洗一下,再用滚刀片成极薄的片,铺开在木板上,将拌好的配料放上,卷成食指大的筒形,切去两头伸出部分,如此卷完为止。

3. 食用时,摆盘,淋香油即成。

【特点】 脆嫩,爽口。

注:①三丝配料亦可用其他原料;②口味亦可拌成糖醋。

五色卷

【原料】 主料:红、白萝卜各200克,水发大香菇100克,莴笋头(或青椒)300克,鸡蛋2个。

调料:盐15克,味精1克,香油50克,湿淀粉15克。

【制 法】

1. 红、白萝卜刮去皮与削去皮筋的莴笋头一起洗净,用盐腌软后洗一遍,切成5厘米长的筒,用滚刀法片成极薄的片,放入味精和香油拌好,卷成直径约1.5厘米大的筒。

2. 香菇切去蒂洗净,切成5厘米长块,将香油烧沸,下入香菇、盐和味精炒一下,装盘晾凉,卷成1.5厘米大的筒。

3. 鸡蛋打散,放入适量的盐和水,再加入湿淀粉搅匀,用锅烫成蛋皮,切成5厘米长的块,卷成1.5厘米大的筒。

4. 食用时,按色间开,摆盘,淋香油即成。

【特点】 五色间开,鲜艳脆嫩。

油辣黄瓜卷

【原料】 主料:嫩黄瓜1000克。

调料:盐10克,味精1克,香油10克,辣椒油10克,白醋10克。

【制 法】

1. 黄瓜刮去粗皮洗净,切成5厘米长的段,用盐腌软,洗后用滚刀片成薄片(无籽的可片到中心,有籽的片到籽为止),拌入味精、辣椒油和白醋。

2. 把拌好味的黄瓜片,由心部卷成筒形,食用时摆盘,淋香油即成。

【特点】 香辣脆,清爽口。

注:亦可用红辣椒丝、青辣椒丝拌好味,卷在黄瓜内,还可用糖和醋来拌。

油辣包菜卷

【原料】 主料:包菜750克。

调料:花椒子20粒,辣椒油15克,味精2克,盐10克,酱油25克,醋15克,白糖15克,香油50克。

【制 法】

1. 将包菜叶逐片掰下来(除去老边叶),再把叶了中间的梗片成叶子一样薄,洗净,用盐腌软后,下入开水锅氽过即捞出散开,挤干水分,用盆装上。

2. 烧沸香油,下入花椒子炸一下捞出不要,再放入上列调料烧开,倒入包菜内,用盘盖上。

3. 食用时把包菜修改整齐,修上来的边叶放在上面卷成筒形,切成5厘米长的段,整齐摆在盘内,淋香油即成。

【特点】 香辣脆,清爽口。

注:亦可用青椒丝、红椒丝、蛋皮丝来卷。

拌嫩香椿芽

【原料】 主料:嫩椿芽500克。

调料:姜 10 克,盐 5 克,醋 10 克,味精 1 克,香油 50 克,酱油 10 克。

【制 法】

1. 椿芽摘去老蔸根,人个一切两开洗净,用盆装上。姜切成米。

2. 食用时,将椿芽倒入开水内烫熟(烫的时间不宜人长,否则止掉香味),捞出后挤干水分,放入上列调料和姜米拌匀,装盘即成。

【特点】 香嫩,味鲜,爽口。

梅苏拌藕

【原料】 主料:嫩白藕 1000 克。

配料:梅子 250 克,紫苏叶 150 克,石灰 150 克。

调料:白糖 150 克,盐 5 克,白醋 10 克。

【制 法】

1. 梅子用石灰水泡 10 天左右(石灰水以没过悔子为准),再捞出洗净,用刀拍破,剔去梅核后切成丝。紫苏摘上叶挂于高处晾干水分,切成宽如韭菜叶一般的丝,用盐少许腌出红水,放入梅子丝和白糖拌匀,即成悔苏。

2. 藕切去节,削去皮,切成 5 厚米长、筷子头粗一样大的条,放入清水洗一遍,用盐醋腌软。

3. 食用时,将藕放入冷开水洗一遍捞出,加入糖、醋拌匀装蕊,梅苏盖在藕上面即成。

【特点】 甜酸脆嫩,极为爽口。

注:黄瓜亦可按此法制作。

油炝板栗

【原料】 主料:大板栗 500 克。

调料:盐 5 克、花生油 500 克(实耗 50 克),花椒子 20 粒,香油 25 克,白糖 10 克,味精 1 克,汤 150 克。

【制 法】

1. 板栗在鼓起的一面用刀砍一字刀,下入开水烫一下捞出,把板栗肉取出(黑烂部分要切去),再切成片。

2. 将花生油烧沸,下入板栗,用小火炸酥捞出,倒去油。再将香油烧沸,下入花椒炸一下捞出不要,随下入板栗和上列调料稍焖,收干汁后晾凉。

3. 食用时,装盘,淋上香油即成。

【特点】 香酥烂,味可口。

油炝茭瓜

【原料】 主料:嫩茭瓜 1000 克。

配料:盐 5 克,白糖 10 克,味精 1 克,香油 50 克,花椒子 20 粒,汤 150 克。

【制 法】

1. 茭瓜剥去外壳,削去内皮,切去部分老蔸,用刀滚切成三角块,下入开水锅内氽一下,即捞出装盘。

2. 将香油烧沸,下入花椒子,炸出香味后捞出不要,然后下入茭瓜,再放入上列调料稍焖,收干汁后取出晾凉。

3. 食用时,装入盘内,淋上香油即成。

【特点】 香脆嫩,味鲜美。

注:亦可放入辣椒油来拌。

油炝蚕豆

【原料】 主料:蚕豆荚子 1500 克。

调料:香油 50 克,花椒子 20 粒,盐 5 克,味精 1 克,汤 150 克。

【制 法】

1. 先将蚕豆荚子剥去外壳,再剥去内皮洗净,下入开水锅内氽过即捞出,用冷水过凉。

2. 烧沸香油,将花椒子炸出香味后捞出不要,随后下入蚕豆,再加入上列调料,稍焖,收干汁就装盘晾凉,食用时淋香油即成。

【特点】 颜色碧绿,鲜嫩爽口。

火腿川豆

【原料】 主料:川豆荚子 750 克,熟火腿 100 克。

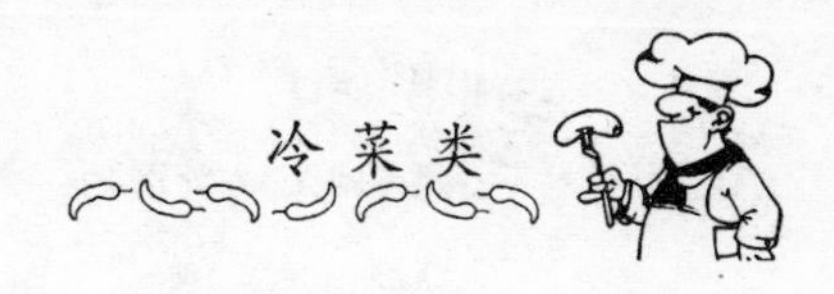

调料:香油50克,盐5克,味精1克,汤150克。

【制　法】

1. 将川豆荚子剥去外壳洗净,下入开水锅内余过捞出,用冷水过凉。

2. 火腿切成同川豆一样大小的丁。

3. 烧沸香油,下入火腿炒香,然后下入川豆及上列调料,稍焖收干,装盘晾凉,食用时淋香油即成。

【特点】　红绿相间,鲜艳味美。

金钩毛豆

【原料】　主料:毛豆荚子750克,金钩50克。

调料:香油50克,料酒25克,盐5克,味精1克,汤150克,姜10克。

【制　法】

1. 将毛豆初步加工(方法见"火腿川豆")。

2. 金钩洗一遍后用凉水泡上。姜切末。

3. 烧沸香油,下入金钩和姜末煸炒,随下入毛豆及上列调料稍焖,收干汁再装盘晾凉,食用时淋香油即成。

【特点】　黄绿相间,香嫩味鲜。

糖霜桃仁

【原料】　主料:核桃仁250克

调料:花生油1000克(实耗50克),白糖100克。

【制　法】

1. 桃仁用开水泡胀,撕去皮,洗一遍。

2. 将花生油烧六成热时,下入桃仁炸酥(炸时火力不能太人,以免炸糊),捞出后放在能吸水的纸上吸去油。

3. 锅内放入糖和50克水,在小火上收汁,用锅铲不停地铲动,待糖汁翻火泡后(翻鱼眼泡时),端离火位,下入桃仁随即铲动,待糖汁全部裹在桃仁上,即摊开晾凉,装盘即成。

【特点】　焦脆香甜。

注:杏仁、花生仁亦可按此法制作。

冲　菜

【原料】　主料:嫩青菜莍(或芥菜莍)1000克。

调料:香油50克,盐5克,酱油15克,味精1克,姜10克,香醋10克。

【制　法】

1. 将青菜莍掰去老边叶,削去梗上的筋,洗净后挂在通风处吹干水分,切成黄豆大小的丁。姜切成米状。

2. 将锅烧热(不放油),下入青菜莍炒得发热,装入一人肚小口坛内,用一张大青菜叶在盛有开水的锅内烫一下,将坛口封严,半天后即可食用。

3. 食用时取出,放入姜末和上列调料拌匀,装盘即成。

【特点】　气味冲鼻,别有风味。

注:亦可加入金钩末或碎花生米拌食。

泡　菜

【原料】　主料:白萝卜、红萝卜、刀豆、藠头,豆角、黄瓜、子姜,大红椒,包菜梗,大蒜球。

调料:冷开水5000克,盐250克,冰糖250克,白酒150克,干红辣椒100克,花椒子25克,老姜250克,甘草250克。

【制　法】

1. 将一个肚人口小的汲水坛洗净晾干,将冷开水(或清水亦可)倒入坛内,下入上列调料即成泡菜水。干红辣椒剪去蒂,整个洗净。姜去皮洗净。

2. 把要泡的菜洗净(该削皮的削皮,该切的切,该摘的摘),晾干水分,放入坛内泡上,坛外沿边放入清水,盖上盖子。要经常检查,边沿不能缺水,以免进入空气,否则泡菜就会有出风气味。坛沿边的水,至少每周换1次,以保持清洁。

3. 泡进味后,即可取食。取时须准

备专用筷子,切忌把油带进去。初泡时味道稍淡,泡的时间长了,泡菜味就浓了。要随时加入适量的盐,以保持咸味(盐少味淡则太酸,盐多味重义太咸,总之要既有咸味,又有点酸味,才能成为泡菜)。若水面生白膜时,加上一点红糖和白酒,即可散去。泡菜的水越陈越好,过去曾有几十年的泡菜水。

【特点】 香脆微酸,适宜夏季下饭。

注:①泡菜坛应放在阴凉的地方。

②食用时,一般,小用刀切,用于掰成块吃;但亦可切成碎术粒,加辣椒和猪肉合炒,即“泡菜肉末”。

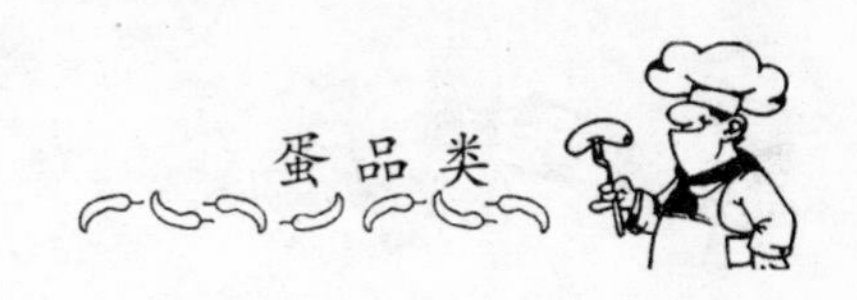

蛋　品　类

竹荪鸽蛋

【原料】

土料:鲜鸽蛋12个。

配料:竹荪25克,豆苗500克。

调料:鸡油25克,清鸡汤1000克,盐10克,味精2.5克,胡椒粉1克。

【制　法】

1. 竹荪用温水洗一遍,再用温水泡胀透,洗净泥沙,切成5厘米长的段,小的一切两开,大的切成3—4条,在锅中刚开水汆过,再用冷水漂上。豆苗摘苞洗净。

2. 在大碗中装入凉水,将鸽蛋打入碗内,待锅里的水烧开时,用瓢将开水搅起漩涡并把锅端离火位,然后把鸽蛋倒入锅内,刷小火煮熟(或连壳煮熟,剥去壳)捞出,用汤加入盐泡上。

3. 食用时,将鸽蛋上笼蒸热,间时将清鸡汤、竹荪、盐、味精放入锅内烧开,调好味,再放入豆苗苞,撇去泡沫,取出鸽蛋捞入汤WF内,放胡椒粉和鸡油,然后再将竹荪鸡汤装入盛有鸽蛋汤WF内即成。

【特点】 鸽蛋滑嫩,竹荪松脆,味道鲜美,营养丰富。

虎皮鸽蛋

【原料】 主料:鲜鸽蛋12个。

配料:口蘑25克,豆苗1000克(或芥兰菜)。

调料:猪油500克(实耗100克),盐5克,酱油15克,味精2.5克,鸡汤200克,胡椒粉1克,干淀粉20克,香油25克。

【制　法】

1. 口蘑加工的方法见“清汤鱼肚”。豆苗摘苞洗净。将酱油、鸡汤、味精、香油和湿淀粉兑成汁。

2. 将鸽蛋洗净,装入碗内并加冷水,上笼蒸熟后放入冷水内剥去壳,放入碗内,再加少许酱油和汤。

3. 食用时,将鸽蛋蒸热取出,沥干水分,粘上干淀粉,同时将猪油烧沸,下入鸽蛋炸全呈金黄色捞出。锅内留50克油,下入口蘑和豆苗,加盐炒一下再装入盘内。另外,将猪油烧到六成热时倒入兑汁,待烹起时下入鸽蛋烧入味,放胡椒粉、香油,将鸽蛋和汁浇盖在口蘑豆苗上即成。

【特点】 色红香酥,味鲜可口。

锅贴鸽蛋

【原料】 主料:鲜鸽蛋12个。

配料:猪肥膘肉500克,虾仁150克,整桃仁150克,鸡蛋2个,削皮荸荠100克,香菜150克。

调料:料酒25克,盐5克,味精1.5克,胡椒粉0.5克,香油15克,葱10克,姜10克。

【制　法】

1. 鸽蛋洗净,装入碗内并加入冷水,上笼蒸熟取出,放入冷水内剥去壳。桃仁用开水泡胀,撕去皮(每个掰成四瓣,切勿弄碎),下入油锅炸成焦酥。葱、姜捣烂用料酒取汁。香菜摘洗干净。

2. 虾仁用刀拍烂,捶剁成细茸;荸荠剁成米状,加入鸡蛋清、葱姜酒汁、味精、盐、胡椒粉和湿淀粉搅拌成馅。

3. 肥膘肉放入汤锅内煮熟(断生为止,切勿煮烂),取出晾凉后切成5厘米长、3厘米宽、3毫米厚的长方片(计24片),用干净白布按干水分,两面粘上干淀粉,摊开放在平锅内,将虾仁馅贴在肥膘上;鸽蟹一切两边,在切开一而粘上干淀粉,贴在虾仁馅中间,阴角按上桃仁。

4. 食用时,将平锅上火,要不断转动,用温火将肥膘煎全油排出、焦酥呈金黄色,然后将油滗出,撒花椒粉和香油,摆入盘内并在周围拼放香菜即成。

【特点】 焦脆香酥,味鲜可口。

鸳鸯鸽蛋

【原料】 主料:鲜鸽蛋12个。

配料:虾仁馅200克,口蘑15克,豆苗1000克。

调料:猪油1000克(实耗100克),料酒25克,酱油5克,盐5克,味精1.5克,鸡汤200克,胡椒粉1克,香油15克,葱10克,干淀粉10克,湿淀粉15克。

【制　法】

1. 鸽蛋洗净后放入碗内,加入冷水上笼蒸熟,取出后放入冷水内,剥去壳,一切两边,仰放在平盘内,撒上干淀粉,把虾仁馅挤在鸽蛋上,用小刀按实摸紧。

2. 口蘑的加工见“清汤鱼肚”。豆苗摘苞洗净。葱切花。用酱油、鸡汤、味精、胡椒粉和湿淀粉兑成汁。

3. 食用时,将猪油烧沸,下入酿鸽蛋炸焦酥呈金黄色,然后倒入漏勺沥油;锅中留50克油,下入口蘑、豆苗苞,加盐炒熟后装入盘内,将鸽蛋放在中间。再将猪油烧到六成热时,倒入兑汁,待油汁烹起时,放入葱花,将其浇盖在鸽蛋上即成。

【特点】 外焦香酥,内嫩味鲜。

凤尾鸽蛋

【原料】 主料:鲜鸽蛋12个。

配料:竹荪15克,熟瘦火腿25克,虾仁150克,肥膘肉50克,鸡蛋1个,小白菜1500克。

调料:料酒25克,盐10克,味精2克,清鸡汤1000克,干淀粉50克,胡椒粉1克,葱10克,姜10克,鸡油15克。

【制　法】

1. 竹荪用温水洗一遍,再用温水泡发,切成5厘米长、1.5厘米宽的条,用开水氽过,用凉水泡上。火腿切成末。小白菜摘去边叶留小苞。葱和姜捣烂,用料酒取汁。

2. 将虾仁和肥膘肉用刀背捶剁成细茸,加入蛋清、葱姜酒汁、干淀粉、味精、汤和适量的盐,搅拌成虾茸馅。

3. 鸽蛋洗净后放冷水上笼蒸熟,取出来用冷水浸凉并剥去壳,然后一切两半,仰放在平盘内,撒上干淀粉。

4. 白菜苞洗净后用开水氽过,用冷水过凉,修改成三片叶,用白干净布按干水分,撒上干淀粉,将虾茸馅挤在白菜梗和叶上,再将鸽蛋覆盖在白菜梗上,然后白菜叶上撒上火煺末,即成凤尾形。

5. 食用时将凤尾鸽蛋上笼蒸熟取出。另外,将清鸡汤、竹荪、盐和味精放入锅中烧开,调好味,撇去泡沫,装入汤WF内,撒胡椒粉,再将凤尾鸽蛋放入竹荪汤内,淋上鸡油即成。

【特点】 色彩鲜艳,汤清味鲜。

银耳鸽蛋

【原料】 主料:银耳15克,鲜鸽蛋12个。

配料:豆苗250克。

调料:盐10克,味精2克,清鸡汤1000克,胡椒粉1克,鸡油15克,葱10克。

【制　法】

1. 先将银耳用冷水浸泡2小时(急需时可用温水泡),再用小刀削去根和变质部分,用清水漂洗干净后放入碗内,加

上适量的开水，上笼蒸约半小时（如未发透时，可再蒸至发透为止）取出。

2. 碗放入冷水，把鸽蛋打开倒入冷水碗内。另外在锅中烧开水，用瓢将开水搅起漩涡，随即将锅子端离火位，把鸽蛋倒入锅内用小火煮熟，捞出来放入烧开的鸡汤内并加少许盐泡上。

3. 豆苗摘苞洗净。葱白切段。

4. 食用时，将鸽蛋上笼蒸热。另外将清鸡汤、盐、味精和银耳放入锅内烧开，调好味，撇去泡沫，放入豆苗苞和胡椒粉，装入汤 WF 内，然后放入鸽蛋，淋鸡油即成。

【特点】 汤清鲜美，营养丰富，宴会大菜。

焦炸桃仁鸽蛋

【原料】 主料：新鲜鸽蛋 12 个。

配料：半只整核桃仁 24 块，虾仁 150 克，猪肥膘肉 50 克，削皮荸荠 50 克，鸡蛋 2 个，香菜 100 克。

调料：花生油 1000 克（实耗 100 克），料酒 25 克，盐 5 克，味精 1.5 克，白糖 1 克，胡椒粉 0.5 克，椒盐粉 50 克，葱 10 克，姜 10 克，干淀粉 40 克，香油 15 克。

【制　法】

1. 先将鸽蛋放入冷水锅煮熟（或上笼蒸熟亦可），捞出后放入冷水中浸凉并剥去壳。

2. 核桃仁用开水泡发，撕去皮（注意保持整块切勿卉碎）。荸荠剁成细米。葱和姜捣烂，用料酒取汁。鸡蛋去黄留清。香菜摘洗干净。

3. 虾仁洗净，肥膘肉切成薄片，一起用刀背捶剁成细茸，用碗装上，加入蛋清、荸荠米、葱姜酒汁、盐、味精、白糖、干淀粉和胡椒粉拌成馅。

4. 将鸽蛋切开（切口朝上），摊放在平盘内，撒上干淀粉，将虾仁馅贴在鸽蛋上，再按上桃仁，用小刀按实抹光。

5. 花生油烧沸后，将鸽蛋粘上干淀粉下入油锅，炸至焦酥呈金黄色捞出，摆入盘内并淋香油，周围拼香菜，另上椒盐粉两小碟即成。

【特点】 色泽金黄，香酥脆嫩，味美可口。

牡丹鸽蛋

【原料】 主料：鲜鸽蛋 20 个。

配料：口蘑 15 克，熟瘦火腿 50 克，芥兰菜 1000 克。

调料：盐 10 克，味精 2 克，清鸡汤 1250 克，胡椒粉 1 克，鸡油 15 克。

【制　法】

1. 口蘑加工的方法见“芙蓉鸡片”。熟火腿切成 1 厘米长的细丝。芥兰菜摘小苞洗净，下入开水内氽过，用冷水过凉，并挤干水分。

2. 将 20 个小油碟摸上油，用来摊放芥兰菜苞，将鸽蛋打开，放在芥兰菜苞上，撒上少许盐，再将火腿丝撒在鸽蛋上。

3. 食用前 5 分钟，将鸽蛋菜苞上笼蒸熟。同时，将清鸡汤、口蘑、盐和味精放入锅内烧开，调好味，撇去泡沫，装入汤 WF 内并撒胡椒粉。将鸽蛋取出后，放入口蘑鸡汤内，淋上鸡油即成。

【特点】 形似牡丹，色彩鲜艳，汤清味鲜，宴会大菜。

菠萝麻茸鸽蛋

【原料】 主料：新鲜鸽蛋 20 个。

配料：罐头菠萝 4 个，红樱桃 10 粒，去皮芝麻 50 克。

调料：花生油 500 克（实耗 50 克），糖粉 100 克。

【制　法】

1. 鸽蛋洗净，装入碗内，加入清水上笼蒸熟，取出后放入冷水内浸凉，并剥去壳。

2. 芝麻放入锅内，用小火炒熟，碾成细茸再加入糖粉拌匀。

3. 将花生油烧沸，下入鸽蛋，待其炸至呈金黄色时捞出，粘上芝麻茸糖粉，装入盘中间，用菠萝和樱桃围边即成。

【特点】 色彩美观，香甜可口。

炸荷包鸽蛋

【原料】 主料：鲜鸽蛋20个。

配料：熟瘦火腿50克，削皮荸荠50克，咸面包150克，水发金钩50克，鸡蛋清4个，香菜50克。

调料：猪油1000克(实耗100克)，盐5克，味精1.5克，胡椒粉1克，葱15克，干淀粉25克，香油15克。

【制 法】

1. 火腿切成小象眼片。金钩、荸荠、葱白都切成米状。香菜摘洗干净。

2. 鸽蛋打开磕在摸油的小调羹内，撒上适量的盐、味精、胡椒粉、金钩、荸荠米、葱花，上笼蒸6分钟即熟，取出。

3. 面包切成5厘米长、3厘米宽的椭圆形薄片(计20片)。

4. 鸡蛋清用筷子打起发泡，加入适量的干淀粉，调制成雪花糊；把面包片摊开放木板上，先将雪花糊一半铺满面包上，放上一个蒸熟的鸽蛋，再盖上一层雪花糊，表面按上香菜叶，火腿片，即成花朵荷包形。

5. 锅内放入油烧五成热时，将荷包鸽蛋逐个下入油锅，用温火炸熟酥香、面包呈金黄色，倒入漏勺沥油，装入盘内，淋香油即成。

【特点】 色彩美观，焦香松酥，味道鲜美，营养丰富。

注：鹌鹑蛋亦可按此法制作。

明月鸽蛋汤

【原料】 主料：鸽蛋12个，竹荪25克。

配料：小白菜苞12个，熟瘦火腿25克，香菜50克。

调料：鸡油25克，清鸡汤1000克，料酒25克，盐10克，味精2克，胡椒粉1.5克。

【制 法】

1. 竹荪用温水泡发涨透，洗净泥沙，切成5厘米长，小的一切两开，大的改成三至四条，放在开水锅内氽过，用冷水漂上。火腿切成米。香菜摘叶洗净。

2. 将鸽蛋磕在抹油的小碟内，上面放着香菜叶、火腿米、小白菜苞，下入开水锅氽过，用冷水过凉。

3. 食用时，将鸽蛋上笼蒸8分钟即取出。同时锅内放入清鸡汤、盐、味精、竹荪、白菜苞、胡椒粉烧开，调好味，撇去泡沫，装入汤WF内，加入鸽蛋，放鸡油即成。

【特点】 竹荪滑脆，鸽蛋鲜嫩，汤清味美，营养丰富。

含苞待放

【原料】 主料：新鲜鸽蛋20个。

配料：虾仁150克，猪肥膘肉50克，削皮荸荠50克，熟瘦火腿50克，青辣椒100克。

调料：猪油50克，料酒25克，盐8克，味精1.5克，胡椒粉0.5克，白糖少许，鸡汤250克，葱15克，姜15克，干淀粉少许，湿淀粉50克，鸡油15克。

【制 法】

1. 葱和姜捣烂，用料酒取汁。荸荠剁成米状。火腿切成米。青椒切成树叶形，下入开水锅烫熟捞出，放点香油和盐拌一下。

2. 虾茸馅制法与“菊花鱼肚”相同。

3. 鸽蛋下入冷水锅内煮熟捞出，放入冷水内过凉，剥去壳，在蛋的尖头用小刀划三刀成为六瓣，取出蛋黄，内壁涂上干淀粉，填入虾茸馅，在开瓣处粘上火腿米，摆入盘内，上笼蒸10分钟即熟取出，逐个插上青椒叶，成为待开的花苞。同时锅内放入油，烧到六成热，放入鸡汤、盐、味精，调好味，用湿淀粉调稀勾芡，浇

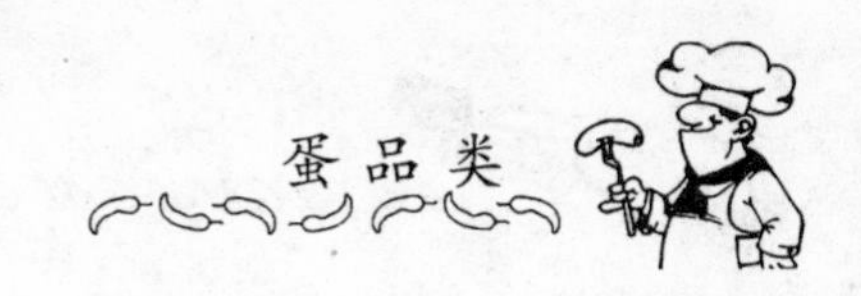

在鸽蛋上，淋鸡油即成。

【特点】 形似待开的花苞，光滑美观，鲜美可口。

锅贴蛋白

【原料】 主料：鲜鸡蛋12个。

配料：虾仁150克，肥膘肉500克，削皮荸荠50克，熟瘦火腿50克，香菜100克，蕃茄2个。

调料：料酒25克，盐5克，味精2克，鸡汤200克，香油15克。

【制 法】

1. 虾仁馅加工的方法见“锅贴鸽蛋”。火腿切成小象眼片。香菜摘叶洗净。

2. 鸡蛋去黄用清，装入碗内，用筷子搅散后加入适量的冷鸡汤、盐和味精搅匀，再装入摸上了油的深甲盘内，上笼用小火蒸10分钟即熟，取出晾凉。

3. 肥膘肉下入汤锅内煮熟（断生为止，不要煮烂），改成5厘米长、3厘米宽、3毫米厚的长方片，用干净白布按干水分，两而粘上干淀粉，摊在木板上（或摊放平煎锅内），将虾馅贴满在肥膘片上，再将蛋白片成同肥膘肉大小厚薄一样的片，贴在虾馅上，然后将火腿片、香菜贴在蛋白上。

4. 食用时，将放有锅贴蛋白的煎锅上火，煎至肥膘油脂排出呈金黄色时滗去油，淋上香油，摆入长盘并在周围拼蕃茄瓣即成。

【特点】 色彩美观，香酥嫩鲜。

什锦奶蛋

【原料】 主料：鲜鸡蛋300克，牛奶250克。

配料：熟瘦火腿25克，金钩25克，净冬笋25克，青豆25克，蘑菇25克，熟鸡肉50克。

调料：猪油100克，盐5克，味精1.5克，胡椒粉0.5克，葱15克，湿淀粉30克。

【制 法】

1. 火腿、净冬笋、金钩（泡发）、蘑菇和鸡肉均切成黄豆大的粒。葱切成花。

2. 鸡蛋去黄用清，加入牛奶、冬笋、金钩、蘑菇、鸡肉、青豆、盐、味精、胡椒粉和适量的湿淀粉搅匀成稀汁。

3. 食用时，将猪油烧到六成热，下入兑好的汁，用瓢不停地炒，炒熟后装入盘内，撒上火腿和葱花，淋鸡油即成。

【特点】 色彩鲜艳，味美可口。

蘑菇烩蛋白

【原料】 主料：鲜鸡蛋16个。

配料：蘑菇100克，小白菜1000克。

调料：猪油100克，盐10克，味精1.5克，鸡汤500克，胡椒粉0.5克，鸡油15克，湿淀粉25克。

【制 法】

1. 鸡蛋洗净，放入冷水锅煮熟捞出，用冷水浸凉，再剥去壳，切成四瓣，去掉蛋黄，将两头厚的片去，使之厚薄一致，洗一遍后用汤泡上。

2. 蘑菇切成片。小白菜摘去边叶用小苞，洗净。

3. 将猪油烧到六成热时，下入白菜苞加入盐炒一下，再下入蘑菇、蛋白、鸡汤、盐、味精和胡椒粉，用湿淀粉调稀勾芡，装入盘内，淋上鸡油即成。

【特点】 色彩鲜艳，滑嫩味鲜。

花菇无黄蛋

【原料】 主料：鸡蛋12个

配料：水发花菇75克，时令菜心100克。

调料：杂骨汤100克，胡椒粉0.5克，酱油10克，味精1克，精盐2.5克，湿淀粉25克，芝麻油2.5克，熟猪油90克。

【制 法】

1. 将鸡蛋洗净，在每个蛋大圆头顶端磕一小圆孔，逐个地将蛋清倒入1只火碗内(蛋黄则倒入另一碗内作他用)。蛋壳内灌入清水,洗净沥干。用筷子将蛋清搅匀(不要起泡沫),加入25克熟猪油、2克精盐、0.5克味精、150克清鸡汤调匀,然后灌入12个蛋壳内,用薄纸封闭圆孔。取大瓷盘一只,平铺一层米饭,将鸡蛋竖立在饭上(圆孔朝上),入笼蒸到上大汽时将蒸笼盖揭开一会儿,降低气压,以防蛋清从圆孔冒出,再加盖蒸3分钟,熟后取出放在冷水中浸泡2分钟,剥出蛋壳,即成白色无黄蛋,盛于碗中,加杂骨汤,入笼保温。将花菇去蒂洗净。

2. 炒锅内放入15克熟猪油,烧至六成热时下入洗净的菜心,加0.5克精盐炒熟,摆在大瓷盘的周围。将无黄蛋沥去水,倒在盘中间。

3. 炒锅内放50克熟猪油,烧至六成热时下花菇煸炒,加入酱油0.5克味精、100克清鸡汤烧开,用湿淀粉勾芡成浓汁,盖在无黄蛋上,淋芝麻油,撒胡椒粉即成。

【特点】 光滑鲜嫩,滋补佳肴。

煎焖香蛋

【原料】 主料:鲜鸡蛋500克。

配料:猪肉50克,熟冬笋50克,水发香菇50克。

调料:猪油100克,盐8克,味精1.5克,胡椒粉0.5克,葱10克,鸡汤100克,湿淀粉100克,香油150克。

【制　法】

1. 将猪肉、冬笋、香菇(去蒂)洗净,均切成细丝。葱切成花。

2. 将鸡蛋打散,加入味精、葱花、胡椒粉、湿淀粉和适量的盐搅匀。

3. 将猪油烧到六成热时,下入冬笋、香菇和肉丝,加入盐炒熟,放入兑好的鸡蛋内搅匀;再将猪油烧到六成热,将兑好的蛋汁倒入锅内煎熟,待其两面呈金黄色时放入汤稍焖软滑,放香油,装入盘内即成。

【特点】 香嫩软滑,味鲜可口。

火腿烘蛋

【原料】 主料:鲜鸡蛋500克。

配料:熟火腿50克。

调料:猪油100克,盐5克,味精1克,香油15克,葱10克。

【制　法】

1. 火腿切成末。葱切成花。

2. 将鸡蛋打开,蛋清、蛋黄分别装上,蛋清用筷子打起发泡成雪花糊,再加入蛋黄、火腿末和葱花搅匀。

3. 将锅烧热后放入猪油50克,油烧到六成时,将搅匀的鸡蛋倒入锅内,盖上盖,移用小火烘。剩下的50克油分次由锅的周围淋入,烘约5分钟,揭开盖,翻扣盘中即成。

【特点】 色彩金黄,外酥里嫩,味道鲜香。

注:烘蛋有几种配料加入,如“香椿烘蛋”是把香椿摘去老边梗洗净,切碎后放入蛋内;“肉末烘蛋”是先把肉末炒熟,然后放入蛋内;“虾仁烘蛋”是把虾仁滑熟后放入蛋内。

什锦烩蛋丁

【原料】 主料:鲜鸡蛋300克。

配料:熟瘦火腿50克,蘑菇50克,滑熟虾仁25克,熟冬笋50克,蕃茄100克,嫩丝瓜100克,熟鸡肉50克,青豆25克。

调料:猪油100克,盐8克,味精1.5克,鸡汤400克,胡椒粉0.5克,葱15克,鸡油15克。

【制　法】

1. 鸡蛋洗净打开,蛋清、蛋黄分别用碗装上,都用筷子打散,分别兑入适量的冷汤、盐、味精搅匀(蛋清兑入三分之一的汤,蛋黄兑入二分之一的汤),然后分别装入摸上了油的盘内,上笼蒸5分钟左右,取出后晾凉并用小刀划成2厘米见方的丁。

2. 丝瓜刮去粗皮(注意保存青嫩皮):藩茄用开水烫一下,撕去皮,去籽;火腿、冬笋、鸡肉、蘑菇等配料均切成同蛋丁一样大小的丁。

3. 将猪油烧到六成热,下入以上配料并加盐炒一下,再下入鸡汤、虾仁、蛋白丁、蛋黄丁、葱段、味精和胡椒粉,用湿淀粉调稀勾芡,装入甜内,淋上鸡油即成。

【特点】 色彩鲜艳,鲜嫩可口。

酿菊花蛋

【原料】 主料:鲜鸡蛋12个。

配料:虾仁200克,肥膘肉50克,熟瘦火腿50克,小白菜苞16个。

调料:猪油100克,料酒25克,盐10克,味精1.5克,鸡汤100克,湿淀粉25克,干淀粉25克,鸡油15克。

【制　法】

1. 虾仁加工成馅的方法见"风尾鸽蛋"。火腿切成末。小白菜苞洗净。

2. 鸡蛋洗净后装入碗内,放冷水上笼蒸熟取出,在冷水内浸凉,剥去壳,用左手直握鸡蛋,右手执小刀,在蛋的周围剞上鱼齿花刀,手持两端掰开,取去蛋黄洗净,将蛋的两端切甲,放入甲盘内,按干水分,撒上干淀粉,再将虾仁馅填入蛋内,撒上火腿末。

3. 食用前10分钟,将菊花蛋上笼蒸熟取出。同时,将猪油烧沸后下入白菜苞,加盐炒熟,装在盘子的周围,把蛋摆入盘子中间。再将猪油烧到六成热,放入鸡汤、盐、味精,用湿淀粉调稀勾芡,浇盖在菊花蛋上即成。

【特点】 形似菊花,色彩鲜艳,味道鲜美。

三鲜蛋卷

【原料】 主料:鲜鸡蛋400克。

配料:滑熟虾仁100克,熟火腿100克,青豆50克。

调料:猪油100克,盐5克,味精1.5克,鸡汤100克,葱15克,香油15克,湿淀粉50克,胡椒粉0.5克。

【制　法】

1. 虾仁剁成小颗,熟火腿切成小颗,葱切成花,加入青豆和味精,然后拌匀成馅。

2. 鸡蛋打开后装入碗内打散,加入适量的盐、湿淀粉和鸡汤搅匀。

3. 将锅烧热,放入猪油50克,来回晃动使锅内整个淌上油,待油热时,倒入搅匀的鸡蛋液,烫成约23厘米大的蛋皮,趁鸡蛋尚未熟时,将三鲜馅撒满在蛋皮上,从一端把三鲜蛋皮卷成圆筒,用铲子按扁一下,熟透后切成1厘米厚的斜片,摆成花瓣形,淋香油即成。

【特点】 色彩美观,鲜香味美。

水晶鹌鹑蛋

【原料】 主料:新鲜鹌鹑蛋20个。

配料:熟瘦火腿30克(或鲜红椒20克),猪皮250克(夏季用冻粉15克),香菜25克。

调料:料酒25克,盐6克,味精5克,鸡汤300克,葱10克,姜10克。

【制　法】

1. 葱和姜拍破。火腿切成小菱形片。香菜摘叶洗净。

2. 将鹌鹑蛋逐个磕在摸油的调羹内,撒上少许盐,上笼蒸5分钟取出,装在盘内晾凉。

3. 将猪皮放在温水中,内外刮洗干净并挟去残存的毛,用碗装上,放入葱、姜、料酒、鸡汤、盐、味精上笼蒸3小时,使猪皮的汁溶化于鸡汤中,用细密萝筛过滤,即成冻汁;将冻汁三分之一装入有沿边的长平盘内,使其凝结成薄薄的一层在盘内,将鹌鹑蛋均匀地摆放结冻上,用火腿片、香菜叶贴成花朵图案,再将余下的冻汁加盖在蛋上,冷却后,放进冰箱冷藏室内。

4. 食用时，按鹌鹑蛋的形状，用小刀在蛋的周围划下取出，摆放盘内即成。

【特点】 亮如水晶，色彩美观，味道鲜美。

芙蓉鹌鹑蛋

【原料】 主料：新鲜鹌鹑蛋 20 个。

配料：鸡蛋清 4 个，熟瘦火腿 25 克，小白菜 1000 克。

调料：猪油 1000 克（实耗 100 克），盐 10 克，味精 1.5 克，胡椒粉 1 克，干淀粉 30 克，湿淀粉 25 克，鸡汤 250 克，鸡油 15 克。

【制　法】

1. 火腿切成米。小白菜苞洗净。

2. 鹌鹑蛋磕在抹油的调羹内，撒上适量的盐、味精、胡椒粉上笼蒸熟取出，移放盘内晾凉待用。

3. 鸡蛋清装在带沿边的盘内，用筷子打起发泡，加入适量的干淀粉调成雪花糊。

4. 食用时，锅内放入油烧到五成热时，把锅端离火位，将鹌鹑蛋逐个裹七雪花糊，下入油锅（切勿粘连成团），再将锅放回火上，用温火炸至表面凝固时（注意保存本色，切勿炸黄）捞出，装入盘内；锅内留 50 克油，下入白菜苞加盐煸炒入味，拼在鹌鹑蛋周围。锅内放入鸡汤、盐、味精用湿淀粉调稀勾芡，浇在鹌鹑蛋上，撒上火腿米，淋鸡油即成。

【特点】 雪白鲜艳，松软可口。

麻茸鹌鹑蛋

【原料】 主料：新鲜鹌鹑蛋 20 个。

配料：整块菠萝 5 个，红樱桃 5 粒。

调料：花生油 500 克（实耗 50 克），麻茸糖粉 100 克，白糖 50 克，玫瑰糖 25 克。

【制　法】

1. 鹌鹑蛋下入冷水锅煮熟捞出，剥去壳，用盘装上。菠萝一切两开。玫瑰糖用适量的水泡上，过箩筛待用。

2. 食用时，锅内放入油烧到七成热，将鹌鹑蛋下入油锅炸全呈金黄色，倒入漏勺沥油；锅内放入玫瑰糖水、白糖溶化收成浓汁，倒入鹌鹑蛋裹上糖汁，再在麻茸糖粉上滚粘后，装入盘巾，将菠萝、樱桃拼在周围即成。

【特点】 色泽金黄，香甜可口。

香桃鹌鹑蛋

【原料】 主料：新鲜鹌鹑蛋 12 个。

配料：虾仁 150 克，鸡蛋 3 个，熟瘦火腿 25 克，肥膘肉 50 克，削皮荸荠 70 克，咸面包 150 克，青椒 50 克，香菜 100 克。

调料：猪油 1000 克（实耗 100 克），料酒 25 克，盐 5 克，味精 1.5 克，白糖少许，胡椒粉 1 克，葱 15 克，姜 15 克，香油 15 克，干淀粉少许，湿淀粉 30 克。

【制　法】

1. 肥膘肉下入汤锅煮熟（断生为准），捞出晾凉，剁成米状。荸荠也剁成米状。葱姜捣烂，用料酒取汁。青椒洗净去蒂去籽，切成小象眼片。火腿切成末。香菜摘洗净。鸡蛋去黄留清。

2. 虾仁洗净，沥干水分，用刀刃和刀背捶剁成细茸，加入蛋清、盐、味精、胡椒粉、荸荠米、肥膘米、葱姜酒汁、湿淀粉搅拌成馅。

3. 将鹌鹑蛋下入冷水锅内煮熟捞出，剥去壳，洗净，一切两半，在切的截面沾上干淀粉。

4. 面包切成尖桃形的薄片（计 24 片）摊放木板上，逐片铺满虾仁馅，再贴上半边鹌鹑蛋，尖的一端贴上火腿末，圆的一端贴上两片青椒，即成桃形，然后摆放在有柄的漏板上。

5. 食用时，锅内放入猪油烧到五成热时，将摆放鹌鹑蛋的漏板放入油锅内，炸至面包焦酥呈金黄色时取出，装入盘内淋香油，盘边拼香菜即成。

【特点】 色泽美观，焦脆香酥，味道鲜美。

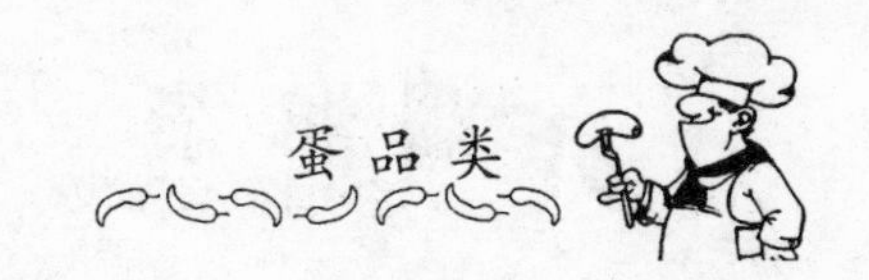

锅贴鹌鹑蛋

【原料】 主料:鲜鹌鹑蛋 20 个。

配料:虾仁 150 克,猪肥膘肉 400 克,鸡蛋清 2 个,削皮荸荠 50 克,熟瘦火腿 25 克,香菜 50 克。

调料:料酒 25 克,盐 8 克,味精 1.5 克,白糖少许,胡椒粉少许,葱 15 克,姜 15 克,干淀粉 20 克,湿淀粉 25 克,花椒粉少许,香油 15 克。

【制　法】

1. 肥膘肉下入汤锅内点熟(切勿煮烂,断生为准),捞出晾凉。荸荠和熟肥膘肉 50 克剁成米状。火腿切成小象眼片。香菜摘叶洗净。葱和姜捣烂,用料酒取汁。

2. 虾仁洗净,沥干水分,用刀刃和刀背捶剁成细茸,放入葱姜酒汁、盐、鸡蛋清、荸荠米、肥膘米、胡椒粉、白糖、湿淀粉搅拌成馅。

3. 鹌鹑蛋下入冷水锅内煮熟捞出,剥去壳,切成两半,在切的一面粘上干淀粉。

4. 将熟肥膘肉切成 5 厘米长、4 厘米宽、3 毫米厚的片,用净白布按干油脂水分,两面粘上干淀粉,摊放平锅内,将虾茸馅铺满一层在肥膘片上,再贴上两边鹌鹑蛋,然后贴上火腿片和香菜叶。

5. 食用时,将放鹌鹑蛋的平锅放在火上,要不停地转动,使火色一致,用温火煎至肥膘肉油排出,香酥呈金黄色时,滗去油,放入花椒粉和香油,摆入盘内,边上拼香菜叶即成。

【特点】 焦脆香酥,味鲜可口。

鸽　类

海参原蒸三鸽

【原料】　主料:嫩鸽子3只。

配料:口蘑15克,水发海参250克,小白菜苞12个,猪肉500克。

调料:料酒50克,盐15克,味精2.5克,胡椒粉1克,鸡油15克,葱15克,姜15克,清鸡汤500克。

【制　法】

1.鸽子宰杀去净毛,开膛去内脏洗净,猪肉刮洗干净切成块,一起放入开水锅内煮过捞出,洗净后放入绿釉钵内,加入盐、料酒、拍破的葱、姜以及水(水以没过鸽子为准),用棉纸封好上笼蒸约3小时(蒸烂为止)。

2.口蘑的加工方法见"芙蓉鸡片"。将海参清洗干净后片成薄片,放入冷水锅内烧开氽过,再用开水泡上。白菜苞洗净,用开水氽过,用冷水过凉。

3.食用时,将汤放入锅内加入盐和料酒,下入海参烧开氽过,捞出后沥干水分。再将清鸡汤、口蘑、白菜苞、盐和味精放入锅内,调好味后放入海参和胡椒粉。另外,取出装有鸽子的绿釉钵,揭开纸,去掉猪肉,葱姜,然后将口蘑、海参、菜苞汤加进去,盖上原纸,用盘托上即成。

【特点】　汤清香鲜,营养丰富。

杏仁熘鸽丁

【原料】　主料:嫩乳鸽子3只。

配料:杏仁100克,蘑菇50克,豆苗250克,鸡蛋1个。

调料:猪油500克(实耗100克),料酒25克,盐8克,味精0.5克,鸡汤100克,胡椒粉0.5克,葱10克,湿淀粉30克,香油25克。

【制　法】

1.鸽子宰杀去净毛,从背脊骨开膛去内脏洗净,去净骨后切成1.5厘米见方的丁,用鸡蛋清、适量的盐和湿淀粉调匀浆好,拌上一点香油。

2.杏仁用开水泡发,撕去皮,用少许盐腌一下。蘑菇切成同鸡丁一样大小的丁。豆苗摘苞洗净。葱切成段。用汤、味精、胡椒粉、湿淀粉、香油和葱段兑成汁。

3.食用时,将猪油烧沸,下入杏仁炸焦酥捞出。另外,将锅烧热,猪油烧到五成热时,下入鸽丁,用筷子拨散滑熟后倒入漏入勺沥油,然后将鸽丁复倒入锅内,随即倒入兑汁和杏仁簸炒几下,装入盘内即成。

【特点】　滑嫩香脆,味美可口。

注:烹制此菜时,滑鸽丁和炸杏仁要注意火候,配合紧凑;否则鸽丁不鲜嫩,杏仁不酥脆,影响质量。

菊花熘鸽片

【原料】　主料:嫩仔鸽4只。

配料:大白菊花3朵,鸡蛋2个。

调料:猪油500克(实耗100克),料酒25克,盐5克,味精2.5克,鸡汤100克,葱10克,湿淀粉25克,香油15克,胡椒粉1克。

【制　法】

1.菊花摘下花瓣,切去尖(因花尖有

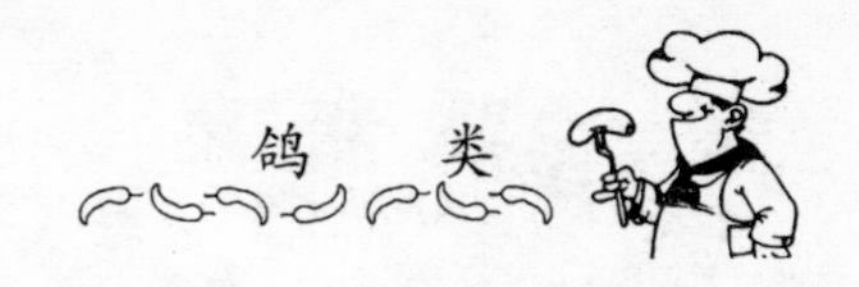

苦味)洗净。鸡蛋去黄留清。葱切段。

2. 将鸽子宰杀并去净毛,洗净后由背脊骨开膛去内脏,去净骨(见"鸡去净骨加工法"),斜刀片成5厘米长、3厘米宽的薄片(越薄越好),用蛋清、湿淀粉和适量的盐调匀浆好。

3. 将鸡汤、味精、香油、湿淀粉和适量的盐兑成汁。

4. 食用时,将锅烧热,放入猪油烧至五成热时,下入浆好的鸽片,用筷子拨散滑至八成熟,即倒入漏勺沥油;锅内留25克油,再将滑熟的鸽片复倒入锅内,随即放入菊花瓣和葱段,倒入兑汁翻炒几下,装入盘内即成。

【特点】 花芳香,鸽滑嫩,味鲜美。

注:鸡、鸭脯肉和鱼肉亦可按此法制作。

芙蓉鸽松

【原料】 主料:嫩乳鸽2只。

配料:熟肥膘肉50克,水发冬菇50克,水发金钩50克,熟火腿25克,青豆25克,削皮荸荠50克,鸡蛋5个,去皮熟花生米25克。

调料:猪油150克,盐10克,料酒25克,味精2.5克,胡椒粉0.5克,鸡汤250克,葱15克,湿淀粉40克。

【制　法】

1. 鸽子宰杀去净毛,由背脊骨开膛去内脏洗净,先将头和脚砍下,头砍开成两边(去掉眼珠,以免炸时烫手),用盐腌上,再将鸽子去净骨,切成小米粒状。火腿、冬菇、金钩、熟肥膘肉都切成小米粒状。荸荠拍烂剁碎。花生米剁碎。葱切花。

2. 3个鸡蛋去黄用清,放入鸽肉米和火腿、金钩、冬菇、荸荠米、青豆及盐、味精、胡椒粉、鸡汤和湿淀粉,搅拌成汁。

3. 另将2个鸡蛋去黄用清,用筷子打起发泡,调制成雪花糊待用。

4. 食用时,在一干净锅中放入猪油烧到六成热,先将鸽子的头脚炸熟捞出,随即将兑好的鸽汁倒入锅内,用炒瓢不停地炒(以免粘锅烧糊),炒熟时将打起的雪花蛋糊倒入锅内,炒熟后装入盘中,撒入火腿米、花生米、葱花,放鸡油即成。

【特点】 脆嫩香鲜,味道可口。

五元蒸鸽

【原料】 主料:肥嫩鸽子3只。

配料:猪肘肉500克,荔枝、桂圆、红枣各12粒,发好的莲子50克,枸杞25克。

调料:花生油1000克(实耗50克),料酒50克,盐10克,冰糖50克,胡椒粉1.5克,葱15克,姜15克,鸡油15克,甜酒汁50克。

【制　法】

1. 猪肘子切成块,下入开水锅汆过捞出,洗净血沫。荔枝、桂圆剥去壳洗净。红枣蒸熟撕去皮。枸杞洗一遍。葱和姜拍破。

2. 鸽子宰杀去净毛,开膛去内脏,洗净后下入开水锅汆过捞出,洗净血沫,抹干水分,摸上甜酒汁,下入油锅炸成浅红色捞出。砍去鸽子的嘴尖和爪尖,装入绿釉钵内并放入猪肘肉、料酒、葱、姜、盐、冰糖、胡椒粉和水(水以没过钵中的食物为准),上二笼蒸到九成烂,取出后去掉猪肘肉、葱、姜,加入上列各种配料,再上笼蒸1小时左右,蒸至酥烂透取出,放入胡椒粉,用盘托上桌即成。

【特点】 清润滋补,甜咸浓厚,味道可口。

香瓜鸽盅

【原料】 主料:肥嫩鸽子3只。

配料:香瓜10个(选用8厘米大左右的),火腿50克,干贝25克,金钩25克,发好的莲子50克,水发玉兰片50克,罐头蘑菇50克。

调料:料酒50克,盐10克,味精1.5

克,胡椒粉 0.5 克,鸡汤 750 克,葱 25 克,姜 15 克,鸡油 15 克。

【制　法】

1. 干贝掰去老筋,和金钩一起洗一遍。火腿切成中指甲一般大小的片。葱白切成段,余下葱和姜拍破。

2. 鸽子宰杀去净毛,由背脊骨开膛去内脏洗净,下入汤锅内白煮一下捞出,洗净血沫,去净骨(见"鸡去净骨加工法"),然后切成 1.6 厘米大的方块,加入干贝、金钩、火腿、盐、鸡汤、料酒、葱、姜,上笼蒸烂取出。

3. 土兰片、蘑菇均切成中指甲大小的片,下入冷水锅烧开氽过,捞出待用。

4. 香瓜洗净,切下盖(香瓜盖保留待用),挖净籽,在香瓜口上剞上鱼齿花刀,并在皮面刻上图案花纹。

5. 食用前 1 小时,将鸽馅内的葱、姜去掉,加入玉兰片、蘑菇、莲子和味精调好味,装入香瓜内,盖上香瓜盖,再放入小碗内,上笼蒸熟透取出,放胡椒粉、葱段,每人上一份即成。

【特点】　瓜香鸽烂,汤鲜味美。

注:鸡、鸭均可按此法制作。

银芽熘鸽脯丝

【原料】　主料:鸽脯肉 300 克。

配料:绿豆芽 500 克,鸡蛋 1 个。

调料:猪油 500 克(实耗 100 克),料酒 25 克,盐 8 克,味精 1.5 克,胡椒粉 0.5 克,葱 15 克,鸡汤 100 克,湿淀粉 25 克,香油 25 克。

【制　法】

1. 鸽脯肉剔去骨和筋洗净,片成 0.3 厘米厚的片,再切成 5 厘米长的丝,用鸡蛋清、适量的盐和湿淀粉调匀浆好,拌上一点香油。

2. 绿豆芽摘去根和芽洗净(即成银芽)。葱切成段。

3. 用鸡汤、味精、胡椒粉、湿淀粉、香油和葱段兑成汁。

4. 食用时,锅烧热,放入的猪油烧到五成热时,下入浆好的鸽脯丝,用筷子拨散滑熟,倒入漏勺沥油;锅内留 50 克油,下入银芽加盐炒一下,继倒入滑熟的鸽脯丝,烹料酒,然后倒入兑汁簸炒几下,装入盘内即成。

【特点】　滑嫩爽口,香鲜味美。

板栗红煨鸽

【原料】　主料:肥嫩鸽子 3 只。

配料:大板栗 500 克,猪五花肉 500 克,桂皮 15 克。

调料:花生油 1000 克(实耗 100 克),料酒 50 克,盐 5 克,冰糖 15 克,酱油 25 克,甜酒汁 50 克,味精 2 克,胡椒粉 1 克,葱 25 克,姜 15 克,湿淀粉 25 克,香油 15 克。

【制　法】

1. 猪五花肉切成块,下入开水锅氽过洗净。葱白切段,余下葱和姜拍破。

2. 在板栗鼓起的一面砍一字刀,下入开水锅烫一下捞出,取出板栗肉,切去腐烂部分,下入油锅炸熟后捞出待用。

3. 鸽子宰杀去净毛,开膛去内脏,洗净后下入开水锅氽过捞出,洗净血沫,抹干水分,摸上甜酒汁,下入油锅炸成浅红色。

4,在一垫有底轿的沙锅中放入葱、姜、桂皮、五花肉块、鸽子,再放入料酒、盐、冰糖、酱油和适量的水,在旺火上烧开后撇去泡沫,移用小火煨到九成烂时下入板栗,然后煨至酥烂。

5. 食用时,双手提底 AAA,取出板栗鸽子翻扑在盘内,去掉葱、姜、桂皮和五花肉,将原汁收浓,用湿淀粉调稀勾芡,加入葱段和胡椒粉浇盖在板栗煨鸽上,淋香油即成。

【特点】　酥烂浓香,味道鲜美。

注:斑鸠亦可按此法制作。

油淋香酥鸽

【原料】　主料:肥嫩鸽子 4 只。

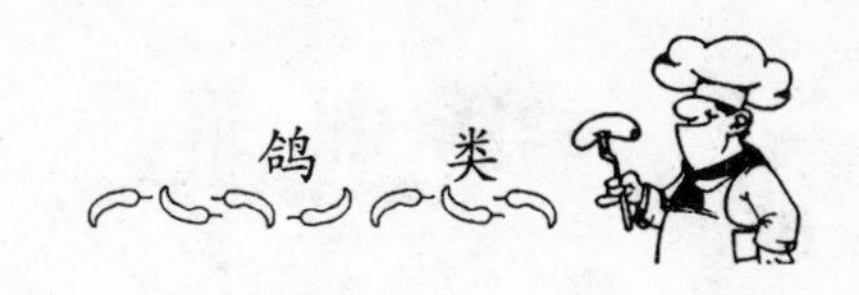

配料：花生米100克，香菜200克。

调料：花生油1000克（实耗100克），料酒50克，盐15克，白糖25克，味精1.5克，葱25克，姜25克，花椒子30粒，花椒粉1克，香油25克。

【制　法】

1. 花生米用开水泡发，挤去皮，下入油锅炸焦酥捞出，拌上少许盐。香菜摘洗干净。葱和姜拍烂。

2. 鸽子宰杀去净毛，开膛去内脏洗净，把盐、白糖、味精、料酒、葱、姜、花椒子拌匀，擦遍全身，肉厚的腿和脯多擦几遍，腹内要撒些盐进去，用双手抱鸽晃动几下，使盐渗透鸽肉，腌约3小时后上笼蒸到七成烂，取出来去掉葱、姜和花椒子。

3. 食用时，将鸽子下入油锅炸焦酥透捞出，取下头和脚，每只鸽砍成四块，装入盘内，摆成鸽形，淋花椒香油，拼花生米、香菜叶即成。

【特点】　焦酥香，味鲜美，下酒佳肴。

注：斑鸠亦可按此法制作。

三元八宝乳鸽

【原料】　主料：肥壮乳鸽10只。

配料：猪肥膘肉50克，火腿30克，水发海参50克，水发冬菇50克，水发金钩30克，冬笋30克，蒸发白莲50克，红萝卜150克，白萝卜150克，小白菜苞16个，莴笋头200克。

调料：猪油100克，花生油1000克（实耗100克），料酒50克，甜酒汁25克，精盐10克，酱油10克，冰糖10克，胡椒粉2克，葱15克，姜15克，湿淀粉50克，香油10克。

【制　法】

1. 葱、姜拍破。白菜苞洗净。白萝卜、红萝卜、莴笋头都削去皮，切成短筒，削成圆珠形，下入温油锅焖炸至烂捞出。海参切成小指头大的丁，下入冷水锅烧开汆过捞出。

2. 将鸽宰杀去净毛，将骨和肉取出，皮完整不破（制法见本文附注），剔下肉，切成小指头人的丁。

3. 冬菇去蒂洗净，和金钩、火腿、冬笋、肥膘肉都切成小指头人的丁。将鸽丁和以上各种配料下入油锅煸炒出香味，烹料酒，放入酱油和适量的盐炒入味，然后加入莲子、海参丁、味精、胡椒粉拌匀成馅灌入鸽内，在开口处用针线缝好，下入开水锅内汆过捞出，抹干水分，摸上甜酒汁，下入油锅炸至呈浅黄色捞出，放入垫有底轿砂钵内，加入拍破的葱、姜、料酒、冰糖和水（水以没过鸽为准），用盖盖上，在旺火上烧开，撇去泡沫，移用小火煨1小时左右，至浓香酥烂为准。

4. 食用时，将八宝鸽上火烧开取出，摆入盘的周围。同时锅内放油烧至六成热，下入白菜苞三元，加盐入味捞出，拼在鸽的空间，白菜苞摆在盘中。将鸽原汁加入味精、胡椒粉，用湿淀粉调稀勾芡，浇盖在八宝鸽上，淋香油即成。

【特点】　色彩美观，乳鸽酥烂，原汁浓香，味道鲜美，宴会大菜。

注：鸽剥下肉、骨，鸽皮完整的制法如下：

①划开颈皮，斩断颈骨，用小刀在鸽颈背面的翅膀骨处横划一刀，将颈部皮扳开，把颈骨拉出。

②出翅膀骨：从颈部刀口处将皮肉翻开，鸽头挂下，连皮带肉缓缓向下翻剥，剥至两翅膀骨的关节，用刀将关节上的筋割断，使翅膀与鸽身骨骼脱离，然后将翅膀骨抽出。

③出鸽身骨骼：将鸽胸部朝上，一手拉住鸽颈骨，一手按住鸽胸的龙骨突起处（即胸尖骨），揿一揿，把它略为按低一些，以免向下翻剁时尖骨将鸽皮戳破，然后割开锁颈骨，再将皮和胸脯肉继续向下翻剥（剥背时要注意鸽的背部肉少，皮

紧贴着脊椎骨，很容易拉破，这时就要将皮和骨骼轻轻割离，再行翻剥），剥至腿部时，将鸽胸朝上，两手各执鸽大腿，并用大拇指将两腿向背部扳开，使大腿关节露出，割断关节骨的筋，使大腿骨与鸽身骨骼脱离，再继续往下剥，割至肛门，把尾脊骨（即肛门骶骨）割断，鸽尾仍留在鸽身上，这时鸽身骨骼与皮肉分离，将骨骼取出，并将肛门处的粪便肠割断，清洗肛门粪便。

原蒸五元鹌鹑

【原料】 主料：肥嫩鹌鹑10只。

配料：荔枝12粒，桂圆12粒，大东枣12粒，发好莲子50克，枸杞25克，肘肉300克。

调料：料酒50克，盐15克，蜂蜜100克，胡椒粉1.5克，葱15克，姜15克，鸡油25克。

【制 法】

1. 荔枝和桂圆剥去壳洗一遍。枸杞洗净。红枣蒸10分钟取出剥去皮。肘肉切成片，下入开水锅氽过捞出，洗净血沫。葱和姜拍破。

2. 将鹌鹑宰杀，去净毛，开膛去内脏，砍去嘴尖和脚爪洗净，下入开水锅氽过捞出，清洗残存的毛和血沫，装在汤WF内，加入料酒、葱姜、盐、蜂蜜、肘肉和水（水以没过为准），用纸封严，上笼蒸2小时取出，揭开纸，去肘肉和葱姜，加入荔枝、桂圆、莲子、红枣、枸杞、鸡油、胡椒粉，原纸盖上，上笼蒸1小时。

3. 食用时，将五元鹌鹑取出即成。

【特点】 甜咸醇香，原汁原味，营养丰富，滋补珍品。

杏仁鹌鹑片

【原料】 主料：肥嫩鹌鹑5只，杏仁100克。

配料：鸡蛋清一个，嫩丝瓜250克，红泡椒50克。

调料：猪油500克（实耗100克），料酒25克，盐8克，味精1.5克，鸡汤150克，胡椒粉少许，葱15克，姜15克，湿淀粉30克，鸡油15克。

【制 法】

1. 葱和姜捣烂用料酒取汁。红泡椒去蒂去籽洗净；丝瓜刮去粗皮（注意保存青嫩皮），切开成四条，去掉瓤，都切成小斜方片。杏仁用开水泡发，剥去皮，下入油锅炸酥焦脆。

2. 将鹌鹑宰杀，去净毛，由背脊骨开膛去内脏洗净，去净骨，片成3厘米长、4厘米宽的薄片（越薄越好），用葱姜酒汁拌匀，加入鸡蛋清、适量的盐、湿淀粉调匀浆好。用鸡汤、味精、胡椒粉、湿淀粉兑成汁。

3. 锅内放入油烧到五成热时，将鹌鹑片下入油锅滑八成熟，倒入漏勺沥油；锅内留50克油，下入红椒片加盐炒一下，再下入丝瓜、鹌鹑片，随即倒兑汁和杏仁，翻簸几下，装入盘内，淋鸡油即成。

【特点】 鹌鹑滑嫩，杏仁香脆，鲜美可口。

软酥整鹌鹑

【原料】 主料：嫩鹌鹑10只。

配料：猪五花肉500克，香菜100克。

调料：花生油1000克（实耗100克），料酒100克，甜酒汁50克，盐10克，酱油少许，冰糖250克，香醋100克，葱100克，姜100克，香油25克。

【制 法】

1. 葱切成6厘米长的段；姜切成巾指甲大的片；五花肉切厚片，下入开水锅氽过捞出，洗净血沫，都放入垫有底䈅的砂锅内。香菜摘洗干净。

2. 鹌鹑宰杀去净毛，开膛去内脏洗净，下入开水锅氽过捞出，洗净血沫，抹干水分，摸上甜酒汁，下入油锅炸成浅黄色捞出，放入垫有底轿和配料的砂锅内，加入料酒、酱油、冰糖、香醋和水（水以没

过鹌鹑为止)，盖上盖放在旺火中烧开，移用小火煨至酥烂为止。

3. 食用时，将软酥鹌鹑内的五花肉去掉，上火将汁收全浓香，放香油，将葱姜和鹌鹑都装入盘内，浇上浓汁。边上拼香菜叶即成。

【特点】 浓香酥烂，味道甜酸。

鱼　　类

白汁桂鱼

【原料】　主料:活挂鱼1条(重约1000克)。

配料:熟火腿25克,净冬笋25克,水发香菇25克,青豆25克,滑熟虾仁25克,香菜150克。

调料:猪油100克,料酒50克,盐15克,味精1.5克,鸡汤150克,葱25克,姜25克,香油25克,湿淀粉15克。

【制　法】

1. 火腿、冬笋、香菇都切成小颗。葱白切花。姜切末。余下的葱和姜拍破。香菜摘洗干净。

2. 桂鱼宰杀去掉鳞、鳃、鳍,开膛去内脏洗净,在鱼身两面背脊上剞一字花刀,用盐、料酒腌10分钟。

3. 食用前15分钟,在锅中垫入竹底轿,将桂鱼同冷水下锅,放入拍破的葱姜和料酒,盖上盖,在旺火上烧开后移用小火煮熟(或上笼蒸熟亦可)。

4. 将猪油烧到六成热时,下入冬笋、香菇、火腿、姜末煸炒,烹料酒,加入盐以及鸡汤、味精、青豆和虾仁,调好味,用湿淀粉调稀勾芡,放香油、葱花;同时把鱼取出用长鱼盘装上,用筷子将鱼皮揭开,把汁浇在鱼身上(使汁渗入鱼肉内部),两边拼香菜即成。

【特点】　色泽鲜艳,鲜嫩味美。

注:煮鱼时,切勿久在旺火上煮,以免鱼的皮面脱落,肉质不嫩。

白水桂鱼

【原料】　主料:活桂鱼1条(重约1000克)。

配料:子油萝卜50克,子油姜50克,香菜150克。

调料:猪油100克,料酒50克,盐5克,酱油15克,香醋25克,味精1.5克,葱25克,姜15克,香油15克。

【制　法】

1. 子油萝卜和子油姜都切成细末。葱一半切成花,余下葱和姜拍破。香菜摘洗干净。

2. 桂鱼宰杀和煮制加工见“白汁桂鱼”。

3. 锅内放入猪油烧到六成热时,下入子油萝卜和子油姜炒一下,加入酱油、香醋、味精和香油炒成汁,再加入葱花;同时将鱼取出,装入长鱼盘,用筷子揭开鱼皮,把汁浇在鱼身上(使汁渗到鱼肉内部),两边拼上香菜即成。

【特点】　鱼肉香嫩,味美可口。

五柳桂鱼

【原料】　主料:活桂鱼1条(重约1000克)。

配料:甜瓜姜50克,净冬笋25克,鲜红辣椒15克,水发香菇25克,香菜15克。

调料:猪油100克,料酒50克,白糖75克,盐5克,酱油10克,香醋25克,葱25克,姜15克,香油15克,汤150克,湿淀粉25克。

【制　法】

1. 甜瓜姜、冬笋、红辣椒和香菇都切成细丝。香菜摘洗干净。葱取一半切成

段，余下的葱和姜一起拍破。

2. 桂鱼宰杀和煮制加工方法与“白汁桂鱼”同。

3. 将猪油烧到六成热时，下入冬笋、红椒、香菇和甜瓜姜煸炒，然后放入酱油、盐、糖、醋、汤调好味，用湿淀粉调稀勾芡；同时将鱼取出，装入长鱼盘，揭开鱼皮把汁浇在鱼身上（使汁渗到鱼肉内部），两边拼香菜即成。

【特点】 酸甜香辣，鲜嫩味美。

松鼠桂鱼

【原料】 主料：活桂鱼1条（重约1250克）。

配料：净冬笋25克，水发香菇25克，大红辣椒15克，香菜100克。

调料：花生油1000克（实耗150克），料酒50克，盐10克，番茄酱50克，糖50克，醋25克，汤100克，干淀粉50克，湿淀粉30克，葱15克，姜15克，蒜子15克，香油15克。

【制 法】

1. 冬笋、冬菇和红辣椒都切成小方丁。葱切花。姜切末。蒜拍剁成泥。香菜摘洗干净。

2. 桂鱼宰杀去鳞、鳃、鳍，开膛去内脏，取下鱼头，剖开下巴使之成为平开的一片，顺背脊骨将鱼从头部至尾巴的根部片下，使其成为尾部相连的两扇鱼，再片去腹刺，然后在肉的一面斜剞上十字交叉花刀（即把鱼肉斜横放砧板上，尾部在左方，刀背向左倾斜，在鱼身肉上剞的深度要接近鱼皮，但不能剞断），剞完后用手倒抹鱼肉，使每个刀花分明，把鱼肉和鱼头放在盘内，撒上盐和料酒腌一下，用湿淀粉涂在鱼身花纹内，再撒上干淀粉，手提鱼尾摇摆一下，使剞的花刀都能立起来，鱼头亦粘上淀粉。

3. 将花生油烧沸，先下入鱼头炸熟捞出，手提鱼尾抖开鱼身花刀，下入油锅炸酥呈金黄色，鱼肉已卷成松鼠形捞出，装入鱼盘，鱼头摆在前而；锅中留50克油，下入冬笋、冬菇、红椒、姜末、蒜泥，炒一下，再加入盐、糖、醋、番茄酱、汤，用湿淀粉调稀勾芡，再加一些沸油，使汁烹起泡，加入葱花浇在松鼠鱼上，两边拼香菜即成。

【特点】 鱼酥脆，色红亮，甜酸香鲜。

注：炸鱼时，要注意使每个刀花都立起来，才能形似松鼠。

叉烧湘江桂鱼

【原料】 主料：大活桂鱼1条（重约1750克）。

配料：猪肉150克（肥瘦各半），网油500克，京冬菜50克，净冬笋50克，香菜20克。

调料：猪油50克，料酒50克，盐10克，味精2.5克，香醋50克，白糖5克，酱油15克，葱25克，姜15克，香油50克，辣椒油50克，面粉50克，湿淀粉50克，花椒子30粒，花椒粉1克。

燃料：木炭5公斤左右。

【制 法】

1. 葱白切成花。姜10克切成末，余下葱和姜捣烂。香菜摘洗干净。鸡蛋打散，加入面粉、湿淀粉调制成糊。网油洗净晾开。

2. 桂鱼宰杀后去鳞、鳃、鳍，开膛去内脏，洗净后用刀在鱼身两面斜剞距离3厘米宽的棋盘花刀，深度至脊骨为止，用捣烂的葱、姜以及花椒子、料酒、盐、糖、味精和酱油将鱼身内外涂抹，腌约1小时。

3. 猪肉、冬笋切成丝。京冬菜洗净剁碎。将猪油烧到六成热时，先下入冬笋和肉丝煸炒，加入京冬菜和味精炒成馅，装盘。

4. 把网油铺在木板上，抹上蛋糊。将腌鱼的葱、姜、花椒子去掉，再将鱼身全部抹上香油、葱花和姜末，然后放在网油上，用网油把鱼包裹两层，央在两扇铁丝夹内再用两齿铁叉把鱼叉上。

5. 中号火缸内垫半缸炉灰，将木炭放入缸内烧红。在食用前20分钟，将叉好的鱼放在火上烤（要不断地翻动，保持火力均匀，以免部分烤得过焦），烤至酥熟透、香鱼外溢时离火下叉，解开铁丝夹，将鱼装入长鱼盘，淋花椒、香油，两边拼香菜，随上辣椒油、姜醋汁各两小碗即成。

【特点】 皮香酥脆，鱼肉鲜嫩、宴会人菜。

注：亦可放入烤箱烤熟，叫"网油烤桂鱼"；用温火油炸至外脆内熟，叫"网油香酥桂鱼"。

三味鱼

【原料】 主料：大活桂鱼1条（重约1725克左右）。

配料：鸡蛋5个，削皮荸荠100克，韭白500克。

调料：猪油500克（实耗150克），花生油1000克（实耗100克），料酒50克，蕃茄酱100克，白糖25克，胡椒粉1克，味精3克，香油30克，葱25克，姜25克，汤200克，湿淀粉50克，干淀粉50克。

【制　法】

1. 桂鱼宰杀去鳞、鳃，开膛去内脏洗净，先将鱼头和鱼尾取下，鱼头剖开下巴成为平开的一片，鱼尾剖开去掉中骨能竖立，都粘上干淀粉，但小用盐腌（因不食，主要是配上使形完整）。从背脊骨片进，取下一片带皮的鱼肉，翻过身取下另一片带皮鱼肉，再片去胸刺，然后从鱼肉中部直切至鱼皮时，将刀平斜片下净鱼肉（如此片完可取净鱼肉750克左右），分为三份。

2. 葱一半切成花，姜一半切成末，余下葱和姜捣烂用料酒取汁。香菜摘洗干净。

3. 第一部分鱼肉的制法（炸滑鱼排）：

(1)将鱼肉片成5厘米长、3厘米宽、6毫米厚的片，用适量的葱姜酒汁、盐、白糖、胡椒粉、味精拌匀腌一下。

(2)将3个鸡蛋去黄用清，用筷子打起发泡，放入适量的干淀粉调制成雪花糊。

(3)在花生油烧到六成热时，把锅端离火位，把鱼片逐片裹上雪花糊下入油锅，然后将锅放回火上，待鱼炸全香酥呈金黄色捞出，淋香油，摆在长鱼盘的中间。鱼头和鱼尾下入油锅炸熟捞出待用。

4. 第二部分鱼肉的制法（番茄鱼丁）：

(1)将鱼肉切成1.5厘米见方的丁；将鸡蛋清1个，加入适量的盐、干淀粉和葱姜酒汁拌匀，将鱼丁浆好。荸荠切成同鱼丁大小一样的丁。

(2)将锅烧热，放入猪油烧到五成热时，下入浆好的鱼丁，用筷子拨散滑熟，倒入漏勺沥油；锅内留50克油，下入荸荠丁，加盐炒一下再下入姜米、葱花、番茄酱、白糖和少许汤，用湿淀粉调稀勾芡，然后下入滑熟的鱼丁，放香油，翻炒几下，装在长鱼盘一端。

5. 第三部分鱼肉的制法（非白鱼丝）：

(1)将鱼肉切成5厘米长的段，片成3毫米厚的片，再切成丝。取鸡蛋清1个，加入适量的葱姜酒汁、盐、干淀粉拌匀，将鱼丝浆好，拌上一点香油。

(2)韭白摘洗干净，切成同鱼丝一样长的段。用适量的汤、盐、味精、胡椒粉、香油和湿淀粉兑成汁。

(3)将锅中的猪油烧到五成热时，下入浆好的鱼丝，用筷子拨散滑熟，倒入漏勺沥油；锅内留50克油，下入韭白，加盐略炒一下，然后倒入滑熟的鱼丝，随即倾入兑汁簸炒几下，装在长鱼盘另一端，将鱼头、鱼尾摆成鱼形，两边拼香菜即成。

【特点】 具有红、黄、白的色彩和片、丁、丝的形状，甜酸、香酥、鲜嫩，故名三味鱼。

注：此菜可根据食用者喜爱的品种和味别的要求，更换配制。

玉带鱼卷

【原料】 主料：净桂鱼肉400克。

配料：熟冬笋50克，水发冬菇50克，熟火腿50克，子油姜25克，鸡蛋2个，香菜100克。

调料：猪油500克（实耗100克），料酒25克，盐5克，味精1.5克，汤100克，胡椒粉0.5克，香油15克，葱50克，湿淀粉50克。

【制 法】

1. 冬笋、冬菇、火腿、子油姜都切成丝。葱白切5厘米长的段（葱青留作捆鱼用）。香菜摘洗干净。鸡蛋清加湿淀粉调成糊。

2. 鱼肉片成6厘米长、5厘米宽的薄片，用盐和料酒腌一下，将鱼片摊开放在木板上，抹上蛋清糊，把切成丝的冬笋、冬菇、火腿、子油姜理齐，放在鱼片的一端，滚包成卷，用葱青捆扎，再用蛋清、湿淀粉浆好。

3. 用汤和味精、胡椒粉、香油、湿淀粉兑成汁。

4. 锅烧热，放入猪油，烧到五成热时下入鱼卷，用铲轻轻拨散滑熟，倒入漏勺沥油；锅内稍留油，把兑汁搅匀倒入锅内，下入滑熟鱼卷，轻轻翻动几下，装入盘内，用香菜拼边即成。

【特点】 形如玉带，滑嫩香鲜。

注：鱼卷烹制时要轻轻地铲动，否则会将鱼卷弄碎，影响质量。

汤泡鱼生

【原料】 主料：净活桂鱼肉300克。

配料：口蘑25克，豆苗500克，油条1根，馓子2个，清鸡汤1250克，香菜150克。

调料：猪油500克（实耗50克），料酒50克，盐10克，味精2.5克，鸡油15克，胡椒粉1克，葱15克，姜15克，香油15克。

【制 法】

1. 口蘑加工的方法见“芙蓉鸡片”。葱、姜捣烂用料酒取汁。香菜摘洗干净。豆苗摘苞洗净。

2. 桂鱼肉先切成5厘米长的段，再片成2厘米宽的薄片（越薄越好），用葱姜酒汁和适量的盐腌10分钟，拌上香油。

3. 油条切成丝。馓子掰成条。

4. 将猪油烧至六成热时，下入油条、馓子，炸酥后装入汤WF内，把腌好的鱼片放在油条馓子上，加放豆苗、胡椒粉和鸡油。

5. 锅内放入鸡汤、口蘑、盐和味精烧开，调好味，撇尽泡沫后装入沙锅内。

6. 桌边用一火炉把口蘑鸡汤再烧开，先将鱼生上桌，再将口蘑鸡汤倒入鱼生汤盥内，鱼片已熟，随上香菜两小碟即成。

【特点】 汤滚开，鱼鲜嫩，味鲜美。

五彩鱼丝

【原料】 主料：净桂鱼肉300克。

配料：鸡蛋2个，水发冬菇50克，熟瘦火腿50克，绿豆芽100克。

调料：猪油500克（实耗100克），料酒25克，盐10克，味精1.5克，鸡汤100克，香油25克，葱25克，姜15克，干淀粉30克。

【制 法】

1. 鱼肉先切成5厘米长的段，再片成0.3厘米厚的片，然后切成丝，用蛋清（蛋黄留下待用）、盐，干淀粉调匀浆好，拌上点香油。

2. 冬菇去蒂洗净。蛋黄加上适量的盐、汤和湿淀粉，搅匀后用锅烫成蛋皮。将火腿、蛋皮等配料都切成同鱼丝一样大小的丝。绿豆芽摘去两头洗净。葱切成5厘米长的段。姜切成丝。

3. 将鸡汤、味精、湿淀粉、香油兑成汁。

4. 锅烧热放入猪油,烧到五成热时,下入鱼丝,用筷子拨散滑熟,倒入漏勺沥油;锅内留50克油,下入姜丝、冬菇丝、银芽,加盐炒一下再加入火腿丝、蛋皮丝、鱼丝、葱段,随即倒入兑汁簸炒几下,装入盘内即成。

【特点】 色彩美观,鲜嫩味美。

网油香酥桂鱼

【原料】 主料:活桂鱼1条(重1500克左右)。

配料:网油200克,猪肉150克,水发冬菇50克,冬菜50免,净冬笋50克,鸡蛋2个,面粉50克、香菜100克。

调料:花生油1000克(实耗100克),料酒50克,盐15克,白糖10克、味精2克,花椒子30粒,葱25克,姜25克,香油100克,辣椒油50克,香醋50克,椒盐粉25克,湿淀粉50克。

【制　法】

1. 将网油洗净,晾干水分。香菜摘洗干净。葱一半切花,姜一半切米,余下葱和姜拍破。鸡蛋磕在碗内,放入面粉、湿淀粉和适量的水调制成糊。猪肉、冬菇、冬笋都切成细丝。冬菜洗净,剁碎。用锅放入猪油烧沸,下入姜丝煸炒,继下入肉丝、冬笋丝、冬菇丝和冬菜炒出香味成馅。

2. 将桂鱼去鳞、鳃、鳍,巾背脊骨开膛去内脏洗净,再将背脊骨去掉,用盐、料酒、葱姜、糖、花椒子、味精腌约2小时后,去掉葱姜、花椒子,将肉丝馅装入鱼腹内。

3. 网油平铺木板上,摸上鸡蛋糊,鱼背脊骨开口处也摸上蛋糊,鱼身摸上香油、葱花,用网油包裹起来(包二三层)。

4. 锅内放入油烧到七成热时,下入网油鱼用温火炸到外脆、内熟、酥香呈金黄色捞出,装入鱼盘内,淋香油,两边拼香菜,随上辣椒油、姜醋、葱花、椒盐粉四小碗,蘸着吃即成。

【特点】 色泽金黄,鱼肉香酥,馅心鲜香,味道鲜美。为宴会大菜。

软蒸火夹桂鱼

【原料】 主料:活桂鱼1条(重约1000克左右)。

配料:熟火腿150克,水发冬菇100克,新鲜荷叶两张,南葱500克。

调料:猪油150克,料酒50克,盐10克,香醋50克,味精2.5克,胡椒粉1.5克,葱15克,姜15克,干淀粉40克,白糖少许,鸡油25克。

【制　法】

1. 桂鱼宰杀去鳞、鳃,开膛去内脏洗净,下入开水盆内烫过,放入清水内用小刀刮去鱼身皮面的黑膜,洗净,先取下鱼头和鱼尾,鱼头劈开下巴成一片,鱼尾砍掉点骨能竖立,再将鱼身顺着背脊骨片进,取下一面带皮鱼肉,翻过来取另一面鱼肉,去掉鳃部颈骨及腹刺和背脊骨成为两片带皮的鱼肉,再片成5厘米长、1厘米厚的块,计12块。

2. 火腿剔去杂质,切成薄片,(片的大小视鱼肉长短而定)。葱切成花。姜切米。南葱切去蔸洗净,切成7厘米长的段。

3. 食用前20分钟将鱼片及头尾,放入葱花、姜米、料酒、盐、味精、干淀粉、猪油拌匀。鱼肉、火腿、冬菇三样合成一组,分成三行并列摆入鱼盘内,再摆上鱼头、鱼尾成鱼形,上笼蒸10分钟左右即熟,取出;同时锅内放入油烧六成热,下入南葱加盐煸炒入味,拼在空行之间,淋鸡油,随上辣椒油、姜醋各一小碟即成。

【特点】 滑嫩鲜香,美味可口。

麻仁香酥桂鱼

【原料】 主料:活桂鱼1条(重1000

克左右)。

配料:芝麻仁 50 克,鸡蛋 4 个,熟瘦火腿 25 克,面粉 50 克,香菜 100 克。

调料:花生油 1000 克(实耗 100 克),料酒 25 克,盐 8 克,白糖少许,味精 1.5 克,花椒子 20 粒,花椒粉少许,葱 15 克,姜 15 克,干淀粉 50 克,香油 15 克。

【制　法】

1. 葱和姜拍破。火腿切成米。香菜摘洗净。鸡蛋 1 个磕在碗内,放入适量的面粉、湿淀粉和水调制成糊。

2. 桂鱼去鳞、鳃、鳍,开膛去内脏洗净,先取下头和尾,鱼头剖开下巴成为平一片,鱼尾剖开去掉一点斜骨能竖立,鱼身从背脊骨片进取下一片带皮的鱼肉,翻边取下另一片鱼肉,片去腹刺,在鱼肉上斜剞 1 厘米宽的十字交叉花刀,用葱姜、料酒、花椒子、盐、糖、味精将鱼肉和头、尾腌约 1 小时后,去掉葱姜、花椒子,鱼肉两面和头、尾都摸上鸡蛋糊,下入七成熟油锅炸酥呈黄色捞出,用盘装上。

3. 鸡蛋去黄用清,用筷子打起发泡,放入适量的干淀粉调制成雪花糊,铺满一层在鱼肉上,撒上麻仁和火腿米。

4. 食用时,锅内放入油烧到六成热时,将铺好的麻仁桂鱼下入油锅,炸至底部焦酥呈金黄色,面上用沸油淋炸一下即熟,滗去油,放入香油、花椒粉,取出,切成 5 厘米长、2 厘米宽的条,摆入盘内,将鱼头和尾摆成鱼形,边上拼香菜即成。

【特点】　焦香松酥,味道鲜美。

花生番茄鱼丁

【原料】　主料:净桂鱼肉 300 克。

配料:花生米 100 克,鸡蛋清 1 个,红番茄 250 克(番茄酱亦可)。

调料:猪油 1000 克(实耗:100 克),料酒 25 克,盐 10 克,味精 1.5 克,葱 10 克,姜 10 克,胡椒粉少许,鸡汤 200 克,干淀粉 20 克,湿淀粉 15 克,香油 15 克。

【制　法】

1. 鱼切成 1 厘米大小的斜方丁,用蛋清加入适量的盐和干淀粉调制成浆,把鱼丁浆好。

2. 花生米用开水泡发,剥去皮,下入油锅炸至焦酥呈黄色,倒入漏勺沥油。番茄用开水烫一下,剥去皮,剔去籽,切成鱼丁一般人的丁。葱切成段。姜切成米。用鸡汤、味精、盐、湿淀粉、香油、葱段兑成汁。

3. 锅内放入油烧至五成热时,下入浆好的鱼丁用筷子拨散滑至八成熟,倒入漏勺沥油;锅内留 50 克油,下入姜米、番茄丁、滑熟鱼丁,烹料酒和兑汁,放入花生米、胡椒粉翻簸几下,装入盘内即成。

【特点】　色泽美观,鱼丁鲜嫩,花生香脆,味道鲜美。

酥炸生仁鱼排

【原料】　主料:净桂鱼肉 300 克。

配料:鸡蛋 2 个,去皮碎花生米 100 克,香菜 100 克,面粉 50 克。

调料:花生油 1000 克(实耗 100 克),料酒 25 克,盐 5 克,味精 1.5 克,白糖少许,花椒粉少许,葱 15 克,姜 15 克,湿淀粉 40 克,香油 15 克。

【制　法】

1. 葱和姜捣烂用料酒取汁。香菜摘洗干净。鸡蛋磕在碗内,放入面粉、湿淀粉和水调制成蛋糊。

2. 将鱼肉片成 5 厘米长、3 厘米宽、1 厘米厚的片(计 20 片),用葱姜酒汁、盐、糖、味精、胡椒粉腌一下,逐片裹上鸡蛋糊,然后两面粘上碎花生米。

3. 锅内放油,烧到六成热时,将花生鱼排逐片下入油锅炸成焦酥呈金黄色,倒入漏勺沥油,摆入盘中,淋花椒香油,边上拼香菜即成。

【特点】　焦脆香酥,味美可口。

注:鱼排两面粘上芝麻仁,叫“麻仁鱼排”。

金玉簪桂鱼卷

【原料】 主料:净桂鱼肉400克。

配料:熟瘦火腿100克,嫩四月豆200克(或嫩豆角亦可),鸡蛋清2个。

调料:猪油1000克(实耗100克)料酒25克,盐8克,味精1.5克,胡椒粉1克,葱15克,姜15克,鸡汤150克,湿淀粉40克,香油15克。

【制 法】

1. 葱和姜捣烂用料酒取汁。火腿切成5厘米长粗条。将四月豆撕去筋,切成5厘米长的段。

2. 将挂鱼片成4厘米宽、6厘米长的薄片(计20片)。用葱姜酒汁、盐、味精、胡椒粉、鸡蛋清、湿淀粉调制成浆,把鱼片浆好,摊放木板上。每片鱼肉的一端放上火腿条、四月豆各一根。向前滚成卷,用盘装上。

3. 用鸡汤、盐、味精、湿淀粉兑成汁。

4. 锅内放入油烧到六成热时,将鱼卷下入油锅滑熟,倒入漏勺沥油,把鱼卷复倒入锅内,冲下兑汁,翻簸几下,放香油即成。

【特点】 色彩鲜艳,滑嫩鲜香,味美可口。

双味桂鱼卷

【原料】 主料:净桂鱼肉400克。

配料:鸡蛋清2个,子油姜50克,去蒂水发冬菇50克,净熟冬笋50克。

调料:猪油1000克(实耗100克),料酒25克,盐10克,味精1.5克,干淀粉400克,番茄酱50克,白糖20克,葱25克,鸡汤250克,香油15克。

【制 法】

1. 冬笋、冬菇、子油姜都切成5厘米长的丝。葱白切5厘米长段。丝瓜刮去粗皮(保存嫩青皮),切开成四条,剔去瓤,切成1厘米宽、5厘米长的条。鸡蛋清、料酒加入适量的盐和干淀粉调制成浆。

2. 鱼肉片成6厘米长、5厘米宽的薄片(计24片),用蛋清浆把鱼片浆好后,摊开放在木板上,把切好的冬笋丝、冬菇丝、葱白段、子油姜丝理齐,放在鱼片的一端,滚包成卷,切去伸出部分。

3. 锅内放入油烧到五成热时,下入鱼卷,滑八成熟,倒入漏勺沥油;锅留25克油,下入丝瓜条炒一下,加入鸡汤、盐、味精,用湿淀粉调稀勾芡,倒入一半鱼卷裹上汁,装入盘的一边;锅内放入番茄汁、白糖、鸡汤,用湿淀粉勾芡,倒入另一半鱼卷,裹上番茄汁,装入盘的另一边即成。

【特点】 红白相间,色彩鲜艳,味别两样,鲜美可口。

白汁八宝鱼脯

【原料】 主料:带皮白鱼肉300克。

配料:熟瘦火腿50克,水发海参100克,水发金钩25克,削皮荸荠50克,熟冬笋50克,蘑菇25克,蒸发干贝25克,猪肥膘肉50克,青豆25克,小白菜苞12个。

调料:猪油500克(实耗100克),料酒50克,盐10克,味精2克,胡椒粉1克,鸡汤400克,葱15克,姜15克,湿淀粉40克,鸡油15克。

【制 法】

1. 葱和姜捣烂用料酒取汁。海参清去腹膜,切成六毫米大的丁,放入冷水锅内烧开氽过。火腿、蘑菇、金钩、冬笋,荸荠都切成与海参相同大小的丁。干贝搓散成丝。白菜苞洗净。

2. 将带皮鱼肉平放在砧板上(皮朝下),用刀背捶松,顺着将鱼肉刮下来,和肥肉片一起放在垫有生肉皮的砧板七,用刀刃和刀背反复捶剁成细茸(越细越好),筋和刺一定要挑净,成为无筋无刺的细茸,放入葱姜酒汁、冷鸡汤调成细糊,加入适量的盐,用手朝着一个方向用

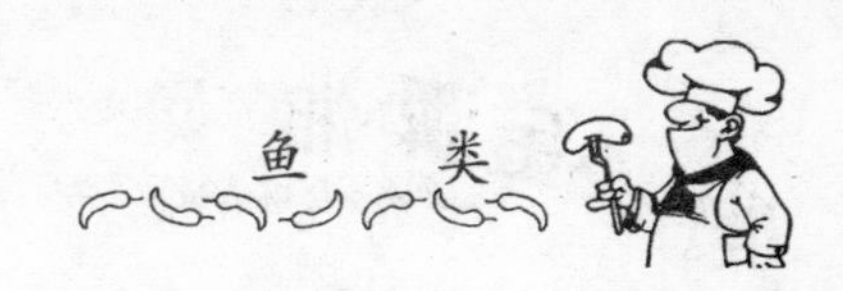

力搅动,搅到发亮上劲,再加入鸡蛋清、海参、火腿、金钩、冬笋、荸荠、蘑菇、干贝、青豆、味精、胡椒粉、适量的湿淀粉,搅拌均匀。

3. 锅内放入油烧到五成热时端离火位,将八宝鱼茸挤成3厘米大的丸子,下入油锅,用铲按甲成饼,再将锅放回火上,煎时应注意保持白色,滗去油,然后放入鸡汤,用小火焖透为止。

4. 食用时,将猪油烧到六成热,下入白菜苞,加盐煸炒入味,装在盘子的周边,再将鱼饼倒入锅内,用湿淀粉调稀勾芡,装入盘的中间,淋鸡油即成。

【特点】 滑嫩鲜香,味美可口。

香辣麻仁鱼条

【原料】 主料:净桂鱼肉200克。

配料:鸡蛋1个,芝麻仁100克,小红辣椒20克,面粉25克,香菜20克。

调料:植物油750克(实耗75克),料酒25克,盐8克,味精1克,白糖少许,葱10克,姜10克,湿淀粉20克,香油15克,花椒粉少许。

【制　法】

1. 将鸡蛋磕在碗内,放入面粉、适量的湿淀粉和水调制成糊。红辣椒去籽,和姜都切成米。葱切成花。香菜摘洗净。

2. 将桂鱼肉切成5厘米长、7毫米宽的方条,用料酒、盐、糖、味精腌一下,放入鸡蛋糊内拌匀,逐条粘上芝麻仁,用盘装上,用少许汤、湿淀粉、香油、葱花兑成汁。

3. 锅内放油烧到六成热,将麻仁鱼条下入油锅炸酥呈金黄色倒入漏勺沥油。锅内留50克油,将红椒米、姜米、花椒粉下入油锅炒出香辣味,倒入麻仁鱼条和兑汁,翻簸几下,装入盘内,拼香菜即成。

【特点】 麻辣鲜香、美味可口,下酒佳肴。

软烧活鱼

【原料】 主料:活草鱼1条(重约1250克)。

调料:猪油150克,料酒50克,盐5克,酱15克,豆瓣酱50克,味精1.5克,辣椒油5克,醋25克,汤200克,香油15克,姜15克,葱15克,蒜子15克。

【制　法】

1. 鱼宰杀去鳞、鳃、鳍,由背脊开膛去内脏,刷去腹内黑膜,洗净后从腹部切开,斜片成3厘米厚的块(即瓦形块)。

2. 葱、姜、蒜都切成末。豆瓣酱剁碎。

3. 将猪油烧沸,下入葱、姜、蒜、豆瓣酱和辣椒油,炒出香味后再加入汤,然后下入鱼焖烧,盖上锅盖即端离火位,待熟时,上火收浓汁,放香油后装入鱼盘即成。

【特点】 香辣鲜嫩,酒饭皆宜。

注:鱼不宜久煮,一熟就行,否则不嫩。

干蒸活鱼

【原料】 主料:活草鱼1条(重约1250克)。

配料:猪肥膘肉50克,熟火腿25克,水发香菇25克,小鲜红椒25克。

调料:猪油100克,料酒50克,盐15克,味精1.5克,姜15克,葱15克,香油25克。

【制　法】

1. 鱼宰杀后去鳞、鳃、鳍,开膛去内脏,刷去腹内黑膜,洗净,用盐和料酒将鱼腌约10分钟。

2. 肥膘肉切成细丝,下入开水锅中烫一下,过凉。香菇去带洗净,红椒去蒂去籽洗净,和火腿、姜都切成细丝,加入少许盐拌匀。葱切段。

3. 将腌的鱼洗一遍再用鱼盘装上,放入盐、味精、猪油和上列配料,上笼用旺火沸水蒸15分钟,取出后放葱段,将香油烧沸淋在鱼身上即成。

【特点】 鱼肉香嫩,味道鲜美。

注:鱼在旺火上蒸,一熟就行,否则肉质不嫩。

荷叶软蒸鱼

【原料】 主料:活草鱼1条(重约1250克)。

配料:鲜荷叶2张。

调料:猪油100克,料酒50克,盐5克,酱油25克,味精1.5克,辣椒油15克,花椒粉1克,香油50克,葱15克,姜15克,T淀粉30克。

【制 法】

1. 鱼宰杀去鳞、鳃、鳍,由背脊骨开膛去内脏,刷去腹内黑膜并洗净,除去头尾和背脊骨,取下两扇带皮鱼肉,再斜片成6厘米宽、2厘米厚的块。

2. 葱切花。姜切末。荷叶切成直径3厘米大圆形,一张垫放在小蒸笼内。

3. 食用前15分钟,用上列调料和葱、姜末以及辣椒油将鱼拌匀,加入干淀粉拌和后摆入垫荷叶的蒸笼内,上面盖一张荷叶,再盖上盖。在旺火沸水上蒸约15分钟即熟,揭开荷叶,撒入葱花,淋花椒香油,再将荷叶盖上,用盘托上即成。

【特点】 香辣软嫩,味极鲜美。

注:鱼在食用前15分钟拌入调料上笼蒸熟就行,蒸的时间过长则不鲜嫩。

芙蓉鲫鱼

【原料】 主料:人活鲫鱼2条(重约750克)。

配料:鸡蛋5个,熟瘦火腿15克,鸡汤500克。

调料:料酒50克,盐10克,味精2克,鸡油15克,胡椒粉1克,葱25克,姜15克。

【制 法】

1. 鲫鱼宰杀去鳞、鳃,开膛去内脏,刷去腹内黑膜并洗净。火腿切末。葱白切花,余下葱和姜拍破。

2. 将鲫鱼斜切下头和尾,与鱼身一起装入深盘内,加放料酒和拍破的葱、姜,用旺火沸水蒸10分钟取出,头尾和原汤分别保留,用小刀拆下鱼肉(要细心地把鱼刺全部挑干净)。

3. 鸡蛋去黄用清,打散后放入鸡汤和鱼肉原汤,加入盐、味精、胡椒粉,搅匀调好味,将一半装入汤碗,上笼蒸熟取出;再将一半倒在上面,上笼蒸熟,同时把鱼头鱼尾上笼蒸热。

4. 食用时,将芙蓉鲫鱼和鱼头鱼尾取出,头、尾分别摆放芙蓉鲫鱼两头,形成鱼形,撒火腿末、葱花,放鸡油即成。

【特点】 色泽鲜艳,鲜嫩味美。

银丝鲫鱼

【原料】 主料:大活鲫鱼2条(重约750克)。

配料:熟瘦火腿25克,口蘑15克,白萝卜300克。

调料:猪油100克,料酒25克,盐10克,味精1.5克,葱15克,姜15克,胡椒粉1克,鸡油15克,鸡汤500克。

【制 法】

1. 鲫鱼宰杀去鳞、鳃、鳍,开膛去内脏,刷去腹内黑膜并洗净,沥干水分。

2. 口蘑的加工方法见“芙蓉鸡片”,要切成丝。

3. 火腿切成丝。白萝卜削去皮切成丝。葱白切成段,余下的葱和姜拍破。

4. 锅烧热,放入猪油烧到六成热时,下入鲫鱼,两面煎一下,烹料酒,放入葱、姜、鸡汤和萝卜丝,在旺火上煮至鲫鱼熟、萝卜丝烂,去掉葱和姜再加入火腿丝和口蘑丝、盐、味精烧开,调好味,‘撇去泡沫,放胡椒粉和葱段,装入汤益内,淋鸡油即成。

【特点】 汤如白奶,味道浓鲜。

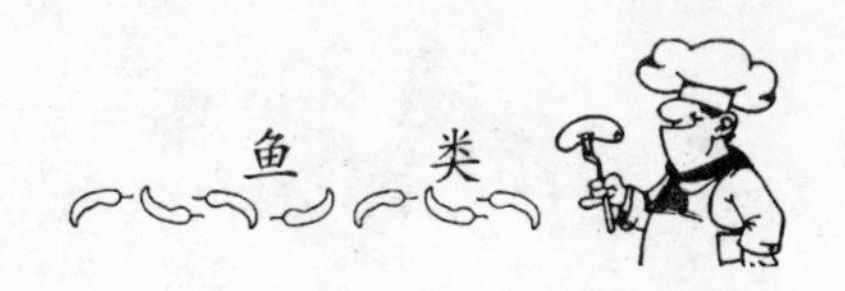

干烧鲫鱼

【原料】 主料:大活鲫鱼2只(重约750克左右)。

配料:猪肉100克(肥瘦各半)。

调料:猪油500克(实耗150克),料酒50克,酱油25克,糖3克,盐10克,香醋25克,味精1.5克,香油15克,葱15克,姜15克,蒜15克。

【制 法】

1.鱼初步加工见“银丝鲫鱼”,再斜刷一字花刀。

2.姜、蒜和猪肉都切末。葱切花。

3.将猪油烧到七成热时下入鲫鱼,炸到七成熟便滗去油;锅内留100克油,下入猪肉炒散,再下入姜蒜炒一下,烹料酒,加入盐、酱油、醋和冷水焖5分钟,翻身再焖一下,收干汁,放葱段和香油,装入鱼盘即成。

【特点】 鱼肉鲜嫩,味美浓香。

注:干烧不用勾芡,汤不能多(也不能完全收干),鱼做好后,应有汁有油。

芙蓉鱼排

【原料】 主料:净桂鱼肉300克(如无桂鱼,可用青鱼或草鱼,但要将刺去干净)。

配料:面包200克,鸡蛋4只,干淀粉50克,熟火腿15克,香菜叶50克。

调料:花生油1000克(实耗100克),料酒25克,味精1.5克,白糖1.5克,盐2.5克,香油15克,胡椒粉0.5克,葱15克,姜15克。

【制 法】

1.鱼肉片成4厘米长、3厘米宽的薄片(计24斤)。葱、姜捣烂用料酒取汁,加上盐、白糖、味精和胡椒粉,把鱼肉腌10分钟。

2.面包切成同鱼肉一样大小的片。鸡蛋去黄用清用筷子打起发泡,加入适量的干淀粉搅拌成雪花蛋糊。香菜洗净。火腿切末。

3.面包摊开放在木板上,把鱼片逐片裹上雪花糊,贴在面包上,再贴上香菜叶、火腿末。

4.将猪油烧到五成热,把贴好的鱼片下入油锅(面包朝下),面包炸焦酥呈金黄色时鱼片已熟,翻炸一下即捞出,淋香油,装长盘即成。

【特点】 色彩鲜艳,焦脆香酥。

炸滑鱼排

【原料】 主料:净桂鱼肉300克(也可用青鱼或草鱼,但要去净刺)。

配料:鸡蛋5个,干淀粉50克,香菜叶100克,葱、姜各10克。

调料:花生油1000克(实耗100克),料酒25克,味精2克,白糖1克,盐5克,香油15克,胡椒粉0.5克,葱15克,姜15克。

【制 法】

1.桂鱼肉片成4厘米长,3厘米宽、0.3厘米厚的片。葱、姜捣烂用料酒取汁,加上盐、白糖、味精和胡椒粉,把鱼片腌约10分钟。

2.鸡蛋去黄用清,用筷子打起发泡,加入适量的干淀粉,搅拌成雪花蛋糊。香菜洗净。

3.将花生油烧到五成热时,将鱼片逐片裹上雪花蛋糊,下入油锅炸,待表面凝固时捞出,沥油后摘去面尾,清理整洁,用盘装上。

4.食用时,将花生油烧到五成热时,下入鱼排重炸,至焦脆香酥呈金黄色时滗去油,淋香油后装盘,用香菜拼边即成。

【特点】 外焦酥,肉香嫩,味鲜美。

清汤鱼丸

【原料】 主料:白鱼1250克。

配料:鸡蛋3个,蘑菇50克,豆苗300克。

调料：猪油 50 克，料酒 50 克，清鸡汤 1000 克，盐 15 克，味精 2.5 克，胡椒粉 1 克，鸡油 15 克，葱 15 克，姜 15 克。

【制 法】

1. 将鱼去鳞、鳃，开膛去内脏洗净，剁去头和尾，从背脊骨片进，取下一片带皮鱼肉，翻身片下另一片鱼肉，再片去胸刺，用刀背将鱼肉捶松，然后刮下净鱼肉约 400 克（鱼的头、尾、皮、刺用来煮汤，留作它用），再用刀背捶剁成细鱼茸。

2. 将葱姜捣烂用清水 150 克取汁。蘑菇切成片。豆苗摘苞洗净。

3. 先用葱姜汁将鱼茸解散成糊状，加入凉清汤 250 克调匀成稀糊，再加入盐和料酒，用手朝着一个方向用力搅动，搅到发亮上劲时，挤一个丸子放入清水中，以立即浮起在水而为准。如丸子沉入水底，说明盐放多了；丸子散开则表示盐放少了，还须分别加入适量的水或盐搅拌，然后放入猪油、鸡蛋清、胡椒粉和味精，再用劲搅拌均匀。

4. 在锅内放入凉水，将鱼茸挤成直径为 2 厘米大的丸子下入水中，然后上火逐渐加热，待水快开时，用瓢背面轻轻向前翻动，随即放入一点凉水（注意水不要大开，以免冲老不嫩），使鱼丸慢慢熟透，舀入盆内，用原水泡上。

5. 在锅中放入清鸡汤，随下入蘑菇和鱼丸，加入盐和味精，烧开调好味，撇尽泡沫，放入豆苗尖、胡辣粉，装入汤撬内，淋上鸡油即成。

【特点】 汤清，软嫩，味鲜。

注：①鱼丸料分为四部分，分别加入菠菜汁、蛋黄、火腿末，可制四色鱼丸。

②鱼丸很细嫩，下锅后用瓢背推动要轻，汤不能大开，一熟就行，否则肉老不鲜嫩，影响质量。

锅贴桂鱼片

【原料】 主料：净桂鱼肉 400 克。

配料：猪肥膘肉 500 克（实用 300 克），鸡蛋 3 个，香菜 150 克。

调料：料酒 25 克，盐 5 克，味精 2.5 克，糖 1 克，香油 15 克，葱 15 克，姜 15 克，干淀粉 40 克，花椒粉 0.5 克。

【制 法】

1. 鱼肉片成 5 厘米长、3 厘米宽、0.6 厘米厚的片（计 24 片），放入料酒拌匀。葱切花，姜切末。香菜摘叶洗净。

2. 鸡蛋去黄用清，加入干淀粉调制成糊，取一半把鱼片浆好；另一半加入葱花、姜末、盐、味精和花椒粉，调拌均匀。

3. 肥膘肉放入汤锅煮熟（断生为止，切勿煮烂），取出切成鱼片一般人小的片，用干净布按干油脂水分，粘上干淀粉，摊开放入平锅内，将姜、葱调料铺满在肥膘肉上，再把鱼片贴上，然后贴上香菜叶。

4. 食用时，把贴好鱼片的平锅放在火上，将平锅不停地转动，使火色均匀，煎至肥膘油排出、成焦酥透呈金黄色时滗去油，淋香油，摆装盘内即成。

【特点】 色彩金黄，香酥味美。

注：桂鱼片上贴放火腿片，叫“锅贴火夹鱼片”。

糖醋熘桂鱼

【原料】 主料：活桂鱼 1 条（重约 1000 克）。

配料：鸡蛋 1 个，香菜 150 克。

调料：花生油 1000 克（实耗 150 克），盐 5 克，料酒 50 克，酱油 10 克，醋 50 克，白糖 75 克，汤 150 克，香油 15 克，面粉 50 克，湿淀粉 50 克，姜 25 克，葱 25 克，蒜子 25 克。

【制 法】

1. 鱼宰杀去鳞、鳃、鳍，开膛去内脏洗净，用刀将头尾取下，将鱼身背脊骨去掉，片成 1 厘米厚的瓦形块，用料酒和盐腌约 10 分钟。

2. 将鸡蛋、淀粉、面粉和适量的水调

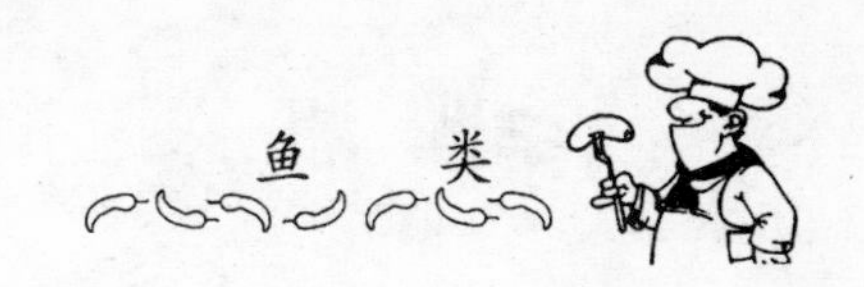

制成糊。香菜摘洗干净。葱、姜、蒜都切成末。用糖、醋、酱油、湿淀粉、香油、葱花和汤兑成汁。

3. 将腌好的鱼块洗净，沥干水分，用鸡蛋糊裹上。

4. 将花生油烧沸，把上糊的鱼块及鱼头尾逐块下入油锅，炸至焦酥透捞出，装入长鱼盘，摆成鱼形；锅中留50克油，下入姜、蒜煸炒，继而将兑好的糖醋汁倒入锅内，待开时，再加入一点热油，使汁烹起泡时，浇盖在鱼身上，两边拼香菜即成。

【特点】 色彩金黄，酸甜焦酥。

注：①如用整鱼，在鱼身两面剞翻刀片，裹上蛋糊，用左于提鱼尾使鱼肉翻成梯形，右手舀沸油淋炸在鱼身，视表面凝固定形时，下入油锅炸焦酥透，淋糖醋汁。

②如将鱼粗骨去净，斜剞十字花刀，切成方块，撒上十淀粉，炸焦酥成荔枝形，淋糖醋汁，叫“糖醋荔枝鱼”。

豆瓣酱烧肥鱼

【原料】 主料：肥鱼1条(1500克左右)。

配料：净冬笋50克，水发冬菇25克。

调料：植物油1000克(实耗50克)，猪油100克，料酒50克，盐10克，醋15克，豆瓣辣酱50克，白糖10克，酱油15克，味精1.5克，汤250克，葱15克，姜15克，蒜15克，湿淀粉25克，香油15克。

【制　法】

1. 肥鱼刮去涎液，去掉鳃和鳍，开膛去内脏，洗净，从鱼身的中间砍断成头尾两段，将腹内脊骨稍砍开，用盐、料酒腌一下后洗净。

2. 冬菇去蒂洗净，和冬笋都切成丝。葱、姜、蒜切成末。

3. 将油烧沸，把肥鱼抹干水分，下入油锅炸到五成熟时捞出，再将猪油烧沸，下入冬笋丝、冬菇丝、姜蒜末和豆瓣辣酱，炒出香辣味，再放入肥鱼、汤、酱油、醋、糖和味精，烧开后移用小火焖熟，用湿淀粉调稀勾芡，装入鱼盘，撒葱花，淋香油即成。

【特点】 香辣嫩，味鲜美。

网油鱼卷

【原料】 主料：桂鱼肉300克。

配料：网油250克，熟肥膘肉100克，削皮荸荠50克，金钩25克，鸡蛋2个，香菜100克。

调料：花生油1000克(实耗50克)，料酒25克，盐5克，白糖2免，味精1.5克，面粉50克，干淀粉15克，湿淀粉40克，花椒粉0.5克，葱15克，姜15克，香油10克，胡椒粉0.5克。

【制　法】

1. 鱼肉切成5厘米长、1厘米粗的丝。肥膘肉和荸荠都切成细丝。金钩泡发切末。葱、姜均切末。网油洗净晾干。

2. 用鸡蛋、面粉、湿淀粉和适量的水调制成糊，将其一半放入鱼肉丝内，再放入各种配料，加入盐、料酒、味精、白糖、葱花和姜末，搅拌成馅。

3. 网油摊在木板上，用刀修成方块，均匀地撒上干淀粉，将鱼肉馅放在网油的一端，滚成直径2厘米大的圆形长条，卷成一筒后(余下的也如此卷完)将网油切断，装盘上笼蒸10分钟取出晾凉，切成3厘米长斜条。

4. 将花生油烧到六成热，把鱼卷裹上一层薄蛋糊，下入油锅炸至焦酥呈金黄色时，滗去油，撒上花椒粉，放香油簸几下装入盘内，拼香菜即成。

【特点】 外焦内嫩，色香味美。

油焖火焙鱼

【原料】 主料：小嫩子鱼500克(小指头大的)。

配料：小红辣椒15克，蒜子15克，紫苏叶5克。

调料:花生油 150 克,料酒 25 克,盐 8 克,酱油 10 克,醋 10 克,味精 1 克,汤 100 克,香油 15 克,葱 10 克,姜 10 克。

【制　法】

1. 嫩子鱼用小刀挖去鳃,去内脏,洗净后沥干水分,用锅焙熟至两面呈金黄色便取出。

2. 小红辣椒、葱、姜、蒜和紫苏均切末。用酱油、醋、味精、汤、料酒、香油和葱花兑成汁。

3. 将花生油烧沸,下入火焙鱼后移用小火煎至酥香时,下入小红辣椒、姜、蒜,加盐炒一下就倒入兑汁,稍焖软,收干汁,装入盘内即成。

【特点】　香辣酥软,味道鲜美。

酸辣荔枝鱼卷

【原料】　主料:带皮桂鱼肉 500 克。

配料:泡菜 100 克,小红辣椒 15 克,净冬笋 25 克,水发香菇 25 克,大蒜 25 克,鸡蛋 1 个。

调料:花生油 1000 克(实耗 100 克),盐 5 克,酱油 15 克,味精 2 克,汤 100 克,干淀粉 30 克,湿淀粉 15 克,香油 25 克。

【制　法】

1. 将桂鱼肉放在砧板上(鱼皮朝下),在鱼肉的一面斜剞 1 厘米宽交叉十字花刀(剞四分之三的深度),再切成 3 厘米宽的斜方块,撒上盐和鸡蛋并抹匀。

2. 泡菜、冬笋、香菇和红辣椒均切成末。大蒜切成颗粒。

3.食用时,将花生油烧到六成热时,将干淀粉撒在鱼肉上抹匀抖散,下入油锅滑熟(即成荔枝形的鱼卷)后倒入漏勺沥油;锅中留 50 克油,下入各种配料煸炒,加入酱油、味精和汤,用湿淀粉调稀勾芡,即倒入鱼卷,簸炒几下,放香油,装入盘内即成。

【特点】　酸辣香嫩,味鲜可口。

注:如不用泡菜、酱油烹制,改用蕃茄酱、糖、醋制作,叫“茄汁荔枝鱼卷”。

白汁鱼饼

【原料】　主料:白鱼 1 条(重 1000 克左右)。

配料:口蘑 15 克,熟冬笋 50 克,熟火腿 50 克,豆苗 250 克。

调料:猪油 500 克(实耗 100 克),料酒 50 克,盐,10 克,味精 1.5 克,胡椒粉 1 克,葱 15 克,姜 15 克,湿淀粉 50 克,鸡油 15 克,鸡汤 500 克。

【制　法】

1. 鱼去鳞、鳃,由背脊骨开膛去内脏,洗净后取下一边鱼肉,翻身片下另一边鱼肉,再将两边腹部的鱼刺片下,用刀背捶松,顺着把鱼肉刮下来,放入清水内浸泡取出,然后放在砧板上用刀和刀背反复捶剁成细茸(越细越好),再将上面的鱼茸刮下,筋去掉不要。

2. 葱、姜捣烂用料酒取汁,放入鱼茸内,再加入蛋清、适量的猪油、盐、味精、冷鸡汤和湿淀粉,搅拌成馅。

3. 口蘑加工见“芙蓉鸡片”。冬笋、火腿均切成薄片。豆苗摘苞洗净。

4. 将锅烧热,放入猪油烧到五成热时,把鱼茸挤成直径 2 厘米大的丸子下入油锅,用铲按扁成圆饼(火不宜大,切勿煎黄,保持本色),待熟时倒入漏勺沥油;锅内留 50 克油,下入冬笋、口蘑炒一下,加入鸡汤、盐、味精和鱼饼,焖一下再放入火腿、豆苗、胡椒粉,用湿淀粉调稀勾流芡,装入深盘内,淋鸡油即成。

【特点】　色彩鲜艳,软嫩味美。

清蒸怀胎鲫鱼

【原料】　主料:大活鲫鱼 2 条(重 750 克左右)。

配料:猪肉 100 克(肥瘦各半),净冬笋 50 克,熟火腿 50 克,金钩 25 克,水发冬菇 50 克,鸡蛋 1 个。

调料:料酒 25 克,盐 10 克,味精 1.5 克,鸡汤 750 克,葱 15 克,姜 15 克,胡椒

粉1克，鸡油50克。

【制　法】

1. 鲫鱼宰杀后去掉鳞、鳃、鳍，开膛去内脏，刷去腹内黑膜并洗净，用料酒、盐腌一下，沥干水分，装入汤WF内。

2. 将猪肉、火腿、冬笋、冬菇和泡发的金钩均切成米状，加入鸡蛋、盐和味精拌匀成馅，灌入鲫鱼腹内，将葱、姜拍破放在鱼身上，加入鸡油，上笼蒸15分钟即熟。在锅中放入鸡汤、盐和味精，烧开撇去泡沫，同时取出鲫鱼去掉葱、姜、放葱白段、胡椒粉，将鸡汤加入装鲫鱼的汤慨内即成。

【特点】　汤清香嫩，味极鲜美。

注：亦可用油将鲫鱼两面煎黄，焖熟，收浓汁，叫“黄焖怀胎鲫鱼”。

焦炸鳅鱼

【原料】　主料：小条活泥鳅500克（选用小指大的）。

配料：小红辣椒15克，紫苏5克，香菜100克。

调料：植物油1000克（实耗100克），料酒50克，盐5克，白糖3克，醋15克，味精1克，香油15克，汤50克，葱10免，姜10克，蒜子10克，湿淀粉10克，花椒粉0.5克。

【制　法】

1. 泥鳅用清水洗净，沥干水分，装入陶器内，用料酒，盐腌死（腌时要盖严，以防蹦走），用漏勺沥去水分。

2. 小红辣椒、葱、姜、蒜和紫苏都切成末。用汤，白糖、味精、醋、葱、香油和湿淀粉兑成汁。香菜摘洗干净。

3. 将油烧到七成热时，下入泥鳅炸熟，捞出后放在砧板上，用小刀切去头尾并除去内脏。

4. 食用时，将油烧到六成热时，下入泥鳅，用小火炸焦酥透捞出。锅内留50克油，下入花椒粉、红辣椒、姜、蒜、紫苏，并加盐炒一下，随倒入兑汁，簸炒几下，装入盘内，拼上香菜即成。

【特点】　焦酥香辣，酒饭均宜。

芙蓉鳅鱼羹

【原料】　主料：大活泥鳅500克。

配料：鸡蛋5个，熟瘦火腿25克。

调料：猪油100克，料酒50克，盐10克，味精1.5克，鸡汤300克，胡椒粉1克，葱25克，姜15克，湿淀粉50克，鸡油25克。

【制　法】

1. 火腿切成末。葱白切成花，余下葱和姜拍破。

2. 泥鳅用清水洗一遍，装入沙锅内，加入冷水、葱、姜和料酒，盖好（以防煮时泥鳅受热蹦出）后用小火煮熟（以能拆下鱼肉为准），捞出来装入盘内（原汤保留待用），用小刀拆下泥鳅肉，把刺细心地挑干净。

3. 鸡蛋去黄用清，放入鳅鱼肉、盐、味精、胡椒粉、鸡汤、鳅鱼原汤和湿淀粉，搅匀成汁。

4. 锅烧热，放入猪油烧到六成热时，倒入兑好的泥鳅汁，用瓢推炒熟，装入盘内，撒上火腿末和葱花，淋鸡油即成。

【特点】　色彩鲜艳，滑嫩味鲜。

注：如不用锅炒，亦可蒸熟。

火方沅江银鱼

【原料】　主料：火腿膀1个（重500克左右），大干银鱼150克。

配料：小白菜1500克。

调料：料酒50克，盐10克，味精1.5克，清鸡汤1000克，普汤500克，葱15克，姜15克，胡椒粉1克，鸡油15克。

【制　法】

1. 火腿膀的加工方法见“火方生蹄筋”。葱白切段，余下葱和姜拍破。小白菜摘去边叶，留下的小苞洗净，用开水氽过，冷水过凉。

2. 干银鱼剪去头和尾，用冷水浸泡

发,拣去杂质,洗两遍,再用清水泡上。

3. 食用时,在锅中放入普汤、葱、姜、银鱼、料酒和盐,烧开余过后倒入漏勺沥干水分,去掉葱和姜,装入汤 WF 内;同时,取出火方放在银鱼上,撒上胡椒粉和葱段。将火方原汤倒入锅内,加清鸡汤、盐、白菜苞和味精,烧开并调好味,撇去泡沫,倒在装火方银鱼的汤船内,放鸡油即成。

【特点】 银鱼鲜嫩,火腿醇香,汤清味美。

注:银鱼是湖南省沅江县的特产,色白如银(故名银鱼),肉质细嫩,味极鲜美,营养丰富,具有清润滋补和增强体质的功能。

奶汤银鱼

【原料】 主料:大白干银鱼 250 克(如有新鲜的更为理想)。

配料:冻菌 250 克,小白菜 1500 克。

调料:料酒 50 克,奶汤 1250 克,普汤 500 克,盐 15 克,味精 2.5 克,胡椒粉 1 克,鸡油 15 克,葱 15 克,姜 15 免。

【制 法】

1. 将银鱼用剪刀剪去头和尾,用冷水浸泡 1 小时后,换清水洗一遍,拣去杂质后再洗一遍,用清水漂上。葱、姜拍破。

2. 冻菌削去根部的泥沙,撕去表面一层灰色皮膜,洗净后放入葱、姜、盐,上笼蒸熟便取出切成丝。小白菜摘去边叶留苞洗净,用开水余过,冷水过凉。

3. 食用时,将锅内放入普汤、料酒、盐、葱、姜,再放银鱼烧开余过,倒入漏勺沥干水分并去掉葱、姜,然后装入汤盐内,撒上胡椒粉。另外将奶汤放入锅内,加入白菜苞、冻菌、盐和味精,烧开调好味,撇去泡沫,倒入装银鱼的汤篮内,放鸡油即成。

【特点】 银鱼鲜嫩,奶汤浓白,味道鲜美。

注:如夏、秋两季不吃浓奶汤,可改用清鸡汤来烹制。

雪花银鱼

【原料】 主料:大白银鱼 150 克(如有新鲜的更好)。

配料:鸡蛋清 4 个,熟瘦火腿 25 克,小白菜苞 12 个。

调料:猪油 150 克,料酒 50 克,盐 15 克,味精 1.5 克,鸡汤 400 克,普汤 500 克,葱 15 克,姜 15 克,胡椒粉 50 克,鸡油 15 克。

【制 法】

1. 将银鱼头和尾剪去,用冷水浸泡 1 小时,拣去杂质,清洗二遍,用清水漂上。葱和姜拍破。火腿切成米。白菜苞洗净。

2. 将鸡蛋清用筷子打起发泡成雪花状。

3. 锅内放入普汤、葱姜、料酒、盐,银鱼烧开余过,倒入漏勺沥干水分。将白菜苞下入油锅加盐炒入味,用盘装上。锅洗净烧热,放入油烧到六成热时,倒入鸡汤、盐、味精、胡椒粉烧开,调好味,用湿淀粉调稀勾芡,再下入雪花蛋泡炒熟,然后下入银鱼炒匀,装入盘中,将白菜苞拼在周围,撒火腿米,淋鸡油即成。

【特点】 色彩鲜艳,滑嫩鲜香,味美可口。

火方肥鱼肚

【原料】 主料:火腿膀 1 个(重 500 克左右),干肥鱼肚 300 克(如有鲜的更好)。

配料:小白菜 1500 克。

调料:料酒 50 克,盐 15 克,味精 1.5 克,胡椒粉 1 克,葱 15 克,姜 15 克,鸡油 15 克,清鸡汤 1000 克,普汤 500 克。

【制 法】

1. 肥鱼肚放入沙锅内,加水后在旺火上烧开,再移用小火焖煮 3 小时捞出,

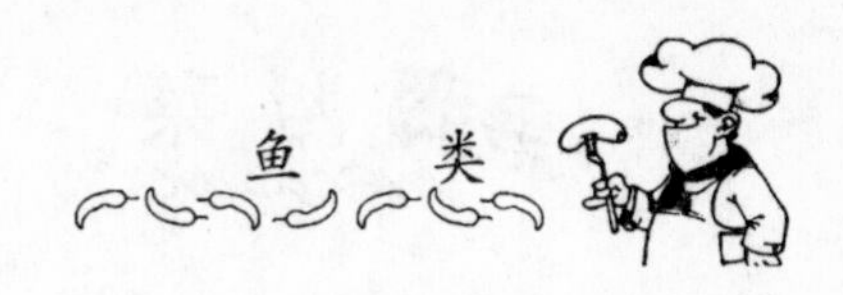

将黄皮膜刮掉,用刀片成两开洗净,再用斜刀片成5厘米长、3厘米宽的薄片,下入装有冷水的锅内烧开,捞出后再用开水冲泡两遍(柔软发透即可)。

2. 火腿膀的加工方法见“火方生蹄筋”。葱白切段,余下的葱和姜一起拍破。小白菜摘去边叶,留下的苞洗净,在开水中氽过,用冷水过凉。

3. 食用时,在锅中放入普汤、料酒、葱、姜、盐和肥鱼肚,烧开氽过后倒入漏勺沥干水分,去掉葱姜,再装入汤 WF 内;同时,取出火方放在肥鱼肚上,撒上胡椒粉和葱段。另外,将火方原汤倒入锅内,加入清鸡汤、盐、味精和白菜苞,烧开调好味,撇去泡沫,倒入装有火方肥鱼肚的汤 WF 内,淋鸡油即成。

【特点】 柔软滑嫩,醇香味鲜。

注:肥鱼肚与其他鱼肚不同,具有色泽雪白,细嫩柔软的特点,其味浓厚鲜美。

拆烩鳙鱼头

【原料】 主料:大活鳙鱼头1个(重2000克左右)。

配料:净冬笋50克,水发口蘑50克。

调料:猪油100克,料酒50克,盐10克,味精1.5克,鸡汤500克,胡椒粉1克,葱15克,姜15克,湿淀粉30克,鸡油15克。

【制 法】

1. 冬笋切成薄片。口蘑片成薄片。葱白切段,余下葱和姜拍破。

2. 鱼头去鳞去鳃,刮去腹内黑膜,砍成两边洗净后,放入冷水锅内,加入料酒、葱、姜煮熟捞出,用盘装上,稍凉,把刺骨全部去掉。

3. 将猪油烧到六成热时,下入冬笋和口蘑炒一下,放入鸡汤、盐、味精,鱼头肉烧开,调好味后再用湿淀粉调稀勾流芡,撒胡椒粉和葱段,放鸡油,装入汤盘内即成。

【特点】 鱼头肉嫩,汤汁浓厚,味道鲜美。

沙锅鳙鱼头

【原料】 主料:人活鳙鱼头1个(重2000克左右)。

配料:猪肉100克(肥瘦各半),净冬笋50克,水发冬菇50克,豆腐4人块。

调料:猪油150克,料酒50克,盐15克,味精2.5克,鸡汤500克,胡椒粉1克,葱15克,姜15克,鸡油15克。

【制 法】

1. 将鱼头去掉鳞、鳃、鳍,刮去腹内黑膜,洗净后用料酒和盐腌约半小时再取出洗净。

2. 猪肉、冬笋均切成薄片。冬菇去蒂,人的要改成块。葱白切段,余下葱和姜拍破。豆腐切成4厘米长、2厘米宽的条,用盘装上。

3. 将猪油烧到六成热时,下入鱼头将两而煎黄,烹料酒,放入葱、姜、冷水、冬笋片、猪肉片、冬菇和盐,烧开后撇去泡沫,装入沙锅内煮10分钟左右,再加入味精、鸡汤、胡椒粉,调好味,放葱段、鸡油,再将沙锅放在桌上的火炉上,煮得滚开,下入豆腐即成。

【特点】 汤奶白,味浓厚,鲜美可口。

清蒸鲥鱼

【原料】 主料:鲜人鲥鱼1条(重1500克左右)。

配料:口蘑25克,熟火腿50克,猪网油100克。

调料:料酒50克,盐15克,味精1.5克,清鸡汤200克,葱25克,姜25克。

【制 法】

1. 口蘑的加工方法与“芙蓉鸡片”同。火腿切成薄片。葱白切段,姜一半切末,余下的葱和姜拍破。网油洗净晾干。

2. 鲥鱼不去鳞(因为鳞下脂肪丰富,味鲜),去鳃去鳍,开膛去内脏,将脊骨上的血洗净,用葱、姜、料酒和盐腌约5分钟(不可久腌,以免失去鲜味)。将腌鱼取出后洗一遍,装入深鱼盘内,放入盐、味精、口蘑、火腿和料酒,上面盖网油,再放葱和姜。

3. 食用前15分钟,上笼蒸熟取出,去掉葱、姜,将鸡汤倒入锅烧开后放进葱段,然后浇在鲥鱼上,另上姜、醋两小碗即成。

【特点】 鱼肉嫩,汤鲜美,夏季时令,营养丰富。

香茶熏鱼

【原料】 主料:人白鱼1条(重1500克左右)。

配料:香菜200克。

调料:料酒50克,盐15克,白糖15克,黄醋100克,味精2.5克,酱油25克,香油100克,辣椒油100克,花椒子30粒,葱25克,姜25克。

熏料:木炭500克,茶叶25克,大米50克,锯木屑250克。

【制 法】

1. 取一半姜切成末,余下的和葱一起捣烂。香菜摘洗干净。

2. 鱼去掉鳞、鳃、鳍,开膛去内脏并洗净,晾干水分。用捣烂的葱、姜以及花椒子、料酒、盐、糖、味精和酱油擦遍鱼身内外,腌约2小时。

3. 把木炭放入一大耳锅内,上面放一铁架子,将腌鱼的葱、姜、花椒子去掉,平放在铁架上,用铁盖盖严。然后,将锅放在旺火上烧红木炭,待鱼烤至八成熟时,把盖揭开,将铁架和鱼一起取出,把茶叶、大米、锯木屑放在木炭上,再将铁架上的鱼放入锅内,盖上盖后放在小火上继续烧,冒大烟时即端离火口,直至烟把鱼熏成金黄色时,将已烤熟透的鱼取出,装入鱼盘内。同时,烧沸香油淋在鱼上,另上香菜、辣椒油、姜醋汁各两小碗即成。

【特点】 烟熏浓香,味道鲜美,别有风味。

茄汁菊花鱼

【原料】 主料:人活桂鱼1条(重2000克左右)。

配料:香菜200克。

调料:花生油1000克(实耗150克),料酒25克,白糖50克,盐10克,米醋15克,番茄酱100克,葱15克,姜15克,蒜15克,汤100克,湿淀粉50克,干淀粉50克,香油15克。

【制 法】

1. 桂鱼宰杀去鳞、鳃,开膛去内脏并洗净,先取下鱼头和鱼尾,鱼头剖开下巴成为平开的一片,鱼尾根部剖开去掉中骨能竖立,都粘上干淀粉,但不用盐腌(因不吃,主要是配上使外形完整)。用刀顺鱼身背脊骨横片进去,取下一面带皮鱼肉,翻身取下另一面带皮鱼肉,去掉背脊骨,切下腹部的肉(作其他用途),再把鱼肉切成均匀的10块,每块稍切去四角,然后斜剞上距离6毫米宽的十字交叉花刀,剞完用手倒抹鱼肉,使每个刀花分明,用盘装上后撒上盐和料酒腌一下。

2. 葱切成花。姜和蒜切成末。香菜摘洗干净。用汤、白糖、盐、醋、番茄酱、香油和湿淀粉兑成汁。

3. 食用时,用湿淀粉调稀芡均匀地涂在鱼肉花纹内,再滚上干淀粉,手提鱼尾摇摆一下,使剞的花刀都能立起来。同时,将花生油烧沸,把上糊的鱼肉以及鱼头、鱼尾逐块下入油锅,炸焦酥呈金黄色捞出(即成菊花形)。锅内留50克油,下入姜、蒜炒一下,随即倒入兑汁,待开时,加入一点沸油,然后将菊花鱼和头、尾摆成鱼形,将汁浇在菊佗鱼上,撒上葱花即成。

【特点】 色彩红亮,酸甜味美。

注:烧汁和炸鱼的时间要紧凑,才能保持质量。

锅贴牡丹鱼

【原料】 主料:活桂鱼1条(重1250克左右)。

配料:猪肥膘肉300克,鸡蛋清3个,红樱桃6粒,削皮荸荠50克,香菜100克。

调料:猪油50克(无耗),料酒50克,盐8克,味精2克,白糖少许,葱15克,姜15克,胡椒粉0.5克,干淀粉50克,湿淀粉25克,香油15克。

【制 法】

1. 葱和姜捣烂用料酒取汁。荸荠剁成米状。红樱桃一切两边。香菜摘洗干净。

2. 将肥膘肉下入汤锅煮熟(切勿煮烂,断生为准),取出晾凉,改成5厘米长、4厘米宽、3毫米厚的片(计20片),用净白布按干油脂水分,两面粘上干淀粉。将余下的50克熟肥肉剁成米状。

3. 将桂鱼宰杀,去鳞、鳃、鳍,开膛去内脏洗净,刀从背脊骨处片进取下一片带皮的鱼肉,翻边照样取下另一片带皮鱼肉,剔去腹刺和皮,将桂鱼肉片成6毫米厚的大片,再用模型刀切成花瓣形;余下鱼肉放在垫有肉皮的砧板上,用刀捶剁成细茸,放入葱姜酒汁、鸡蛋清一个、味精、白糖、胡椒粉、荸荠米、肥膘米、适量的盐和湿淀粉搅拌成馅。

4. 将肥膘片摊放在木板上,将鱼茸馅铺满一层在肥膘片上,再将花瓣形的鱼肉贴在鱼茸馅中间,内5瓣,外7瓣,再按上半边红樱桃作花芯,四角拼香菜叶即成牡丹花形。

5. 食用时,将牡丹鱼摆放平锅内,放在温火上,锅要不停地转,使火色均匀,煎至肥膘油排出,呈焦酥金黄色时,滗去油,淋香油,摆放盘内即成。

【特点】 形似牡丹,色彩鲜艳,焦酥鲜香,味美可口。

茄汁菠萝鱼

【原料】 主料:大活桂鱼1条(重1500克左右)。

配料:罐头整片菠萝4块,鸡蛋1个,青椒8个。

调料:花生油1000克(实耗150克),料油50克,盐10克,白糖50克,番茄酱100克,葱15克,姜15克,干淀粉100克,香油15克。

【制 法】

1. 葱一半切成花,姜一半切成米,余下的葱和姜拍破。青椒切去蒂部,去掉籽洗净,刻成绿叶用冷水泡上。菠萝每块切成3片。

2. 桂鱼宰杀去鳞、鳃、鳍,开膛去内脏洗净,先取下鱼头和尾,鱼身从背脊骨片进,取下一片带皮鱼肉,翻过身取下另一片带皮鱼肉,再片去腹刺,将每片鱼肉切去两头小的部分(作其他用途),成为4片12厘米宽的四方块,再斜剞1.5厘米宽的十字交叉花刀,用葱、姜、料酒、盐腌约半小时后去掉葱姜,将鸡蛋打散搅匀抹在鱼肉上,撒上干淀粉,使每个刀纹内粘上干淀粉,摇摆一下,使剞的花刀都能立起来,然后卷成圆筒,即成菠萝形状。用蕃茄酱、白糖、适量的湿淀粉和汤兑成汁。

3. 锅内放入油烧到六成热时,将菠萝鱼卷下入油锅炸呈黄色,倒入漏勺沥油;锅内留50克油,下入姜米煸一下,倒入兑汁烧开,加入点沸油,待汁烹起;同时将炸好菠萝鱼卷装入鱼盘内,插上青椒花,把蕃茄汁浇在鱼卷上,撒七葱花即成。

【特点】 形似菠萝,甜酸香鲜,味美可口。

绣球桂鱼

【原料】 主料:活桂鱼1条(重1250

克左右)。

配料:熟瘦火腿50克,熟净冬笋50克,水发香菇50克,鸡蛋清2个。

调料:猪油100克,料酒50克,盐15克,味精1.5克,胡椒粉1克,葱15克,姜15克,干淀粉40克,鸡油15克。

【制　法】

1. 将桂鱼去鳞、鳃,开膛去内脏洗净,先取下头和尾,鱼头劈开下巴成为一片,鱼尾两面片开、斜砍去中骨能竖立,用料酒、盐腌一下;鱼身由背脊骨片进,取下一面带皮的鱼肉,翻过身取下另一面带皮的鱼肉,然后去掉背脊和腹刺,切成5厘米长、3毫米粗的丝。

2. 火腿、冬笋、姜、去蒂香菇洗净,都切成细丝。葱白切成花,葱青切成段。香菜摘洗干净。

3. 食用前15分钟,将葱花、姜丝、料酒、盐、味精、胡椒粉、火腿丝、冬笋丝、香菇丝放入桂鱼丝内,加猪油拌匀,再用鸡蛋清、干淀粉浆好,做成4厘米大的球(计12个),分成三行摆入长鱼盘内,头和尾拌上干淀粉,摆成鱼形,上笼在旺火沸水上蒸12分钟即熟,取出,放葱段,淋鸡油,拼香菜即成。

【特点】　形似绣球,色泽美观,滑嫩鲜香,味美可口。

明珠桂鱼

【原料】　主料:活桂鱼1条(重1250克左右)。

配料:鸡蛋清2个,红樱桃6粒,猪肥膘肉50克,香菜150克。

调料:猪油100克,料酒50克,盐15克,味精1.5克,胡椒粉1克,鸡汤200克,葱15克,姜15克,干淀粉50克,鸡油15克。

【制　法】

1. 葱白切成花。姜切成米。香菜摘洗干净。樱桃一切两边。

2. 将桂鱼宰杀,去鳞、鳃、鳍,开膛去内脏洗一遍,在开水盆里烫一下,刮去皮面黑膜,清洗干净,先取下鱼头和鱼尾,鱼头劈开下巴,鱼尾两面片开斜砍去中骨能竖立,用盐、料酒腌上;鱼身顺着背脊骨片进取下一片带皮的鱼肉,翻过身来照样取下另一片带皮鱼肉,然后去掉背脊骨和腹刺,斜片成10厘米长、5厘米宽、1厘米厚的块(计12块);余下的鱼肉剔去皮,和肥膘肉一起,放在垫有生肉皮的砧板上,捶剁成细茸,用冷鸡汤调稀,放入适量的盐搅拌上劲,加入葱姜酒汁、鸡蛋清1个、胡椒粉、味精搅匀成鱼茸料。

3. 食用前15分钟,将料酒、盐、味精、葱花、姜米放入鱼肉内拌匀,加入鸡蛋清和干淀粉调成浆浆好后,卷成窝形,分三行摆入长鱼盘内,再将鱼茸挤成3厘米大的鱼丸放入鱼窝内,在每个鱼丸上按一边樱桃,淋猪油,然后摆放鱼头和鱼尾成鱼形,蒸笼放在旺火沸水锅上蒸12分钟即熟,取出,淋鸡油,拼香菜即成。

【特点】　色彩美观,鱼肉滑嫩,味道鲜美。

鸳鸯桂鱼

【原料】　主料:活桂鱼1条(重1250克左右)。

配料:熟瘦火腿25克,净冬笋25克,蘑菇25克,青豆25克,鸡蛋1个,香菜100克。

调料:猪油1500克(实耗150克),料酒50克,盐15克,味精1.5克,白糖50克,胡椒粉少许,鸡汤500克,蕃茄酱50克,葱、姜各15克,干淀粉100克,湿淀粉40克,鸡油15克。

【制　法】

1. 火腿、冬笋、蘑菇都切成小丁。葱一半切成花,姜一半切成末,余下的葱和姜捣烂用料酒取汁。香菜摘洗干净。

2. 将桂鱼去鳞、鳃、鳍,开膛去内脏洗净,先取下鱼头剖开下巴成为平开一片。鱼身顺着背脊骨处平片至鱼尾部,

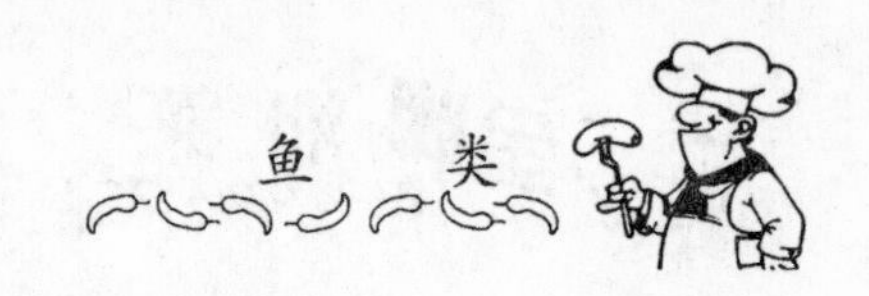

片去胸刺，成为带尾两条鱼肉：一条用直刀斜剞十字交叉花刀；另一条用斜刀片成5厘米宽、6毫米厚的片，再用直刀剞6毫米宽的梳子花刀。用葱姜酒汁、盐，将鱼肉和鱼头腌一下，鸡蛋磕在碗内搅散，抹在鱼肉花纹内，再粘上干淀粉，使剞的花刀都能散开，鱼头也抹上鸡蛋糊、干淀粉待用。

3. 锅内放入油烧到六成热时，将鱼头下入油锅炸熟捞出，再将鱼肉放在大漏勺内，下入油锅，一条浸熟成白色，一条炸焦酥呈黄色，捞出，装入长鱼盘内，摆上鱼头成鱼形。

4. 锅内放入50克油烧五成热，下入姜末、冬笋、蘑菇、火腿丁炒一下，加入青豆、鸡汤、盐、味精、胡椒粉，用湿淀粉调稀勾芡，浇盖在一条鱼肉上，淋鸡油。另用锅放入油烧到六成熟，下入姜末炒一下，放入蕃茄酱、鸡汤、白糖、盐，用湿淀粉调稀勾芡，再加入一点沸油使汁烹起泡时，浇盖在另一条鱼肉和鱼头和鱼尾上，两边拼香菜即成。

【特点】 色彩一红亮，一花白；味别一咸鲜，一甜酸，别有风味。

竹荪玻璃鱼片汤

【原料】 主料：竹荪15克，净桂鱼肉300克。

配料：鸡蛋清1个，熟瘦火腿50克，香菜100克。

调料：清鸡汤1000克，料酒25克，盐10克，味精1.5克，胡椒粉1.5克，葱15克，姜15克，精细干淀粉50克，鸡油15克。

【制　法】

1. 将竹荪用温水泡发胀透，洗净泥砂，切成4厘米长的段，小的一切两开，大的切成3—4条，在开水锅中氽过，再用凉水漂上。火腿切成薄片，装碗上汤，上笼蒸一下取出。葱和姜捣烂用料酒取汁。香菜摘叶洗净。

2. 将桂鱼肉横切成薄片，用葱姜酒汁、盐、味精、鸡蛋清调拌均匀浆好，在干净的砧板上撒一层淀粉，放一块鱼片，再在上面撒下淀粉，用擀面棍敲成极薄的片（越薄越好）。敲时棍要平下，要轻轻地敲，均匀地敲，使鱼片厚薄一致，然后下入开水锅内（火不宜人）氽熟，捞入冷水内凉透，改成象眼形或长方形的片。

3. 锅内放入鸡汤、竹荪、火腿片、盐、味精、胡椒粉烧开，调好味，撇去泡沫，装入汤WF内。锅内放入普汤烧开，下入鱼片、香菜叶氽一下，捞入竹荪鸡汤内，放鸡油即成。

【特点】 鱼片透明似玻璃，竹荪脆嫩鲜爽口，汤清味美。

白汁玻璃鱼片

【原料】 主料：净桂鱼肉300克。

配料：鸡蛋2个，蘑菇50克，嫩丝瓜500克，水发玉兰苞50克，西红柿200克。

调料：猪油100克，料酒50克，盐10克，白糖少许，味精1.5克，胡椒粉1克，鸡汤400克，姜15克，葱15克，精制干淀粉100克，鸡油15克。

【制　法】

1. 蘑菇切成薄片。丝瓜刮去粗皮（应保留青嫩皮），剔去内瓤，切成5厘米长、3厘米宽的片。玉兰苞切成薄片，用冷水烧开氽过，沥干水分。西红柿用开水烫一下，剥去皮，去掉瓤和籽，切薄片。葱白切成段。余下葱和姜捣烂用料酒取汁。

2. 桂鱼片成6毫米厚的片，用葱姜酒汁、盐腌约半小时，加入鸡蛋清浆上。

3. 砧板上铺一层干淀粉，逐片将鱼肉两面粘上干淀粉，左手按着鱼肉，右手用擀面扦轻轻将鱼片敲成薄片，用盘装上。

4. 锅内放入水烧开，将鱼片下入开水锅内氽熟，捞出放入冷水内凉透，改成5厘米长、3厘米宽的长方片。

5. 锅内放入油烧到六成热时，下入玉兰片、蘑菇、丝瓜加盐炒一下，继下入味精、鸡汤、西红柿片、玻璃鱼片烧开，用湿淀粉调稀勾芡，放胡椒粉，装入盘内，淋鸡油即成。

【特点】 形似玻璃，色彩鲜艳，滑嫩清爽，味道鲜美。

葱油桂鱼卷

【原料】 主料：活桂鱼1条（重1500克左右）。

配料：熟冬笋50克，水发去蒂冬菇50克，熟火腿50免，鸡蛋清2个，香菜100克。

调料：猪油100克，料酒25克，盐10克，味精1.5克，胡椒粉1克，葱25克，姜25克，干淀粉50克，鸡油25克，鸡汤100克。

【制 法】

1. 冬笋、冬菇、火腿都切成5厘米长的丝。葱一半切成5厘米长段，一半切成花。姜一半切成丝，一半切成米。香菜摘洗干净。

2. 桂鱼宰杀去鳞、鳃、鳍，开膛去内脏洗净，先取下鱼头、鱼尾。鱼头剖开下巴使之成为一片，鱼尾剖开斜去掉中骨能竖立，都用盐腌上。鱼身从背脊骨片进，取下一片带皮的鱼肉，翻过身取下另一片带皮鱼肉，再片去腹刺，然后从鱼肉中部直切至皮时，将刀甲斜片下净鱼肉，将鱼肉片成5厘米宽、6厘米长的薄片，放入料酒、盐、味精、胡椒粉腌一下，再用鸡蛋清、适量的干淀粉拌匀浆好，摊在木板上，把火腿、冬笋、冬菇、葱段、姜丝理齐，均匀地放在每片鱼肉的一端，滚包成卷，整齐地成三行摆在抹油的长盘内（稍有距离），配上鱼头、鱼尾成鱼形，然后淋上猪油。

3. 食用时，将桂鱼卷上笼用旺火沸水蒸8分钟即熟取出。同时锅内放入油烧到六成热时，下入姜米、葱花，炒出香味，放入鸡汤，用湿淀粉调稀勾芡，浇在桂鱼卷上，放鸡油，在空行之间放上香菜叶即成。

【特点】 滑嫩鲜香，味美可口。

酥炸麻仁鱼卷

【原料】 主料：桂鱼肉300克。

配料：芝麻仁100克，熟火腿肉50克，水发冬菇50克，子油姜50克，鸡蛋2个，香菜100克，面粉50克。

调料：花生油1000克（实耗100克），料酒25克，盐5克，白糖少许，花椒粉少许，葱50克，姜10克，湿淀粉50克，香油15克。

【制 法】

1. 火腿、冬菇、子油姜都切成4厘米长的细丝。葱白切成4厘米长的段，余下的葱和姜捣烂用料酒取汁。香菜摘洗干净。

2. 桂鱼肉放在砧板上，有皮一面朝下，先切3毫米厚（切至鱼皮但不切断），再切3毫米厚（切断），用葱姜酒汁、盐、白糖、味精腌一下。鸡蛋和适量的面粉、湿淀粉调制成糊。

3. 将鱼肉片摊开放木板上，皮朝上，摸上鸡蛋糊，放入火腿丝、子油姜丝、葱白段各2根，将鱼肉卷成筒（要求大小均匀），再将鱼卷裹上鸡蛋糊，然后滚上芝麻仁，用盘装上。

4. 锅内放入油烧到六成热时，将芝麻鱼卷下入油锅炸成焦酥呈金黄色，倒入漏勺沥油。锅内放入香油、花椒粉，将炸好鱼卷复倒锅内簸几下，摆入盘内，边上拼香菜叶即成。

【特点】 外焦酥，内香嫩，味道鲜美。

鲜贝竹筒鱼

【原料】 主料：活肥头鱼1条（重1500克左右），干贝50克。

配料：熟瘦火腿50克，蘑菇50克，网

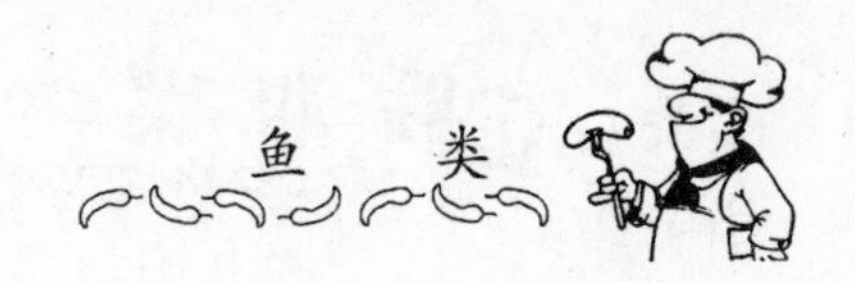

油100克。

调料：鸡油50克，料酒50克，盐15克，味精1.5克，鸡汤1000克，胡椒粉1.5克，葱、姜各25克，辣椒油100克，香醋100克。

【制　法】

1. 葱白切成2厘米长的段，姜一半切成米，余下的葱和姜拍破。将干贝老筋（在干贝上有一小块颜色与大部分不同的老筋）掰去，洗净沙质，用碗装上，加入料酒、拍破的葱姜和少许水，上笼蒸发取出。蘑菇切成片。火腿切成薄片。

2. 将肥鱼去鳃、鳍，开膛去内脏洗净，用开水烫一下捞出，用小刀刮去皮面的薄膜，再用清水洗净，先取头和尾不用，鱼身去掉背脊骨，砍成5厘米长、4厘米宽、3厘米厚的块，用料酒、盐腌一下。

3. 用干净小新竹筒10个，每个竹筒垫放竹叶几片，放入肥鱼3块、干贝、火腿、蘑菇、盐、味精、鸡油，葱姜，盖上竹筒盖，上笼用沸水蒸15分钟即熟取出。同时锅内放入鸡汤、盐、味精烧开，撇去泡沫。揭开盖，去掉葱姜，然后放入胡椒粉、葱段、鸡汤，盖好后放入垫盘内，每人一份，随上辣椒油、姜醋各两小碗，由客人按喜爱蘸着吃即成。

【特点】　竹清醇香，鱼肉鲜嫩，美味可口，别有风味。

粉蒸竹筒鱼

【原料】　主料：活肥鱼1条（重1250克左右）。

配料：猪肥膘肉100克，糯米50克，粳米50克，八角2个。

调料：料酒50克，盐8克，味精2克，白糖少许，豆瓣酱50克，葱15克，姜15克，蒜子25克，香油50克，辣椒油100克，香醋100克。

【制　法】

1. 糯米、粳米和八角放入锅内用温火炒香，晾凉，磨成细粉。肥膘肉切成细丝。葱切成花。姜切成米。蒜子剥去外皮拍烂剁碎。

2. 将肥鱼去鳃、鳍，开膛去内脏洗净，放入开水内烫一下捞出，刮去皮面的薄膜，再用清水洗一遍，先取下头和尾不用，鱼身去掉背脊骨，砍成5厘米长、2厘米宽、3厘米厚的片，放入料酒，肥肉丝、盐、味精、糖、豆瓣酱、葱花、姜末、蒜泥，调拌均匀，然后加入香米粉，使每片鱼肉都粘上米粉。

3. 备干净小新竹筒10个，每个竹筒内垫放几片竹叶，放入米粉鱼3片，盖上盖，上笼用旺火沸水蒸20分钟即熟取出。揭开盖，放入葱仡、香油盖好，将竹筒粉蒸鱼放在垫盘内，每人一份，另上辣椒油和姜醋各两小碟。

【特点】　竹清醇香，鱼肉鲜嫩，柔软味美，别有风味。

龙须桂鱼

【原料】　主料：活桂鱼1条（重1200克左右）。

配料：熟净冬笋50克，水发冬菇50克，熟瘦火腿50克，大土豆300克，鸡蛋3个，香菜100克。

调料：猪油500克（实耗100克），花生油1000克（实耗50克），料酒25克，精盐8克，味精1克，蕃茄酱70克，汤150克，白糖10克，米醋2克，葱15克，姜15克，干淀粉20克，湿淀粉20克，香油10克。

【制　法】

1. 葱白切成5厘米长段，姜切成5厘米长丝，余下葱和姜切成米。去蒂冬菇、冬笋、火腿都切成5厘米长的粗丝。土豆削去皮，切成细丝，放入冷水漂上。鸡蛋1个磕在碗内，放入面粉、湿淀粉调成鸡蛋糊。用汤、盐、蕃茄酱、糖、醋、湿淀粉、香油兑成汁。

2. 将鱼宰杀，去鳞、鳃、鳍，开膛去内脏洗净，放在砧板上，先取下鱼头和尾，鱼头剖开下巴成为平开一片，鱼尾剖开斜去掉中骨能竖立，用料酒、盐腌一下。鱼身从背脊骨片进，取下一片带皮的鱼肉，翻过边取下另一片鱼肉，片去胸刺，然后从鱼肉中部直切至鱼皮时，将刀斜平片下净鱼肉，再将鱼肉片成 6 厘米长、5 厘米宽、4 毫米厚的鱼片（计 20 片），用料酒、盐、味精腌一下，再用鸡蛋清、适量的盐和湿淀粉调匀浆好，摊放木板上，将切丝的冬菇、冬笋、火腿、葱、姜各 2 根放在鱼片的一端，然后滚成卷（如此卷完为止）。

3. 锅里放入花生油，烧到七成热时，将沥干水分的土豆丝下入油锅，炸至焦酥呈金黄色捞出待用。再将鱼头和鱼尾摸上鸡蛋糊下入油锅，炸至呈金黄色捞出待用。

4. 锅中放入猪油烧到六成热，将鱼卷下入油锅滑熟，倒入漏勺沥油，分两行摆入鱼盘内；锅里留 50 克油，下入姜米煸炒，倒入兑汁，待油汁烹起时，加入点沸油，浇盖在两行鱼卷上，撒上葱花，再将炸好的土豆丝放在两行鱼卷的中间，然后将鱼头和鱼尾摆成鱼形，边上拼香菜叶即成。

【特点】 色彩鲜艳，鱼卷滑嫩，甜酸鲜香，质美味醇。

汤泡菊花鱼

【原料】 主料：新鲜净桂鱼肉 400 克（鲥鱼亦可）。

配料：嫩白凤尾菇 250 克，黄色鱼茸 50 克，熟瘦火腿 15 克，香菜 100 克。

调料：料酒 10 克，精盐 8 克，味精 1 克，清鸡汤 700 克，胡椒粉 1 克，精制干淀粉 60 克，葱 10 克，姜 10 克，鸡油 10 克。

【制　法】

1. 葱和姜捣烂用料酒和少许水取汁。火腿切成末。凤尾菇剔去根部洗净，下入开水锅内余过待用。

2. 将桂鱼肉切成 10 厘米长的段，片成 4 厘米宽的薄片，3 厘米宽切成丝、1 厘米连着，成为梳子形状，用葱姜汁和 2 克盐腌好，两面粘上干淀粉，由一端滚成卷，用手捏住连着的鱼肉，摇摆一下使鱼丝散开，放在摸油有柄的漏板上，中心放点黄色鱼茸，按点火腿末，成为盛开的菊花。

3. 锅内放入鸡汤、凤尾菇、盐、味精烧开，调好味，撇去泡沫，加入香菜叶、胡椒粉，装入汤 WF 内（或装入 10 个小汤碗内）。另用锅放入开水，将漏板上的菊花鱼下入开水锅余熟，取出放入鸡汤凤尾菇的汤盥内，放鸡油即成。

【特点】 形似菊花，鱼肉滑嫩，汤清味美。

双味荷花鱼

【原料】 主料：大活净桂鱼肉 400 克。

配料：鸡蛋 2 个，青豆 50 克，熟瘦火腿 25 克，香菜 100 克，面粉 50 克。

调料：花生油 1000 克（实耗 100 克），料酒 15 克，精盐 10 克，味精 1 克，白糖 5 克，蕃茄酱 50 克，葱 10 克，姜 10 克，干淀粉 10 克，湿淀粉 50 克。

【制　法】

1. 葱和姜一半切成米，一半捣烂用料酒取汁。香菜摘洗干净。

2. 将桂鱼厚的部分斜切成 1 厘米厚的片（计 12 片），再改成荷化瓣形，用葱姜酒汁、适量盐腌一下。余下鱼肉切成 1 厘米大的丁，用鸡蛋清 1 个和适量盐、干淀粉调匀浆好。将鸡蛋磕在碗内，放入面粉和适量的湿淀粉、水调制成糊。用蕃茄酱、白糖、湿淀粉、葱花、少许汤兑成汁。

3. 锅内放入油烧至六成热，将鱼片逐块裹上蛋糊下入油锅炸至焦酥呈金黄色，倒入漏勺沥油；锅留底油，下入姜米煸锅和兑汁，再下入炸好鱼片裹蕃茄汁，摆在盘的周围。同时另用锅放入油烧五

成熟，下入浆好鱼丁滑至八成熟，倒入漏勺沥油；锅留底油，放入姜米、青豆、盐、味精、汤，烧开，用湿淀粉勾芡，倒入滑熟的鱼丁炒匀，装入盘中，盘边拼香菜即成。

【特点】 形似荷花，色彩鲜艳；鱼片酸甜，鱼丁咸香。

荷香火夹鱼

【原料】 主料：鲜桂鱼肉 500 克。

配料：熟瘦火腿 100 克，鸡蛋清 2 个，鲜荷叶 3 张。

调料：猪油 50 克，料酒 15 克，精盐 6 克，味精 1 克，白糖 2 电，葱 15 克，姜 15 克，干淀粉 30 克，香油 30 克。

【制　法】

1. 葱切成花。姜切成米。荷叶洗净，抹干水分，改成 16 厘米大的块(计 10 块)，摸上香油。

2. 将桂鱼肉片成 5 厘米长、4 厘米宽、6 毫米厚的片(计 20 片)。火腿剔去杂质，切成薄片(片的大小视鱼片长短而定，计 10 片)。

3. 食用前 20 分钟，用葱花、姜米、料酒、盐、味精、白糖将桂鱼片腌一下，再加入鸡蛋清拌匀，两面粘上干淀粉和猪油，用两片鱼肉夬一片火腿，用荷叶包裹，放入小蒸笼内上火蒸熟取出，用小盘托上，每人一份即成。

【特点】 荷叶清香，鱼肉滑嫩，火腿香鲜，美味可口。

金鱼赏莲

【原料】 主料：小活桂鱼 5 条(重 1500 克左右)。

配料：制好虾茸料 60 克，红樱桃 10 粒，青豆 12 粒，大蕃茄 2 个，鸡蛋清 1 个，香菜 100 克。

调料：花生油 1000 克(实耗 120 克)，料酒 15 克，精盐 8 克，白糖 30 克，蕃茄酱 75 克，清汤 150 克，葱 25 克，姜 25 克，干淀粉 500 克(实耗 150 克)，湿淀粉 15 克，香油 15 克。

【制　法】

1. 葱和姜一半切成米，一半捣烂用料酒和少许水取汁。蕃茄洗净，都切成 8 瓣(底部连着)，去掉籽和瓤，两个套放大圆盘的中间。香菜摘洗干净。

2. 备 1 个小碟，摸上油，将虾茸料装入小碟内，抹平后，嵌入青豆，即成莲蓬胚。用蕃茄酱、盐、白糖、汤、湿淀粉、香油、葱花兑成汁。

3. 将桂鱼宰杀，去鳞、鳃，开膛去内脏，洗净，先取下鱼头，从鱼身背脊骨片进取下一面连皮带尾的鱼肉，翻过身取下另一面连皮带尾的鱼肉，再片去腹刺，整理成金鱼形的胚，鱼肉用直刀法斜剞十字交叉花刀(剞的深度要接近鱼皮，但不能剞断)，将 10 而带尾的鱼肉剞完为止，用葱姜酒汁、适理的盐腌一下，把鸡蛋液摸入每面鱼肉刀纹内，然后逐面鱼肉粘裹上丁淀粉，手提鱼尾摇摆一下，使剞的花刀都能立起来，摆在有柄的漏板上，然后用虾茸料和红樱桃做成眼睛和嘴巴，即成金鱼形。

4. 食用前 6 分钟，将莲蓬上笼蒸熟取出，放在蕃茄瓣内，即成荷花开放呈现的莲蓬，摆放大圆盘中间。同时锅内放入油烧到七成熟时，将漏板上金鱼下入油锅炸至焦酥呈金黄色取出，摆放荷花莲蓬的周围，将香菜摆在金鱼的空处。锅内留 50 克油，下入姜米，随即倒入兑汁烧开，加点沸油，使汁烹起时浇在金鱼上即成。

【特点】 形似金鱼，外焦酥香，内鲜滑嫩，酸甜味美，宴会大菜。

菊花冬笋桂鱼羹

【原料】 主料：活桂鱼 1 条(重 1000 克左右)。

配料：人白菊花 2 朵，熟净冬笋 50 克，鸡蛋 2 个。

调料:猪油 100 克,料酒 15 克,精盐 8 克,味精 2 克,胡椒粉 1 克,鸡汤 500 克,葱 15 克,姜 15 克,湿淀粉 50 克,鸡油 15 克。

【制　法】

1. 葱和姜一半拍破,一半切成米。菊花摘下花瓣(因花尖有苦味),用冷开水洗净。冬笋切成韭菜叶薄片。

2. 将桂鱼宰杀,去鳞、鳃、鳍,开膛去内脏,洗净,放在盘内,加入拍破的葱姜、料酒,上笼用旺火蒸熟取出(原汤保留),拆下鱼肉,再掰散成小块待用。

3. 食用时,锅内放入油烧到六成热时,将葱姜米煸炒,继而下入冬笋、桂鱼肉,烹料酒,加入鸡汤、原汤、盐、味精、胡椒粉,调好味,用湿淀粉调稀勾流芡汁,然后倒入搅散鸡蛋清液烧开,装入汤 WF 内,淋鸡油即成。

【特点】　菊花芳香,冬笋脆嫩,鱼羹浓香,滋味鲜美。

软蒸辣味桂鱼卷

【原料】　主料:活桂鱼 1 条(重约 1250 克)。

配料:熟瘦火腿 50 克,水发冬菇 50 克,净熟冬笋 50 克,鸡蛋清两个,小白菜苞 16 个。

调料:猪油 100 克,料酒 25 克,精盐 10 克,味精 2 克,白糖 2 克,辣椒油 20 克,鸡汤 100 克,葱 25 克,姜 15 克,干淀粉 20 克,湿淀粉 10 克,鸡油 10 克。

【制　法】

1. 葱白切成 5 厘米长段。火腿、冬菇、冬笋都切 5 厘米长的丝。白菜苞洗净。用鸡汤、辣椒油、适量的盐、味精、湿淀粉兑成汁。

2. 将桂鱼宰杀,去鳞、鳃、鳍,开膛去内脏,洗净,放在砧板上,先取下鱼头鱼尾,鱼头剖开下巴成为甲开一片,鱼尾根部剖开,斜去掉中骨能竖立,用料酒、盐腌一下。从鱼身背脊片进,取下一片带皮的肉,翻过边取下另一片带皮的鱼肉,再片去胸刺,然后从鱼肉中部直切至鱼皮,片下净鱼肉。将鱼肉片成 5 厘米宽、6 厘米长,4 毫米厚的片(计 20 片),用料酒、适量的盐、味精腌一下,再用鸡蛋清、干淀粉调匀浆好,摊放木板上。将切丝的冬菇、冬笋、火腿、葱白、生姜各 2 根放在鱼肉片的一端,然后滚包成卷(如此卷完为止),分两行整齐地摆放在摸油的长型鱼盘内,鱼头和鱼尾也浆好摆在鱼卷两端成鱼形。

3. 食用前 10 分钟,将桂鱼卷上笼蒸熟取出,同时将白菜苞下入油锅加盐炒入味,拼在鱼卷两边;另用锅放入油烧到七成熟,倒入兑汁烧开,浇盖在鱼卷上,淋鸡油即成。

【特点】　滑嫩鲜香,微辣味美。

鸡汁玉翠鱼丸

【原料】　主料:加工好的鱼茸 200 克。

配料:鸡蛋清 3 个,大西红柿 2 个,木耳菜苞 24 个,削皮荸荠 50 克。

调料:猪油 100 克,料酒 15 克,精盐 10克,味精 1.5 克,胡椒粉 1 克,白糖 2 克,鸡汤 300 克,葱 10 克,姜 10 克,湿淀粉 15 克,鸡油 10 克。

【制　法】

1. 葱和姜捣烂,用料酒和少许水取汁。荸荠切成食指人的方颗,下入开水锅氽熟捞出。西红柿用开水烫一下,剥去皮,每个切 3 刀成 6 瓣,去掉籽和部分瓤。木尔菜苞洗净。

2. 将鱼茸用冷汤浸泡解散,放入适量的盐拌匀,朝着一个方向搅起劲,加入鸡蛋清、胡椒粉、白糖、味精、搅拌均匀。

3. 食用时前 10 分钟,锅内放入冷水,将鱼茸寒进一颗荸荠,挤成 3 厘米大的丸子,下入锅内氽熟捞出,用盘装上;西红柿用开水烫一下,木尔菜苞下入油锅加盐炒入味,相间摆在盘子周围。锅

中放油烧到六成熟，放入鸡汤、盐，味精，烧开调好味，用湿淀粉调稀勾流芡汁，倒入玉翠鱼丸裹上汁，装入西红柿和木尔菜苞中间淋鸡油即成。

【特点】 鱼丸滑软脆嫩，味道鲜美可口。

金针菇氽鱼片汤

【原料】 主料：鲜净乌鱼肉 400 克，金针菇 500 克。

配料：鸡蛋清 2 个，香菜 150 克。

调料：料酒 15 克，精盐 8 克，味精 1 克，胡椒粉 1 克，清鸡汤 750 克，葱 10 克，姜 10 克，精干淀粉 15 克，鸡油 10 克。

【制　法】

1. 葱和姜捣烂，用料酒和少许水取汁。用剪刀将金针菇茎剪下（作其它用途），清洗干净，下入开水锅氽过，捞出待用。香菜摘叶洗净。

2. 将乌鱼肉斜片成蝴蝶形薄片，用葱姜酒汁腌一下，再用蛋清和适量的盐、干淀粉调匀浆好。

3. 食用时，锅内放入鸡汤、金针菇、盐、味精、胡椒粉烧开，调好味，撇去泡沫，随即放入香菜叶，装入汤 WF 内（或 10 个小汤碗，每人每份）。同时另用锅放入开水，下入浆好的鱼片氽熟，捞入金针菇汤 WF 内，放鸡油即成。

【特点】 金菇爽脆，鱼片滑嫩，汤清爽口，味道鲜美。

金针菇茎熘鱼丝

【原料】 主料：鲜净乌鱼肉 300 克，金针菇茎 300 克。

配料：鸡蛋清 1 个，大红辣椒 30 克。

调料：猪油 500 克（实耗 100 克），料酒 10 克，精盐 6 克，味精 1 克，鸡汤 30 克，葱 15 克，姜 10 克，干淀粉 10 克，湿淀粉 15 克，香油 10 克。

【制　法】

1. 葱切成 5 厘米长的段。姜切成细丝。红椒去蒂，去籽，洗净，切成丝。金针菇茎摘去根部泥沙，清洗干净，下入开水锅内氽过，稍凉后，小根的不改刀，粗根的切同小根的一样，待用。

2. 鱼肉切成 6 厘米长的段，片成 5 毫米厚的片，再切成丝，用鸡蛋清和适量的盐、干淀粉调匀浆好。用鸡汤、盐，味精、香油、湿淀粉兑成汁。

3. 锅内放入油烧到六成热时，将鱼丝下入油锅，用筷子拔散滑至八成熟，倒入漏勺沥油；锅内留 50 克油，下入姜丝、红椒丝炒一下，随即下入金菇茎和鱼丝、葱段，倒入兑汁，翻簸几下，装入盘内即成。

【特点】 金菇茎脆，鱼丝滑嫩，清淡爽口，味道鲜美。

原蒸甲鱼裙腿

【原料】 主料：活甲鱼 4 个（重 4000 克左右，死甲鱼不能吃，防止中毒）。

配料：猪五花肉 250 克，大蒜子 50 克，水发口蘑 30 克，熟火腿 50 克。

调料：鸡油 25 克，料酒 50 克，盐 15 克，味精 2.5 克，清鸡汤 500 克，黄醋 50 克，整粒胡椒 10 克，姜 25 克，葱 25 克，胡椒粉 1 克。

【制　法】

1. 五花肉切片，下入开水锅烫过，捞出后洗净。火腿切薄片。口蘑片成片。蒜子去蒂和皮。整粒胡椒碾破。葱白切段，姜一半切成米，余下葱和姜拍破。

2. 将鱼翻放在木案上，待头伸出时，用刀剁上（或用手抓住颈，用刀割断颈骨），随即将尾向上提，使血液流尽，用开水烫过后推去黄膜衣，再用开水烫到能刮去软裙边的黑膜时，即捞出放入凉水内，用刀刮干净，在底部中间直切一刀，放入冷水锅内在火上煮一下（如用开水煮裙边易破裂影响质量），能去壳时即捞出，放入冷水内，把硬壳剥下，去掉内脏，拆下裙边（裙边是甲鱼身上最好的东

西)，切成4厘米大的块，再砍下腿脚爪，剁掉爪尖(甲鱼身上其它肉改成3厘米大的块作另用途)，清洗干净后沥干水分，用盐和料酒腌10分钟左右便挤干水分，拌上碎胡椒。先把腿脚爪装入汤WF内，裙边盖在上面，再放入大蒜子、火腿、口蘑、盐、鸡油以及拍破的葱、姜和五花肉片，用绵白纸封严，上笼蒸约1小时取出，去掉五花肉和葱、姜，加入鸡汤、味精，调好味后再蒸半小时取出，撒上胡椒粉和葱段，随上二姜醋汁两小碗即成。

【特点】 汤清浓香，味道鲜美。

注:此菜要求选料认真，制作精细，用纸封严(以免失散香味，影响质量)。夏季食用，清润滋补，增强热力，具有醇香浓鲜的独特风味。

原汁武陵甲鱼

【原料】 主料:武陵出产的活甲鱼2个(重2000克左右)。

配料:猪五花肉300克，熟火腿50克，口蘑25克，大蒜子50克。

调料:猪油50克，料酒100克，盐15在，黄醋50克，味精25克，胡椒粉2.5克，葱25克，姜25克，鸡油15克。

【制　法】

1. 将五花肉刮洗干净，切成1厘米厚的块，下入开水锅内余过并洗净。火腿切成3厘米大的方片。口蘑加工的方法与“芙蓉鸡片”相同。蒜子剥皮洗净。葱白切段，姜一半切米，余下的葱和姜拍破。

2. 甲鱼初步加工的方法见“原蒸甲鱼裙腿”，甲鱼肉和裙边均剁成4厘米大的块，洗净，用料酒50克和盐5克腌15分钟后挤干甲鱼的腥水。

3. 用一个垫有底轿的沙钵，放入葱、姜、五花肉、蒜子、火腿片和口蘑，再放入甲鱼裙边和肉，加入料酒、胡椒粉、盐和水(水以没过甲鱼为准)，用盘盖上，在旺火上烧开，撇去泡沫，移用微火煨半小时左右，煨至酥烂浓香为准。

4. 食用时，用双手提底AAA取出甲鱼，翻扑在深盘内，去掉葱、姜和五花肉；把甲鱼的汁收浓，加入味精、胡椒粉和葱段，将汁浇盖在甲鱼上，淋鸡油，随上姜醋汁两小碗即成。

【特点】 酥烂浓香，原汁原味，鲜美可口，营养丰富。

注:湖南省常德县武陵镇一带出产的甲鱼色泽纯黄，肉质肥嫩，味极鲜美，营养丰富，具有醇香浓鲜的特色风味。复季食用，增加热力，有助丁人体清润滋补的功能。

红煨甲鱼裙爪

【原料】 主料:甲鱼裙爪750克。

配料:猪五花肉100克，水发香菇25克，蒜瓣100克。

调料:绍酒50克，葱结15克，姜片15克，姜末10克，漆醋75克，酱油30克，胡椒粉1克，味精1克，精盐1克，芝麻油15克，熟猪油100克。

【制　法】

1. 将甲鱼裙边和爪切成长、宽均为3厘米的块。五花肉切成2大片。水发香菇去带，大的切成2块。

2. 将炒锅置旺火上，放入熟猪油烧全七成热，下蒜瓣略炸一下捞出，再放入裙爪煸炒收干水分后，烹入绍酒，放入五花肉、酱油、香菇、姜片、葱结、精盐，再煸炒1分钟，倒入清水600克烧开。

3. 将烧开的甲鱼等全部倒入放有底轿的沙锅内，用盘盖上，在中火上煨20分钟全八成烂，去掉葱姜和五花肉，放入炸好的蒜瓣，继续煨10分钟至完全软烂，倒入盘中。沙锅内原汤加味精烧开，浇在甲鱼裙爪上，淋芝麻油，撒胡椒粉即成。将姜末与漆醋混合，装入2个小碟，一同上桌。

【特点】 色如琥珀，汁如浓胶，脚爪柔嫩，裙边软滑。

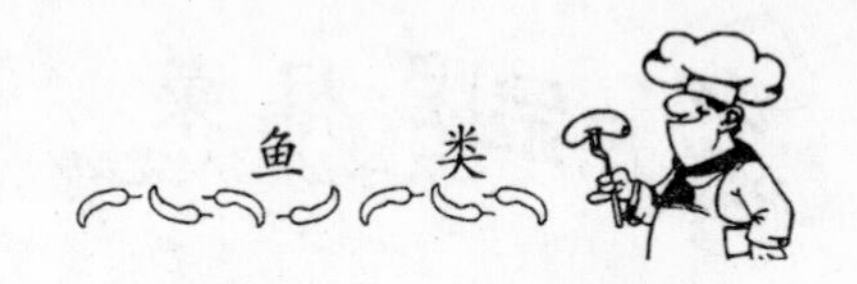

鸡翅蒸甲鱼

【原料】 主料:活甲鱼 1000 克。

配料:鸡翅膀 12 个,口蘑 15 克,大蒜子 50 克。

调料:鸡油 100 克。料酒 50 克,盐 15 克,味精 2 克,鸡汤 1000 克,葱 25 克,姜 25 克,胡椒粉 1.5 克,黄醋 50 克。

【制 法】

1. 将鸡翅膀下入汤锅内,煮至五成熟时捞出,清洗干净后剁去翅犬和两头骨节,装入汤麓内。蒜子剥去皮,洗净。葱、姜一半拍破,余下的葱白切成段,姜切成米。

2. 甲鱼初步加工的方法见"原蒸甲鱼裙腿",剁成4厘米大的块后,洗净并沥干水分,用料酒和盐腌 15 分钟后,挤干腌甲鱼的腥水,拌上胡椒粉,放到鸡翅膀的上面,再加入大蒜子和拍破的葱、姜、料酒、盐、味精和鸡油,上笼蒸烂取出。

3. 食用前半小时,将鸡翅甲鱼去掉葱和姜,加入口蘑、鸡汤,上笼蒸热后取出,撒上胡椒粉和葱段,随上姜醋汁两小碗即成。

【特点】 汤清味鲜,营养丰富,增加热力。

八宝甲鱼裙腿

【原料】 主料:活甲鱼 1500 克。

配料:猪五花肉 250 克,熟火腿 50 克,净冬笋 50 克,蘑菇 50 克,干贝 25 克,金钩 25 克,蒸发白莲 50 克,青豆 25 克,蒜子 50 克。

调料:猪油 100 克,料酒 50 克,盐 12 克,味精 1.5 克,米醋 50 克,葱、姜各 25 免,胡椒粉 1.5 免,湿淀粉少许,鸡油 15 克。

【制 法】

1. 五花肉切成片,下入开水锅余一下捞出洗净。火腿、蘑菇都切成颗粒。干贝掰去老筋和金钩一起洗一遍。冬笋切成颗粒。蒜子去带和皮。葱白切成段,姜一半切成米,余下的葱和姜拍破。

2. 甲鱼初步加工(方法见"原蒸甲鱼裙腿")后,用盐、料酒腌一下,挤干腥水,拌上胡椒粉,将裙边和腿爪分别装入汤 WF 内,再放入干贝、金钩、火腿、大蒜子、姜、葱和盐,面上盖五花肉片,上笼蒸 1 小时取出,去掉五花肉、葱和姜,将腿爪摆放盘子的周围,裙边放在盘了中间,撒上胡椒粉;锅内放入油烧六成熟时,下入冬笋、蘑菇、青豆、白莲、鸡汤和甲鱼原汤、味精,用湿淀粉调稀勾芡,浇盖在水鱼裙爪上,随上两小碗姜醋汁即成。

【特点】 酥烂浓香,原汁原味,增加热力,营养丰富。

原蒸五元甲鱼

【原料】 主料:活甲鱼 2 只(重 1300 克左右)。

配料:荔枝、桂圆、红枣各十二粒,蒸发莲子 50 克,枸杞 25 克,大蒜子 30 克。

调料:猪油 100 克,料酒 50 克,盐 15 克,味精 1 克,蜂蜜 100 克,鸡汤 700 克,胡椒粉 2 克,葱 15 克,姜 15 克。

【制 法】

1. 葱和姜拍破。大蒜子剥去皮。荔枝和桂圆剥去壳,洗一遍。红枣洗净,上笼蒸发取出,剥去皮。枸杞子洗净。

2. 甲鱼的初步加工与"原蒸甲鱼裙腿"相同,装入汤 WF 内,放入大蒜子、料酒,盐、荔枝、桂圆、莲子、红枣、枸杞、蜂蜜、味精、猪油、葱姜,上笼蒸熟取出,去掉葱姜,加入鸡汤,再蒸半小时。

3. 食用时,将五元甲鱼取出,加入胡椒粉,随上姜醋汁两小碗即成。

【特点】 浓厚香鲜,甜咸味美,营养丰富。

油爆生烧甲鱼

【原料】 主料:嫩子甲鱼 2 只(重 1500 克左右)。

配料:水发香菇50克,香菜100克。

调料:猪油1000克(实耗100克),料酒50克,味精1.5克,盐8克,酱油20克,香醋25克,辣椒粉10克,葱15克,姜15克,蒜子50克,香油15克,湿淀粉25克。

【制　法】

1. 香菇去蒂洗净,大的一切两开,小的整个。蒜子去皮,拍烂剁碎。葱切成花。姜切成末。香菜摘洗干净。

2. 甲鱼初步加工(见"原蒸甲鱼裙腿")后,砍成4厘米大的块,再洗一次,用盘装上待用。

3. 用酱油、醋、盐、味精、湿淀粉、少许汤、香油、辣椒油、葱花兑成汁。

4. 锅内放入油烧到八成热时,下入甲鱼块爆一下,倒入漏勺沥油;锅内留50克油,下入姜末,蒜泥爆一下,随倒入炸好的甲鱼和兑好的汁,翻动几下,装入盘内,周围拼香菜即成。

【特点】　色彩红亮,酸辣浓香,味道鲜美。

朝珠八宝甲鱼

【原料】　主料:活肥甲鱼1个(重1500克左右)。

配料:猪五花肉500克,鸡脯肉50克,火腿50克,水发金钩30克,水发冬菇50克,净冬笋50克,水发海参50克,红萝卜250克,小白菜苞16个,大蒜子50克,蒸发莲子50克。

调料:猪油125克,料酒50克,精盐10克,味精2克,胡椒粉5克,鸡汤250克,葱15克,姜15克,湿淀粉40克,鸡油10克。

【制　法】

1. 葱和姜拍破。蒜子剥去皮,洗净。白菜苞洗净。五花肉切成片,下入开水锅氽过,洗净血沫。海参切成小指头大的丁,下入汤锅,加入盐、料酒烧开捞出。红萝卜刮去皮,切成短筒,再削成圆珠形,下入油锅焖炸烂待用。

2. 将鸡脯肉、火腿、冬菇、冬笋、金钩都切成海参一样人的丁,下入油锅煸炒出香味,烹料酒,加盐、味精、胡椒粉、海参丁、莲子拌成馅。

3. 甲鱼初步加工(见"原蒸甲鱼裙腿")后,用深边盘装上,放盐、料酒、胡椒粉、大蒜子、葱、姜、五花肉,上笼用沸水旺火蒸半小时取出,去掉葱、姜、五花肉,填入八宝馅,盖上壳,再蒸半小时。

4. 食用时,取出八宝甲鱼,同时将白菜苞、红萝卜珠下入六成熟油锅,加盐炒入味,拼在甲鱼的周围,锅内放入鸡汤、甲鱼原汤、盐、味精、胡椒粉,烧开调好味,用湿淀粉调稀勾芡,揭开甲鱼壳,浇在八宝甲鱼上,淋鸡油,将甲鱼壳覆盖即成。

【特点】　甲鱼糯烂,八宝香鲜,浓厚味美,营养丰富。

潇湘五元龟

【原料】　主料:活乌龟2000克。

配料:荔枝、桂圆、红枣各12粒,发好的白莲50克,枸杞25免。

调料:猪油100克,料酒50克,冰糖50克,盐10克,鸡汤1000克,胡椒粉1克,葱15克,姜15克。

【制　法】

1. 乌龟两侧用铁锤打破,先用刀尖割下龟肉,去掉底板,再去掉上壳和内脏,先洗一遍,再用开水烫至能去粗皮时即捞出放入凉水内,去掉粗皮,剁去头和脚爪尖,剔去喉管、气管,砍成3厘米大的块,洗净并沥干水分。

2. 葱、姜拍破。荔枝和桂圆剥去外壳,洗一遍。红枣洗净,蒸发并撕去皮。枸杞洗一遍。

3. 将猪油烧到六成热时,下入葱、姜煸炒,再下入乌龟肉煸炒,烹料酒,放入盐、鸡汤和冰糖,然后装入绿釉钵内,用绵白纸盖严(以免失散香味影响质量),

上笼蒸约2小时后取出，揭开纸，去掉葱姜，加入荔枝、桂圆、红枣、莲子、枸杞和胡椒粉，调好味，再用原纸盖上，上笼蒸1小时左右（蒸全酥烂为准），取出用盘托上桌即成。

【特点】　汤浓香，味甜咸，鲜美可口。

注：乌龟是湖南的独特水产，是一大补品。乌龟补元气，生津液，有主治虚脱、虚喘、崩漏失血等功能，人们常食能清润滋补。

红煨龟肉

【原料】　主料：活乌龟2500克。

配料：猪五化肉500克，水发冬菇50克，大蒜子100克。

调料：猪油100克，料酒50克，盐5克，酱油25克，冰糖15克，味精2.5克，鸡汤500克，胡椒粉1克，葱25克，姜15克，湿淀粉15克，香油15克。

【制　法】

1. 乌龟初步加工的方法见“潇湘五元龟”。水发冬菇去蒂洗净。葱，姜拍破，余下的葱白切段。大蒜子剥皮，洗净。

2. 五花肉切成厚片后下入开水锅内氽过，捞出洗净后放入垫有底轿的沙钵内，再放入大蒜子。

3. 将猪油烧沸，先放入葱、姜稍煸炒，再下入龟肉和冬菇煸炒，烹料酒，加进盐、酱油、冰糖和鸡汤，烧开后倒入沙钵内，将盘盖上，用微火煨至酥烂为止。

4. 食用时，将煨好的龟肉上火，收成浓汁时用双手提着垫底轿，把龟肉取出来翻扑在深盘内，去掉五花肉、葱、姜，加味精和湿淀粉调稀勾芡，放胡椒粉、香油和葱段，浇盖在龟肉上即成。

【特点】　汁香浓，味鲜美。

生鸡块炖龟肉

【原料】　主料：活乌龟1500克，子母鸡1只（重1000克左右）。

配料：口蘑15克。

调料：猪油100克，料酒50克，盐10克，味精2克，胡椒粉1克，葱15克，姜15克。

【制　法】

1. 口蘑加工见“芙蓉鸡片”。葱白切段，将余下的葱和姜拍破。

2. 鸡宰杀去净毛，由背脊骨开膛去内脏（鸡头和脚爪不要），砍成4厘米大的块后，下入开水锅氽过，捞出洗净，再放入垫有底轿的沙钵内。

3. 乌龟初步加工的方法见“潇湘五元龟”。将猪油在锅中烧到六成热时，下入葱、姜煸炒一下，再将加工好的龟肉入锅煸炒，烹料酒，加入盐和适量的水，烧开后倒入装有鸡块的沙钵内，盖好，用小火炖至烂透为止。

4. 食用时，将龟肉炖鸡块上火烧开，加入味精和u蘑，调好味，撇去泡沫并装入汤WF内，撒上胡椒粉和葱段即成。

【特点】　龟鸡酥烂，汤鲜味美，营养丰富。

五元龟梨盅

【原料】　主料：活乌龟2000克，大梨子10个（选用直径6厘米大的）。

配料：荔枝、桂圆、红枣各12粒，蒸发好莲子50克，枸杞25克。

调料：猪油100克，料酒50克，蜂蜜100克，盐10克，味精1.5克，鸡汤1000克，胡椒粉1.5克，葱15克，姜15克。

【制　法】

1. 乌龟两侧用铁锤打破，先用刀尖割下龟肉，去掉底板，再去掉上壳和内脏，先洗一遍再用开水烫至能去粗皮时即捞出，放入清水内去掉粗皮，剁去头和脚爪尖，剔去喉管、气管，砍成3厘米大的块，洗净并沥干水分。

2. 葱、姜拍破。荔枝和桂圆剥去外壳洗一遍。红枣洗净，上笼蒸发，剥去皮。枸杞洗一遍。

3. 将猪油烧到七成热时，下入葱姜煸炒，再下入龟肉煸炒，烹料酒，放入盐、鸡汤、蜂蜜烧开，然后装入绿釉钵内，用绵白纸封严（以免走失香味影响质量），上笼蒸约2小时，蒸烂取出。

4. 梨子洗净，用刀取下蒂作盖，从切口处挖出梨肉和核，梨肉切成丁，去掉核，削去皮，在梨切口处剞上花刀用小碗装上。

5. 食用前1小时，将蒸烂龟肉揭开纸，去掉葱、姜，加入荔枝、桂圆、红枣、莲子、枸杞、梨丁、胡椒粉，调好味，装入梨子内，盖上盖，上笼蒸透取出，原碗上桌，每人每上一份即成。

【特点】 龟肉酥烂，汤浓鲜香，甜咸味美，营养丰富。

清蒸白鳝

【原料】 主料：大活白鳝1000克。

配料：熟火腿50克，水发口蘑50克，蒜子100克，网油100克。

调料：料酒50克，盐15克，味精2.5克，胡椒粉1.5克，鸡汤1000克，香醋100克，葱25克，姜25克，鸡油50克。

【制　法】

1. 火腿切成薄片。口蘑片成片。蒜子去蒂去皮。葱白切段，姜一半切末，余下的葱和姜拍破。

2. 将白鳝放在木案上，用刀剁下头部（切勿把胆弄破，否则有苦味），用七成开水烫一下即捞出，用稻草擦去绒毛薄膜，剪去须边，将筷子从杀口处插入，将内脏绞出并洗净，切成5厘米长的筒，用料酒、盐腌约10分钟，沥干水分装入汤WF内，然后放入火腿、口蘑、蒜子、葱、姜、盐、料酒和鸡油，再将网油盖在白鳝上。

3. 食用前15分钟，将白鳝上笼蒸熟取出。另外，将清鸡汤、盐和味精放入锅内烧开，加入盛有白鳝的汤渔内，撒上胡椒粉和葱段，另上两小碟姜醋汁即成。

【特点】 汤清香浓，味极鲜美。

粉蒸白鳝

【原料】 主料：大活白鳝1000克。

配料：五香米粉100克，猪肥膘肉100克。

调料：猪油50克，料酒50克，盐10克，味精1.5克，红腐乳汁25克，白糖5克，香醋100克，葱25克，姜25克，香油25克，辣椒油100克。

【制　法】

1. 肥膘肉切成细丝。葱切成花。姜切成末。

2. 白鳝初步加工的方法与“清蒸白鳝”同。用一半葱花和姜末以及料酒、白糖和红腐乳汁把白鳝腌10分钟左右。

3. 将五香米粉、肥膘丝和味精放入白鳝内拌匀，摆入盘内再加放猪油，然后上笼蒸20分钟，中途揭开笼盖，洒点水，盖上盖，再蒸20分钟便取出，放葱花，淋香油，随上姜醋汁和辣椒油各两小碗即成。

【特点】 香嫩柔软，味道鲜美。

红煨白鳝

【原料】 主料：大活白鳝1250克。

配料：猪五花肉200克，火蒜子100克，鸡蛋面条500克。

调料：料酒100克，香醋50克，酱油50克，冰糖15克，葱25克，姜25克，胡椒粉1克，香油50克。

【制　法】

1. 将五花肉刮洗干净，切成1厘米厚的片。蒜子去皮。葱白切花，姜一半切末，余下的葱和姜拍破。

2. 白鳝的初步加工见“清蒸白鳝”，要整齐地摆入盘内。

3. 在一沙钵中垫放竹底菥，依次放入五花肉、葱、姜、蒜子、白鳝、料酒、酱油、醋、冰糖和水（水以没过白鳝为准），用盘盖好并用重物压上，在旺火上烧开后移用小火煨。大约1小时后(煨至酥烂汁浓)，用双手提起垫底轿，把白鳝取出，去掉五花肉、葱、姜，再将白鳝放入原钵内卜火收浓汁，放胡椒粉、葱花、香油，另上两小碗姜醋汁。吃完白鳝后，随上煮熟的鸡蛋面条，与白鳝汁一起拌食。

【特点】 香嫩汁浓，味道鲜美。

注：白鳝需用小火煨到自来浓汁，更为鲜香。

干烧鳝片

【原料】 主料：活鳝鱼1000克。

配料：蒜苗250克，小红辣椒15克，紫苏25克。

调料：猪油150克，料酒50克，盐5克，酱油25克，香醋25克，味精1.5克，葱15克，姜15克，汤200克，香油15克。

【制　法】

1. 鳝鱼洗净，用一大钉子由眼部钉在木板上(背向里)，用左手把它捋直，按着不使它弯曲，右手持刀由鳃部下面直切到骨，然后把刀平下去，从脊骨剖开(从鳃到尾)，摘去内脏和血块，再把脊骨剔下，割下头，即成整片无骨的肉(不要洗)。将鳝鱼肉切成6厘米长的片，过丁宽人的要再用刀切开一下。

2. 蒜苗摘去老梗，切4厘米长的段。葱切段。姜切丝。紫苏切末。

3. 将猪油烧沸，下入鳝鱼片爆炒，不断用炒瓢推动，使其受热均匀。水分爆干时，下入蒜苗煸炒，烹料酒，再放入酱油、盐、醋、汤，用小火焖一下，加入紫苏和葱段，调好味，收干汁，放香油，装入盘内即成。

【特点】 鲜香味浓，酒饭均宜。

焦炸鳝丝

【原料】 主料：活鳝鱼1000克。

配料：小红椒15克，大蒜子15克，紫苏25克，香菜150克。

调料：植物油1000克(实耗100克)，料酒25克，盐5克，酱油10克，香醋15克，味精1.5克，白糖3克，葱10克，姜10克，湿淀粉10克，香油15克，花椒粉0.5克。

【制　法】

1. 鳝鱼的初步加工(见“干烧鳝片”)后，再切成粗丝，用料酒和少许盐腌一下，拌上干淀粉。

2. 小红辣椒、葱、姜、蒜、紫苏均切成米粒。将酱油、白糖、醋、味精、香油、葱花，湿淀粉和少许汤兑成汁。香菜摘洗干净。

3. 将油烧沸后，下入鳝鱼丝炸成焦酥便倒漏勺沥油；锅内留50克油，下入花椒粉、红辣椒、姜、蒜，紫苏和盐炒一下，倒入炸焦鳝丝，随即倾入兑汁，簸炒几下，装入盘内拼香菜即成。

【特点】 麻辣香酥，下酒佳肴。

注：此菜亦可用糖醋汁烹制。

熘嫩子鳝丝

【原料】 主料：活鳝鱼1000克(选用中号的)。

配料：嫩香芹500克，小红辣椒10克，紫苏15克，鸡蛋1个，蒜子15克。

调料：猪油100克，料酒25克，盐5克。味精1.5克，汤100克，葱15克，姜15克，湿淀粉30克。

【制　法】

1. 鳝鱼初步加工与“干烧鳝片”基本相同，但整条不切断，放在砧板上(皮朝下)，用刀从鳃部下切至皮止(往意不要把皮切断)，把刀平下来向尾部片开3厘米左右，再把鳝鱼翻转过来(肉朝下)，右手用刀按住鳝鱼肉，左手拿着皮慢慢往左拉，使其皮和肉分开，皮不要。鳝鱼肉片去骨，再片成薄片，切成细丝，用蛋清、盐和适量的淀粉把鳝鱼丝浆好，拌上一点香油。

2. 芹菜摘去粗梗和叶，洗净后先切

成5厘米长的段,再切成丝。姜切丝。葱切段。蒜子、紫苏均切成末。

3. 锅烧热,放入猪油烧五成热时,将鳝鱼丝下入锅内,用筷子拨散滑熟,倒入漏勺沥油;锅中留50克油,下入姜、蒜和芹菜炒一下,再放入盐、味精、汤以及紫苏、葱段,用湿淀粉调稀勾芡,随即倒入滑熟鳝鱼丝,烹料酒,放香油,翻炒几下,装入盘内即成。

【特点】 滑嫩鲜香,味极鲜美。

注:此菜下锅要用筷子拨散滑熟,待散时,即倒入漏勺沥油,否则质老味小鲜。

炒鳝糊

【原料】 主料:活鳝鱼1000克(选用中号的)。

配料:净冬笋50克,水发香菇50克,紫苏25克,蒜子15克。

调料:猪油100克,料酒50克,盐5克,酱油15免,味精1.5克,香醋25克,汤100克,葱15克,姜15克,湿淀粉25克,香油50克。

【制 法】

1. 将鳝鱼放入冷水锅内,盖好上火烧开,鳝鱼张口时(泡煮时不宜太熟,太熟则鱼肉较烂,划丝易断)即捞出,放入冷水内,用划子(一种划鳝鱼的工具,亦可用小刀代替)从颈部刺入,紧贴脊骨划成丝取下,再切成5厘米长的段。

2. 冬笋和香菇去蒂,均切成丝。葱切段。姜切丝。蒜、紫苏均切末。

3. 将猪油烧到七成热时,下入鳝鱼丝爆一下捞出,再下入冬笋丝、姜丝和香菇丝炒一下,倒入鳝鱼丝,烹料酒,加入盐、酱油、醋、味精、汤、紫苏,稍微焖一下便用湿淀粉调稀勾芡,用盘装上,在鳝鱼中间用炒瓢扒一小窿,将烧沸的香油淋入WF内即成。

【特点】 肉质香嫩,味道鲜美。

油爆菊花鳝鱼

【原料】 主料:中号鳝鱼1000克。

配料:鸡蛋1个,香菜100克。

调料:花生油1000克(实耗100克),料酒25克,盐10克,酱油少许,白糖少许,香醋25克,辣椒油25克,葱15克,姜15克,蒜子15克,紫苏叶50克,湿淀粉40克,香油15克。

【制 法】

1. 葱切成花。姜、蒜都切成米。紫苏叶剁碎。香菜摘洗干净。用酱油、辣椒油、醋、糖、味精、葱花、紫苏、香油、适量的湿淀粉兑好汁。

2. 将鳝鱼头砍掉,切成6厘米长的段,用小刀将脊背骨和内脏割去,再用剪刀将鳝筒周围剪开成4厘米长的丝,加入蛋清、少许盐、干淀粉拌匀浆好。

3. 锅内放入油烧至七成热时,将浆好的鳝鱼下入油锅炸焦酥即成菊花形,倒入漏勺沥油;锅内留50克油,下入姜、蒜米、盐煸炒,倒入菊花鳝鱼,烹料酒,随即冲入兑汁,翻簸几下,装入盘内,边上拼香菜叶即成。

【特点】 酸辣鲜香,味美可口。

三鲜烩鳝羹

【原料】 主料:活鳝鱼1000克(选用中号的)。

配料:熟火腿50克,水发去蒂冬菇50克,熟净冬笋50克,紫苏25克。

调料:猪油1000克,料酒50克,盐10克,味精1.5克,胡椒粉1克,香醋50克,鸡汤750克,葱15克,姜15克,湿淀粉50克,香油15克,辣椒油50克。

【制 法】

1. 火腿、冬菇、冬笋都切成丝。紫苏洗净,切成丝。葱切成3厘米长段。姜切成5厘米长丝,一半切成米。

2. 将活鳝鱼放入冷水锅内,盖好上火烧开,待鳝鱼张口时(泡煮时不宜太

熟,太熟则鱼肉较烂,划丝易断)即捞出,放入冷水内,用划子(一种划鳝鱼的工具,亦可用小刀代替)从颈部刺入,紧贴脊骨划成丝取下鳝鱼肉,再切成5厘米长的段。

3. 锅内放入油烧到七成热时,下入姜丝、鳝丝爆,一下,烹料酒,用盘装上;锅洗净,放入油烧至六成热,下入冬笋丝、冬菇丝煸炒,放入鳝丝、火腿、鸡汤、盐、味精、紫苏烧开调灯味,用湿淀粉调稀勾流芡,放葱段、胡椒粉,装入汤碗内,淋香油,随上姜醋两小碗即成。

【特点】 汁浓鲜香,味美可口。

注:还可另上辣椒油,吃时拌食。

原煨三丝鳝筒

【原料】 主料:中号活鳝鱼1500克。

配料:猪五花肉300克,熟净冬笋100克,水发冬菇100克,火腿50克,蒜子50克,紫苏25克。

调料:料酒50克,盐5克,味精1.5克,冰糖15克,香醋50克,酱油50克,葱25克,姜25克,辣椒油50克,香油50克。

【制　法】

1. 将冬笋、冬菇去带,与火腿都切成粗丝。葱白切成段。姜切成丝。蒜子剥去皮,洗净。紫苏摘去根,洗净。五花肉切成1厘米厚的片,下入开水锅氽过,捞出,用冷水洗净血沫待用。

2. 将鳝鱼砍去头(切勿把胆砍破),再切成五厘米长,用筷子绞去内脏,洗净,下入油锅炸熟,再将冬菇丝、冬笋丝、火腿丝、姜丝、葱段灌入鳝筒内,用盘装上。

3. 用砂钵一个,垫放底轿后放入五花肉、紫苏、蒜子,再放入鳝筒,加入料酒、酱油、醋、冰糖和水(水以没过为准),用盘盖好,在旺火上烧开,移用小火煨1小时至酥烂汁浓香为止。

4. 食用时,揭开盖,去掉五花肉、紫苏,放入胡椒粉、味精、香油,原钵上桌,随上辣椒油、姜醋各两小碗即成。

【特点】 鳝鱼酥烂,汁浓醇香,鲜美可口。

焦炸螺蛳

【原料】 主料:螺蛳肉1000克。

配料:干红辣椒末1.5克,花椒粉1克,紫苏15克。

调料:植物油1000克【实耗100克),料酒50克,盐10克,香醋50克,味精1.5克,干淀粉25克,酱油10克,白糖3克,葱15克,姜15克,蒜15克,香油15克。

【制　法】

1. 螺蛳肉摘去肠杂,先用盐和醋揉搓出涎液,再用清水冲洗几遍全无涎液为止,用刀剞交叉十字花刀后再洗一遍,沥干水分。

2. 葱、姜、蒜,紫苏均切成末。用酱油、白糖、醋、味精和香油兑成汁。

3. 在锅中放入50克油,烧沸后下入螺蛳肉,烹料酒,再加盐炒一下,待七成熟时,即倒入漏勺沥去泥腥水分,加入下淀粉拌匀上糊。

4. 将油烧沸,下入上糊的螺蛳肉炸至焦酥呈金黄色,然后倒入漏勺沥油;锅内留25克油,下入红辣椒粉以及葱、姜、蒜、紫苏末、花椒粉和盐炒一下,倒入炸焦的螺蛳肉,随即倒入兑汁簸几下,装入盘内即成。

【特点】 焦麻香,味酸辣,下酒佳肴。

软炸螺蛳

【原料】 主料:螺蛳肉750克。

配料:鸡蛋4个,香菜150克。

调料:花生油1000克(实耗100克),料酒50克,盐10克,醋25克,白糖3克,味精1.5克,花椒子20粒,花椒粉0.5克,葱15克,姜15克,香油25克,胡椒粉1克。

【制　法】

1. 螺蛳肉初步加工(见“焦炸螺蛳”)

后,用料酒、拍破葱、姜以及花椒子和盐腌10分钟,倒入漏勺沥干水分,去掉葱、姜和花椒子,用白色干净布按干水分,加入味精、白糖和胡椒粉拌匀。

2. 香菜摘洗干净。鸡蛋去黄用清,用筷子打起发泡,加入适量的干淀粉调制成雪花糊。

3. 将花生油烧到六成热时,端离火位,把螺蛳肉逐个裹上雪花糊下入油锅,然后将锅端回火上,将螺蛳肉炸全表面凝固时捞出(炸时要注意防止螺蛳肉粘连一起),把先炸好的部分倒入锅内,炸成酥脆呈金黄色时便倒入漏勺沥油,然后再倒入锅内,撒上花椒粉,放香油簸几下装入盘内,周围拼上香菜即成。

【特点】 酥脆香嫩,味道鲜美。

麻辣螺蛳片

【原料】 主料:螺蛳肉750克。

配料:小红辣椒15克,水发玉兰片50克,水发香菇25克,榨菜25克,紫苏叶10克,蒜子15克。

调料:猪油100克,料酒50克,盐10克,酱油15克,香醋25克,味精1.5克,花椒粉0.5克,葱15克,姜15克,湿淀粉2h5克。

【制 法】

1. 螺蛳肉初步加工(见“焦炸螺蛳”)后,用刀片成薄片,用清水洗一遍后倒入漏勺中沥于水分。

2. 玉兰片、香菇、红辣椒均切成指甲一般大小的片。榨菜、葱、姜、蒜和紫苏均切成末。

3. 将50克油在锅中烧沸,下入螺蛳片,烹料酒,加盐炒到七成熟时,倒入漏勺中沥干泥腥水分。

4. 再将猪油烧到六成热,下入玉兰片、红辣椒、香菇、姜、蒜,加盐煸炒后继而下入榨菜、花椒粉、葱、紫苏末、酱油、味精、醋以及少许汤,然后用湿淀粉调稀勾芡,放香油,装入盘内即成。

【特点】 麻辣香,脆嫩鲜,酒饭均宜。

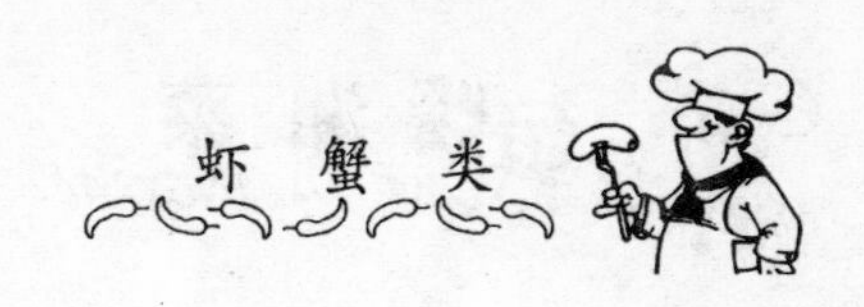

虾 蟹 类

青豆炒虾仁

【原料】 主料:人活虾子1000克。

配料:川豆荚子(或罐头青豆)500克,鸡蛋1个。

调料:猪油1000克(实耗100克),盐25克,味精1.5克,鸡汤100克,胡椒粉0.5克,香油10克,干淀粉25克,湿淀粉10克,葱10克。

【制 法】

1. 虾子洗一遍拣去杂草,用1坩手各捏住头部和尾部(腹向上,背向下)往上一挤,虾肉脱壳而出(叫虾仁),放入加盐的清水中,用筷子搅一会,使虾肉上残存的薄膜脱落,再用水连续冲几遍,直到薄膜、虾脚冲尽成为雪白的虾仁,沥干水分,再用白净布按干水分后,用鸡蛋清加适量的干淀粉和盐调制成浆,把虾仁浆好。

2. 川豆剥去外壳,洗净,用开水氽过,用冷水过凉待用。葱切段。

3. 用鸡汤、味精、湿淀粉兑成汁。

4. 将一干净锅烧热,放入猪油,待油烧到五成热时,下入虾仁,用筷子轻轻拨散滑熟,随即倒入漏勺沥油;锅中约留50克油,下入青豆,加盐炒一下,随即倒入滑熟的虾仁、葱段,再把兑汁倒入锅内,加进胡椒粉和香油翻炒几下,装入盘内即成。

【特点】 青白鲜艳,滑嫩鲜美。

注:亦可加用火腿、鸡、蘑菇、冬笋等配料切成颗粒米炒,叫“西卤虾仁”。

香桃虾茸

【原料】 主料:大活虾子750克。

配料:面包200克,肥膘肉150克,削皮荸荠50克,鸡蛋3个,熟瘦火腿25克,香菜100克。

调料:花生油1000克(实耗100克),盐4克,味精1.5克,香油15克,胡椒粉0.5克,葱15克,姜15克,湿淀粉25克。

【制 法】

1. 虾子初步加工的方法见“青豆炒虾仁”,再用刀平拍烂,捶剁成细泥。

2. 肥膘肉下入开水锅煮熟,剁碎。荸荠拍烂,剁成米状。葱、姜捣烂,用料酒取汁。火腿切末。香菜摘叶洗净。

3. 用蛋清加湿淀粉,下入虾茸,肥膘、荸荠米以及葱姜汁、盐和味精,搅拌成馅。

4. 面包切成尖桃形的片(计24片),摊开放在木板上,将虾馅挤贴在面包上,再把火腿末和香菜叶贴在虾馅上。

5. 将花生油烧六成热时,把贴好尖桃形的虾茸逐个下入油锅,炸至呈金黄色时捞出,淋香油即成。

【特点】 色彩鲜艳,香酥味美。

蛋包虾仁

【原料】 主料:活虾子750克。

配料:熟瘦火腿50克,熟冬笋50克,罐头蘑菇50克,青豆50克,鸡蛋5个,菠菜500克。

调料:猪油1000克(实耗100克),料酒25克,盐10克,味精2.5克,香油15

克,胡椒粉 0.5 克,葱 15 克,姜 15 克,干淀粉 15 克,湿淀粉 40 克。

【制　法】

1. 虾子加工成虾仁的方法见“青豆炒虾仁”。锅内放入猪油烧到五成热时,下入虾仁,用筷子拨散滑熟,倒入漏勺沥油,然后装盘晾凉。

2. 火腿、蘑菇、冬笋都切成同虾仁一样大小的颗粒。葱切花。姜切末。

3. 锅烧热,放入猪油烧到六成热时,下入蘑菇、冬笋,加盐炒入味,装盘晾凉后,加入青豆、火腿、葱花、姜末、虾仁、味精、胡椒粉和香油拌成的馅。菠菜摘洗下净。

4. 将鸡蛋打散,加入适量的盐、水、湿淀粉搅匀,用炒菜瓢上火烧热,用小块肥膘在瓢内擦油,视有油光即把搅好的鸡蛋液用小调羹舀入瓢内摇一转,烫成圆形小蛋皮(共 20 张),摊到木板上,放入拌好的虾仁馅,包成长条形,然后用碗扣上。

5. 食用前 10 分钟,把蛋包虾仁上笼蒸热取出,翻扑盘内;同时将猪油烧到六成热,下入菠菜炒一下,捞出,拼边;再在锅中放入汤和盐,调好味,用湿淀粉调稀勾流芡,浇盖在蛋包虾仁上,淋香油即成。

【特点】 色彩青黄,香嫩味鲜。

虎皮虾卷

【原料】 主料:虾子 750 克。

配料:豆油皮 10 张,肥膘肉 150 克,削皮荸荠 100 克,鸡蛋 3 个,包菜 250 克。

调料:花生油 1000 克(实耗 100 克),料酒 25 克,盐 5 克,糖 50 克,醋 15 克,味精 1.5 克,番茄酱 50 克,香油 15 克,胡椒粉 0.5 克,干淀粉 25 克。

【制　法】

1. 虾馅加工方法见“香桃虾茸”。

2. 豆油皮改成 10 厘米见方的块。包菜洗净切丝,用少许盐腌上,将 1 个鸡蛋打散,加淀粉调成糊。

3. 豆油皮摸上蛋糊,把拌好的虾馅放上,包成长方包(计 20 包),再用小尖针扎上一些小眼,以便炸时通气不鼓。

4. 将花生油烧到七成热时,把虾郑下入油锅,炸到皮脆馅熟捞出,摆放长盘,淋香油。同时,把包菜水分挤干,拌入糖、醋和蕃茄酱,放在盘的两头即成。

【特点】 焦脆香酥,味道鲜美。

注:猪肉、羊肉、牛肉和鱼肉均可按此法制作。

白汁虾脯

【原料】

土料:活虾子 750 克。

配料:肥膘肉 150 克,鸡蛋 3 个,口蘑 15 克,红番茄 2 个,熟冬笋 50 克,小白菜 500 克。

调料:猪油 500 克(实耗 100 克),料酒 50 克,味精 1.5 克,盐 15 克,鸡汤 500 克,鸡油 10 克,胡椒粉少许,湿淀粉 25 克。

【制　法】

1. 虾子出肉的加工见“青豆炒虾仁”。虾仁用刀平拍烂,把肥膘肉切成小薄片,合在一起用刀和刀背捶剁成细泥(无筋无粒),还要将姜、葱捣烂用料酒取汁,与蛋清、适量的湿淀粉、盐、味精和少许汤一起加进去,搅拌成虾馅。

2. 口蘑加工的方法与“芙蓉鸡片”相同。冬笋切薄片。番茄去皮和籽,切成片。小白菜摘去边叶留苞,用开水氽过,用冷水过凉待用。

3. 将一干净锅烧热后放入猪油,烧到五成热时,端离火位,将虾馅挤成丸子,放入油锅,用铲按平成饼,煎熟捞出(煎时应注意保持本色),然后放入汤,用小火煨酥烂为止。

4. 食用时,将猪油烧六成热时,下入冬笋、白菜苞和口蘑炒一下,随即下入虾饼和番茄片,调好味,用湿淀粉调稀勾流

芡,放上胡椒粉,装入盘内后淋鸡油即成。

【特点】 色彩鲜艳,嫩软味鲜。

注:鱼、鸡、牛、羊肉均可按此法制作。

莼菜虾扇

【原料】 主料:大活虾子 500 克。

配料:莼菜 1 瓶,小白菜 1000 克,鸡蛋 1 个。

调料:料酒 25 克。盐 10 克,味精 2.5 克,清鸡汤 1000 克,鸡油 10 克,胡椒粉 1 克,干淀粉 50 克。

【制 法】

1. 虾子洗一遍,拣去杂质等,挤去头壳留尾,洗净,沥下水分,用料酒、盐、蛋清和干淀粉拌匀浆好。

2. 砧板上铺上干淀粉,左手拿着虾尾,右手用擀而杖将虾肉捶扁敲成扇形,逐个做完装盘。

3. 莼菜用开水氽过,用冷水漂上。小白菜摘去边叶留小苞,用开水氽过,用冷水过凉。

4. 将虾扇下入开水锅内(火不宜大),氽熟后捞出,把虾尾摘去,用汤泡上。

5. 食用时,烧开鸡汤,将虾扇、莼菜、白菜苞下入锅内,加入适量盐和味精,撇尽泡沫,装入大汤缸内,撒上胡椒粉,放进鸡油即成。

【特点】 清淡香嫩,味道鲜美。

注:莼菜是一种水生的宿根植物,生产在无锡太湖和杭州西湖,以西湖生产的最为肥嫩,在春夏季采摘时,用新鲜的烹制更为清香鲜嫩。

莲蓬虾茸

【原料】 主料:活虾子 750 克。

配料:肥膘 150 克,鸡蛋 3 个,豆苗 250 克,发好的莲子 100 克。

调料:料酒 50 克,盐 10 克,味精 2.5 克,清鸡汤 1000 克,鸡油 10 克,胡椒粉 1 克,葱 15 克,姜 15 克。

【制 法】

1. 虾子出肉加工的方法见“青豆炒虾仁”。虾馅的加工与“白汁虾脯”同。豆苗摘苞洗净。葱、姜捣烂,用料酒取汁。

2. 将小酒杯 20 个摸上油,把虾茸舀入酒杯内,再把莲子按上几个,即成莲蓬形。

3. 食用前 10 分钟,把莲蓬虾仁上笼蒸熟,取出放入汤 WF 内,放豆苗尖,同时将鸡汤烧开,加上盐和味精调味,撇尽泡沫后装入莲蓬虾茸汤施内,撒入胡椒粉,放鸡油即成。

【特点】 清淡鲜嫩,味道鲜美。

注:鱼、鸡、鸭、鸽均可按此法制作。

锅贴整虾仁

【原料】 主料:活虾子 1000 克。

配料:肥膘肉 500 克,鸡蛋 4 个,熟瘦火腿 25 克,香菜 150 克。

调料:盐 5 克,味精 2 克,胡椒粉 0.5 克,香油 15 克,花椒粉 0.5 克,葱 15 克,姜 5 克,干淀粉 25 克。

【制 法】

1. 虾仁出肉的加工方法见“青豆炒虾仁”。

2. 火腿切小象眼片。香菜摘叶洗净。葱和姜捣烂后用料酒取汁。

3. 肥膘肉放入汤锅内煮熟(切勿煮烂),捞出后切成直径为 4 厘米、约 3 毫米厚的圆片,用干净白布抹干水分,拌上干淀粉,摊开放在平锅内。

4. 鸡蛋清打入深边的盘内,用筷子打起发泡,成雪花状后再放入干淀粉、虾仁、盐、味精、胡椒粉以及葱、姜酒汁,搅拌成馅,贴在肥膘片上,再贴上火腿片和香菜叶。

5. 食用时,把贴好虾仁的平锅放在火上,不停地转动,使火色均匀,煎至肥膘油排出，至焦酥时淋入香油，撒上花椒粉，装入盘内即成。

【特点】 焦脆，香嫩，味鲜。

芙蓉虾饼

【原料】 主料：虾仁 200 克。

配料：猪肥膘肉 100 克，削皮荸荠 100 克，鸡蛋 5 个，面包 150 克，熟瘦火腿 10 克，香菜叶 50 克。

调料：花生油 1000 克（实耗 100 克），料酒 25 克，盐 4 克，白糖 3 克，味精 1.5 克，胡椒粉 0.5 克，葱 15 克，姜 15 克，干淀粉 25 克，湿淀粉 10 克，香油 15 克，鸡汤 100 克。

【制　法】

1. 将肥膘肉煮熟剁成米。荸荠拍烂剁成米。面包切成直径约 4 厘米、厚约 3 毫米的圆片。火腿切成米。香菜摘叶洗净。葱和姜要捣烂，用料酒取汁。

2. 虾仁洗净，沥干水分，用刀和刀背捶剁成细茸，加入 1 个鸡蛋的蛋清和肥膘米、荸荠米、葱姜酒汁、盐、白糖、味精、胡椒粉、湿淀粉，搅拌成馅。

3. 将面包片摊放在木板上，将虾馅挤成 2 厘米大的丸子，贴满面包片上；将 4 个鸡蛋的蛋清装入深盘内，用筷子打成雪花糊，加入适量的干淀粉搅匀，盖在虾馅上，再贴上火腿米和香菜叶。

4. 食用时，将锅内放入油，烧到五成热时，端离火位，将贴好的芙蓉虾饼逐个下入油锅（面包朝下），锅放回火位，待面包炸焦酥呈金黄色时，虾馅已熟，翻炸一下即捞出，淋香油，装入长盘后两头拼上香菜叶即成。

【特点】 焦脆香酥，味美可口。

炸虾仁糕

【原料】 主料：净虾仁 300 克。

配料：肥膘肉 100 克，削皮荸荠 100 克，熟火腿 15 克，去皮花生米 50 克，鸡蛋 2 个。

调料：花生油 1000 克（实耗 50 克），料酒 25 克，盐 5 克，味精 2 克，胡椒粉 0.5 克，香油 15 克，葱 25 克，姜 15 克，湿淀粉 50 克。

【制　法】

1. 虾仁洗净沥干水分，用刀拍烂剁成茸。荸荠拍烂剁成米。肥膘肉煮熟剁碎。火腿切末。取 10 克葱切成花，余下的葱和姜捣烂，用料酒取汁。

2. 虾茸加入鸡蛋清、葱、姜酒汁以及盐、味精、胡椒粉、肥膘和荸荠米，搅拌成馅，装入摸上了油的平盘内，用铲按扁成圆饼，撒上火腿末，上笼蒸熟取出（如用平锅煎熟味道更香）。

3. 食用时，将花生油烧到六成热时，下入虾仁饼，炸酥透至呈金黄色时捞出，切成象眼块，摆入盘内，淋香油，盘子的边上拼花生米和葱花即成。

【特点】 焦脆香酥，味道鲜美。

纸包虾仁

【原料】 主料：虾仁 300 克。

配料：熟火腿 50 克，蘑菇 50 克，青豆 50 克，香菜叶 150 克，鸡蛋 3 个，15 厘米见方的糯米纸 20 张。

调料：花生油 1500 克（实耗 100 克），盐 5 克，味精 2.5 克，胡椒粉 0.5 克，葱 10 克，干淀粉 25 克，香油 50 克。

【制　法】

1. 火腿和蘑菇都切成虾仁人的丁。香菜叶洗净。葱切成花。鸡蛋去黄留清。

2. 将虾仁洗净，沥干水分，用蛋清 1 个和适量的盐、干淀粉、胡椒粉调匀浆好，加入火腿、蘑菇丁、青豆、葱仡、味精和香油，搅拌均匀成馅。用蛋清加入适量的干淀粉，调制成稀糊。

3. 在一木板上摊放糯米纸，将虾仁馅分放在糯米纸上按平，再放入香菜叶，包成 5 厘米长、4 厘米宽的长方包，然后在封口处摸点蛋清糊，使之粘连不散（面

上粘干淀粉以免溶化)。

4. 将花生油烧至六成热时,投入纸包虾仁,用温油炸之(炸时油温不宜过高,只能保持六成热的温度),熟后捞出并装入长盘,拼上香菜叶即成。

【特点】 滑嫩香,味鲜美(糯米纸可以同食)。

炒凤尾虾

【原料】 主料:大活虾子750克。

配料:嫩丝瓜500克,净冬笋50克(砍掉老兜,剥去外壳,削掉内皮)。

调料:猪油500克(实耗100克),料酒25克,盐5克,味精1.5克,鸡汤100克,白糖少许,葱10克,姜15克,干淀粉25克,香油15克。

【制 法】

1. 虾子初步加工的方法见“莼菜虾扇”,并用蛋清、干淀粉和适量的盐调匀,将虾仁浆好。

2. 丝瓜刮去粗皮(注意保存青色)。冬笋都切同虾仁大的象眼片。姜切成小片。葱切段。

3. 将锅烧热,放入的猪油烧至五成热时,下入浆好的带尾的虾仁,用筷子拨散滑熟,倒入漏勺沥油;锅中留50克油,下入姜片、冬笋、丝瓜青,放适量的盐炒一下,再加鸡汤、味精和葱段,用湿淀粉调稀勾芡,即下入滑熟凤尾虾仁,翻炒几下,放香油,装入盘内即成。

【特点】 色彩鲜艳,滑嫩味鲜。

牡丹珍珠虾

【原料】 主料:大活虾子1000克。

配料:猪肥膘肉500克,削皮荸荠50克,鸡蛋4个,香菜100克,红樱桃10粒。

调料:盐5克,料酒25克,味精2克,胡椒粉0.5克,葱10克,姜10克,干淀粉40克,香油15克。

【制 法】

1. 荸荠剁成小米状。香菜摘洗干净。葱白切花。姜切末。

2. 虾子加工成虾仁的方法见“青豆炒虾仁”,再取鸡蛋2个去黄用清,加适量的盐、干淀粉、味精、葱花、姜米、荸荠米拌匀成馅。

3. 将肥膘肉下入汤锅煮熟(断生为准,切勿煮烂),捞出晾凉,切成5厘米长、3厘米宽、3毫米厚的薄片,计20片,用净白布抹干油脂水分,两面沾上干淀粉,摊开在甲锅内或木板上,将虾仁馅贴放在肥膘上,四角贴上香菜叶;然后将鸡蛋清2个用筷子打起发泡,放入干淀粉搅匀,挤在香菜叶的中间,再按进半个樱桃,即成牡丹珍珠虾。

4. 食用时,将贴好珍珠虾的平锅放在火上,不停地转动,使火色均匀,煎至肥膘肉的油脂排出成焦酥透金黄色,滗去油,淋香油后整齐摆入盘内即成。

【特点】 色彩鲜艳,香酥鲜嫩,宴会大菜。

红荔虾丸

【原料】 主料:虾仁300克。

配料:熟瘦火腿200克,猪肥膘肉100克,鸡蛋3个,削皮荸荠100克,小白菜1000克。

调料:猪油100克,料酒25克,盐5克,味精1.5克。冷鸡汤500克,胡椒粉1克,白糖2克,湿淀粉40克,鸡油15克,葱15克,姜15克。

【制 法】

1. 火腿切成末。荸荠剁成米状。取一半葱切成花,余下的葱和姜一起捣烂,用料酒取汁。小白菜摘去边叶留小苞,洗净。鸡蛋去黄留清。

2. 将虾仁洗净,沥干水分;肥膘肉切成薄片,放在虾仁一起用刀和刀背捶剁成细茸(无筋无粒),加入蛋清、葱姜酒汁、味精、胡椒粉以及适量的盐、汤和湿淀粉,搅拌成馅。

3. 将一干净白布摊开放在木板上,

把火腿末撒在白布上，把虾馅挤成直径约3厘米的丸子，逐个滚粘上火腿末（即成红荔枝形的虾丸），放入抹了油的盘中。

4. 食用前5分钟，将红荔虾丸上笼蒸熟，取出后装入盘中。同时将猪油烧沸，下入白菜苞，加盐炒入味，用来围在盘子的四周。再将猪油烧到六成热后，放入鸡汤、盐，用湿淀粉调稀勾流芡，放葱花，浇盖在红荔虾丸上，淋上鸡油即成。

【特点】 形似荔枝，软嫩脆香，味道鲜美。

金钱虾盒

【原料】 主料：虾仁250克。

配料：肥膘肉100克，削皮荸荠100克，鸡蛋5个，香菜150克。

调料：花生油1000克（实耗100克），料酒50克，盐5克，味精1.5克，鸡汤200克，胡椒粉0.5克，葱15克，姜15克，干淀粉50克，白糖2克，香油15克。

【制　法】

1. 荸荠拍烂剁碎。葱、姜捣烂，用料酒取汁。鸡蛋去黄留清。香菜摘嫩叶，洗净待用。

2. 虾仁洗净，沥干水分；肥膘肉切成薄片，都放在砧板上，用刀和刀背捶剁成细茸，再用1个鸡蛋的蛋清以及鸡汤、葱姜酒汁解散，加入荸荠末、盐、糖、味精、胡椒粉和湿淀粉搅拌成馅，挤成2厘米大的丸子，放入抹上油的平盘内，用铲子按扁成圆饼，上笼蒸6分钟后取出晾凉。

3. 在一大深盘放入4个鸡蛋的清，用筷子打起发泡，加入适量的干淀粉，调制成雪花糊。

4. 将花生油烧到六成热时，即端离火位，将虾仁饼逐个裹上雪花糊，下入油锅，再将锅放回火上，将虾盒炸至表面凝固时捞出沥油。

5. 食用时，将金钱虾盒下入油锅，重炸酥脆呈金黄色捞出，装入长盘，淋香油，两端拼香菜叶即成。

【特点】 酥脆香松，味鲜可口。

注：鸡、鸭、鸽、鱼、羊里脊、牛里脊均可按此法制作。

软炸虾仁球

【原料】 主料：活虾子500克。

配料：肥膘肉200克，削皮荸荠100克，鸡蛋3个，面粉50克，香菜150克。

调料：花生油1000克（实耗100克），料酒25克，盐5克，味精1.5克，花椒粉0.5克，葱15克，姜15克，湿淀粉25克，香油10克。

【制　法】

1. 虾子出肉加工的方法与“青豆炒虾仁”同，要稍剁成颗粒。

2. 将肥膘肉放入汤锅煮熟捞出，晾凉，切成6毫米大的方颗。荸荠切同肥膘颗大。葱、姜捣烂，用料酒取汁。香菜摘洗干净。

3. 将鸡蛋的清和蛋黄分别装上，蛋清用筷子打起发泡，再加入蛋黄、面粉和湿淀粉调制成糊，再加葱姜酒汁、盐、味精、荸荠颗、肥膘颗和虾仁，搅拌成馅。

4. 将花生油烧到六成热时，把虾馅挤成3厘米大圆球，下入油锅炸焦酥呈金黄色，滗去油，撒花椒粉和香油簸几下，装入盘内，拼香菜即成。

【特点】 焦脆香酥，味道鲜美。

注：鱼切丁亦可按此法制作。

虾仁烩干丝

【原料】 主料：活虾子500克。

配料：千张皮300克，鸡蛋1个，碱1克。

调料：猪油500克（实耗100克），料酒25克，盐10克，味精1.5克，汤250克，鸡汤500克，鸡油25克，胡椒粉1克，葱15克，干淀粉15克，湿淀粉25克。

【制　法】

1. 虾仁的加工方法见“青豆炒虾

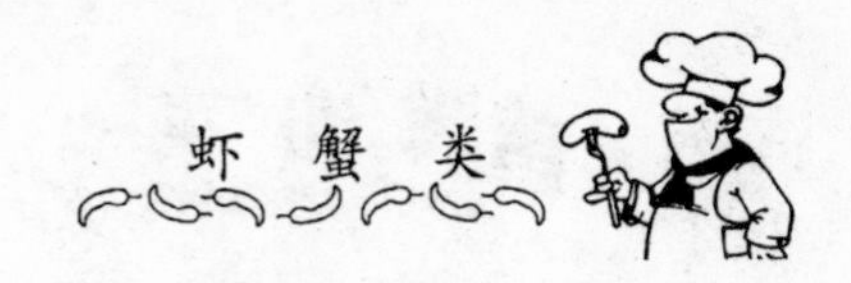

仁”。葱切成段。

2. 千张皮切去厚边，切成6厘米长的细丝，下入开水内，放碱胀发柔软后，用清水选2遍，除去碱味，用清水漂上。

3. 食用时，将锅内放入汤和盐，下入干丝烧开氽过，倒入汤碗装上。

4. 将锅烧热，放入猪油烧到五成热时，下入浆好的虾仁，用筷子拨散滑熟，倒入漏勺沥油；锅内留50克油，放入鸡汤、盐、味精、胡椒粉、虾仁、葱段，调好味后用湿淀粉调稀勾流芡，同时捞出干丝，放入虾仁一起烩制，装入汤盘，淋鸡油即成。

【特点】 柔软嫩，味鲜美。

炒鲜虾腰

【原料】 主料：活虾子500克，猪腰子2个。

配料：熟冬笋50克，水发冬菇50克，鸡蛋1个。

调料：猪油500克（实耗100克），料酒25克，盐5克，味精1.5克，胡椒粉0.5克，香油15克，汤100克，葱15克，姜10克，湿淀粉50克。

【制　法】

1. 虾子出肉加工与“青豆炒虾仁”同。

2. 猪腰撕去外层薄膜油筋，片成两边，去净腰臊，在表面斜剞十字花刀，切成虾仁大小的丁，放入少许盐和湿淀粉浆好。

3. 冬笋、冬菇切成小指甲大的片。葱切段。姜切末。用味精、汤和湿淀粉兑成汁。

4. 将一净锅烧热，放入猪油烧到五成热时，先下入虾仁炒散，继下入腰丁炒熟，然后倒入漏勺沥油；锅内留50克油，下入冬笋、冬菇、姜末，加少许盐煸炒，再放入滑熟的虾腰，随即倒入兑汁和葱段炒几下，装入盘内，撒胡椒粉，淋香油即成。

【特点】 嫩软滑脆，味鲜可口。

番茄虾仁锅巴

【原料】 主料：虾仁300克。

配料：鲜青豆100克（或罐头的），大米饭锅巴250克，鸡蛋2个。

调料：猪油500克（实耗100克），花生油1000克（实耗100克），料酒25克，盐5克，白糖25克，醋10克，味精1.5克，鸡汤500克，番茄酱100克，葱15克，姜15克，干淀粉25克，湿淀粉25免，香油15克。

【制　法】

1. 锅巴掰成小块。青豆用开水氽过，冷水过凉。鸡蛋去黄留清。葱切花。姜切末。

2. 将虾仁洗净，用净白布按干水分，用蛋清、盐和干淀粉拌匀浆好。

3. 锅烧热，放入猪油烧至五成热时，下入虾仁，用筷子拨散滑熟，倒入漏勺沥油；锅内留50克油，下入姜末和番茄酱略炒一下，随后烹入料酒，放鸡汤、盐、白糖、醋、味精，调好味后用湿淀粉调稀勾芡成流汁，放葱花，淋香油，装入碗内。

4. 在烹制虾仁的同时，将花生油烧沸，下入锅巴，边炸边翻动，炸至酥透呈金黄色捞出，装入盘内，加一点沸油。两样同时上桌，将番茄虾仁倒在锅巴上，使锅巴发出吱吱喳喳的响声。

【特点】 色彩红亮，锅巴酥香，虾仁鲜嫩，酸甜可口。

注：烹制虾仁和炸锅巴要配合好，动作要快，虾仁倒在锅巴上，要有声有色。

锅贴如意虾卷

【原料】 主料：虾仁200克。

配料：肥膘肉500克，鸡蛋5个，熟瘦火腿25克，青菜叶50克，香菜100克，湿淀粉20克，干淀粉40克。

调料：花生油500克（实耗50克），料酒25克，味精1.5克，香油10克，盐5

克，葱10克，姜10克，干淀粉25克，湿淀粉25克，胡椒粉0.5克，花椒粉0.5克。

【制　法】

1. 肥膘肉放入汤锅内煮熟（断生为止，切勿煮烂），改成5厘米长、3厘米宽、3毫米厚的片（共计24片），用净白布抹干油脂水分，两而粘上干淀粉。葱、姜捣烂，用料酒取汁。

2. 将虾仁洗净，沥干水分，用刀拍烂再捶剁成细茸，加入葱姜酒汁、味精、胡椒粉、湿淀粉15克、蛋清1个、盐5克以及适量的汤，然后搅拌成馅。

3. 将青菜叶切丝，下入油锅内炸焦，捣碎（切勿炸黄，应保留青色）。香菜叶洗净。火腿切末。用蛋清2个加干淀粉调成稀糊。

4. 将鸡蛋打散，加入适量的盐、湿淀粉和水搅匀，倒在锅中烫成蛋皮，摊放到木板上，修改成15厘米宽、20厘米长的长方块，撒上干淀粉，将虾馅铺满，平刮均匀，然后将火腿米、青菜末各放一端，从两端向中间卷拢，在合拢的空处放入虾馅。将一平盘摸上油，将如意卷放入盘内，上笼蒸10分钟即熟，取出晾凉后切成6毫米厚的片。

5. 将肥膘片摊开放入平锅内，抹上蛋清糊，将如意卷贴在肥膘上。

6. 食用时，将装如意卷的平锅上火，不停地转动（使火色均匀），煎至肥膘肉的油排出、焦酥透呈金黄色时滗去油，放入花椒粉和香油，装盘，周围拼放香菜叶即成。

【特点】　色彩鲜艳，香酥味美。

虾仁土豆丸

【原料】　主料：滑熟的虾仁150克，土豆750克。

配料：鸡蛋2个，熟火腿50克，青豆50克，削皮荸荠50克，面包粉150克，包菜250克。

调料：花生油1000克（实耗100克），盐5克，味精1.5克，胡椒粉0.5克，香油15克，葱15克，干淀粉50克，番茄酱50克，白糖10克，白醋10克。

【制　法】

1. 将土豆洗净，放入开水锅煮熟，捞出，撕去皮后放入钢精锅内，用擂棍捣烂成泥，加入1个鸡蛋以及盐、味精、胡椒粉、干淀粉搅拌均匀。

2. 将虾仁剁成颗，火腿切成末，荸荠拍烂剁成米，葱切成花，加入香油、味精拌成馅。包菜切成细丝，加入少许盐腌一下。

3. 将土豆泥搓成圆条，揪成小节，在手心中搓圆按扁，填入虾仁馅包好，再搓成圆球形，放入鸡蛋液内粘上蛋液，滚上面包粉，用盘装上。

4. 将花生油烧沸，下入土豆丸炸至焦酥呈金黄色捞出，装入盘内，淋香油。同时将包菜丝挤干水分，加入糖、醋、番茄酱拌匀，拼边即成。

【特点】　焦脆香酥，味鲜可口。

虾茸茄夹

【原料】　主料：嫩白茄子500克（选用直径为5厘米的）。

配料：虾仁150克，肥膘肉50克，削皮荸荠50克，鸡蛋2个，面粉50克。

调料：花生油1000克（实耗100克），料酒25克，盐5克，味精1.5克，花椒粉0.5克，葱10克，姜10克，湿淀粉50克。

【制　法】

1. 将茄子切去蒂，削去皮，一切两开成半圆形，平放在砧板上（凸的一面朝上），切去边，先切3毫米厚（不切断，约切进四分之三深度），再切3毫米厚（切断），如此切完为止。

2. 荸荠剁成米状。葱、姜捣烂，用料酒取汁。

3. 虾仁、肥膘肉剔去筋，用刀和刀背捶剁成细茸，加入葱姜酒汁、胡椒粉、盐、味精、湿淀粉15克和鸡蛋1个，搅拌成

馅，酿入茄夹内。

4. 将鸡蛋、湿淀粉和面粉加入适量的水，调制成糊。

5. 将花生油烧到六成热时，把茄夹裹上蛋糊，用筷子逐个挟入油锅，炸至表面凝固、内馅熟时捞出。

6. 食用时，将茄夹重炸焦酥呈金黄色，滗去油，撒花椒粉，放香油，簸几下，装入盘内即成。

【特点】 外焦内嫩，味道鲜美。

注：①亦可用土豆和藕腌软按此法制作。

②还可用鱼、猪、牛、羊、鸡肉等制成馅，酿入茄内。

葵花虾饼

【原料】 主料：虾仁 200 克。

配料：猪肥膘肉 50 克，削皮荸荠 50 克，咸面包 150 克，鸡蛋 4 个，瓜仁 50 克，香菜 100 克。

调料：花生油 1000 克（实耗 100 克），料酒 25 克，味精 1.5 克，盐 5 克，白糖少许，胡椒粉少许，葱 10 克，姜 15 克，湿淀粉 50 克，干淀粉少许，香油 15 克。

【制　法】

1. 肥膘肉下入汤锅煮熟捞出，和荸荠一起剁成米状。葱和姜捣烂，用料酒取汁。鸡蛋打开，蛋黄、蛋清分别用碗装上，蛋黄加入适量的盐、湿淀粉和水搅匀，用锅烫成蛋皮，切成葵花瓣形。香菜摘洗干净。

2. 虾仁洗净，用刀刃和刀背捶剁成细茸，加入肥膘米、荸荠米、葱姜酒汁、胡椒粉、鸡蛋清 1 个、盐、糖、味精、湿淀粉搅拌成馅。余下的蛋清用筷子打起发泡，加入适量的干淀粉调制成雪花糊。

3. 面包切成卣径为 4 厘米的圆片（计 20 片），摊放木板上，铺满一层虾茸馅，将葵花瓣形的蛋皮贴在虾茸馅的周围，再盖上一层花糊，然后插上瓜仁，即成葵花虾饼。

4. 锅内放入油烧全五成热时，将葵花虾饼逐个入油锅，用温火炸至面包焦酥呈金黄色时，表面用油淋炸一下即捞出，摆入盘中，淋香油，拼香菜叶即成。

【特点】 形似葵花，色彩鲜艳，焦脆香酥，鲜美可口。

雪花虾仁

【原料】 主料：大活虾子 700 克。

配料：鸡蛋 4 个，熟瘦火腿 25 克。

调料：猪油 500 克，盐 15 克，料酒 25 克，鸡汤 250 克，味精 1.5 克，干淀粉 25 克，湿淀粉 25 克，葱 5 克，胡椒粉少许，鸡油 15 克。

【制　法】

1. 虾仁加工方法见“青豆炒虾仁”，用鸡蛋清 1 个加入适量的盐和干淀粉调制成浆，把虾仁浆好。葱切成花。火腿切成米。

2. 鸡蛋去黄用清，用筷子打起发泡成雪花糊状。

3. 锅内放油烧到五成热时，将虾仁下入油锅，用筷子轻轻拨散滑熟，倒入漏勺沥油；锅内留 50 克油，下入鸡汤、盐、味精、胡椒粉，用湿淀粉调稀勾芡，随下入雪花蛋泡炒熟，然后倒入滑熟虾仁拌匀，装入盘内，撒火腿米、葱花，淋鸡油即成。

【特点】 色泽鲜艳，虾仁滑嫩，味道鲜美。

新莲炒虾仁

【原料】 主料：虾仁 250 克，新鲜莲蓬‘10 个。

配料：鸡蛋清 1 个，熟瘦火腿 50 克。

调料：猪油 500 克（实耗 100 克），料酒 25 克，盐 8 克，味精 1.5 克，姜 10 克，葱 10 克，胡椒粉少许，鸡汤 150 克，干淀粉 20 克，湿淀粉 15 克，鸡油 15 克。

【制　法】

1. 将新莲蓬掰开，取出莲子，剥出壳，放入开水锅内，加入碱，再下入莲子洗去皮(同洗老莲子法基本相同,新莲皮嫩些,碱要放得少点),用竹扦将莲心抵出,再下入冷水锅中,烧开,装入碗内。

2. 火腿切成小指甲大的片。葱切成2毫米长的段。姜切成米。

3. 虾仁洗净,沥干,再用净白布按干水分,用鸡蛋清、适量的盐和湿淀粉调制成浆,把虾仁浆好。用鸡汤、味精、盐、湿淀粉、胡椒粉、葱段兑成汁。

4. 锅内放入油烧到五成热时,将虾仁下入油锅,用筷子拨散,滑八成熟,倒入漏勺沥油;锅内留50克油,下入姜米、新莲和盐炒一下,加入火腿、虾仁,烹料酒,随即倒入兑汁,翻炒几下,装入盘中,淋鸡油即成。

【特点】 色泽美观,虾仁鲜嫩,莲子香嫩,味美可口。

注:嫩子鸡、鸭丁等均可按此法制作。

鹑蛋菜包虾仁

【原料】 主料:虾仁200克,大白菜叶20张,鹌鹑蛋12个。

配料:熟瘦火腿50克,鲜青豆50克(罐头的亦可),净熟冬笋50克,蘑菇50克,鸡蛋清1个,香菜少许。

调料:猪油500克(实耗100克),料酒25克,盐8克,味精1.5克,胡椒粉1克,葱10克,姜10克,干淀粉25克,鸡汤200克,香油15克,鸡油15克。

【制　法】

1. 火腿10克切末,其余的火腿和冬笋、蘑菇都切成和虾仁一样大小的颗。香菜摘洗干净。葱切成花。姜切成米。

2. 虾仁洗净,沥干,并用净白布按干水分,用鸡蛋清、适量的盐和干淀粉调制成浆,把虾仁浆好,下入五成熟的油锅内滑熟,倒入漏勺沥油,用盘装上晾凉后,加入火腿、冬笋,蘑菇和青豆、胡椒粉、葱花、姜米、香油、味精拌匀成馅。

3. 大白菜叶下入开水锅烫熟捞出,用冷水过凉,按干水分,剔去厚梗部分,修改成约13厘米大,摊放木板上,逐块放入适量的虾仁馅,包滚成圆柱形,扣入碗内。

4. 鹑蛋磕入摸油的小调羹内,表面按上香菜叶,撒上火腿末。

5. 食用前10分钟将菜包虾仁和鹑蛋上笼蒸熟取出,将菜包虾仁翻扑盘内,鹑蛋拼在周围;同时锅内放入油烧六成热,放入鸡汤、味精、盐烧开,用湿淀粉勾流芡,浇盖在鹑蛋菜包虾仁上,淋鸡油即成。

【特点】 虾仁嫩滑,味美鲜香。

青松虾仁面包

【原料】 主料:大活虾子750克。

配料:咸面包50克,鸡蛋清1个,小白菜苞12个,熟瘦火腿50克。

调料:猪油1000克(实耗125克),料酒25克,味精1.5克,鸡汤250克,干淀粉20克,湿淀粉15克,胡椒粉1克,葱10克,鸡油15克。

【制　法】

1. 虾仁加工(方法见“青豆炒虾仁”)后,用鸡蛋清加适量的干淀粉和盐调制成浆,把虾仁浆好。

2. 面包切成1厘米大的方丁。火腿切成丁。小白菜苞洗净。葱切成段。用鸡汤、味精、胡椒粉、葱段、湿淀粉兑成汁。

3. 锅内放入油烧至六成热,下入面包用温火炸至焦酥呈金黄色,倒入漏勺沥油,装入盘中;锅内留25克油,下入白菜苞,加盐炒入味,拼在面包的周围;锅洗净烧热,放入油烧五成热时,下入浆好的虾仁,用筷子拨散滑熟,滗去油,烹料酒,下入火腿丁,倒入兑汁翻簸几下,浇盖在面包丁上,淋鸡油即成。

【特点】 虾仁鲜嫩,面包酥脆,味美可口。

白汁橄榄虾脯

【原料】 主料:虾仁300克。

配料:鸡蛋清2个,猪肥膘肉50克,削皮荸荠50克,熟净冬笋50克,嫩丝瓜500克,红番茄250克。

调料:猪油100克,料酒25克,盐10克,味精1.5克,鸡汤150克,胡椒粉1克,葱15克,姜15克,湿淀粉40克,鸡油25克。

【制 法】

1. 葱和姜捣烂用料酒取汁。丝瓜刮去粗皮(注意保存嫩青皮);番茄用开水烫一下,剥去皮,去掉瓤和籽,和冬笋都切成象眼条。荸荠剁成米。

2. 虾仁洗净,沥干水分,肥膘肉切薄片,合在一起,放在垫有生肉皮的砧板上,用刀刃和刀背捶剁成细茸,放入葱姜酒汁、鸡蛋清、荸荠米、盐、味精、胡椒粉、湿淀粉,用手朝着一个方向用力搅动,搅上劲成馅,然后用小刀在手掌里做成橄榄形,放在抹油的盘内。

3. 食用时,将橄榄虾上笼蒸8分钟即熟,取出,拨动散开;同时锅内放入油烧到六成热,下入冬笋炒一下,继下入丝瓜条、盐、味精、鸡汤、番茄,用湿淀粉调稀勾芡,放入橄榄虾脯,裹上汁,装入盘内,淋鸡油即成。

【特点】 色彩鲜艳,柔软鲜嫩。

网油虾蟹卷

【原料】 主料:活螃蟹750克,虾仁150克。

配料:网油250克,削皮荸荠50克,猪肥膘肉50克,鸡蛋清2个,香菜100克,面粉100克。

调料:花生油1000克(实耗50克),料酒50克,盐8克,味精1.5克,胡椒粉1克,葱25克,姜25克,花椒粉少许,湿淀粉50克,香油15克。

【制 法】

1. 葱和姜一半切成米,一半捣烂用料酒(25克)取汁。荸荠拍烂剁成米。网油用清水洗一遍,摊放竹杆上,晾干水份。肥膘肉煮熟剁成米。将一个鸡蛋磕在碗里,放入适量的面粉、湿淀粉和水调成糊。

2. 将螃蟹洗净,上笼蒸约15分钟即熟,取出,先摘掉蟹脚和蟹螯;蟹脚切去两头关节,用刀柄滚压出肉;蟹螯切开,用竹扦取出肉;蟹身剥去壳,用竹扦取出蟹黄和蟹肉。锅内放入油烧到六成热,下入姜米煸炒,再下入蟹黄、蟹肉煸炒,烹料酒,装入盘内晾凉。

3. 虾仁洗净,沥干水分,用刀刃和刀背捶剁成细茸,用碗装上,放入葱姜酒汁、蟹黄肉、虾茸、肥膘米、荸荠米、盐、味精、葱花、胡椒粉、湿淀粉调拌成馅。

4. 将网油铺在木板上,修改成长方形,撒上干淀粉,把拌好的蟹虾馅放在网油的一端,滚成2厘米大的圆筒,卷成一筒后,将网油切断,再卷另一筒,卷完为止,装入盘内,上笼蒸10分钟,取出晾凉,切成4厘米长的筒。

5. 食用时,锅内放入油烧到六成热时,将网油蟹虾卷裹上鸡蛋糊,炸成焦酥呈金黄色,滗去油,撒花椒粉,放香油,簸几下,装入盘内,拼香菜即成。

【特点】 焦脆香酥,蟹虾鲜嫩,味极鲜美。

虾酿竹荪卷汤

【原料】 主料:竹荪30克。

配料:虾仁150克,猪肥膘肉50克,熟瘦火腿50克,削皮荸荠50克,鸡蛋清2个,青菜苞12个。

调料:料酒25克,清鸡汤1000克,普汤250克,盐10克,味精1克,胡椒粉1克,干淀粉少许,湿淀粉50克,葱15克,姜15克,鸡油15克。

【制 法】

1. 竹荪先用温水洗一遍,再用温水浸泡,洗净泥沙,去掉网子的部分(作其他用途),切开成一片,再切4厘米长、4厘米宽的长方块,用清水泡上。火腿切成4厘米长、2厘米宽的条,装入碗内蒸一下取出。荸荠拍烂剁成米状。葱和姜捣烂用料酒取汁。青菜苞用开水氽过,用冷水过凉。

2.虾仁洗净,肥膘肉切薄片,用刀刃和刀背捶剁成细茸,放入荸荠米、葱姜酒汁、蛋清、适量胡椒粉、味精、盐、汤和湿淀粉搅拌成馅。

3.锅内放入普汤、料酒、盐、竹荪,烧开氽过捞出,沥干水分;将竹荪摊开在干纱布上按开水分,撒上干淀粉,铺上虾馅卷成圆筒,放入摸油的盘内。

4.食用前5分钟,将竹荪卷上蒸笼蒸熟取出,装入汤溘内,放胡椒粉;同时锅内放入鸡汤、盐、味精、火腿、青菜苞烧开,调好味,撇去泡沫,装入竹荪卷汤壚内,淋鸡油即成。

【特点】 色彩鲜艳,竹荪脆嫩,汤清味美。

虾茸酿草菇

【原料】 主料:新鲜草菇300克(选用直径3厘米大的)。

配料:虾仁150克,肥膘肉50克,鸡蛋清2个,熟瘦火腿50克,小白菜苞12个。

调料:猪油100克,料酒25克,盐8克,味精1.5克,胡椒粉1克,鸡汤250克,葱15克,姜15克,干淀粉少许,湿淀粉25克,鸡油15克。

【制 法】

1.将葱和姜捣烂,用料酒取汁。火腿切成末。白菜苞洗净。

2.虾仁洗净,肥膘肉去筋切成片,合在一起,放在垫有生肉皮的砧板上,用刀刃和刀背剁成细茸,放入鸡蛋清、葱姜酒汁、胡椒粉、适量的味精、盐、湿淀粉搅拌成馅。

3.将草菇根部的泥沙削去,洗净,下入开水锅内氽过捞出,上端切开成四瓣,下端连着,用净白布按干水分,草菇内部粘上干淀粉,再将虾馅填入草菇内,每个上面按上火腿末,分成四行摆在盘内,上笼蒸8分钟即熟,取出。同时锅内放入油烧沸,下入白菜苞,加盐炒熟入味,拼在草菇的空行之间。锅内放入鸡汤、味精、盐烧开,调好味,用湿淀粉调稀勾芡,放胡椒粉,浇盖在草菇上,淋鸡油即成。

【特点】 色彩鲜艳,滑嫩鲜脆,味美可口。

牡丹鹁蛋虾仁

【原料】 主料:鲜虾仁200克,鹌鹑蛋12个。

配料:熟瘦火腿50克,青豆50克,鸡蛋清8个,小白菜苞12个。

调料:猪油100克,料酒25克,盐8克,味精1克,胡椒粉1克,鸡汤200克,葱25克,姜10克,湿淀粉50克,鸡油10克。

【制 法】

1.葱一半下入开水锅烫一下捞出,晾凉,余下的葱和姜捣烂用料酒取汁。鹌鹑蛋煮熟捞出,剥去壳,下入有盐的汤内浸泡入味。火腿切成小颗。白菜苞洗净。将鸡蛋清7个搅散,放入适量的盐、湿淀粉和汤搅匀,用瓢烫成直径14厘米火的圆皮(切勿烧黄,要保存本色),计12张。

2.将虾仁洗净,沥干水分,用鸡蛋清1个、适量的盐和湿淀粉调制成浆,把虾仁浆好,再放葱姜酒汁、味精、胡椒粉、青豆、火腿丁、猪油50克,拌匀成馅。

3.将蛋皮一张,包入馅心30克、鹌鹑蛋1个,用葱扎紧成牡丹花形,上面放火腿米作花芯,装入摸油的盘中。

4.食用前8分钟,将牡丹鹑蛋虾仁上笼蒸熟取出;同时锅内放入油烧六成热,下入白菜苞,加盐炒入味,拼在周围;锅内放入鸡汤、盐调好味,用湿淀粉调稀

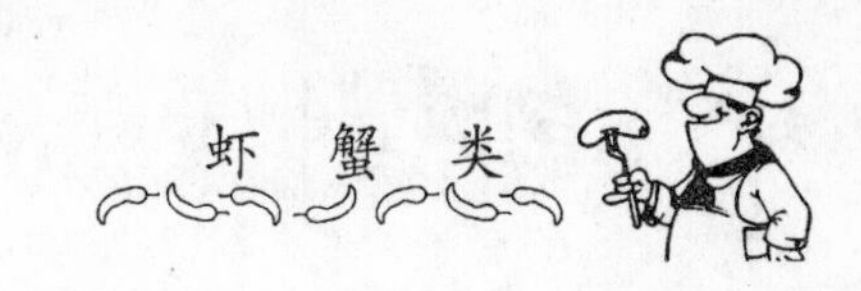

勾流汁芡，浇盖在牡丹鹑蛋虾仁上，淋鸡油即成。

【特点】 形似牡丹，色彩鲜艳，鲜嫩味美。

八宝葫芦虾

【原料】 主料：新鲜人明虾 10 只(计重 300 克左右)。

配料：猪肥膘肉 50 克，熟瘦火腿 30 克，水发去蒂冬菇 30 克，水发金钩 30 克，水发海参 50 克，蒸发莲子 50 克，青豆 30 克，网油 250 克，鸡蛋 3 个，红萝卜 60 克，香菜 100 克，面粉 100 克。

调料：花生油 1000 克(实耗 100 克)，料酒 25 克，精盐 6 克，味精 1.5 克，白糖 2 克，胡椒粉 1 克，葱 10 克，姜 10 克，干淀粉 10 克，湿淀粉 40 克，花椒香油 15 克。

【制 法】

1. 葱切成花。姜切成米。将红萝卜刨去皮，切成 10 厘米长、6 毫米宽、1 毫米厚的薄片，刻成飘带状，用盐腌软。网油洗一遍，晾干水分。香菜摘洗干净。

2. 将海参切成青豆一样人的丁，下入冷水锅烧开余过，晾凉。将肥膘肉、火腿、冬菇、金钩都切成海参一样大的丁，下入油锅煸出香味，烹料酒，放入盐、味精、白糖，用湿淀粉勾点芡，用盘装上晾凉。

3. 将虾去掉头，剥去外壳(但要留尾)，洗净，由虾背片开，挑去沙肠，成为连着的两片虾肉，洗一遍，切下三分之二的虾肉，切成小丁，三分之一的肉连着尾，用葱姜酒汁腌上，然后用鸡蛋清、干淀粉调成浆浆好。

4. 将浆好的虾肉丁、海参丁、青豆、莲子、香油、胡椒粉放入煸好的馅内拌匀。

5. 将网油摊放木板上，撒上一层干面粉，改成 8 厘米大的三角块(计 10 块)，再将八宝虾仁馅和虾尾分放每块网油上，包裹成葫芦状，虾尾露在葫芦口外。将鸡蛋磕在碗里，放入面粉、湿淀粉、适量的水调成鸡蛋糊。

6. 锅内放入油，烧到六成热时，将八宝葫芦虾逐个裹上鸡蛋糊，放在有柄的漏板上，下入油锅，用温火炸至焦酥呈金黄色捞出，把红萝卜飘带缠在葫芦上，摆在盘的周围，淋花椒香油，香菜叶摆在盘中即成。

【特点】 形似葫芦，色彩金黄，外焦酥香，内馅鲜美，宴会大菜。

双味大虾

【原料】 主料：大明虾 20 只(重 750 克左右)。

配料：脆浆 250 克，香菜 30 克。

调料：花生油 1000 克(实耗 120 克)，料酒 30 克，精盐 10 克，味精 1 克，白糖 50 克，胡椒粉 1 克，葱 25 克，姜 25 克，番茄酱 50 克，湿淀粉 15 克，香油 15 克。

【制 法】

1. 葱一半切成花，姜一半切成米，余下的葱和姜捣烂用料酒和少许水取汁。香菜摘洗净。用番茄酱，白糖、汤、湿淀粉、香油兑成汁。

2. 将 10 只人虾的头去掉，剥去虾身壳，但要留尾梢，用刀由背部顺长片进(不片断)，成为两片连着带尾的虾肉，抽去砂线，用清水洗净，沥干水分，再用刀轻轻拍一下，斩断虾肉上筋丝，用葱姜酒汁、适量的盐、糖、味精、胡椒粉腌一下。另 10 只虾用剪刀剪去虾脚、虾须、虾枪，挖出头部的砂包，再从背部剪开，挑去砂线，用清水洗净，沥干水分，用适量的盐和葱姜酒汁腌上。

3. 食用时，锅内放入油烧到六成热，将带尾的虾肉逐只裹上脆浆，下入油锅，炸至酥脆呈金黄色捞出，摆放大盘的周围一圈，虾的空处放香菜；同时将带壳的大虾下入油锅，炸至酥香，倒入漏勺沥油；锅内留 50 克油，下入姜米、葱花煸炒一下，倒入兑汁烧开，随即倒入大虾翻簸几下，使汁裹在虾上，摆入盘的中间即成。

【特点】 色彩美观，一焦脆咸鲜，一香酥甜酸，味别两样，宴会大菜。

翡翠珍珠虾

【原料】 主料：鲜虾仁400克。

配料：猪肥膘肉40克，削皮荸荠30克，鸡蛋清2个，菠菜500克，小白菜苞16个。

调料：猪油100克，料酒20克，精盐8克，味精2克，胡椒粉1克，白糖2克，葱10克，姜10克，干淀粉15克，湿淀粉20克，鸡油10克。

【制　法】

1. 葱和姜捣烂，用料酒和少许水取汁。荸荠剁成米。小白菜苞洗净。菠菜摘叶洗净，下入开水锅煮过捞出，用冷水过凉，用小刀刮去筋，剁成细泥。

2. 将虾仁洗净沥干，一半用净白布按干水分，用鸡蛋清一个，加入干淀粉和适量的盐调匀浆好，下入五成熟油锅滑熟，用盘装上晾凉；另一半和肥膘肉片放在砧板上，用刀背和刀刃捶剁成细茸，加入葱姜酒汁、荸荠米、菠菜泥、白糖、味精、胡椒粉、适量的盐、湿淀粉搅拌成翡翠虾茸料。

3. 备小油碟12个，摸上油，将虾茸料挤成4厘米大的丸子，放在小油碟内，稍抹平，面上按上滑熟虾仁(要按均匀)，即成珍珠翡翠虾。

4. 食用前6分钟，将珍珠虾上笼蒸熟取出，分三行摆入盘内；同时将白菜苞下入油锅，加盐炒入味，拼在翡翠珍珠虾空行处；锅内放入鸡汤、盐、味精烧开，用湿淀粉调稀勾流芡汁，浇在翡翠珍珠虾上，淋鸡油即成。

【特点】 色泽鲜艳，滑嫩香鲜，味美可口。

碧绿葡萄虾

【原料】 主料：鲜虾仁400克。

配料：猪肥膘100克，咸面包100克，削皮荸荠100克，菠菜叶200克，鸡蛋清2个，嫩芹菜梗6根。

调料：花生油1000克(实耗100克)，料酒15克，精盐8克，味精1克，胡椒粉1克，鸡汤150克，葱15克，姜15克，湿淀粉50克，香油少许。

【制　法】

1. 葱和姜捣烂，用料酒和少许水取汁。荸荠拍破剁成米状。菠菜叶洗净，捣烂取汁。芹菜梗下入开水锅氽过，捞出后加点盐、香油拌入味。肥膘肉切成薄片。

2. 将虾仁洗净，沥干水分和肥膘片捶剁成细茸，放入葱姜酒汁、荸荠米、菠菜汁、鸡蛋清、胡椒粉、适量的盐、味精、湿淀粉搅拌成绿色的馅。

3. 将面包切成葡萄叶形的薄片(计10片)，铺满一层馅，摆放在有柄的漏板上。

4. 将芹菜梗摆放在大盘内成葡萄藤状。

5. 锅内放入油烧到五成热时，将余下的馅挤成2厘米大的圆珠(计30个)，下入油锅用温火浸炸熟，捞出待用；再将漏板上的葡萄叶下入油锅用温火炸至焦酥底部呈金黄色取出，摆放在葡萄藤上作叶；另用锅放入鸡汤、虾珠、味精、稍焖收汁，用湿淀粉勾芡，分成3串摆放葡萄叶的空处即成。

【特点】 形似葡萄，一焦酥香，一滑软嫩，味道鲜美。

金银绣球虾丸

【原料】 主料：鲜虾仁200克。

配料：水发嫩子鱿50克，蒸发干贝30克，熟瘦火腿20克，鸡蛋5个，削皮荸荠50克，猪肥膘肉50克，小白菜苞16个。

调料：猪油100克，料酒20克，精盐8克，味精1克，胡椒粉1克，鸡汤150克，

葱 15 克,姜 15 克,湿淀粉 50 克,鸡油 15 克。

【制　法】

1. 葱和姜捣烂,用料酒和少许水取汁。荸荠剁成米状。小白菜苞洗净。火腿切成细丝。

2. 鸡蛋 4 个下入冷水锅烧开煮熟,剥去壳,一切两半,去掉蛋黄,洗一遍,按干水分,切成细丝。鱿鱼冲去碱味,下入汤锅,放入葱姜酒汁、盐,烧开氽过,倒入漏勺,用净白布按干水分,切成细丝。

3. 虾仁制成虾茸制法见以下附注。

4. 将鱿鱼丝和火腿丝、干贝丝拌匀,和蛋白丝分别撒在净白布上,将虾茸料挤成 3 厘米大的丸子,(计 20 个),分别滚成绣球丸,摆放在摸油的平盘内。

5. 食用前 8 分钟,将金银绣球虾丸上笼蒸熟取出,两色绣球虾丸各摆两行在盘内;同时将白菜苞下入油锅加盐炒入味,拼在绣球丸的空行处;另用锅放入油烧到六成热,放入鸡汤、盐、味精烧开,用湿淀粉调稀勾流汁芡,浇在金银绣球丸和白菜苞上,淋鸡油即成。

【特点】　色彩美观,滑嫩鲜香,味美可口。

注:制虾茸料的方法:

将虾仁洗净,沥干水分,和四分之一的肥膘片一起放在垫有生肉皮的砧板上,用刀刃和刀背捶剁成细茸,放入葱姜酒汁、适量的鸡蛋清、盐、味精、胡椒粉、鸡汤、湿淀粉,搅拌成虾茸馅料。

酥炸菊花虾仁

【原料】　主料:鲜虾仁 400 克。

配料:猪肥膘肉 50 克,削皮荸荠 50 克,咸面包 100 克,鸡蛋清 2 个。

调料:花生油 1000 克(实耗 75 克),料酒 15 克,精盐 8 克,味精 1.5 克,胡椒粉 1 克,白糖 1 克,番茄酱 15 克,葱 10 克,姜 10 克,干淀粉 15 克,花椒香油 10 克。

【制　法】

1. 葱和姜捣烂,用料酒和少许水取汁。荸荠拍烂剁成米。香菜摘洗干净。

2. 虾仁洗净沥干,并用净白布按干水分,挑选人虾仁 250 克,用鸡蛋清 1 个、干淀粉和适量的蕃茄酱、盐调匀浆好;其余虾仁和肥膘片用刀刃和刀背捶剁成细茸,加葱姜酒汁、鸡蛋清、荸荠米、味精、胡椒粉、白糖、适量的盐、湿淀粉,搅拌成虾茸料待用。

3. 面包切成直径为 5 厘米、4 毫米厚的圆片(计 12 片),摊放在木板上,铺上一层虾茸料,将浆好的虾仁顺着一个方向,摆放在虾茸上,巾心放一小撮蛋松,即成菊花形,然后移放在有柄的铝制漏板上。

4. 锅内放入油烧到五成热时,将摆菊花虾的漏板下入油锅,用温火炸至面包底部焦酥呈金黄色,面上浇油淋炸一下即熟,取出摆放盘中,周围拼香菜即成。

【特点】　形似红菊花,色泽鲜艳,酥脆香鲜,味美可口。

凤尾虾排

【原料】　主料:带尾大明虾 12 只。

配料:咸面包 100 克,鸡蛋清 4 个,熟瘦火腿 50 克,香菜 50 克。

调料:花生油 1000 克(实耗 80 克),料酒 15 克,精盐 6 克,味精 1 克,胡椒粉 1 克,白糖少许,葱 15 克,姜 15 克,干淀粉 30 克,香油 10 克。

【制　法】

1. 葱和姜捣烂,用料酒和少许水取汁。火腿切成小菱形片。香菜摘洗干净。

2. 将明虾从背部片开,挑出砂线,清洗一遍,沥干水分,用葱姜酒汁、盐、味精、白糖、胡椒粉腌一下。将鸡蛋清装入深边盘内,用筷子打起发泡,加入适量的干淀粉搅拌成雪花糊。

3. 将面包切成 6 厘米长、4 厘米宽、3

毫米厚的尖桃形片（计12片），摊放木板上，用手捏住虾尾逐只裹上雪花糊，贴在面包上（虾尾贴在面包尖的一端），然后将火腿片和香菜点缀成花朵图案。

4.食用时，锅内放入油烧到五成热，将净凤尾虾排逐块下入油锅（面包片朝下），用温火炸至面包焦酥呈金黄色，表面淋油炸两遍即熟，捞出整齐地摆在盘内，淋香油即成。

【特点】 色彩鲜艳，焦脆香酥。

鸡汁玉米虾丸

【原料】 主料：嫩玉米500克，虾仁200克。

配料：熟瘦火腿25克，猪肥膘肉50克，鸡蛋清2个，削皮荸荠50克，小白菜苞12个。

调料：猪油100克，料酒15克，精盐8克，味精1.5克，胡椒粉1克，白糖2克，湿淀粉25克，鸡汤200克，鸡油10克。

【制　法】

1.葱和姜捣烂，用料酒和少许水取汁。火腿切成米。荸荠剁成米。白菜苞洗净。将玉米下入开水锅煮熟捞出，用小刀掰下玉米籽待用。

2.虾仁洗净，沥干水分，和肥膘片一起，用刀背和刀刃捶剁成细茸，放入葱姜酒汁、鸡蛋清、荸荠米、胡椒粉、白糖和适量的盐、味精、湿淀粉搅拌成虾茸料。

3.将玉米籽和火腿米拌匀，撒在净白布上，再将虾茸料挤成3厘米大　的丸子，滚粘上玉米籽、火腿米，放在摸油的盘内。

4.食用前6分钟，将玉米虾丸上笼蒸熟，取出装入盘中；同时将白菜苞下入油锅加盐炒入味，拼在虾丸的周围；锅内放入鸡汤、盐、味精，用湿淀粉调稀勾流芡汁，浇盖在玉米虾丸上，淋鸡油即成。

【特点】 色彩美观，滑嫩香鲜。

腰果熘虾仁

【原料】 主料：大活河虾1000克。

配料：腰果100克，熟瘦火腿30克，鸡蛋清1个。

调料：猪油1000克，（实耗100克），料酒10克，精盐6克，味精1克，鸡汤50克，胡椒粉1克，葱10克，姜10克，干淀粉15克，湿淀粉6克，鸡油10克。

【制　法】

1.葱切成花。姜切成米。火腿切成小颗。

2.虾仁加工（方法见“青豆炒虾仁”）后，用鸡蛋清和适量的干淀粉、盐调制成浆，把虾仁浆好。

3.将腰果下入油锅，用温火炸至焦脆呈金黄色，捞出待用。用鸡汤、味精、胡椒粉、湿淀粉兑成汁。

4.将一锅烧热，放入油烧到五成热时，下入浆好的虾仁，用筷子轻轻拨散滑熟，倒入漏勺沥油；锅内留底油，下入姜米炒一下，随后倒入滑熟虾仁、火腿、葱花，烹料酒和兑汁，加入腰果，翻炒几下，装入盘内，淋鸡油即成。

【特点】 虾仁滑嫩，腰果酥脆。

百合虾茸

【原料】 主料：新鲜百合600克，鲜虾仁200克。

配料：猪肥膘肉50克，鸡蛋清2个，熟瘦火腿20克，小白菜苞16个。

调料：猪油100克，料酒15克，精盐10克，味精1克，胡椒粉1克，白糖少许，鸡汤250克，葱15克，姜15克，精白干淀粉15克，湿淀粉40克，鸡油15克。

【制　法】

1.葱和姜捣烂，用料酒和少许水取汁。火腿切成末。白菜苞洗净。

2.将百合外层色老的部分剥去不用，再剥下白色的瓣，剥至中心为止，清洗一遍，下入开水锅煮一下（切勿煮烂，否则影响质量）捞出，用冷水过凉待用。

3.虾仁制成虾茸料。

4.备小碟12个，摸上油，将虾茸料

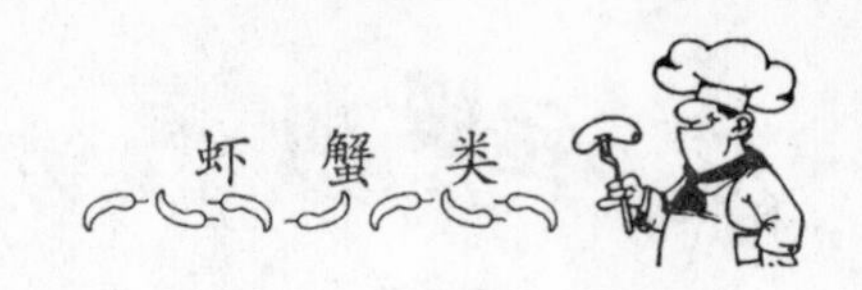

挤成3厘米大的丸子,放在小碟内,撒干淀粉和火腿末,把小的百合瓣插入虾茸料中心,向外一层比一层大地插成百合形。

5. 食用前8分钟,将百合虾茸上笼蒸熟取出,分两行摆入长盘内,同时把白菜苞下入油锅加盐炒入味,拼在百合虾茸的空行处和两边,锅内放入鸡汤、盐、味精烧开,调好味,用湿淀粉调稀勾芡汁,浇在百合虾茸和白菜苞上,淋鸡油即成。

【特点】 虾茸滑嫩,百合柔软。

酥炸虾卷

【原料】 主料:大明虾12只(重450克左右)。

配料:熟瘦火腿70克,水发去蒂冬菇50克,净熟冬笋70克,鸡蛋2个,咸面包渣100克,面粉50克,香菜100克,大红番茄2个。

调料:猪油1000克(实耗100克),料酒15克,精盐6克,味精1克,胡椒粉1克,白糖少许,葱25克,姜15克,花椒香油15克。

【制　法】

1. 葱白切成4厘米长的段,余下的葱和姜捣烂用料酒和少许水取汁。火腿、冬菇、冬笋都切成4厘米长的粗丝。番茄用开水烫一下,剥去皮,去掉部分瓤,切成荷花瓣形(计12块)。香菜摘洗干净。

2. 将明虾的头、壳、尾剥净,逐只片开背部,挑去砂线,清洗干净,沥干水分,用刀轻轻拍一下,用葱姜酒汁、盐、味精、白糖,胡椒粉拌匀腌上。鸡蛋磕在碗里搅散成液。

3. 将明虾摊开放木板上,把火腿丝、冬菇丝、冬笋丝、葱白段各两根,横放在虾尾部,由尾部卷成卷,逐只粘上干面粉,再在鸡蛋液内拖一下,然后滚上面包渣。

4. 食用时,锅内放入油烧到六成热,将虾卷逐只下入油锅,用温火炸至焦酥呈金黄色时,倒入漏勺沥油,摆放长腰盘内,淋花椒香油,再把红番茄瓣和香菜拼放两边即成。

【特点】 色彩美观,酥脆香鲜。

金巢虾仁

【原料】 主料:虾仁350克。

配料:熟瘦火腿50克,嫩黄瓜250克,鸡蛋清2个,槟榔芋400克。

调料:花生油1000克(实耗120克),料酒15克,精盐8克,味精1克,胡椒粉1克,葱10克,姜10克,干淀粉70克,面粉25克,湿淀粉15克。

【制　法】

1. 葱切成花。姜切成米。黄瓜刨去皮去掉瓤和籽,与火腿切同虾仁一样大的菱形小块。用鸡汤、味精、胡椒粉、湿淀粉、葱花兑成汁。

2. 将虾仁洗净,用净白布按干水分,用鸡蛋清、适量的盐和干淀粉调匀成浆,把虾仁浆好。

3. 将槟榔芋的皮削去,切成长粗丝,用少许盐腌软,再用鸡蛋清、适量的干淀粉和面粉调成浆,浆好。备10个腰圆形的点心模具,抹上油,依次将槟榔芋丝一根接一根地回环,连接起来成为一个椭圆形环状,下入油锅炸成浅黄色,即成小雀巢待用。

4. 食用时,锅内放入油烧到七成热,将点心模具内小雀巢下入油锅重炸至呈金黄色取出,摆放入盘内;同时另用锅放入油烧到五成热,下入虾仁,用筷子拨散滑八成熟,倒入漏勺沥油;锅内留50克油,下入姜米、黄瓜、火腿,加盐炒一下,随即倒入虾仁和兑汁,翻簸几下,装入10个金巢内即成。

【特点】 色泽美观,虾仁滑嫩,金巢酥脆,香鲜味美。

焦炸螃蟹

【原料】 主料:活螃蟹500克。

配料:鸡蛋1个。

调料:花生油1000克(实耗100克),料酒25克,盐5克,味精1.5克,湿淀粉25克,面粉50克,五香粉0.5克,香油15克,葱10克,姜10克。

【制 法】

1. 先将螃蟹用清水洗一遍,再将蟹的背壳和底板砍掉,人的切三刀成6块,小的切两刀4块(注意不要弄掉蟹脚),用料酒和盐把蟹腌上。葱切成花。姜切成米。

2. 将腌蟹水分沥干,撒上味精,用鸡蛋、面粉、湿淀粉和适量的水调制成糊,把蟹裹上糊。

3. 将花生油烧沸,用筷子将上糊的蟹逐块下入油锅炸焦酥透呈金黄色,然后滗去油,加入葱、姜米、五香粉和香油,簸几下便装入盘内。

【特点】 焦脆香酥,下酒佳肴。

煎烹连壳蟹

【原料】 主料:活螃蟹750克。

配料:香菜150克,面粉50克。

调料:猪油150克,料酒25克,盐5克,酱油15克,香醋10克,味精1.5克,汤50克,葱15克,姜15克,湿淀粉10克,香油15克。

【制 法】

1. 将螃蟹用清水洗净,先切下蟹腿和螯,再除去蟹壳和鳃以及脐板,将蟹腿和螯的毛刮净,切下两头关节;蟹身一切两开砍成约3厘米长、2厘米宽的块,底板一面朝下,摊放平盘内,撒上面粉待用。香菜摘洗干净。葱切花。姜切米。

2. 将上列调料和葱花、姜米加湿淀粉和少许汤兑成汁。

3. 将猪油烧到七成热时,把蟹下入油锅,两面煎成焦酥透时(火不宜大以免煎糊),烹料酒,随即倒入兑好的汁,翻簸几下,装入盘内,拼香菜即成。

【特点】 焦脆香酥,味道鲜美,适宜下酒。

蟹黄锅巴

【原料】 主料:活螃蟹1500克。

配料:大米锅巴200克。

调料:猪油1000克,(实耗150克),料酒50克,精盐8克,味精2克,鸡汤1000克,胡椒粉1克,葱15克,姜15克,湿淀粉50克,香油10克。

【制 法】

1. 螃蟹出肉加工方法见下而注2。葱切成花。姜切成米。锅巴掰成四厘米见方的块。

2. 食用时,锅内放入100克油烧到六成热时,下入姜米煸炒,随下入葱花、蟹黄肉炒一下,烹料酒,加入鸡汤、盐、味精、胡椒粉烧开,调好味,用湿淀粉调稀勾汁欠。装入汤WF内淋香油。

3. 另用锅放入油烧到七成热时,下入锅巴炸到焦酥呈金黄色,倒入漏勺沥油,装入另一汤WF内,一手端炸锅巴,一手端蟹黄羹,先将锅巴放在桌上,立即将蟹黄羹倒入锅巴内,即闻劈拍炸响,有声有色,随上姜醋汁两小碗即成。

【特点】 色泽金黄,锅巴松酥,蟹羹浓香,别有风味。

注:①烩蟹黄羹和炸锅巴要配合好,做到蟹黄羹烩好,锅巴已炸酥透,否则锅巴不酥脆,浇上不响,而且垫牙。

②蟹的出肉加上方法:先把蟹煮或蒸至蟹壳呈红黄色熟透时取出,分腿、螯、脐、身个部位肉(应注意死蟹大多变质有毒,不宜食用)。

(a)出腿肉:蟹肚朝上,头朝外,用手向前扳下蟹腿,剪去两头,用擀面杖在蟹腿上滚压,即可挤出

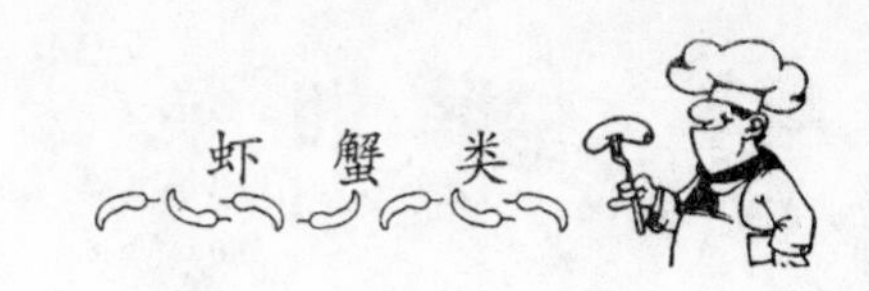

腿肉。

(b)出螯肉(即钳肉):扳下蟹螯,先用刀轻拍破壳,再剥去壳,肉即取出。

(c)出蟹黄:先扳下蟹脐,挖下蟹黄,再剥去蟹斗(蟹的背甲),挖出蟹黄。

(d)出身肉:整只蟹除去腿、螯、背脐后即为蟹身,用刀将蟹身片开,再用尖刀或竹扦取出蟹肉。

蟹黄盒子

【原料】 主料:人活螃蟹10只(选一样大小的)。

配料:蟹背壳10只(选大小一致的)。

调料:猪油150克,盐10克,味精5克,料酒50克,葱15克,姜15克,香油50克,鸡汤1000克,胡椒粉0.5克。

【制　法】

1. 螃蟹初步加工见“蟹出肉加工方法”,蟹壳用温水洗净待用。姜切米。葱切花。

2. 将猪油烧沸,先下入姜米煸炒,再下入蟹肉加料酒炒几下,放入鸡汤、盐、味精,烧开调好味,用湿淀粉调稀勾芡,舀入10个蟹壳内;再将猪油烧沸,下入姜米、蟹黄,烹料酒,炒至呈金黄色、油汁烹起泡时,放入葱花,浇盖在蟹肉上,再用10个蟹壳盖好。

3. 食用前15分钟,将蟹黄盒子上笼蒸热取出,用小餐盘托上,每人一个,随上姜醋汁阿小碗即成。

【特点】 味浓极鲜,别有风味。

蟹黄菊花

【原料】 主料:活螃蟹1500克。

配料:大白菊花4朵。

调料:猪油150克,料酒50克,味精2.5克,盐10克,香油25克,葱15克,姜15克,湿淀粉40克,鸡汤1000克。

【制　法】

1. 螃蟹初步加工见“蟹出肉加工法”。姜切末。葱切花。

2. 将菊花摘下花瓣,再切去花尖(花尖有苦味),然后洗净消毒。

3. 将猪油烧到六成热时,先下入姜末炒一下,再下入蟹肉,烹料酒炒几下,放入鸡汤、盐、味精、胡椒粉、葱花,调好味后用湿淀粉调稀勾芡,舀一半放汤WF内,把菊花撒入,另一半盖在菊花上。

4. 将猪油烧到六成热时,下入蟹黄,加入余下的料酒、葱、姜末,炒到呈金黄色、油汁烹起泡时,浇盖在蟹肉菊花上,随上两小碗姜醋即成。

【特点】 浓汁花香,味极鲜美。

蟹黄蛋白

【原料】 主料:活螃蟹750克。

配料:鲜鸡蛋500克。

调料:猪油150克,料酒50克,盐8克,味精1.5克,鸡汤500克,胡椒粉0.5克,香油25克,葱15克,姜15克,湿淀粉25克。

【制　法】

1. 螃蟹初步加工见“蟹出肉加工法”。

2. 鸡蛋用水煮熟,剥壳后切开成四瓣,去掉蛋黄,将两头厚的蛋白片去,使之厚薄一致,洗一遍就用凉水泡上。葱切花。姜切末。

3. 将猪油烧到六成热,先下入姜末煸炒,再下入蟹肉炒几下,烹料酒,加鸡汤、盐、味精、蛋白、胡椒粉、葱花,调好味后用湿淀粉调稀勾芡,装入深盘内。

4. 将猪油烧到六成热时,下入姜末和蟹黄炒一下,烹料酒,炒至呈金黄色、油汁烹起泡时,放入葱花浇盖在蟹肉蛋白上,淋香油即成。

【特点】 金黄鲜艳,鲜嫩味美。

蟹黄芽白卷

【原料】 主料:活螃蟹1250克。

配料:芽白叶1000克。

调料:猪油 150 克,料酒 50 克,盐 10 克,味精 2.5 克,鸡汤 500 克,鸡油 15 克,胡椒粉 0.5 克,香油 15 克,姜 15 克,葱 15 克,湿淀粉 50 克。

【制　法】

1. 螃蟹加工见“蟹出肉加工法”。姜切末。葱切花。

2. 将猪油烧到六成热,先下入姜末煸炒,再下入蟹黄和蟹肉,炒几下便烹料酒,放入鸡汤 250 克以及盐、味精、胡椒粉、葱花,调好味后用湿淀粉调稀勾芡,装盘晾凉。

3. 芽白叶洗净,下入开水锅烫过,用冷水过凉后捞出,挤干水分,修改成 4 厘米火的方块,摊放木板上,将炒好的蟹黄放在芽白叶的一角,包成长方块(如此包完),用碗扣上。

4. 食用前 10 分钟,上笼蒸热取出,翻扑盘内;同时将猪油烧到六成熟,放入鸡汤及余下的盐和味精,用湿淀粉调稀勾流芡,浇盖在蟹黄芽白卷上,淋鸡油即成。

【特点】 柔软味鲜,香嫩可口。

注:亦可将芽白切成丝炒熟,放在蟹黄一起烩制,叫蟹黄芽白丝。

芙蓉蟹黄羹

【原料】 主料:活螃蟹 1000 克。

配料:鲜鸡蛋 8 个。

调料:猪油 50 克,料酒 25 克,盐 10 克,味精 1.5 克,凉鸡汤 500 克,胡椒粉 1 克,葱 10 克、姜 10 克,香油 15 克。

【制　法】

1. 螃蟹初步加工见“蟹出肉加工法”。葱切成花。姜切成米。

2. 鸡蛋去黄用清,用筷子搅散,放入适量的凉鸡汤、料酒、盐、味精、胡椒粉、蟹肉搅匀。

3. 食用前 10 分钟,将蟹肉一半装入汤 WF 内,上笼蒸熟取出,再将余下的一半加在上面,上笼蒸熟。

4. 食用时,待锅中放入的猪油烧到六成热时,下入姜米和蟹黄,炒一下便烹料酒,待炒至金黄色、油汁烹起来时,加入葱花、香油,同时取出关蓉蟹肉,再将蟹黄浇盖在上面即成。

【特点】 色彩金黄,鲜嫩味美。

蟹黄粉松

【原料】 主料:活螃蟹 1250 克。

配料:干粉丝 50 克。

调料:猪油 1000 克(实耗 150 克),料酒 50 克,盐 10 克,味精 1.5 克,鸡汤 1000 克,胡椒粉 0.5 克,葱 15 克,姜 15 克,湿淀粉 50 克,香油 15 克。

【制　法】

1. 螃蟹初步加工见“蟹出肉加工法”。细粉切成 8 厘米长段。姜切米。葱切花。

2. 食用时,将猪油烧到六成热时,下入姜米、蟹黄和蟹肉稍炒一下,烹料酒,放入鸡汤、盐、味精、胡椒粉,调好味便用湿淀粉调稀勾流芡,加入葱花,装入大碗内。

3. 再将猪油烧到七成热,下入粉丝炸酥呈金黄色,滗去油,装入汤 WF 内,一手端蟹黄羹,一手端炸粉丝,先把粉丝放在桌上,再将蟹黄羹倒入粉丝上,即发出响声。

【特点】 香浓松软,味极鲜美。

鸡汁蟹黄虾

【原料】 主料:活螃蟹 750 克,虾仁 150 克。

配料:猪肥膘肉 40 克,鸡蛋清 2 个,削皮荸荠 50 克,小青菜苞 16 个。

调料:猪油 100 克,料酒 30 克,精盐 8 克,味精 1 免,胡椒粉 1 克,白糖 2 克,鸡汤 250 克,葱 15 克,姜 15 克,湿淀粉 50 克,鸡油 10 克。

【制　法】

1. 螃蟹经出肉加工。葱和姜捣烂用

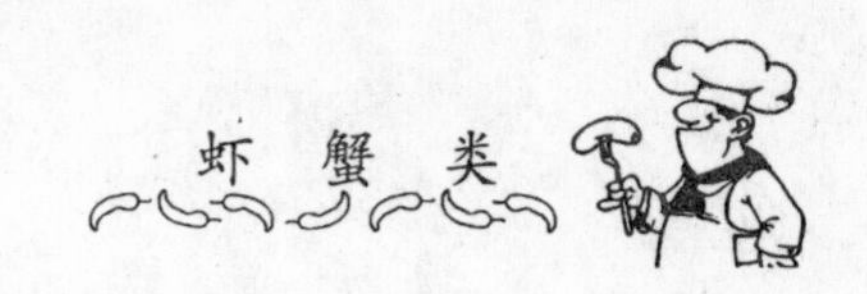

料酒取汁。荸荠拍烂剁成米。青菜苞洗净。

2. 虾仁和肥膘肉制成虾茸，放入葱姜酒汁、盐、味精、白糖、少许鸡汤、胡椒粉、鸡蛋清搅上劲，加入荸荠米、蟹肉拌匀成蟹虾料。蟹黄切成小颗。

3. 备 20 个小调羹，摸上油，将蟹虾料舀入调羹内（中间高点），表面按上几颗蟹黄，上笼蒸熟取出，分 3 行摆放盘内；同时将青菜苞下入油锅加盐炒入味，拼在蟹黄虾的空行处；锅内放入鸡汤、盐、味精，用湿淀粉调稀勾芡，浇盖在蟹黄虾上，淋鸡油，随上两小碗姜醋汁即成。

【特点】 色泽美观，滑软香嫩，味道鲜美。

九味汁烹螃蟹

【原料】 主料：活螃蟹 1000 克。

配料：鸡蛋清 3 个，面粉 30 克，香菜 100 克。

调料：花生油 1000 克（实耗 100 克），料酒 20 克，精盐 8 克，味精 1.5 克，白糖 15 克，米醋 10 克，花椒粉 2 克，辣椒酱 25 克，大蒜仁 15 克，葱 15 克，姜 15 克，湿淀粉 25 克，香油 10 克。

【制　法】

1. 将螃蟹洗净，再将蟹的背壳和底板砍掉，除去鳃，大的切 3 刀成 6 块，小的切两刀成 4 块（每块都要连着腿），用盘装上，用少许料酒和盐腌一下。

2. 蒜仁拍破剁成泥。葱切成花。姜切成米。香菜摘洗干净。鸡蛋清放在碗内，加面粉、湿淀粉调制成稀糊。用料酒、精盐、味精、白糖、米醋、辣椒酱、湿淀粉、葱花、香油兑成汁。

3. 锅内放油烧至六成热时，将螃蟹逐块裹上蛋糊，下入油锅炸透至焦酥呈金黄色，置漏勺沥油；锅留底油，下蒜泥、姜米、花椒粉炒出香味，倒入炸好的螃蟹，随即烹入料酒和兑汁，翻簸几下，装入盘内，边上拼香菜即成。

【特点】 色泽红亮，焦酥香脆，多味鲜美。

鸭 类

香酥肥鸭

【原料】 主料:北京鸭 1 只(重约 2000 克)。

配料:鸡蛋 2 个,香菜 150 克。

调料:花生油 1000 克(实耗 100 克),盐 15 克,糖 15 克,料酒 50 克,酱油少许,香油 50 克,葱 25 克,姜 25 克,花椒子 30 粒,花椒粉 1 克,干淀粉 30 克。

【制 法】

1. 葱、姜要拍破。香菜摘洗干净。

2. 鸭宰杀去净毛,开膛去内脏挖去尾臊,洗净后用拍破葱、姜和花椒子以及上列调料将鸭腌约 2 小时,应特别着重于肉厚的部分,脯和腿多搓几遍,腹内要撒些盐进去,用双手抱着鸭晃动几下,使味渗透鸭肉。

3. 把腌好的鸭子上笼蒸 2 小时,用手提翅膀即离身则已酥烂,取出,去掉葱、姜、花椒子,用漏勺沥去汁,拆净骨,砍下翅膀、头和脚,留下待用。

4. 鸡蛋清加干淀粉调制成糊,把鸭全身糊上。

5. 将花生油烧到七成热时,下入上糊的鸭肉、头、脚及翅膀,炸焦酥呈金黄色捞出,鸭子砍成条,整齐地摆入长盘,用翅膀、头、脚摆成鸭形,撒花椒粉,淋香油,拼上香菜即成。

【特点】 焦酥鲜香,宴会人菜。

脆皮糯米鸭

【原料】 主料:北京鸭 1 只(重约 2000 克)。

配料:糯米 150 克,火腿 50 克,金钩 25 克,猪肥膘肉 100 克,水发香菇 50 克,香菜 150 克。

调料:花生油 1000 克(实耗 100 克),盐 10 克,酱油 10 克,料酒 50 克,味精 1.5 克,糖 10 克,胡椒粉 1 克,香油 25 克,葱 15 克,姜 15 克,花椒粉 0.5 克,花椒子 20 粒,干淀粉 25 克。

【制 法】

1. 葱、姜拍破。香菜摘洗干净。

2. 鸭宰杀去净毛,洗净后将鸭去净骨,鸭皮要保持完整不破(见“鸡去净骨鸡皮完整法”);取下部分鸭肉待用,用拍破葱、姜、花椒子、盐、酱油、料酒和糖腌约 1 小时。

3. 将鸭肉、肥膘肉、火腿、泡发的金钩、去蒂洗净的香菇都切成小指头一般大小的方丁。

4. 糯米淘洗干净,放入开水锅氽过,用冷水过凉,沥干水分,加入鸭肉及上列配料,用味精、盐、胡椒粉拌匀制成馅。

5. 将馅从鸭子的颈皮开口处灌入(灌的馅不能太满,以免蒸熟发涨,撑破鸭子的皮),用针线缝好开口处,用手轻轻按平,上笼蒸 2 小时左右,至皮软馅熟为准,取出后去掉葱、姜、花椒子。

6. 食用时,将花生油烧到七成热,在鸭子身上抹一层干淀粉后,下入油锅,炸焦酥呈金黄色捞出,抽出线,将鸭片开成两边,再将馅的一面煎至呈金黄色取出,切条装入长盘,背部摆放盘底,胸部覆盖上面,头、脚、翅膀摆成鸭形,撒花椒粉,淋香油,拼上香菜即成。

【特点】 鸭皮酥香，馅鲜味美。

注：鸡亦可按此法制作。

糖醋焦酥鸭

【原料】 主料：加工光鸭1只（重约1500克）。

配料：猪肥膘肉150克、鸡蛋2个。

调料：花生油1000克（实耗100克），白糖75克，盐5克，酱油25克，香油10克，葱25克，姜25克，面粉100克，湿淀粉50克。

【制　法】

1. 将鸭去净毛和内脏，洗净后放入开水锅煮熟，捞出时用清水洗一遍，然后放入沙锅内，再放水（水以没过鸭子为准）、盐、酱油、料酒和拍破的葱、姜各15克，在旺火上烧开，撇去泡沫，移用小火煨七成烂取出，稍冷，去净骨，剥下鸭皮待用，鸭肉切成丝。

2. 肥膘肉放入汤锅煮熟，切成细丝。余下姜切丝。葱切段。

3. 用鸡蛋、湿淀粉、面粉和适量的水调制成糊，放入鸭肉丝和肥膘丝拌匀成馅。用白糖、醋、酱油、湿淀粉和少许汤兑成汁。

4. 将一平盘摸上油，将鸭皮抹上蛋糊，放入盘内（皮而朝下），再把鸭肉馅放在鸭皮上按平。

5. 将花生油烧沸，把鸭肉用铲子慢慢推下油锅，边炸边按薄，炸全呈黄色捞出。

6. 食用时，重炸焦酥呈金黄色捞出，切成5厘米长、2厘米宽的条，摆在盘中；锅内留50克油，把兑好的糖醋汁搅起倒入锅内烹制，出锅时加点热油，使油汁烹起，再用小碗装上，一手端鸭块放在桌上，一手端糖醋汁倒入鸭块上即成。

【特点】 焦脆香酥，甜酸可口。

注：鸡亦可按此法制作。

冬瓜鸭盅

【原料】 主料：北京鸭1只（重约1750克）。

配料：冬瓜一节（口直径和高度为20厘米左右），熟火腿50克，金钩、干贝各25克，水发冬菇50克，净冬笋50克，莲子50克。

调料：料酒25克，盐15克，味精2.5克，胡椒粉1克，葱15克，姜15克。

【制　法】

1. 鸭宰杀去净毛，开膛去内脏洗净，放入汤锅白煮熟（断生为准），捞出来洗一遍后，去净骨，切成2厘米大的方块。

2. 干贝拣去边上白色的老筋，连同金钩一起洗一遍。

3. 白莲用碱洗去皮，用竹扦去芯，用开水氽过，除去碱味，然后放入开水上笼蒸发。葱白切段，余下葱和姜拍破。

4. 冬菇去蒂洗净，冬笋和火腿均切成中指甲大的片，放入干贝、金钩、鸭肉和拍破葱姜，加上料酒、盐以及汤，上笼蒸约2小时（蒸烂为止），取出后去掉葱姜。

5. 冬瓜洗净，用小瓢挖去一层软瓤，将冬瓜刹上鱼齿花刀，并在皮面用小刀雕刻图案花纹，用汤WF装上。

6. 食用前1小时，把鸭馅及莲子加味精调好，装入冬瓜内，上笼蒸熟透，取出后放胡椒粉和葱段即成。

【特点】 清淡味鲜，别有风味。

注：①鸡亦可按此法制作。

②鸭馅装入西瓜内来蒸，叫西瓜鸭盅。

葵花鸭片

【原料】 主料：肥北京鸭1只（重约1750克）。

配料：熟火腿150克，水发冬菇100克，净冬笋150克，红萝卜500克。

调料：猪油500克（实耗100克），料酒25克，味精2克，白糖2.5克，鸡汤250克，胡椒粉1克，香油15克，盐10克，葱15克，姜10克。

【制　法】

1. 鸭子宰杀去净毛，开膛去内脏洗净，放入汤锅白煮（断生为准），捞出放入清水内，用夹子将残存的毛抉净，再用水洗一遍，去净骨（见“去净骨加工法”），斜片成4厘米长、3厘米宽、6毫米厚的片。火腿、冬笋切成同鸭片大小一样的片。冬菇去蒂洗一遍。葱一半切成花，余下的葱和姜拍破。

2. 用一深盘，火腿、冬菇、冬笋分别排入鸭肉一片（鸭皮朝下）。将上列配料及鸭片分两层排放在盘子的周围，再放入余下的各种原料，加进盐、葱、姜和鸡汤，上笼蒸烂取出。

3. 红萝卜洗净刮去皮，一切两半，切成2厘米厚、4厘米长的半月形，下入油锅炸熟，加盐、汤稍焖入味。

4. 食用前15分钟，把排好鸭片、红萝卜上笼蒸热取出，去掉葱、姜。猪油烧到六成热，将鸭片原汤滗入锅内，加味精，用湿淀粉调稀勾芡，将鸭片翻扑盘内，周围用红萝卜拼成葵花形，撒胡椒粉，再把汁浇在葵花鸭片上，放葱花和鸡油即成。

【特点】　形似葵花，香浓味鲜。

柴把肥鸭

【原料】　主料：北京鸭1只（已加工好、重约1750克）。

配料：瘦火腿100克，净冬笋100克，水发冬菇100克，青笋3根。

调料：料酒50克，盐10克，味精2.5克，胡椒粉少许，葱25克，姜15克。

【制　法】

1. 鸭子洗净放入汤锅煮熟（断生为准），捞出用清水洗一遍，去净骨（见“去净骨加工法”），切成5厘米长、6毫米粗的条。

2. 火腿、冬笋、冬菇都切成粗丝。青笋用温水泡发，撕成24根细丝。葱白切成段，余下葱和姜拍破。

3. 把青笋丝摆开放在木板上，将鸭条及火腿、冬笋、冬菇均匀地摆在青笋上，捆成柴把形状，装入汤缸内再加清汤、盐、味精、料酒、葱和姜，然后用绵纸浸湿封严，上笼蒸2小时。

4. 食用时，去掉拍破的葱和姜，撒上胡椒粉和葱段即成。

【特点】　味浓清香，清淡不腻。

注：①鸽、鸡亦可按此法制作。

②还可扣入碗内蒸烂，翻扑盘内，勾芡浇汁，红烧或白汁均可。

八宝鸭丁

【原料】　主料：肥鸭1只（已加工，重约1750克）。

配料：熟火腿50克，金钩25克，干贝25克，净冬笋50克，水发冬菇50克，苡米50克，洗好白莲50克，汤500克。

调料：料酒25克，味精2克，胡椒粉1克，葱15克，姜15克，鸡汤500克。

【制　法】

1. 鸭子洗净，放入汤锅煮熟（断生为准），捞出清洗一遍，去净骨后切成2厘米见方的丁，用碗扣好（皮朝下）。

2. 冬菇去蒂和金钩泡发后，与火腿、冬笋一样都切成颗。干贝摘去老筋洗净，苡米用温水泡发洗净，将以上配料和白莲一起拌匀，放入扣好的鸭丁内，再加入拍破的葱、姜、盐、料酒和汤，上笼蒸2小时。

3. 食用时，取出鸭丁翻扑汤WF内。同时，将鸡汤和味精在锅巾烧开，撇去泡沫调好味，然后倒入鸭丁内，撒上胡椒粉和葱段即成。

【特点】　清香酥烂，味道鲜美。

注：鸡亦可按此法制作。

清汤滑鸭球

【原料】　主料：仔母鸭1只（重约1500克）。

配料：鸡蛋5个，口蘑15克，熟火腿

50克,小白菜苞12个。

调料:猪油1000克(实耗100克),料酒25克,盐10克,味精1.5克,白糖2.5克,胡椒粉0.5克,鸡汤1000克。

【制　法】

1. 鸭初步加工(见"鸡去净骨加工法")后,用刀斜片成3厘米长、3厘米宽的肉片。葱、姜捣烂用料酒取汁,加进盐和白糖,将鸭腌约半小时。

2. 鸡蛋去黄用清,用筷子打起发泡,加入适量的干淀粉,调制成雪花蛋糊。

3. 将猪油烧到五成热时,即端离火位,把鸭肉逐片裹上雪花糊,下入油锅炸熟(注意切勿粘连成团,炸至呈黄色),待表面凝固时捞出,再用温水氽过捞出,装入汤WF内,加入汤和适量的盐,上笼蒸2小时左右,蒸烂取出。

4. 口蘑加工的方法见"芙蓉鸡片"火腿切薄片。小白菜苞下入开水内氽过,用冷水过凉。

5. 食用前30分钟,将滑鸭球加入火腿片、、口蘑、味精上笼,蒸热取出;同时将普汤、白菜苞和盐放入锅中烧开,捞出白菜苞,倒入装有滑鸭球汤WF内,撒上胡椒粉即成。

【特点】　色彩鲜艳,滑烂汤鲜,美味可口。

注:鸽、鸡亦可按此法制作。

桃仁酥鸭

【原料】　主料:加工肥鸭1只(重约1500克)。

配料:桃仁100克,削皮荸荠100克,鸡蛋2个,香菜100克。

调料:花生油1000克(实耗100克),料酒50克,盐5克,味精1.5克,酱油15克,白糖15克,香油15克,花椒粉0.5克,葱15克,姜15克,湿淀粉50克。

【制　法】

1. 鸭子洗净,由背脊切开,用料酒、盐、酱油、糖、拍破的葱、姜和花椒子揉搓鸭子全身,腌约1小时后上笼蒸至能去骨时取出,去掉葱、姜、花椒子,待冷后,把鸭皮整张剥下(剥时手要轻,以免弄破),将拆下的鸭肉切成小颗。

2. 桃仁用开水泡后,撕去皮,下入油锅炸焦酥,捞出,剁成小颗。荸荠拍破剁成小颗。香菜摘洗干净。

3. 用鸡蛋、湿淀粉和适量的水调制成稀糊,放下鸭肉丁、桃仁、荸荠以及盐、味精和胡椒粉,拌匀成馅(留下一点蛋糊摸在鸭皮上)。

4. 把鸭皮改成圆形,皮面摸上蛋糊平铺盘内(皮面朝下),把拌好的鸭馅铺在鸭皮上,按平。

5. 将花生油烧沸,把铺好的鸭肉下入油锅,炸到皮脆、肉酥透,呈现金黄色时捞出,切成条装入长盘内,加上花椒粉和香油,周围摆香菜即成。

【特点】　焦脆香酥,味道鲜美。

注:鸡亦可按此法制作。

荷叶粉蒸鸭

【原料】　主料:肥鸭1只(已加工,重约1750克)。

配料:肥膘肉150克,大米50克,糯米50克,八角2个,鲜荷叶6张。

调料:料酒50克,酱油25克,盐5克,糖5克,味精1克,葱15克,姜15克。

【制　法】

1. 肥膘肉切细丝。姜切末。葱切花。

2. 鸭子洗净去净骨,用刀斜片成6厘米长、3厘米宽、1厘米厚的片,加入肥膘肉丝、姜末、葱花和上列调料拌匀,腌约15分钟。

3. 大米和糯米中加入八角,炒至呈黄色后磨成粉,放入鸭片内,加水100克拌匀,鸭片粘上米粉后扣摆盘内,上笼蒸酥烂(肥膘丝基本已熔化)。

4. 将荷叶洗净,大的切6张,每张包入鸭肉1片,用碗扣好,上笼蒸热,食用时,取出翻扑盘内即成。

【特点】 荷叶清香,柔软,味鲜而不腻。

注:鸡亦可按此法制作。

五元蒸鸭块

【原料】 主料:肥鸭1只(已加工,重约1750克)。

配料:荔枝、桂圆、红枣各12粒,枸杞25克,白莲50克。

调料:料酒50克、冰糖100克,盐10克,胡椒粉1克,葱15克,姜15克。

【制 法】

1. 荔枝和桂圆去壳洗净。枸杞洗净。红枣蒸15分钟取出撕去皮。白莲用碱去皮,用竹扦去芯待用。葱、姜拍破。

2. 鸭子洗净,砍成4厘米见方的块,下入开水锅氽熟捞出,洗净后用汤WF装上(皮面朝上),加入汤及料酒、葱、姜、盐和冰糖,上笼蒸3小时取出,去掉葱、姜,再加入上列配料,上笼蒸1小时,食用时取出,撒上胡椒粉即成。

【特点】 甜咸香酥,营养丰富。

注:鸽、鸡亦可按此法制作。

挂炉烤鸭

【原料】 主料:北京肥鸭1只(重约2500克,以填鸭为最好)。

配料:净大葱250克、甜面酱100克,香油100克,饴糖50克,薄饼30张。

燃料:木柴15公斤(每炉可烤6只)。

【制 法】

1. 先将鸭宰杀,沥净血,烫过去净毛(冬春两季用八成开水、二成冷水;夏秋二二季用七成开水、三成冷水),再割掉翅尖两段和脚掌,在鸭左膀下直开一约4厘米长小口,取出内脏,洗净,沥干水分,从鸭颈杀口处吹进气,再在沸水锅中烫约1分钟,把鸭皮烫饱满,在鸭嗉子上一手半处上勾,鸭头垂下,用净布将鸭全身抹干水分,用饴糖50克掺上500克水,趁热淋遍全身,待干时再淋一遍,然后将鸭膀两边打撑,便门用木塞寒住,挂于当风之处吹干(越干越好)。

2. 食用前40分钟,将木柴烧燃,烤炉烧红后扒出明火,这时将鸭内灌入开水50克左右,挂入炉内,烤40分钟左右(其中隔2—3分钟将鸭翻动1次),待鸭全身烤至呈金黄色取出,把便门木塞抽掉(抽塞时,用碗将鸭腹内的油汤接住,以免浪费),在鸭颈离身子约7厘米长的地方砍下头颈,由胸前片一刀,连颈皮扯出,再将鸭膀向左一掰,从尾部起,片下两边腿背皮,然后片下两边胸脯皮,将这些都切成5厘米长、3厘米宽的块摆入长盘中,将鸭头尾劈开摆成鸭形,淋香油,随上葱酱、薄饼各两盘即成。

【特点】 薄饼包鸭皮葱酱吃,皮酥脆,味甜香。

注:①取下鸭肉,切2厘米见方丁,爆出香味,加大蒜、红椒、京酱煸炒烹制,香辣可口。

②鸭架砍成2厘米大块,放入汤熬出味,加豆腐片和盐煮开,放胡椒粉、葱花,汤味极鲜。

③鸭油汤加入打散鸡蛋和盐蒸熟,鲜嫩味美。

清蒸烧鸭块

【原料】 主料:烤北京鸭1只。

配料:水发冬菇50克,小白菜1000克。

调料:料酒50克,盐10克,味精2.5克,胡椒粉0.5克,葱15克,姜15克。

【制 法】

1. 将烤鸭去掉筒子粗骨,砍成4厘米宽、3厘米长的块,装入汤WF内,放入盐、料酒、拍破的葱、姜和水(水以没过鸭块为准),上笼蒸约3小时,蒸至酥烂为止。

2. 冬菇去蒂洗净。小白菜摘去边叶留苞洗净,用开水氽过,用冷水过凉。余下葱切段。

3. 食用时，在锅内放入汤，下入冬菇、小白菜，加盐汆过捞出。同时，取出烧鸭块，去掉葱、姜，加入味精、胡椒粉、冬菇、白菜苞、葱段即成。

【特点】 汤清，酥烂，鲜香，味美。

如意鸭卷

【原料】 主料：鸭脯肉 300 克，熟鸭皮 1 张。

配料：肥膘肉 100 克，熟火腿 50 克，削皮荸荠 100 克，鸡蛋 3 个，小白菜苞 16 个，青菜叶 100 克。

调料：花生油 500 克(实耗 50 克)，猪油 50 克，料酒 50 克，盐 8 克，味精 2.5 克，胡椒粉 0.5 克，葱 10 克，姜 10 克，鸡汤 200 克，干淀粉 50 克，香油 15 克，湿淀粉 30 克。

【制 法】

1. 火腿切成米。荸荠拍烂剁碎。葱、姜捣烂用料酒取汁。鸡蛋去黄留清。青菜叶切成丝。锅内的油烧到六成热，便下入青菜叶丝炸熟(注意保存青色)，捣烂。小白菜苞洗净待用。

2. 将鸭脯肉和肥膘肉切成薄片，放在垫有生肉皮的砧板上，用刀和刀背捶剁成细茸，加入鸡汤、蛋清、盐、味精、胡椒粉、葱姜酒汁和湿淀粉，搅拌成馅。

3. 鸭皮放在砧板上(皮面朝下)，修改整齐，用尖刀扎上一些小眼，用白净布按干油脂水分，撒上干淀粉，将鸭馅平铺在上面，用铲子按实抹平，将火腿米、青菜松各放一端，从两端向中间卷拢，在合拢的空处抹上干淀粉，填入鸭馅，使之粘紧，然后放入抹过油的平盘内，上笼蒸 10 分钟取出，晾凉后切成 1 厘米厚的片，用碗扣上。

4. 食用前 10 分钟，将如意鸭卷上笼蒸热取出翻扑盘中；同时将猪油烧沸，下入白菜苞加盐炒熟，拼在周围；再用锅将油烧到六成热时，放入鸡汤、盐、味精，用湿淀粉调稀勾芡，浇在“如意鸭卷”上面即成。

【特点】 色彩美观，鸭肉松软，味道鲜美。

淡菜蒸鸭块

【原料】 主料：肥北京鸭 1 只(重 2000 克左右)。

配料：淡菜 150 克，小白菜 1.500 克。

调料：料酒 50 克，盐 13 克，味精 25 克，胡椒粉 1 克，葱 15 克，姜 15 克，普汤 250 克。

【制 法】

1. 淡菜用温水泡上，待胀透发软时洗一遍，用剪刀剪去内毛和老肉，洗净泥沙，用清水泡上。葱白切段。余下葱和姜一起拍破。小白菜摘去边叶留小苞，洗净，用开水汆过，用冷水过凉。

2. 鸭宰杀去净毛，由背脊骨开膛去内脏，洗净，砍成 4 厘米大的方块，下入开水锅煮过捞出，洗净血沫，摆入汤 WF 内，加入淡菜、葱、姜、料酒、盐和适量的水，用绵白纸浸湿封严，上笼蒸烂透。

3. 食用时，锅内放入普汤、白菜苞和盐，烧开汆过捞出，同时取出淡菜鸭块，揭开纸，挑去葱、姜，加入味精、胡椒粉、葱段、白菜苞，将原纸盖上即成。

【特点】 清润鲜香，味道鲜美。

注：淡菜要轻轻地洗净泥沙，否则会把淡菜弄碎，影响质量。

烩鸭舌掌

【原料】 主料：鸭掌 16 个，鸭舌 16 个。

配料：口蘑 20 克，熟冬笋 50 克，豆苗 500 克。

调料：猪油 100 克，料酒 25 克，盐 10 克，味精 1.5 克，鸡汤 500 克，胡椒粉 0.5 克，香油 10 克，湿淀粉 25 克，葱 10 克。

【制 法】

1. 鸭掌去净粗皮，鸭舌撕去白膜皮

后洗净，都放入汤锅中煮到五成烂（不能煮太烂，以能去骨为准），捞出，用凉水泡上。鸭掌由脚背面剖开，抽掉筋骨，要保持整个不断，再摘去脚爪和掌心的趼皮；鸭舌去掉骨洗净，上笼蒸软蒸烂后取出。

2. 口蘑加工方法与“芙蓉鸡片”同。冬笋切小薄片。豆苗摘苞洗净。葱切段。

3. 将猪油烧到六成热时，再下入冬笋片煸炒，继而下入口蘑、鸭舌掌、鸡汤、盐和味精焖一下，调好味，再下豆苗苞，用湿淀粉调稀勾芡，放入葱段，香油、胡椒粉，装到盘内即成。

【特点】 香嫩味鲜，清爽可口。

清汤酿鸭掌

【原料】 主料：鸭掌24只。

配料：竹荪20克，豆苗250克，熟瘦火腿5克，虾仁100克，肥膘肉50克，鸡蛋1个。

调料：料酒25克，盐10克，味精2.5克，胡椒粉1克，鸡油10克，清鸡汤1250克。

【制 法】

1. 鸭掌初步加工见“烩鸭舌掌”。

2. 竹荪先用温水洗一遍，再用温水泡涨，洗尽泥沙，剖开切成5厘米长、1.5厘米宽的条，用冷水泡上。

3. 虾仁用刀拍烂，肥膘肉切小薄片，放在一起用刀背捶成细茸，加入蛋清、料酒、味精、盐和适量的淀粉，搅拌成馅。

4. 火腿切末。豆苗摘苞洗净。

5. 将鸭掌逐个平摆放盘内（掌心朝上），用净白布按干水分，撒点干淀粉，将虾馅酿在鸭掌上，再按上火腿末。

6. 食用时，将鸭掌上笼蒸5分钟；同时，将清鸡汤、盐、味精和竹荪放入锅内烧开后撇去泡沫，调好味后将豆苗苞装入汤WF内，再将蒸熟的酿鸭掌放进去，加入胡椒粉和鸡油即成。

【特点】 色彩鲜艳，清淡爽口。

仔姜熘仔鸭片

【原料】 主料：肥仔鸭2只（重约1750克）。

配料：净嫩仔姜50克，水发香菇50克，鸡蛋1个。

调料：猪油500克（实耗100克），盐8克，味精1.5克，料酒25克，香油15克。

【制 法】

1. 鸭子宰杀去净毛，开膛去内脏，洗净，去净骨，用斜刀片成5厘米长、3厘米宽的薄片，用蛋清、湿淀粉、盐和料酒把鸭片浆好。

2. 子姜切小片。香菇去蒂片成片。葱切段。用盐、汤、味精和湿淀粉兑成汁。

3. 将一口干净锅烧热，放入的猪油烧到五成热时，下入浆好的鸭片，用筷子拨散，待八成熟时倒入漏勺沥油；锅内留50克油，下入子姜片和香菇加盐煸炒，然后倒入鸭片，将兑汁冲下，簸炒几下，淋香油装入盘内即成。

【特点】滑嫩爽口，味道鲜美。

注：用鸭血、泡菜、红辣椒末和蒜泥末来炒，叫“血糊鸭片”。留鸭血是在杀鸭时，用一小碗放点酒，将鸭血滴入碗内，使鸭血不凝固。

熘鸭肠胰

【原料】 主料：鸭肠胰（胰即肠子上柳叶形的东西）净重500克。

配料：净冬笋50克，水发香菇50克，鲜小红椒25克，大蒜50克。

调料：猪油500克（实耗150克），料酒50克，盐50克，酱油25克，醋50克，味精2克，香油15克，湿淀粉30克。

【制 法】

1. 鸭肠去掉支肠，撕下鸭胰放入水内（保留待用）。将鸭肠用剪刀剖开，刮洗干净，用盐和醋揉搓，以去掉涎液，再用清水冲洗一遍，然后放入开水锅内烫

一下捞出(烫时要火旺、水宽、动作迅速),晾凉后切成5厘米长的段,用料酒、盐、醋揉搓后再在清水中冲洗一遍。

2. 冬笋、香菇、小红椒切成4厘米长、2厘米宽的条片。大蒜切斜段。

3. 用酱油、醋、味精、香油和湿淀粉兑成汁。

4. 食用时,将鸭肠胰挤干水分,拌上少许盐和干淀粉浆好,将猪油烧沸,把鸭肠胰下入油锅全八成熟时,倒入漏勺中沥油。锅内留50克油,下入冬笋、红椒、香菇,加盐煸炒,随即下大蒜及鸭肠胰,烹料酒,倒入兑汁,翻炒几下装入盘内即成。

【特点】 香辣脆嫩,酒饭均宜。

麻仁香酥鸭

【原料】 主料:肥鸭一只(约2000克)

配料:芝麻50克,熟猪肥膘肉50克,熟瘦火腿10克,香菜100克。

调料:鸡蛋1个,鸡蛋清3个,绍酒25克,精盐8克,白糖5克,味精1.5克,花椒子20粒,花椒粉1克,葱15克,姜15克,干淀粉50克,面粉50克,芝麻油10克,花生油1000克(实耗100克)。

【制 法】

1. 将净鸭用绍酒、精盐、白糖、花椒子和拍破的葱姜腌约2小时,上笼蒸至八成烂,取出晾凉,先切下头、翅、掌,再将鸭身剔尽骨,从腿,脯肉厚的部位剔下的肉切成丝。火腿切成末。肥膘肉切成细丝。鸡蛋打在碗内,放入面粉、干淀粉10克、清水50克,调制成糊。香菜摘洗干净。

2. 将鸭皮表面抹一层蛋糊,摊放在抹过油的甲盘中。把肥膘肉丝和鸭肉丝放在余下的蛋糊内,加入味精拌匀,平铺在鸭皮内而,下入油锅炸至呈金黄色捞出,盛放平盘内。

3. 将鸡蛋清打起发泡,加入干淀粉40克,调制成雪花糊,铺在鸭肉面上,撒上芝麻和火腿末。锅内放入花生油,烧至六成热后放入麻仁鸭酥炸,面上浇油淋炸至底层呈金黄色,滗去油,撒上花椒粉,淋芝麻油,捞出切成5厘米长、2厘米宽的条,整齐地摆放在盘内,周围拼香菜即成。

【特点】 形态美观,色调柔和,松泡酥脆,软嫩鲜香。

莲茸香酥鸭

【原料】 主料:肥仔母鸭1只(重1250克),湘白莲150克。

配料:鸡蛋2个,面粉100克,熟瘦火腿25克,香菜100克,猪肥膘肉50克。

调料:花生油1000克(实耗100克),料酒50克,盐10克,白糖少许,味精1.5克,花椒子20粒,葱15克,姜15克,湿淀粉50克,花椒香油15克。

【制 法】

1. 葱和姜拍破。火腿切成米。肥膘肉下入汤锅煮熟捞出,切成丝。将一个鸡蛋打在碗里,放入适量的面粉、湿淀粉和水调制成糊。香菜摘洗干净。

2. 将鸭宰杀去净毛,开膛去内脏洗净,用葱姜、料酒、盐、糖、花椒子腌约2小时,上笼蒸八成烂取出晾凉,先取下头、翅、脚,鸭身拆净骨,剔下腿、脯肉厚部分切成丝。将鸭皮面上抹上蛋糊,放在抹油的平盘内,将余下蛋糊放入鸭肉丝和肥膘丝,加入味精拌匀,铺在带皮的鸭肉上,下油锅炸焦酥呈金黄色捞出。

3. 莲子洗一遍,装入碗内,放入开水,上笼蒸发取出,放在砧板上,用刀压成泥,下入油锅炒出香味,放入盐、味精、胡椒粉和面粉拌匀,再铺满炸酥鸭肉上,表面按七火腿末。

4. 锅内放入油烧到六成热时,下入莲茸鸭炸焦酥至呈金黄色,滗去油,切成五厘米长、2厘米宽的条,摆入盘内,将头,翅、脚摆成鸭形,边上拼香菜即成。

【特点】 鸭肉焦酥，莲茸鲜香，味美可口。

朝珠八宝鸭

【原料】 主料：肥北京鸭1只（重约1700克）。

配料：猪肥膘肉100克，熟火腿50克，水发金钩50克，水发冬菇50克，净熟冬笋50克，发好白莲50克，水发海参100克，红萝卜500克。

调料：猪油100克，料酒50克，酱油25克，冰糖15克，味精1.5克，胡椒粉1克，葱15克，姜15克，甜酒汁50克，湿淀粉50克，香油50克。

【制　法】

1. 鸭宰杀去净毛，去净骨，鸭皮要保持完整不破（见整鸡去骨完整法），然后将内脏取出洗净，鸭肉切成小指头人的丁。葱白切段，余下葱和姜拍破。

2. 海参切成与鸭丁一样大的丁，下入冷水锅烧开氽过捞出。冬菇去带洗净，和金钩、肥膘肉、冬笋、火腿都切成丁。

3. 锅内放入油烧到六成热时，下入肥肉丁、鸭肉了、金钩丁、火腿丁、冬菇丁、冬笋丁，煸炒出香味，烹料酒，加入适量的盐和酱油，用湿淀粉调稀勾芡，再加入海参、白莲、味精、胡椒粉拌匀成馅，灌入鸭腹内，在开口处用针线缝好，下入开水锅内烫皮定形后，抹干水分，摸上甜酒汁，下入油锅炸呈浅红色，放入垫有底轿的沙钵内，放入水（水以没过鸭为准），加入酱油、料酒、拍破葱姜，盖上盖，在旺火上烧开，撇去泡沫，移用小火煨约2小时，煨至酥烂浓香为准。

4. 红萝卜刮去皮切成筒，削成朝珠形，下入油锅浸炸熟，焖烂，加盐入味。

5. 食用时，取出煨好的鸭，拆去线，装入盘中，周围拼红萝卜珠，将煨鸭原汁收浓，用湿淀粉调稀勾芡，放胡椒粉、葱段、香油、浇盖朝珠八宝鸭上即成。

【特点】 鸭肉酥香，浓鲜味美。

玉带野鸭卷

【原料】 主料：野鸭脯肉500克。

配料：熟冬笋100克，水发冬菇50克，熟瘦火腿50克，子油姜50克，鸡蛋清2个，红萝卜100克。

调料：猪油500克（实耗100克），料酒25克，盐8克，味精1.5克，鸡汤150克，胡椒粉1克，葱50克，湿淀粉50克，香油1.5克。

【制　法】

1. 冬笋、冬菇去蒂洗净。火腿、子油姜都切成丝。葱白切成5厘米长的段（葱青留作捆鸭用）。红萝卜去皮切成树叶形的薄片。

2. 将野鸭脯剔去筋，片成7厘米长、5厘米宽、3毫米厚的薄片，用料酒、盐腌一下，再用鸡蛋清、味精、湿淀粉调匀浆好，摊放木板上，将冬笋、冬菇、火腿、子油姜丝和葱段各2根放在野鸭肉片的一端，滚包成卷，用葱青捆扎，用盘装上。

3. 用汤、味精、胡椒粉、香油、湿淀粉兑成汁。

4. 锅内放入油烧到六成热时，下入玉带野鸭卷滑至八成熟，倒入漏匀沥油；锅内留50克油，下入红萝卜片加盐炒一下，倒入野鸭卷和兑汁，翻簸几下，装入盘内即成。

【特点】 滑嫩鲜香，美味可口。

煎贴八宝糯米鸭

【原料】 主料：带皮嫩鸭脯肉500克。

配料：熟瘦火腿50克，水发香菇25克，水发金钩25克，青豆25克，猪肥膘肉50克，削皮荸荠25克，糯米100克，红灯笼椒50克，香菜50克，鸡蛋4个。

调料：猪油500克（实耗100克），料酒20克，精盐6克，味精1克，胡椒粉2克，白糖少许，葱10克，姜10克，干淀粉

25克,花椒香油10克。

【制　法】

1. 葱和姜捣烂用料酒取汁。肥膘肉、火腿、香菇、金钩、荸荠都切成黄豆大的丁。红椒去蒂去籽,切成小象眼片。香菜摘洗干净。

2. 将鸭脯肉剔薄成1厘米厚,用刀背捶松,斩断筋络,砍成6厘米长、4厘米宽的长方块(计12块),用葱姜酒汁和适量的精盐、味精、白糖腌约1小时后,再用鸡蛋清、适量干淀粉拌匀把鸭浆好;余下鸭肉切成6毫米大的丁,下入油锅煸炒出香味,再下入切丁的肥膘、火腿、香菇、金钩、荸荠炒熟,用盘装上待用。

3. 将糯米淘洗干净,下入开水锅氽过,捞出,用冷水过凉,放在垫有白纱布的蒸笼里蒸熟取出,装入碗内,放入以上各种配料、精盐、味精、胡椒粉拌匀成馅。将鸡蛋清装入深边盘内,用筷子打起发泡,加入适量干淀粉,调制成雪花糊。

4. 将浆好的鸭块理伸,摊放摸油的平锅内,铺满一层八宝馅,再盖上一层雪花糊,表面贴放香菜、小红椒片成花朵图案。

5. 食用时,将摆放雪花八宝鸭的平锅放在火上,要不停地转动,使火色一致,用温火煎至底部焦酥呈金黄色,面上淋炸一下即熟,滗去油,再淋花椒香油,切成4厘米的斜方块,摆放盘内即成。

【特点】　色泽美观,焦酥鲜香,味美可口。

熘柴把烤鸭

【原料】　主料:肥嫩烤鸭一只(重1000克)。

配料:水发冬菇100克,熟净冬笋100克,红灯笼椒100克,小白菜苞12个。

调料:猪油750克(实耗100克),料酒15克,精盐6克,辣椒油2克,味精1克,白糖2克,葱100克,湿淀粉15克,香油10克。

【制　法】

1. 将冬菇去蒂,红灯笼辣椒去蒂去籽和冬笋都切成5厘米长、6毫米粗的方条。葱白切成5厘米长的段,葱青下入开水锅烫一下(捆把用)。

2. 将烤鸭放在砧板上,先取下鸭头、翅膀、脚腿骨,再将烤鸭去净骨,切成5厘米长、6毫米粗的方条;把葱青理直放在木板上,再将烤鸭条6根和切条的香菇、冬笋、红椒、葱白各两根放在葱青上,然后捆成把(计20把),用盘装上。

3. 用汤、盐、味精、辣椒油、白糖、湿淀粉、香油兑成汁。

4. 食用时,锅内放入油烧到七成热时,将柴把烤鸭下入油锅内稍炸香,倒入漏勺沥油;锅内留50克油,把柴把烤鸭复倒入锅内,烹料酒,随即冲下兑汁翻簸几下,整齐地分两行摆入长盘内。同时将白菜苞下入油锅加盐炒入味,拼在柴把烤鸭两边,然后将鸭头、翅膀、脚腿摆成鸭形即成。

【特点】　形似柴把,色彩红亮,微辣鲜香,汁美味浓。

红荔冬菇鸭

【原料】　主料:肥嫩鸭1只(重1200克左右)。

配料:水发去蒂厚冬菇10个(选用直径5厘米大的),制好鱼茸料100克,熟瘦火腿150克,小白菜苞10个。

调料:猪油100克,料酒15克,精盐10克,味精1克,胡椒粉1克,葱15克,姜15克,湿淀粉25克,鸡油10克。

【制　法】

1. 葱和姜拍破。冬菇洗净,一切两开成半圆形。火腿切成米。白菜苞洗净。

2. 将鸭宰杀,去净毛,开膛去内脏洗净,下入开水锅氽过,捞入清水内洗净血沫并挟去残存的绒毛,放入垫底轿的沙锅内,再放入水(水以没过鸭为准)、葱姜、料酒、适量的盐，在旺火上烧开，撇去泡沫，移用小火煨至刚熟取出（原汤留用），晾凉后，先将头、翅、脚取下，鸭身去净骨，斜片成5厘米长、3厘米宽、1厘米厚的片（计20片），用1片冬菇、1片鸭排成梯形，分两行摆在长腰盘内，再将头、翅、脚摆成鸭形。

3. 将火腿米撒在净白布上，再将鱼茸料挤成直径3厘米大的丸子（计10个），滚粘成红荔枝形，放入摸油的平盘内。

4. 食用前8分钟，将冬菇鸭和红荔上笼蒸熟取出，把红荔拼在冬菇鸭两边。同时将白菜苞下入油锅加盐炒入味，拼在红荔空间处。锅内放入油烧到六成热时，倒入鸭汤，放入味精、盐、胡椒粉烧开，用湿淀粉调稀勾芡，加入鸡油，浇盖在红荔冬菇鸭、白菜苞上即成。

【特点】 色泽美观，鸭肉鲜嫩，冬菇醇香，汁浓味美。

注：①鸡、鸽亦可按此法制做。

②将冬菇鸭分为4行斜摆放圆盘内，冉拼放红荔和白菜苞亦可。

奶汤凤菇鸭掌

【原料】 主料：加工去骨鸭掌20个。

配料：鲜嫩白凤尾菇300克，小白菜苞12个。

调料：猪油500克（实耗50克），精盐10克，味精1克，胡椒粉1克，奶汤750克，鸡油15克。

【制　法】

1. 将鸭掌下入汤锅煮到柔软捞出，晾凉，抽去筋，洗一遍。将凤尾菇根部泥沙削去并洗净，下入开水锅余过捞出待用。小白菜苞洗净。

2. 食用时，锅内放入油烧到六成热，下入白菜苞过油，倒入漏勺沥油，锅内放入奶汤，加入鸭掌、凤尾菇、白菜苞、盐、味精、胡椒粉烧开，调好味，撇去泡沫，装入汤WF内，放鸡油即成。

【特点】 色泽洁白，鸭掌柔软，凤菇鲜嫩，菜苞清爽，汤浓味美。

珍珠红梅鸭掌

【原料】 主料：去骨大鸭掌12个。

配料：西米100克，制好的虾茸料300克，小光皮红椒50克，蛋松少许，小白菜苞12个。

调料：猪油100克，料酒10克，精盐6克，味精1克，胡椒粉1克，鸡汤250克，湿淀粉25克，鸡油15克。

【制　法】

1. 小红辣椒去蒂去籽，横切成薄圆圈，用开水冲去辣味。小白菜苞洗净。西米淘洗干净，用冷水浸泡2小时。

2. 把西米捞出撒在净白布上，将虾茸料挤成2厘米火的丸子（计12个），滚粘上西米放在抹油的平盘内即成珍珠丸。

3. 将鸭掌下入汤锅煮至柔软捞出，剔去筋，用净白布按干水份，抹上干淀粉，逐个镶一层虾茸，按上5片红椒圈，巾心按点蛋松作花芯即成红梅鸭掌。

4. 食用前6分钟，将红梅鸭掌和珍珠丸上笼蒸熟取出，把珍珠丸摆放在盘中间，红梅鸭掌摆放在盘的周围，同时将白菜苞下入油锅加盐炒入味，摆在鸭掌的空处；锅内放入鸡汤、味精、胡椒粉、适量的盐，用湿淀粉调稀勾芡，加入鸡油，浇盖在珍珠丸、鸭掌、白菜苞上即成。

【特点】 色彩鲜艳，珍珠透明，鸭掌滑软，味道鲜美。

熘柴把鸭掌

【原料】 主料：鲜鸭掌20只。

配料：熟净冬笋100克，红灯笼椒100克，水发冬菇100克，小白菜苞16个。

调料：猪油1000克（实耗100克），料酒15克，精盐8克，味精1克，白糖2克，鸡汤300克，葱25克，湿淀粉20克，香油10克。

【制　法】

1. 将鸭掌的粗黄皮剥去洗净，下入汤锅煮到六成烂（以能去骨为准）捞入凉水内泡上，逐只由掌背剖开抽去骨和筋。剔去掌底趼皮和爪甲洗一遍，用碗装上，放入汤、盐、葱姜蒸至八成烂取出。

2. 将冬菇去蒂，和冬笋，红灯笼椒都切成5厘米长、6毫米粗的条。葱白切成5厘米长的段，葱青在开水锅内烫一下（捆把用）。

3. 将切条的冬笋、冬菇、红灯笼椒、葱白段各三根放在每只鸭掌上，用葱青捆成把（如此捆完为止）。用鸡汤、盐、味精、湿淀粉、香油兑成汁。

4. 食用时，将白菜苞下入油锅加盐炒入味，用盘装上，另用锅放入油烧到六成热时，将柴把鸭掌下入油锅浸炸一下，倒入漏勺沥油，随即复倒入锅内烹料酒，冲下兑汁，翻簸几下，摆入盘巾，白菜苞拼在周围即成。

【特点】 色泽金黄，爽口鲜香。

清汤鲜贝鸭掌

【原料】 主料：加工去骨鸭掌20只，小鲜贝20个。

配料：熟瘦火腿15克，鸡蛋清2个，小白菜苞10个。

调料：猪油800克（实耗50克），料酒15克，精盐10克，味精1克，胡椒粉1克，鸡汤600克，葱15克，姜15克，干淀粉15克，鸡油10克。

【制　法】

1. 葱和姜捣烂用料酒和少许水取汁。火腿切成米。白菜苞洗净，下入开水锅氽过，用冷水过凉。

2. 将鲜贝用清水洗一遍，沥干水分，用葱姜酒汁，适量的盐、胡椒粉腌上。

3. 将鸡蛋清装入深边盘内，用筷子打起发泡，放入适量的干淀粉调制成雪花糊。

4. 将鸭掌上的碎骨、筋和趼皮剔去，下入冷水锅烧开氽过，捞入汤WF内，加入盐、胡椒粉、鸡汤上笼蒸至滑软为止。

5. 食用前20分钟，将清蒸鸭掌上笼蒸热取出，同时锅内放入油烧到五成热，将鲜贝逐个裹上雪花糊下入油锅，面上撒上火腿米，用温火浸炸熟（切勿炸黄应保存本色），倒入漏勺沥油后，和白菜苞倒入普汤锅氽过，捞入鸭掌汤蓝内，淋鸡油即成。

【特点】 色泽美观，鲜贝滑嫩，鸭掌脆爽，汤清味美。

蚝油熘鸭掌

【原料】 主料：加工去骨鸭掌20只（重600克左右）。

配料：嫩丝瓜200克，净熟冬笋100克，红萝卜150克。

调料：猪油100克，蚝油15克，料酒15克，精盐8克，味精1克，胡椒粉1克，鸡汤150克，葱15克，姜15克，湿淀粉20克。

【制　法】

1. 将鸭掌上的碎骨、筋、趼皮剔去，下入冷水锅烧开氽过，捞出待用。

2. 葱和姜拍破。丝瓜刮去粗皮留嫩青皮，切开成4条，剔去部分瓤。红萝卜刮去皮和冬笋都切成树叶形的片。用鸡汤、蚝油、味精、胡椒粉、湿淀粉兑成汁。

3. 锅内放入油烧到六成热，下入葱和姜煸锅后，去掉葱姜，下入冬笋、红萝卜片，加入盐炒一下，随下入鸭掌、丝瓜，烹料酒和兑汁，翻簸几下，装入盘内即成。

【特点】 色泽美观，鸭掌脆爽，味美鲜香。

原蒸五元野鸭

【原料】 主料：新鲜肥野鸭1只（重2000克左右）

配料：荔枝、桂圆、红枣各12粒，发好莲子50克，枸杞15克。

调料：鸡油15克，料酒20克，精盐10克，味精1克，蜂蜜50克，胡椒粉2克，鸡汤500克，葱15克，姜15克。

【制　法】

1. 葱和姜拍破。荔枝和桂圆剥去壳，洗一遍。红枣洗净，蒸发剥去皮。枸杞洗一遍。

2. 将野鸭毛干拔掉，剁去头和脚爪，放在火上烧尽茸毛，用温水浸泡，刮洗干净，由背脊骨开膛去内脏（枪伤处要仔细剔去枪子和腐坏部分），去净骨，砍成4厘米大见方块，下入冷水锅内煮过捞出，用清水洗净血沫，以除血腥异味，沥干水分，然后装入汤WF内，再放入拍破葱姜、料酒、盐、蜂蜜、胡椒粉、水（水以没过野鸭为准），上笼蒸烂取出，去掉葱姜，加入鸡汤、荔枝、桂圆、红枣、莲子、枸杞、鸡油，上笼蒸1小时取出，撒入胡椒粉即成。

【特点】　甜咸浓香，原汁原味，营养丰富，滋补珍品。

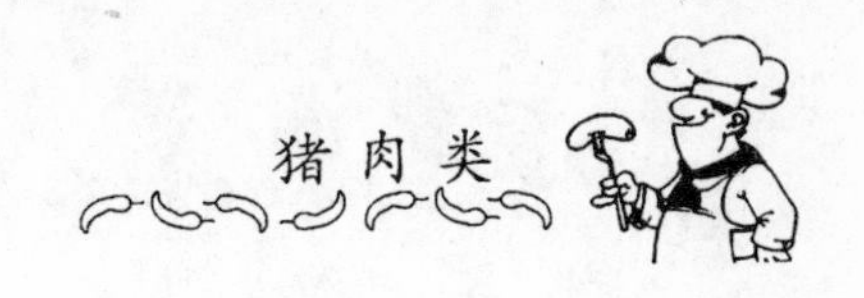

猪肉类

冬笋里脊片

【原料】 主料:猪里脊300克。

配料:冬笋500克,大红椒50克,大蒜50克,鸡蛋1个,湿淀粉40克。

调料:猪油250克(实耗100克),料酒25克,味精2克,盐8克,香油15克。

【制 法】

1. 里脊肉剔去筋,切成5厘米长、3厘咪宽的薄片,用料酒、盐拌匀,再用蛋清、湿淀粉浆好,拌一点油。

2. 冬笋砍去老蔸部分,剥去外壳,削去内皮,煮熟切成薄片。红椒去带去籽,切3厘米长、2厘米宽的块。大蒜切2厘米长斜段。

3. 将猪油放入一净锅内,烧到五成热时,下入里脊片,用筷子拨散滑熟时,即倒入漏勺沥油。锅内留50克油,下入冬笋片、红椒,加盐煸炒,放大蒜、汤、味精,用湿淀粉调稀勾芡,随即倒入里脊片,翻炒几下,放香油装盘即成。

【特点】 脆嫩香,味鲜美。

注:用黄瓜、四季豆、茭瓜作配料,亦可按此法制作。

蛋包里脊

【原料】 主料:猪里脊肉150克。

配料:猪肥膘肉50克,水发香菇50克,金钩25克,熟火腿25克,削皮荸荠50克,鸡蛋5个,香菜150克。

调料:花生油500克(实耗100克),料酒25克,盐5克,味精2克,葱15克,湿淀粉50克,香油15克。

【制 法】

1. 将猪里脊肉、肥膘肉、香菇(去蒂)、泡发的金钩、火腿、荸荠均切成3毫米大见方丁,葱切成花,加入鸡蛋1个、适量的盐、味精和淀粉搅拌成馅。香菜摘洗干净。

2. 将鸡蛋4个打开,装入碗内,用筷子打散,加入适量的盐、湿淀粉和水搅匀,用小铁瓢在小火上烧热,用肥膘肉在铁瓢内涂擦一些油,再用调羹舀鸡蛋液倒入瓢内,旋转一下烫成8厘米大圆蛋皮,用筷子迅速挟入肉馅,放在蛋皮中心的一边,将另一边蛋皮,趁热挟起覆盖在有肉馅的蛋皮上(半圆形),用筷子沿着蛋皮的边缘,轻轻按实,使边缘粘连在一起,把馅包住,再用筷子紧靠在肉馅两边,将蛋皮向中间挟紧。如此做成20个,摆放盘内。

3. 食用时,锅内放入花生油烧到六成热时,将蛋包里脊,逐个摆入油锅,炸至两面煎呈金黄色,外酥脆,内馅熟,摆入盘中,淋香油,周用拼香菜即成。

【特点】 外脆酥香,内馅鲜美。

注:亦可用鸡脯肉、鱼肉、牛肉、羊肉等作馅心。

软炸桃仁里脊

【原料】 主料:猪里脊肉400克。

配料:核桃仁200克,鸡蛋4个,香菜150克。

调料:花生油1000克(实耗100克),料酒25克,盐5克,味精1.5克,白糖2克,胡椒粉0.5克,五香粉0.5克,葱10

克，姜10克，干淀粉30克，香油15克。

【制 法】

1. 葱、姜捣烂用料酒取汁。香菜摘洗干净。

2. 里脊肉剔去筋，切成6厘米长、3厘米宽的薄片，用葱姜酒汁、五香粉、胡椒粉、盐、白糖、味精拌匀腌上，用蛋清、干淀粉调匀浆好。

3. 核桃仁用开水泡约5分钟，去皮（注意不要弄碎），下入油锅炸成焦酥。

4. 将里脊片摊开放在木板上，把炸焦酥的桃仁放在里脊片的一端，滚成约2厘米大的卷，装入盘内。

5. 鸡蛋去黄用清，用筷子打起发泡，放入适量的干淀粉调制成雪花糊。

6. 将花生油烧到五成热时，将里脊卷逐个裹上雪花糊，下入油锅炸成焦酥呈金黄色捞出，装入盘中，周围拼香菜即成。

【特点】 色泽金黄，松脆香酥，味道鲜美。

注：鸡脯肉，牛、羊里脊等均可按此法制作。

锅巴里脊片

【原料】 主料：猪里脊肉300克。

配料：水发香菇50克，水发上片50克，鸡蛋1个，大米饭锅巴（浅黄色）150克。

调料：仡生油1000克（实耗50克），猪油100克，料酒25克，盐5克，酱油25克，白糖10克，味精2克，鸡汤500克，胡椒粉0.5克，湿淀粉50克，葱15克，姜15克，香油15克。

【制 法】

1. 锅巴掰成约3厘米大的块。香菇去带洗净（大的改块）。玉片除去老根，横切成薄片，下入冷水锅烧开余过，用开水泡上。葱切成段。姜切成小片。

2. 里脊肉剔去白筋，横切成薄片，用蛋清、盐、湿淀粉拌匀浆好。

3. 食用时，将锅烧热，放入猪油烧五成热时下入里脊片拨散滑熟，倒入漏勺沥油，锅内留油50克，下入玉片、姜片、香菇炒一下，烹料酒，加入盐、酱油、白糖、味精、胡椒粉和鸡汤烧开，调好味，用湿淀粉调稀勾芡（注意汁不要太稠），倒入滑熟里脊片炒匀，放葱段、香油，装入碗内。

4. 在滑熟里脊片的同时，将锅烧沸花生油，下入锅巴炸酥（炸时火要旺，油要沸），待浮起时即捞出（过火则焦硬，欠火垫牙则不酥），装入深盘内，加入一点沸油，两样同时上桌，将里脊片倒在锅巴上，发出吱吱喳喳的声音即成。

【特点】 里脊鲜嫩，锅巴酥香，别有风味。

注：①鸡脯肉、牛、羊里脊肉均可按此法制作。

②如小用锅巴，可换用馄饨来制作。

③还可换用糖醋汁来制作。

糖醋熘里脊

【原料】 主料：猪里脊肉300克。

配料：鸡蛋1个，面粉50克。

调料：花生油1000克（实耗100克），白糖8克，醋25克，盐3克，酱油10克，香油15克，葱15克，姜15克，湿淀粉50克。

【制 法】

1. 里脊肉剔去白筋，切成5厘米长、3厘米宽、3毫米厚的薄片，用料酒、盐腌一下。葱切成段。姜切成丝。

2. 将鸡蛋打散，加面粉、淀粉、适量的水调制成糊，放入里脊肉上糊。用糖、醋、酱油、香油、汤、湿淀粉、葱段兑成汁。

3. 将花生油烧沸，将上糊里脊肉逐片下入油锅炸成焦酥（呈金黄色），倒入漏勺沥油，装入盘内；锅内留50克油，下入姜丝炒一下，即倒入兑好的糖醋汁，再加点沸油，使汁烹起时，浇在炸里脊肉

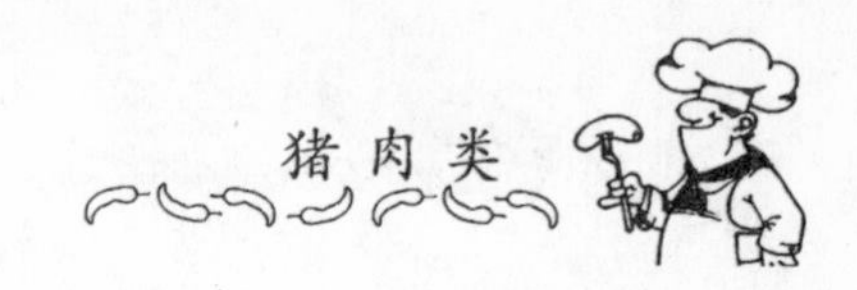

上，即成。

【特点】 焦脆香酥，酸甜可口。

酥炸雪花里脊

【原料】 主料：猪里脊肉500克。

配料：鸡蛋4个，熟瘦火腿25克，面包粉100克，面粉50克，香菜50克。

调料：猪油1000克（实耗100克），料酒50克，盐10克，味精1.5克，白糖少许，胡椒粉1免，葱10克，姜10克，干淀粉20电，湿淀粉25克，香油10克。

【制　法】

1. 葱和姜捣烂用料酒取汁。火腿切成小象眼片。香菜摘叶洗净。鸡蛋磕在碗内，放入面粉、湿淀粉和适量的水调制成糊。

2. 将里脊肉的筋剔去，横切成1厘米厚的块，用刀拍开，再用刀背捶松成4毫米的薄片，改成尖桃形状（计12块），用胡椒粉、葱姜酒汁、盐、糖、味精腌一下，逐块在鸡蛋糊内拖过，两面粘上面包粉，下入油锅炸酥捞出，摊放木板上。

3. 鸡蛋去黄用清，用筷子打起发泡，放入适量的干淀粉调制成雪花糊，铺满一层在已炸的里脊肉上，表面贴上火腿片和香菜叶成花朵形。

4. 食用时，锅内放入油烧到五成热时，将雪花里脊下入油锅炸至底部焦酥呈金黄色，面上浇油淋炸一下即熟，捞出摆在盘的周围，香菜摆放盘中，淋香油即成。

【特点】 色彩鲜艳，底部焦脆香酥，面上滑嫩松泡，味道鲜美。

茄汁花生里脊丁

【原料】 主料：猪里脊肉500克。

配料：去皮熟花生米50克，青大蒜50克。

调料：花生油750克（实耗100克），料酒25克，盐10克，酱油少许，番茄酱75克，汤少许，湿淀粉40克，香油15克。

【制　法】

1. 将青大蒜摘洗净，切成2厘米大的段。

2. 将猪里脊剔去筋，切成2厘米厚的块，用刀背捶松，砍成2厘米大的丁，放入酱油抓匀，加入适量的湿淀粉拌匀。用番茄酱、湿淀粉、汤、香油兑成汁。

3. 锅内放入油烧全七成热时，将里脊丁下入油锅炸全呈金黄色，倒入漏勺沥油；锅内留50克油，下入大蒜炒一下，倒入里脊丁，烹料酒，冲入兑汁，和花生米一起翻簸几下，装入盘内即成。

【特点】 里脊酥香，花生焦脆，美味可口。

麻仁金钱里脊

【原料】 主料：猪里脊肉300克。

配料：鸡蛋4个，熟瘦火腿25克，面包粉100克，面粉25克，芝麻仁25克，香菜100克。

调料：猪油1000克（实耗100克），料酒25克，白糖少许，盐8克，味精1.5克，胡椒粉1克，葱10克，姜10克，干淀粉30克，湿淀粉25克，香油15克。

【制　法】

1. 葱和姜捣烂用料酒取汁。火腿切成米。香菜摘洗干净。将鸡蛋一个磕在碗里，加入面粉、适量的湿淀粉和水调成糊。

2. 将猪里脊剔去筋，横切成1厘米厚的块，用刀背捶松成4毫米厚的薄片，改成直径4厘米大的圆片，用盐、糖、味精、胡椒粉、葱姜酒汁腌一下后，逐片裹上鸡蛋糊，然后两面粘上面包粉，下入油锅炸酥捞出，摊放在木板上。

3. 鸡蛋去黄用清，用筷子打起发泡，放入适量的干淀粉调制成雪花糊，铺满一层在已炸的里脊片上，表面按上麻仁和火腿米。

4. 食用时，锅内放油烧到六成热时，将金钱里脊逐个下入油锅炸至底部焦酥呈金黄色，面上舀油淋炸一下捞出，摆入盘内，淋香油，边上拼香菜即成。

【特点】 底部焦脆香酥，面上松泡滑嫩，味美可口。

熘玉环里脊卷

【原料】 主料：猪里脊肉300克。

配料：鸡蛋清1个，嫩青豆角150克，大红泡椒50克。

调料：猪油500克（实耗100克），料酒25克，盐10克，味精1.5克，湿淀粉40克，鸡汤100克，鸡油15克。

【制 法】

1. 将豆角两端蒂摘去，切成20厘米长，下入开水锅氽过捞出，拌上盐和香油。大红泡椒去蒂去籽，切成树叶形。

2. 将里脊肉的筋剔去，切成7厘米长、3厘米宽、3毫米厚的薄片（计20片）；用鸡蛋清、适量的盐、味精、湿淀粉调制成浆，把里脊片浆好，摊放砧板上，再将青豆角结成蝴蝶形，摆在里脊片上，然后将青豆角卷在里脊片中间，即成玉环里脊。用鸡汤、味精、湿淀粉兑成汁。

3. 锅内放油烧成五成热时，将玉环里脊下入油锅滑至八成热，倒入漏勺沥油，锅内留50克油，下入红椒片加盐炒入味，随即倒入上环里脊，烹料酒和兑汁，翻簸几下，装入盘内，淋鸡油即成。

【特点】 色彩美观，滑嫩清爽，味道鲜美。

酥炸菊花里脊

【原料】 主料：猪里脊肉400克。

配料：鸡蛋2个，香菜150克。

调料：花生油1000克（实耗100克），料酒50克，盐5克，味精1.5克，胡椒粉0.5克，白糖10克，葱15克，姜15克，干淀粉75克，花椒香油15克，番茄酱50克。

【制 法】

1. 葱和姜捣烂用料酒取汁。鸡蛋磕在碗里，放入面粉、湿淀粉和水调成糊。香菜摘洗干净。

2. 将里脊肉剔去筋，用直刀剞十字交叉花刀，深度为五分之四，再切2厘米大的斜方块，用葱姜酒汁、盐、糖、味精、胡椒粉腌上。

3. 食用时，将里脊花纹内都粘上干淀粉，抖松一下，入下油锅炸成菊花形捞出，再裹上鸡蛋糊，下入油锅炸焦酥呈金黄色，滗去油，装入盘内，淋花椒香油，边上拼番茄酱、香菜即成。

【特点】 焦酥鲜香，美味可口。

茄汁里脊卷

【原料】 主料：猪里脊肉500克。

配料：鸡蛋清2个，净熟冬笋50克，水发香菇50克，子油姜50克，香菜100克。

调料：猪油500克（实耗100克），料油25克，盐5克，白糖25克，味精1.5克，鸡汤25克，葱25克，姜15克，番茄酱50克，湿淀粉40克，香油15克。

【制 法】

1. 葱白切成5厘米长的段，余下的葱青和姜拇烂用料酒取汁。冬笋、子油姜、去蒂香菇洗净，都切成丝。香菜摘洗干净。

2. 将里脊肉的筋剔去，片成5厘米宽、6厘米长的薄片（计20片）；鸡蛋清、适量的盐、味精、湿淀粉调制成浆，将里脊片浆好，摊放砧板上，在每块里脊片的一端放置冬笋丝、香菇丝、子油姜丝、葱白各二根，然后滚成卷，用盘装上。

3. 锅内放入油烧到六成热时，将里脊卷下入油锅，滑至八成熟，倒入漏勺沥油；锅内留50克油，放入鸡汤、番茄酱、白糖，用湿淀粉调稀勾芡，倒入里脊卷，裹上茄汁，放香油，装入盘中，边上拼香菜叶即成。

【特点】 色彩红亮，甜酸滑嫩，味美可口。

注:鱼片、鸡脯片亦可按此制作。

酥炸生仁里脊

【原料】 主料:猪里脊肉400克。

配料:花生米100克,鸡蛋2个,面粉50克,香菜100克。

调料:花生油1000克(实耗100克),料酒25克,盐5克,糖少许,味精1.5克,胡椒粉0.5克,葱15克,姜15克,湿淀粉50克,花椒香油15克。

【制　法】

1. 葱和姜捣烂用料酒取汁。将鸡蛋磕入碗内,加入适量的面粉、湿淀粉调制成糊。香菜摘洗干净。将花生米用开水泡上,剥去皮,烤熟,剁碎。

2. 将里脊肉剔去筋,横切成1厘米厚的片,用刀背捶松成为5厘米长、3厘米宽的长方片(计20片),用葱姜酒汁、盐、糖、味精、胡椒粉腌一下后,逐片裹上鸡蛋糊,两面粘上花生仁,用盘装上。

3. 食用时,锅内放入油烧到六成热,将花生里脊逐片下入油锅炸至焦酥呈金黄色捞出,摆入盘中,淋花椒香油,边上拼香菜即成。

【特点】 焦脆香酥,味美可口。

酥炸荷花里脊

【原料】 主料:猪里脊肉200克。

配料:猪肥膘肉150克,削皮荸荠50克,熟瘦火腿100克,蒸发莲子100克,鸡蛋清2个,咸面包100克,香菜100克。

调料:花生油1000克(实耗100克),料酒15克,精盐6克,味精1克,胡椒粉1克,鸡汤50克,花椒香油10克。

【制　法】

1. 葱和姜捣烂,用料酒和少许水取汁。火腿切成小象眼片。莲子切去上端,放在撒有干淀粉的盘内。荸荠剁成米。香菜摘洗干净。

2. 里脊肉和肥膘肉用绞肉机绞成细茸,放入葱姜酒汁。鸡汤搅起劲,加入荸荠米、鸡蛋清、味精、胡椒粉、白糖、适量的盐、湿淀粉搅拌成馅。

3. 面包切成直径5厘米长、4毫米厚的圆片(20片),摊放在木板上,在其上铺满一层馅,按上7颗莲子,周围插火腿小片,即成荷花里脊。

4. 食用时,将荷花里脊移放在有柄的铝制漏板上,下入五成热油锅中,用温火炸至面包底部焦酥呈金黄色,面上淋油炸熟,捞出摆入盘内,淋花椒香油,周围拼香菜即成。

【特点】 形似荷花,色泽美观,酥香鲜脆。

九味菊花里脊

【原料】 主料:猪里脊肉500克。

配料:鸡蛋1个,蛋松50克,香菜100克。

调料:花生油1000克(实耗120克),料酒10克,精盐8克,味精1克,白糖10克,米醋5克,辣椒酱20克,花椒粉2克,葱15克,姜15克,蒜子15克,干淀粉100克,湿淀粉15克,香油15克。

【制　法】

1. 蒜子和葱、姜都切成米。香菜摘洗净。用辣椒酱、白糖、醋、少许汤、湿淀粉、味精、葱花、香油兑成汁。

2. 将里脊肉的筋剔去,切成15厘米长、4厘米宽、5毫米厚的片,再横切成丝(四分之三切断,四分之一连着),成为梳子形状(计12片),用少许盐、料酒腌一下,放入鸡蛋抓匀,粘裹上干淀粉,由一端滚成圈,将断丝摇摆一下(丝朝上),使其散开,即成菊花里脊,放在有柄的漏板上。

3. 食用时,锅内放入油烧到七成热时,将放在漏板上的菊花里脊下入油锅炸到香酥呈金黄色取出,分两行摆在长腰圆盘内;锅内留50克油,下入姜蒜米、花椒粉煸出麻香味,加入盐,随即倒入兑汁烧开,浇盖在菊花里脊上,然后在每朵菊花里脊中间放一小撮蛋松作花芯，两边拼香菜即成。

【特点】 色彩红亮鲜艳，形似菊花开放，香鲜味美。

注：牛、羊里脊亦可按此法制作。

软炸玉翠里脊卷

【原料】 主料：猪里脊肉500克。

配料：削皮荸荠200克，鸡蛋清4个，人西红柿1个，香菜100克。

调料：花生油1000克(实耗75克)，料酒15克，精盐6克，味精克，白糖2克，胡椒粉1克，葱10克，姜10克，干淀粉30克，花椒、香油10克。

【制 法】

1. 将荸荠切成3厘米长、2厘米宽的方条，下入开水锅煮熟捞出，晾凉。西红柿切成花瓣形。香菜摘洗干净。

2. 将里脊肉上的筋剔去，切成4厘米宽、6厘米长、6毫米厚的片(计20片)，用刀背捶松一下，放入葱姜酒汁、苏打粉少许、盐、味精、糖、胡椒粉腌半小时，用鸡蛋清1个、适量干淀粉调匀浆好，摊放木板上。将荸荠一条放在里脊片的一端，然后滚包成卷(如此卷完为止)。

3. 将鸡蛋清4个装入深盘内，打起发泡，加入适量的干淀粉，调制成雪花糊。

4. 锅内放油烧到五成热，将里脊卷裹上雪花糊下入油锅(切勿沾连一起，以免影响质量)，用温火炸至香酥呈金黄色，倒入漏勺沥酒，装入盘内，淋花椒香油，边上配西红柿花瓣、香菜即成。

【特点】 色彩美观，香酥松脆。

芝麻里脊卷

【原料】 主料：猪里脊肉500克。

配料：熟瘦火腿30克，水发香菇50克，净熟冬笋50克，鸡蛋3个，白芝麻100克，面粉70克，香菜100克。

调料：花生油1000克(实耗100克)，料酒20克，精盐6克，味精1克，白糖2克，胡椒粉1克，葱25克，姜25克，湿淀粉30免，花椒香油10克。

【制 法】

1. 葱切成5厘米长的段。姜切成5厘米长的丝。香菇去带和冬笋切成丝。火腿切成末。香菜摘洗干净。将鸡蛋一个磕在碗内，加入面粉和适量的湿淀粉、水调制成糊。

2. 将里脊肉的筋剔去，切成6厘米长、5厘米宽的块，再片成4毫米厚的片(计20片)，用少许苏打、料酒、胡椒粉、盐、白糖、味精拌腌一下，再用鸡蛋清两个和湿淀粉调匀浆好，摊放在木板上。把切成丝的香菇、冬笋、姜和葱段理齐，摆放在里脊肉一端，滚成卷，逐个裹上鸡蛋糊，然后滚粘上火腿芝麻仁，用盘装上。

3. 锅内放油烧到六成热时，将芝麻里脊卷下入油锅，用温火炸至香酥呈金黄色，倒入漏勺沥油，整齐地摆入长鱼盘内，淋花椒香油，边上拼香菜即成。

【特点】 色泽金黄，焦酥香鲜。

玻璃里脊片

【原料】 主料：猪里脊肉400克

配料：鸡蛋清2个，嫩丝瓜500克，蘑菇50克，大西红柿250克，熟冬笋50克。

调料：猪油75克，料酒10克，精盐8克，味精1克，胡椒粉1克，清汤200克，葱10克，姜10克，干淀粉100克，湿淀粉20克，鸡油15克。

【制 法】

1. 葱和姜捣烂用料酒和少许水取汁。冬笋、蘑菇都切成小薄片。将丝瓜的粗皮刮去(留嫩青皮)，切去两端的蒂，切开成4条，去掉瓤。西红柿用开水烫一下，剥去皮，去掉瓤和籽，切成5厘米大的斜方片。

2. 将里脊肉的筋剔去，片成人薄片，放入清水内泡一下，捞出挤干水分，用葱姜酒汁、适量的盐腌上，再用蛋清抓匀，放在干净的砧板上，撒一层干淀粉，放一块里脊片，再在上面撒干淀粉，用小擀面棍敲成极薄的片(越薄越好)。敲时棍要平下，要轻轻地敲，均匀地敲，使里脊片厚薄一致，然后下入开水锅内(火不宜大)氽熟，捞入冷水内凉透，即成透明的里脊片，改成5厘米大的斜方块。

3. 食用时，锅内放入油烧到六成热，下入冬笋片、蘑菇片、丝瓜片炒一下，烹料酒，放入鸡汤、玻璃里脊、西红柿片、盐、味精、胡椒粉烧开，用湿淀粉调稀勾芡，装入盘内淋鸡油即成。

【特点】　形似玻璃，滑嫩清爽。

双味里脊

【原料】　主料：猪里脊肉500克。

配料：鸡蛋2个，银芽200克，韭黄100克。

调料：猪油1000克(实耗100克)，料酒10克，精盐6克，味精1克，番茄酱50克，白糖5克，米醋5克，干淀粉50克，湿淀粉30克，普汤30克。

【制　法】

1. 将里脊肉剔去筋，分成两部分：一部分切成6厘米长、3厘米宽、1厘米厚的片，剞梳子花刀，用料酒、少许盐腌一下；一部分切成5厘米长的细丝，用1个蛋清和适量的盐、湿淀粉调匀浆好。

2. 韭黄摘洗干净，切成5厘米长的段。姜切成米。葱切成花。用汤、盐、白糖、醋、湿淀粉、番茄酱兑成汁。

3. 锅内放油烧到七成热时，将梳子花刀的里脊在蛋液拖一下，再粘上干淀粉后滚成卷，逐个下入油锅炸至焦酥呈金黄色捞出，即成菊花形，用盘装上。锅内留50克油，下入姜米，随倒入兑汁烧开，浇盖在菊花里脊上。另用锅放入油烧到五成热时，将里脊丝下入，用筷子滑至八成熟，倒入漏勺沥油，锅留底油，下入韭黄，炒一下，加入盐、味精、汤，用湿淀粉勾芡，随后下入滑熟里脊丝翻炒几下，装入盘中，周围摆放菊花里脊即成。

【特点】　一红酸甜，一白咸鲜，色彩美观，美味可口。

咕咾肉

【原料】　主料：猪上脑肉400克。

配料：净冬笋50克，鲜红椒25克，鸡蛋1个。

调料：花生油1000克(实耗100克)，料酒25克，辣谱油25克，番茄酱25克，盐5克，白糖50克，白醋20克，葱15克，姜10克，干淀粉50克，湿淀粉15克，香油15克。

【制　法】

1. 将上脑肉切成1厘米厚的人片，用刀背稍捶松，再斜剞距离0.3厘米宽的一字花刀，翻过来再斜剞同样的花刀，切成2厘米宽菱形块，用盘装上，放入盐(2克)、料酒腌一下，再将鸡蛋打开放入肉内拌匀，逐块粘上干淀粉。

2. 红椒洗净，去蒂去籽，和冬笋均切成肉块一样大的菱形片。葱切成段。姜切成末。

3. 用辣椒油、蕃茄酱、糖、醋、香油、湿淀粉、少许汤兑成汁。

4. 锅内放入花生油烧到六成热时，将肉逐块下入油锅炸成焦酥呈金黄色，倒入漏勺沥油。锅内留50克油，下入冬笋、红椒、姜末加盐煸炒，随倒入兑汁烧开，再倒入炸好的肉，簸炒几下，装入盘内即成。

【特点】　焦脆香酥，甜酸微辣，味美可口。

酱爆肉片

【原料】　主料：猪上脑肉400克。

配料：净冬笋100克，红椒50克，大蒜50克。

调料：植物油1000克(实耗100克)，料酒25克，盐5克，酱油10克，京酱25

克，香油15克，汤100克，味精1克，湿淀粉50克。

【制　法】

1. 将上脑肉切成4厘米长、3厘米宽、0.7厘米厚的片，用料酒、盐、酱油抓匀，加湿淀粉浆好。冬笋、红椒切同肉片大小的片。大蒜切成斜段。用汤、味精、湿淀粉兑成汁。

2. 将油烧沸，下入肉片，即用小漏瓢打散后捞出，待油水烧干时，再炸熟透，呈金黄色，倒入漏勺沥油。锅内留50克油，下入冬笋、红椒、盐煸炒，加入京酱炒香，再下入炸熟肉片、大蒜，随即倒入兑汁翻炒几下，放香油，装入盘内即成。

【特点】　香辣味美，酒饭均宜。

注：亦可用猪后腿肉（即肥瘦相连部分的肉），将其用白水煮熟后，切成片，用京酱爆炒。

麻辣肉丁

【原料】　主料：猪内窝肉500克（或前夹心肉）。

配料：红辣椒100克，大蒜50克。

调料：植物油1000克（实耗100克），料酒15克，盐5克，酱油25克，味精1.5克，香油15克，汤50克，花椒粉1克，湿淀粉50克。

【制　法】

1. 猪内窝肉用刀背捶松，砍成2厘米见方丁，用酱油、料酒、盐拌匀，加湿淀粉浆好，拌上一点油。

2. 红椒去蒂去籽洗净，切成肉丁大小的颗。大蒜切斜段。用汤、味精、酱油、香油、湿淀粉兑成汁。

3. 将油烧沸，下入浆好的肉丁，用炒瓢推动炸一下即捞出，待油水烧干时，再下入肉丁炸酥，倒入漏勺沥油，锅内留50克油，下入红椒、花椒粉、盐炒一下，放入蒜，倒入炸好肉丁，冲下兑汁，簸炒几下装盘即成。

【特点】　麻辣香嫩，味道鲜美。

花生肉丁

【原料】　主料：猪内窝肉（或前夹心肉）400克。

配料：花生米50克，净冬笋50克，红椒25克，大蒜50克，鸡蛋1个。

调料：花生油500克（实耗100克），料酒25克，盐10克，味精1.5克，香油15克，汤50克，湿淀粉40克。

【制　法】

1. 猪内窝肉去筋，用刀背捶松，切成1.5厘米见方的丁，用盐、料酒拌匀，加蛋清、湿淀粉浆好，拌上一点油。

2. 花生米用开水泡发，撕去皮，下入油锅炸熟（或用盐炒熟去皮亦可）。冬笋用滚刀切成小块。红椒切同肉丁大的块。大蒜切斜段。用汤、味精、香油、湿淀粉兑成汁。

3. 将花生油烧到六成热，下入肉丁，用筷子拨散滑熟，即倒入漏勺沥油。锅内留油50克，下入冬笋、红椒，加盐煸炒，放入大蒜、肉丁、花生米，冲下兑汁，翻炒几下，装盘即成。

【特点】　香脆鲜嫩，味道可口。

冬笋鱿鱼肉丝

【原料】　主料：干子鱿鱼100克，猪里脊肉150克，净冬笋250克。

配料：韭黄150克。

调料：猪油150克，料酒25克，味精2克，汤150克，香油15克，湿淀粉50克。

【制　法】

1. 鱿鱼撕去明筋，在火上烤软，从中切断成两片，叠起卷成筒，直切成丝，用冷水泡软洗净（亦可先用清水泡发，撕去明筋及紫色膜皮，洗净切成丝）。

2. 里脊肉去筋，切成5厘米长的细丝，用盐、湿淀粉浆好。冬笋切成细丝。韭黄摘洗干净，切成5厘米长段。

3. 将猪油烧沸，下入鱿鱼爆炒一下，鱿鱼卷成钩，装入盘内。另将锅放入猪

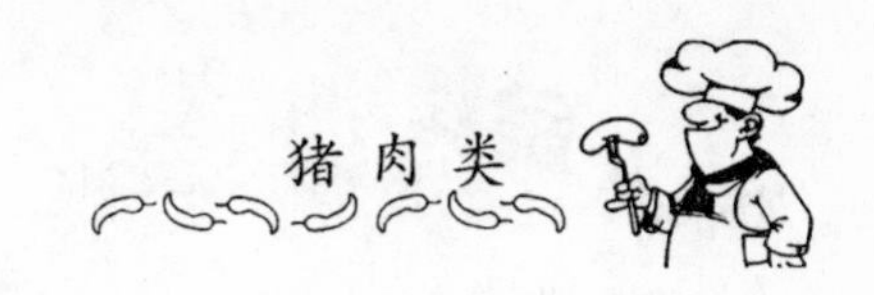

油烧至五成热，下入里脊丝，用筷子拨散滑熟，倒入漏勺沥油。锅内留50克油，下入冬笋煸炒出香味，加盐、韭黄、味精炒一下放汤，用湿淀粉调稀勾芡，随即下入鱿鱼里脊丝炒匀，放香油，装盘即成。

【特点】 滑嫩香脆，酒饭均宜。

海蜇肉片

【原料】 主料：猪臀尖肉250克，海蜇皮300克。

配料：鸡蛋1个。

调料：猪油100克，盐5克，味精1.5克，香油15克，汤150克，葱10克，湿淀粉25克。

【制　法】

1. 猪肉洗净，切成4厘米长、3厘米宽的薄片，用鸡蛋清、盐1克、湿淀粉浆好。葱切成段。

2. 海蜇先用清水漂洗一遍，撕去紫红色筋皮，用清水洗净，再用水漂去咸味，切成5厘米宽的长条，横切一字刀，三分之二切断，三分之一连着；再改成4厘米宽的块，用70℃热水烫卷，一烫成卷即捞出(烫时要注意，烫的时间不要长了，否则，抽缩太人，并且不脆)，放在盘上待用。

3. 用汤、味精、香油、适量的盐、葱段兑成汁。

4. 将锅烧热，放入猪油，烧到五成热时，下入浆好肉片，用筷子拨散滑熟，倒入漏勺沥油。锅内留50克油，将肉片复倒入锅内，随下入海蜇卷，倒入兑汁，炒几下，装盘即成。

【特点】 脆嫩鲜、极爽口。

大烩墨鱼三鲜

【原料】 主料：水发墨鱼片500克，去皮猪肉500克(肥瘦各半)。

配料：熟肚片、熟鸡片、水发云耳、水发玉兰片各50克，鸡蛋3个，面粉50克。

调料：花生油500克(无耗)，猪油100克，盐10克，酱油25克，味精1.5克，鸡汤1000克，胡椒粉0.5克，香油15免，葱15克，湿淀粉50克。

【制　法】

1. 猪肉洗净，先将肥肉100克切成3厘米宽、6毫米厚的片。瘦肉50克切成薄片。其余剁成肉茸，加入鸡蛋和适量的盐，面粉，淀粉，搅拌均匀，分为三部分：一部分挤成肉丸，下入油锅，炸成红肉丸；一部分刮成橄榄丸，放入摸油的平盘内；一部分用鸡蛋1个，加少许盐、湿淀粉搅匀，烫成蛋皮，将肉茸铺平在蛋皮上，滚成蛋卷，放在橄榄丸一起，上笼蒸熟，取出晾凉。蛋卷切成1厘米厚斜片。

2. 肥肉用盐腌上，用鸡蛋1个、适量面粉、淀粉、水调制成糊，下入肥肉拌匀上糊，将花生油烧沸，下入油锅炸成焦酥呈金黄色的酥肉，切成3厘米长的块。瘦肉片用盐，湿淀粉浆好。墨鱼改切成4厘米宽的方块，用开水冲2—3次，直到除去碱味为止。

3. 取大汤碗1个，先放入红肉丸和酥肉，再放入橄榄丸和蛋卷片，加放汤约100克，上笼蒸15分钟。

4. 锅内放入汤，下入墨鱼，加盐、料酒，烧开氽过，倒入漏勺沥干水分。

5. 将猪油烧到七成热时，下入玉片、肚片加盐煸炒，随即下入云耳、鸡片、酱油、鸡汤、味精，烧开调好味，再下入浆好肉片，用湿淀粉调稀勾芡，然后下入墨鱼片，撒胡椒粉、葱段，装入三鲜肉丸在上面，放香油即成。

【特点】 品种多样，汤汁浓厚，味道鲜美。

网油酥方

【原料】

土料：网油一副，豆油皮6张。

配料：肥膘肉50克，熟火腿50克，金钩25克，鸡蛋3个，面粉50克，甜面酱100克，荷叶夹24件，大葱250克。

调料：花生油 1000 克（无耗），盐 8 克，香粉 1 免，白糖 1 克，味精 1.5 克，香油 15 克，花椒粉 0.5 克，葱 15 克，姜 15 克，湿淀粉 50 克。

【制　法】

1. 网油洗净，用竹杆挂起晾干水分后，摊开放在木板上，用小刀划开血筋，将血筋抽掉（以免炸时收缩变形），修改整齐成 50 厘米长、30 厘米宽的长方块。

2. 将鸡蛋打散，加面粉、淀粉和适量的水调制成糊。葱、姜均切成末。

3. 肥膘肉放入汤锅煮熟后捞出，切成细米粒；火腿、金钩（泡发）都切成末，加入葱姜末和鸡蛋糊的一半，再加入盐、味精、五香粉、白糖，搅拌成馅。

4. 将鸡蛋糊抹在网油上，在网油的一半放一层豆油皮，铺上一层馅，再盖上一层豆油皮，然后将没有铺上豆油皮和馅的网油覆盖铺在豆油皮和馅上，最后将网油两面抹上蛋糊。

5. 将花生油烧沸，下入网油酥方，炸至呈黄色捞出，放在木板上，用重物压平。

6. 食用时，将花生油烧沸，下入网油酥方，重炸至呈金黄色捞出，切成 4 厘米长、3 厘米宽的长方块，摆入盘内，淋花椒香油，随上荷叶央两盘和葱酱两盘即成。

【特点】　焦脆香酥，味道可口。

五香焦肉

【原料】　主料：猪肋条肉 1000 克。

配料：鸡蛋 2 个，面粉 50 克，净大葱 250 克，甜面酱 100 克，薄饼 30 张。

调料：花生油 1000 克（无耗），料酒 25 克，盐 3 克，味精 1.5 克，白糖 2.5 克，五香粉 1 克，葱 15 克，姜 15 克，香油 10 克。

【制　法】

1. 肋条肉洗净，下入汤锅白煮熟（断生为止），捞出晾凉，剔去皮，切成 6 厘米长、3 厘米宽、6 毫米厚的片；用捣烂葱、姜加料酒取汁，加入盐、味精、白糖、五香粉，将肉腌约半小时。

2. 将鸡蛋打散后加面粉、淀粉和适量的水调制成糊，把肉放入上糊。

3. 将花生油烧沸，把上糊的肉逐片下入油锅，炸至表面凝固（炸时注意切勿粘连在一起），即端离火位，用温油酥透，使肥膘油脂排出，再上火炸焦酥呈金黄色捞出，淋香油，装入盘内，随上薄饼和葱、酱各两盘，即成。

【特点】　焦脆香酥，甜咸可口。

焦酥肉卷

【原料】　主料：去皮猪肉 300 克（肥瘦各半）。

配料：鸡蛋皮 2 张，鸡蛋 1 个，削皮荸荠 100 克，金钩 25 克，包菜 250 克。

调料：花生油 1000 克（实耗 50 克），料酒 25 克，盐 5 克，味精 1.5 克，白糖 25 克，香油 15 克，面粉 25 克，湿淀粉 25 克，葱 10 克，姜 10 克，五香粉 5 克，蕃茄酱 50 克，花椒粉 0.5 克，白醋 10 克。

【制　法】

1. 猪肉洗净剁成细茸，荸荠拍破剁成米粒，金钩泡发切末，葱、姜切成末，加入鸡蛋、面粉、料酒，盐、味精、五香粉，搅拌成馅。包菜切成丝，用少许盐腌上。

2. 鸡蛋皮切开成半圆形，平铺在木板上，把肉馅用刀平刮在蛋皮上，向前滚成筒（注意大小均匀），稍按扁，如此滚完，再用刀切成 1.6 厘米厚的斜片。

3. 食用时，将花生油烧沸，下入蛋包肉卷，炸焦酥呈金黄色，倒入漏勺沥油，复将肉卷倒入锅内，撒花椒粉、葱花，淋香油，装入盘内。在炸肉卷的同时，将包菜丝挤干水分，放入蕃茄酱、白糖、醋，拌匀拼边即成。

【特点】　焦脆香酥，味鲜松口。

注：①鸡、鱼，牛、羊肉等都可按此法制作。

②还可用糖醋汁烹制。

虎皮肉卷

【原料】 主料：去皮猪肉 250 克(肥瘦各半)，豆油皮 10 张。

配料：水发玉兰片 50 克，削皮荸荠 50 克，金钩 25 克，水发香菇 50 克，鸡蛋 1 个，嫩菠菜 500 克。

调料：花生油 1000 克(实耗 100 克)，料酒 25 克，盐 5 克，味精 1.5 克，酱油 15 克，汤 100 克，香油 15 克，面粉 25 克，湿淀粉 25 克，鸡汤 200 克。

【制　法】

1. 猪肉洗净，切成小米粒。金钩泡发。玉兰片、荸荠、香菇都切成米粒。将花生油烧沸，下入猪肉炒散，再下入以上配料，煸炒出香味，加盐、酱油、料酒、味精、汤，调好味，用湿淀粉调稀勾芡，装盘晾凉。菠菜摘洗干净。葱切成花。

2. 将豆油皮改成 5 厘米宽的长条，摊放在木板上，把炒好的肉馅放在豆油皮的一端，向前卷成三角形；用鸡蛋、面粉调制成糊，把口糊紧。

3. 将花生油烧沸，下入包好的肉卷，炸至焦酥呈金黄色捞出(即成虎皮肉卷)。

4. 食用时，锅内放入鸡汤、盐、味精，将虎皮肉卷稍焖一下即取出，摆入盘内；汤汁内放胡椒粉，用湿淀粉调稀勾芡，加入葱花、香油，浇盖在虎皮肉卷上，周围拼炒菠菜即成。

【特点】 柔软松口，味道鲜美。

注：如不用汤焖亦可炸焦酥，放花椒粉、葱花烹制，叫“焦酥虎皮卷”。

炸小猪排

【原料】 主料：猪里脊肉 500 克。

配料：面包粉 100 克，鸡蛋 2 个，面粉 50 克，生菜叶 150 克，西红柿 2 个。

调料：花生油 1000 克(实耗 100 克)，料酒 25 克，盐 3 克，味精 1.5 克，香油 25 克，葱 15 克，姜 15 克。

【制　法】

1. 里脊肉整条去筋，横切约 1 厘米厚的块，用刀捶松修改成腰圆形状。生菜叶洗净消毒。

2. 葱姜捣烂，用料酒取汁，加入盐、味精、胡椒粉，把里脊肉腌约半小时后，两面粘上面粉，在打散的鸡蛋内拖一下，粘上鸡蛋液，然后两面再粘面包粉按实。

3. 将花生油烧到六成热时，将肉逐块下入，炸至焦酥呈金黄色，淋香油，装入长盘，两头摆蕃茄瓣，两边拼生菜叶即成。

【特点】 焦酥，香脆，味鲜。

注：①如块大亦可改刀。

②炸时要注意火候，既不糊又熟透。

苦瓜酿肉

【原料】 主料：白苦瓜 750 克(选用直径为 4 厘米的)。

配料：猪肉 300 克(肥瘦各半)，金钩 25 克，水发香菇 30 克，大蒜子 50 克，鸡蛋 1 个。

调料：花生油 1000 克(实耗 100 克)，料酒 25 克，盐 10 克，酱油 25 克，味精 1.5 克，葱 10 克，姜 10 克，面粉 25 克，湿淀粉 25 克，辣椒油 15 克，香油 10 克。

【制　法】

1. 苦瓜切成 4 厘米长的筒，下入开水锅煮到五成熟时捞出，放入冷水内，抠去籽，挤干水分。大蒜子剥去皮洗净。

2. 猪肉洗净，剁成细茸。姜切末。葱切仡。金钩泡发，香菇去蒂，都切成小米粒状。上列配料放在一起，加入鸡蛋、面粉、湿淀粉 15 克和料酒、盐、味精搅拌成馅。将馅酿入苦瓜内，两头用干淀粉封口，用盘装上。

3. 将花生油烧沸，下入大蒜子炸熟捞出，放入碗内，再下入酿苦瓜筒，炸熟至呈金黄色，滗出油，加入辣椒油、酱油和适量的汤，稍焖入味，竖扣在放大蒜子的碗内,上笼蒸10分钟。

4. 食用时取出,将汁倒入锅内,随将酿苦瓜筒翻扑盘内,收浓汁,用湿淀粉调稀勾芡,浇汁盖在酿苦瓜上即成。

【特点】 香辣微苦,馅鲜味美。

注:牛、羊肉作馅心,亦可按此法制作。

黄瓜酿肉

【原料】 主料:直条黄瓜1000克,猪肉500克(瘦肥各半)。

配料:水发金钩25克,水发香菇25克,鸡蛋1个,面粉25克。

调料:猪油1000克(实耗100克),料酒25克,盐5克,酱油15克,味精1.5克,胡椒粉1克,香油15克,干淀粉10克,湿淀粉25克,葱10克,姜10克。

【制 法】

1. 黄瓜刨去皮,切成4厘米长的筒,用小刀挖去籽。猪肉洗净剁成细泥。金钩泡发,香菇去蒂洗净,切小颗。葱、姜切末。

2. 用鸡蛋、面粉、湿淀粉调成糊,放入猪肉茸、金钩、香菇、葱、姜末、盐、味精,搅拌成馅。把馅灌入黄瓜筒内,两头用干淀粉封口,放入盘内。

3. 将猪油烧沸,下入灌肉的黄瓜筒,炸熟至呈金黄色捞出,竖扣碗内,上笼蒸10分钟。

4. 食用时,取出黄瓜筒翻扑盘内,将汤滗到锅内收浓叶,用湿淀粉调稀勾芡,浇在黄瓜筒上,撒胡椒粉,淋香油即成。

【特点】 香酥软烂,味道鲜美。

干贝绣球肉丸

【原料】 主料:干贝50克,猪肉300克(瘦肥各半)。

配料:熟瘦火腿50克,水发冬菇50克,净冬笋50克,鸡蛋1个,面粉25克,嫩菠菜500克。

调料:猪油100克,料酒25克,盐10克,味精2克,胡椒粉1克,香油15克,汤150克,湿淀粉50克,葱10克。

【制 法】

1. 先把干贝摘去老筋(在干贝上有一小块和其他人部分颜色不同的东西即是老筋)洗净,加少量的水上笼蒸发,捞出干贝(原水保留待用),搓散成丝。冬笋、冬菇、火腿都切细丝。菠菜摘去边叶,洗净。葱切成段。

2. 猪肉洗净,剁成细茸,加鸡蛋、面粉、淀粉、盐、味精、料酒,搅拌成馅。

3. 把干贝、冬菇丝、冬笋丝、火腿丝拌匀,撒在净白布上,把肉馅挤成直径3厘米大的肉丸,放在拌匀的丝上,逐个粘上丝,滚成绣球,放入抹油盘内,上笼蒸10分钟取出,用碗装上。

4. 食用时,把干贝肉丸蒸热,取出翻扑盘内,撒胡椒粉,同时将猪油烧沸,下入菠菜加入盐,炒熟围边。锅内放入汤,用湿淀粉调稀勾芡,放葱段,浇在绣球肉丸上,淋香油即成。

【特点】 酥香软嫩,味道鲜美。

注:亦可用鸡、鱼、牛、羊肉等制馅。

珍珠肉丸

【原料】 主料:猪肉300克(肥瘦各半)。

配料:糯米100克,泡发金钩25克,熟火腿50克,削皮荸荠50克,鸡蛋1个,面粉25克,嫩菠菜500克。

调料:猪油50克,料酒25克,盐10克,味精1.5克,胡椒粉1克,香油10克,汤150克,湿淀粉30克,葱10克。

【制 法】

1. 糯米用清水淘洗干净,用开水泡10分钟,滗去水过凉。火腿、金钩、荸荠都切成米粒。葱切成花。菠菜摘去老叶,洗净。

2. 猪肉洗净,剁成细茸,加入鸡蛋、面粉、湿淀粉15克、盐、味精、料酒、金钩、荸荠,搅拌成馅。

3. 将糯米、火腿末拌匀,撒在白净布上,再将肉馅挤成直径3厘米大的肉丸,逐个滚上糯米火腿末,装入抹油盘内,上笼蒸10分钟取出晾凉,扣入碗内。

4. 食用时,上笼蒸热取出,翻扑盘内,撒入胡椒粉,同时将猪油烧沸,下入菠菜加盐炒一下围边。锅内放入汤,用湿淀粉调稀勾芡,浇盖珍珠肉丸上,撒葱花,淋香油即成。

【特点】 柔软,鲜香。

注:亦可用鸡、鱼、牛、羊肉等制成馅。

网油肉卷

【原料】 主料:去皮猪肉250克(肥瘦各半),网油250克。

配料:鸡蛋2个,削皮荸荠100克,金钩25克,包菜250克,面粉25克。

调料:花生油1000克(无耗),料酒25克,盐8克,味精1.5克,白糖15克,白醋10克,葱10克,姜10克,湿淀粉50克,花椒粉0.5克,香油15克。

【制 法】

1. 猪肉馅加工见"焦酥肉卷"。包菜洗净,切成丝,用少许盐腌上。葱切成花。姜切成末。

2. 鸡蛋打开,装入碗内,加入适量的面粉、湿淀粉、水调制成糊。

3. 网油洗净,用竹竿晾干水分后,平铺在木板上,改成25厘米见方的块,撒上干淀粉;把肉馅搓成2厘米大条,放在网油一端,向前滚成筒,切下一筒,再滚一筒,如此卷完为止,放入长平方盘内,上笼蒸熟,取出晾凉,切成3厘米长的斜筒。

4. 将花生油烧沸,将网油肉卷裹上蛋糊,逐个下入油锅炸焦酥呈金黄色,倒入漏勺沥油;将肉卷复倒入锅内,撒花椒粉、葱花,淋香油,装入盘内。在炸肉卷的同时,将包菜丝挤干水分,加入蕃茄酱、白糖、醋拌匀,拼边而成。

【特点】 焦酥香,味鲜美。

钩吊香肉

【原料】 主料:嫩五花肉1500克。

配料:甜面酱100克,大葱250克,薄饼30张。

调料:料酒50克,盐3克,酱油25克,白糖50克,五香粉0.5克,香油25克,花椒子20粒,葱15克,姜15克。

【制 法】

1. 五花肉剔去皮,切成约4厘米见方的长条,用拍破的葱、姜、花椒子和上列调料,把肉腌约1小时左右。

2. 用有盖烤缸一个(高约70厘米),烧红木炭,将缸烤红,用小铁钩把腌好的肉钩上挂进烤缸内(腌肉的原汁保留待用),烤至七成熟时取出,放入原汁内拖一下,使调味透入肉内,再挂进烤缸内烤熟透。

3. 食用时,取出用刀切1厘米厚的片,整齐地摆入盘内,淋香油,随上薄饼和葱、酱各两盘即成。

【特点】 肉嫩柔软,甜咸香酥。

注:如有烤箱,用铁盘装上,烤熟亦可。

锅贴火腿

【原料】 主料:熟瘦火腿250克。

配料:肥膘肉500克(实耗300克),虾仁150克,削皮荸荠50克,鸡蛋2个,香菜150克。

调料:料酒50克,盐3克,鸡汤150克,味精1.5克,胡椒粉0.5克,干淀粉15克,湿淀粉25克,葱10克,姜10克,香油15克。

【制 法】

1. 葱、姜捣烂、用料酒取汁。荸荠拍烂,剁成米状。香菜摘嫩叶洗净。鸡蛋去黄用清。

2. 肥膘肉放入汤锅内煮熟(断生即可,切勿煮烂),切成5厘米长、3厘米宽、0.3厘米厚的片(计24片),用净白布抹干油脂水分，两面粘上干淀粉。

3. 火腿切成4厘米长、3厘米宽的薄片(计24片)。

4. 虾仁洗净，用刀和刀背捶剁成细茸，放入鸡蛋清、鸡汤、荸荠、葱姜酒汁、胡椒粉、味精、适量的盐和湿淀粉搅拌成馅。

5. 将肥膘肉片摊开放入平锅内(或放木板上)，把虾仁馅铺满肥膘片上，再将火腿片贴在虾仁馅上。

6. 食用时，将放有锅贴火腿的平锅放在火上，平锅要不停地转动，使火色均匀，煎至肥膘油脂排出、焦酥熟透呈金黄色，把油滗去，淋香油，装入盘内，周围拼香菜即成。

【特点】 焦酥香，味鲜美。

东坡方肉

【原料】 主料：猪五花三层肉一块(重约1750克)。

配料：小圆馒头20个，桂皮15克。

调料：甜酒原汁50克，盐5克，酱油50克，味精1.5克，葱15克，姜15克，猪油100克(无耗)，冰糖50克。

【制　法】

1. 将五花肉放在火上燎过，用温水浸泡软，用小刀刮洗干净，下入汤锅煮一下，使肉收缩，改切成4厘米见方块(计10块)，在皮面上划上花刀，在肉的一面剞上十字花刀，深度为肉的三分之二(切勿把皮划破)。葱白切成花，余下葱和姜拍破。

2. 将猪油烧沸，下入葱、姜煸炒，再下入五花方肉，用温火煸出油，放入酱油煸上红色时再加入甜酒原汁、冰糖、盐、桂皮和适量的水，烧开之后，将方肉放入有垫底蔪的沙钵内(皮朝下)，倒入煸肉原汤，盖上盖，用小火煨1小时左右，待肉烂浓香为止。

3. 食用时，将东坡方肉上火烧开，再揭开盖，撇去浮油，去掉葱、姜、桂皮，两手提起底轿，将肉翻扑盘内；加味精把汁收浓香，浇盖肉上，随上小圆馒头两盘，蘸肉汁吃，别有风味。

【特点】 颜色红亮，香浓味美，稍带甜味。

注：相传宋代著名文学家苏东坡，喜欢自己做菜，以红烧猪肉最为拿孑，经常亲自烹制此菜宴客，食者盛赞不已。当地饭馆效其法，烹制此菜供于市，故名东坡肉，至今还流传全国各地。

烧樱桃肉

【原料】 主料：猪五花三层肉1500克。

配料：净冬笋100克，大蒜50克。

调料：猪油50克(无耗)，甜酒原汁100克，盐10克，味精1.5克，葱10克，姜10克，红曲米25克。

【制　法】

1. 锅内放入水500克，下入红曲米烧开，再用小火熬成红汁，捞出红曲米不要，把汁装入碗内待用。葱、姜拍破。大蒜切成花。

2. 将五花肉放在火上燎过，用温水浸泡软，刮洗干净，切成3厘米大的方它。冬笋用刀滚切成小它。

3. 将猪油烧沸，下入方它肉煸出油，加入冬笋、葱、姜、甜酒汁、红曲汁、盐煸上红色，倒入放置垫底轿沙钵内，加入桂皮、清水(水以没过为准)，盖上盖放在旺火上烧开，移用小火煨至酥烂为止。

4. 食用时，将樱桃肉放在火上，挑去桂皮、葱、姜不要，撇去浮油，加入味精、大蒜花，将肉收成浓香，装入深盘内即成。

【特点】 红似樱桃，香浓味鲜，稍带甜味。

白肉黄瓜卷

【原料】 主料：猪后腿瘦肉150克，嫩黄瓜500克。

调料：姜 10 克，葱 10 克，大蒜子 25 克，辣椒油 15 克，酱油少许，香醋 5 克，盐 5 克，味精 1.5 克，香油 15 克。

【制　法】

1. 蒜子去皮，放入少许盐捣成泥，加入香油和凉开水搅匀。姜切成米。葱切成花。

2. 猪腿肉下入汤锅煮熟（断生即可，切勿煮烂。）捞出，用汤泡上晾凉后切成 5 厘米长、5 厘米宽的薄片（越薄越好）。

3. 黄瓜刮去皮，切去蒂，切成 5 厘米长的筒，用盐腌软，用滚刀法片成薄片（无籽可片到中心，有籽的片到籽为止）。用辣椒油、盐、酱油、醋、味精、蒜泥、姜米、葱花兑成汁。

4. 将白肉摊放砧板上，逐片加一片黄瓜，滚成卷，整齐地摆入盘内，把兑汁浇淋在白肉黄瓜卷上即成。

【特点】　脆嫩鲜香，酸辣味美，极为爽口，夏季凉菜。

注：①牛肉亦可按此法制做。

②如无黄瓜，亦可用莴笋、包菜来卷。

③还可将黄瓜青皮用盐腌软，将白肉片卷在黄瓜皮内。

红泡椒酿肉

【原料】　主料：大红泡椒 20 个（选用直径 3 厘米大的）。

配料：猪肉 150 克（瘦七肥三），水发金钩 50 克，水发香菇 50 克，熟瘦火腿 25 克，蒜子 100 克，鸡蛋 1 个。

调料：植物油 1000 克（实耗 100 克），料酒 25 克，盐 10 克，味精 1.5 克，葱 10 克，汤 250 克，湿淀粉 50 克，香油 15 克。

【制　法】

1. 大红椒掰去蒂，切去尖的部分，挖去籽和瓤，在切口上剞上角齿花刀，洗净，倒放沥干水分。蒜子切去蒂，剥去皮洗净。葱切成花。金钩、香菇都切成米状。火腿切成米。

2. 猪肉剔去皮和筋，剁成泥，放入鸡蛋、金钩、香菇米、葱花、味精、盐、料酒、湿淀粉搅拌成馅，灌入红椒内，表而撒火腿米，用盘装上。

3. 锅内放入油烧到六成热时，下入蒜子炸熟捞出，再放入酿红椒煎至八成熟，滗去油；随即倒入炸熟蒜子、盐、汤焖一下，用湿淀粉调稀勾芡，放香油，将酿红椒整齐地摆在盘中间，周围拼蒜子，把汁浇盖在上面即成。

【特点】　色彩美观，香辣酥鲜，味美可口。

铜锤排骨

【原料】　主料：嫩子猪排骨 1000 克（10 厘米长的 12 根）。

配料：鸡蛋清 5 个，大西红柿 1 个，香菜 100 克。

调料：花生油 1000 克（实耗 75 克），料酒 15 克，精盐 6 克，味精 1 克，胡椒粉 1 克，白糖 5 克，花椒子 20 粒，干淀粉 30 克，面粉 5 克，花椒香油 10 克，葱 15 克，姜 15 克。

【制　法】

1. 葱和姜拍破。大西红柿切成花朵。香菜摘洗干净。

2. 每根排骨一边带肉，把骨上的肉剔往下端（排骨肉要连在骨上），再将肉捶松并斩断筋络，用拍破葱姜、花椒子、盐、白糖、味精、胡椒粉、料酒腌约 2 小时后，挑去葱姜、花椒子，用 1 个鸡蛋清和湿淀粉调匀浆好，把剔下的排骨肉缠在连着一端的骨上成锤形。

3. 将鸡蛋清 4 个装入深边盘内，用筷子打起发泡，放入适量的干淀粉和面粉调制成雪花糊。

4. 锅内放入油烧到五成热时，将排骨肉锤逐个裹上雪花糊，下入油锅（切勿粘连一起），用温火炸至酥透呈金黄色，捞出，套上纸花，摆在盘的一周，淋花椒香油，将香菜和西红柿花朵摆放盘中点缀即成。

【特点】 色彩美观，松酥香鲜。

椒盐排骨

【原料】 主料：嫩子猪排骨1000克。

配料：鸡蛋2个，咸面包渣100克，香菜100克。

调料：花生油1000克（实耗100克），料酒20克，精盐8克，味精1克，白糖5克，葱20克，姜20克，椒盐粉50克，花椒子20粒，面粉40克，湿淀粉50克，香油15克。

【制　法】

1. 葱和姜拍破。香菜摘洗干净。鸡蛋磕在碗里，加入面粉、湿淀粉调制成鸡蛋糊。

2. 将排骨砍成5厘米大的方块（计20块），用拍破葱姜、花椒子、料酒、盐、白糖、味精腌2小时后，上笼蒸至七成烂（切勿蒸得太烂，以吃时能离骨为准），取出晾凉待用。

3. 食用时，将蒸好的排骨逐块裹上鸡蛋糊，再粘上面包渣，按实，下入六成熟油锅；用温火炸至酥透焦香呈金黄色，倒入漏勺沥油，整齐地摆放盘中，淋香油，香菜拼在周旧，随上两小碟椒盐粉即成。

【特点】 色泽金黄、松脆酥香，味道鲜美，下酒佳肴。

荷香粉蒸排骨

【原料】 主料：嫩子猪排骨800克。

配料：五香米粉100克，鲜嫩荷叶5张。

调料：猪油50克，料酒15克，精盐5克，酱油5克，白糖3克，葱15克，姜15克，香油15克。

【制　法】

1. 葱切成花。姜切成米。荷叶洗净，抹干水分，每张改成均匀的4块。

2. 将排骨砍成5厘米的方块（计20块），用料酒、盐、酱油腌一下，加入葱花、姜米、白糖、味精、五香米粉拌匀，摆入长瓷平盘，上面放猪油，上笼蒸1小时取出。

3. 每块荷叶刷上香油，放一块排骨，包成长方块，摆放小蒸笼内，上火蒸透取出，用盘托上即成。

【特点】 荷香四溢，柔软糯鲜，味美不腻。

腊肉

【原料】 主料：猪肉5000克（选用皮薄肥瘦相连的后腿肉或五花三层肉）。

调料：盐150克，花椒子25克，白糖50克，白酒50克。

熏料：松柏锯木屑和干果壳10公斤左右。

【制　法】

1. 先将猪肉皮上残存的毛用刀刮干净，切成6厘米宽的长条，用竹签扎些小眼，以便于进味。

2. 先把花椒子炒热，再下入盐炒烫，倒出晾凉（以不烫手为准）。

3. 将猪肉用花椒、盐、白糖揉搓，放在陶器盆内或搪瓷盆内（切勿用金属盆），皮向下，肉向上，最上一层皮向上，用重物压上。冬春季2天翻一次，腌约5天取出。秋季放在凉爽之处，每天倒翻1至2次，腌约2天取出，用干净布抹干水分，用麻绳穿在一端皮上，挂于通风高处，晾到半干，放入熏柜内，熏约二三天，中途移动1次，使烟全部熏上腊肉呈金黄色时，取出挂于通风之处即成。

【特点】 味道咸香，酒饭均宜。

注：腊味是湖南特产，凡家禽、野畜及水产等均可腌制，选料认真，制作精细，品种多样，具有色彩红亮、烟熏咸香，肥而不腻、鲜美异常的独特风味，每年冬初季节就开始熏制，要吃到春节之后。烟熏的腊味菜，能杀虫防腐，只要保管得法，一年四季都能品尝。

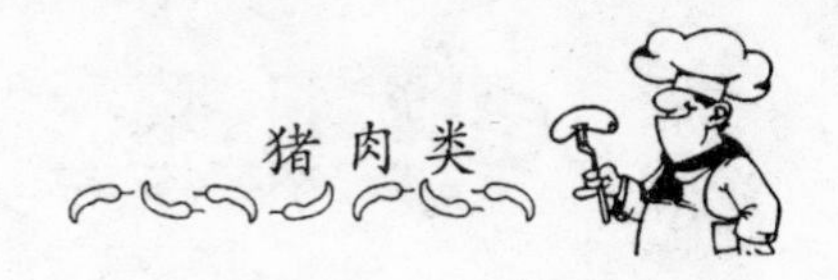

冬笋腊肉

【原料】 主料:腊肉500克。

配料:大蒜100克,净冬笋150克。

调料:猪油50克。

【制　法】

1. 腊肉洗净,上笼蒸熟取出,切成4厘米长、3厘米宽、0.3厘米厚的片。

2. 冬笋初步加工见"虾蛋烧冬笋",再切梳子背形、约3毫米厚的片。大蒜摘洗干净切成3厘米长段。

3. 将猪油烧到六成热时,下入腊肉、冬笋煸炒,加汤稍焖收干,炒香,放入大蒜,翻炒几下装盘即成。

【特点】 腊肉香,冬笋脆,酒饭均宜。

红烧炸蹄筋

【原料】 主料:干猪蹄筋100克。

配料:水发玉兰片50克,水发香菇50克,熟鸡肉50克。

调料:花生油1000克(实耗50克),猪油100克,料酒25电,盐3克,酱油25克,味精1.5克,汤200克,胡椒粉1克,香油15克,葱10克。

【制　法】

1. 锅内放入花生油,烧到四成热,下入干蹄筋,用瓢小断翻动,待全部浮起时,将锅端离火位,洒水打烹,约炸5分钟,再上火炸透,炸至一拧即断,呈蜂窝孔时捞出,沥干油,再用沸水浸泡(用重物压盖不使浮出水面),涨发后捞出,每根切成两段,再切开,用少许碱抓一下,用温水洗两遍,挤出油脂,下入冷水锅烧开氽过捞出,沥干水分。

2. 鸡肉、玉兰片、香菇都切成蹄筋一样大的条。葱切成段。

3. 将猪油烧沸,下入玉兰片、冬菇、鸡肉煸炒,放入料酒、酱油、盐、汤,再下入炸蹄筋,加入味精,焖入味,用湿淀粉调稀勾芡,放葱段、胡椒粉、香油,装入盘内即成。

【特点】 松软爽口,味道鲜香。

桂花蹄筋

【原料】 主料:干猪蹄筋500克。

配料:鸡蛋黄4个,鸡蛋清2个,熟火腿肉15克,猪瘦肉50克。

调料:肉清汤250克,胡椒粉0.5克,绍酒2.5克,味精1克,精盐3克,芝麻油1.5克,熟猪油115克,花生油1500克(实耗250克)。

【制　法】

1. 将干猪蹄筋500克逐条切去一端的肉蒂。炒锅置中火上,下花生油1500克,放入蹄筋翻炸,使油温保持在六成热,炸至蹄筋全部浮起离火,烹入少量的水,约5分钟后再移至中火上将蹄筋炸透,至蹄筋能一拧两断、断面呈现蜂窝小孔即成。

2. 在制菜前一天,将炸蹄筋置于冷水(冬季用温水)中浸泡涨发好,然后切成4厘米长、0.7厘米见方的条,放入沸水锅中氽一下,去掉表面油脂,倒入漏勺沥干水。

3. 将蛋黄和蛋清放入1只大碗中,用筷子搅发后,加味精、精盐2克、肉泥,再用筷子调匀。

4. 将炒锅置旺火上,放入75克熟猪油烧至六成热,将调匀的鸡蛋和蹄筋同时下锅翻炒,快速推动手勺,使鸡蛋松散地粘连在蹄筋上,再沿锅边淋25克熟猪油,用手勺翻动至蛋花呈金黄色时盛入盘内,撒火腿末、胡椒粉,淋芝麻油即成。

【特点】 形似桂花,柔软松泡。

火方生蹄筋

【原料】 主料:火腿膀500克(即火腿肘)、干猪蹄筋100克(如有新鲜的更好)。

配料:小白菜1000克。

调料:鸡油15克,清鸡汤1000克,普

汤250克，味精1.5克，料酒50克，盐10克，胡椒粉1克，葱15克。

【制　法】

1. 火腿膀用开水放点碱洗一遍，再用温水洗净，放入汤锅内煮1小时捞出，用小夹子把皮面的毛挟去，用刀修去杂质，在瘦的一面剞上十字花刀(深度为三分之二)，用碗装上(皮朝下)，放入料酒，冷水上笼蒸1小时取出，滗去汁，再换鸡汤，上笼蒸烂透为准。

2. 猪蹄筋放入铝锅内，加冷水在旺火上烧开，移小火焖煮稍软端离火位，捞出用冷水洗一遍，再换冷水上火焖煮烂透，捞出放入清水内拣去杂质，长的一切两段，宽的一切两开成条，下入冷水锅烧开氽过，用冷水冲漂，再用冷水泡上。

3. 小白菜摘去边叶留苞洗净，葱切成段。

4. 食用时，锅内放入普汤，下入蹄筋、白菜苞，加料酒、盐，烧开氽过入味，倒入漏勺沥干水分，装入汤WF内，同时将火方取出放入蹄筋白菜苞上，将火方原汤倒入锅内，加鸡汤，放味精、盐烧开，调好味撇去泡沫，放胡椒粉、鸡油即成。

【特点】　柔软酥烂，汤鲜味香。

奶汤生蹄筋

【原料】　主料：新鲜猪后腿蹄筋500克(或干蹄筋300克)。

配料：小白菜1500克。

调料：料酒50克，盐15克，味精1.5克，普汤500克，奶汤1000克，胡椒粉1克，鸡油15克，葱10克，姜10克。

【制　法】

1. 水发生蹄筋和切配加工方法见“火方生蹄筋”。葱、姜拍破。小白菜摘去边叶留小苞，下入开水锅氽过，用冷水过凉。

2. 锅内放入普汤、拍破的葱、姜、料酒、生蹄筋、盐烧开氽过，倒入漏勺沥干水分，去掉葱、姜。

3. 锅内放入奶汤、生蹄筋、盐、味精、胡椒粉、白菜苞烧开调好味，撇去泡沫，装入汤WF内，放鸡油即成。

【特点】　蹄筋软糯，汤白浓厚，味美可口。

鸡汁生蹄筋

【原料】　主料：新鲜猪蹄筋500克(或干蹄筋250克)。

配料：小白菜1000克。

调料：猪油100克，料酒25克，盐10克，味精2.5克，鸡汤500克，普汤250克，胡椒粉1克，鸡油15克。

【制　法】

1. 生蹄筋洗净，白煮八成烂捞出，放入清水内，拣出杂质，切成两段，宽的一切两开成条，下入冷水锅内烧开氽过，用冷水冲漂，去掉胶质，再用冷水泡上。

2. 小白菜摘去边叶，留苞洗净。葱切段。

3. 锅内放入普汤，下入生蹄筋，加料酒、盐烧开氽过，倒入漏勺沥干水分，再用沙钵垫底轿放入鸡汤，下入生蹄筋，用小火焖10分钟。

4. 将猪油烧到六成热，下入小白菜苞，加盐煸炒；倒入煨好生蹄筋，加盐、味精、胡椒粉，收浓汁，放葱段，装入盘内，放鸡油即成。

【特点】　柔软浓厚，味道鲜美。

烧大酥方

【原料】　主料：膘肥正脊肋条肉(重约4公斤，皮而须平整、无凸凹的七根排骨宽)1块。

配料：大葱500克，荷叶夹、千层酥各20件。

调料：香油200克，清鸡汤1000克，葱10克，甜面酱200克。

燃料：木柴10公斤，木炭7.5公斤左右。

【制　法】

1. 把方肉用刀砍去背脊骨，整理成

长方瓦形块,用叉子在排骨缝中肉上扎些气眼(但不能把肉皮扎穿),用叉子平平地从筋肉里进叉,进叉时要力量均匀。

2. 用一大缸垫放炉灰渣,放入木炭2.5公斤左右,第一次用木柴烧旺火,把方肉平放在火上烧(皮朝下),待方肉定型时,先烧后两角,再烧前两角,然后烧中间,烧得均匀,待出油起壳时,即搬离火位,用刀刮掉油壳,然后用竹扦在方肉肥膘肉周围打些气眼;再加木柴烧第二次,将方肉的油壳刮削掉,看是否全部烧酥透;如有部分未烧酥透时,第三次用木炭逼烤未酥透之处,再刮削干净,用油洗去糊末;第四次烤边刷香油,全部烤成金黄色,直到酥透为止。

3. 食用前1小时,用木炭将酥透方肉烤热。

4. 食用时,把方肉连叉子放在大长盘内,然后抽出叉子,用刀将酥方皮划成四大块,片下来,切成4厘米长、3厘米宽的长方块,放在原方肉上,保持温度上桌,每人随上一碟荷叶夹、千层酥和一小碗葱花清鸡汤、一碟葱酱,即成。

【特点】 香脆酥透,足我国的高贵名菜。

注:如要吃烤肉时,可片下里脊肉,再切片淋味。

烤乳猪

【原料】 主料:肥乳猪一头,7.5公斤左右。

配料:大葱500克,荷叶夹、双麻饼各20件。

调料:甜酒原汁200克,白糖25克,黄醋50克,香油250克,花椒子30粒,甜面酱200克,葱50克,姜50克。

燃料:木炭10公斤左右。

【制　法】

1. 将乳猪宰杀,刮净毛(根据天气冷热,夏季用沸水六成、冷水四成;春秋两季用沸水七成、冷水三成;冬季用沸水八成半、冷水一成半,烫过刮毛即脱),放在木案上,再刮去残存的绒毛,用清水洗净。由腹部开膛去内脏,再洗净,用木棒把猪四脚关节捶碎(切勿伤皮),再用刀割去颈骨一节,嘴下壳骨砍开成两边,舌子刮去白膜。把猪脚弯垂上叉,由猪后臀部进叉,两眼旁脸部出叉,前脚同嘴骨用绳扎紧在叉子上,后腿的脚爪穿过腹部的皮用绳扎紧在叉上。

2. 用甜酒原汁约一杯,掺入清水八杯(晚上食用掺水八杯半),加入白糖和醋,再加入拍破的葱姜及花椒子浸泡上。

3. 把上叉的乳猪放在沸水锅上(皮朝下,但不能浸泡沸水内),用人瓢舀水淋在猪的全身全八成熟,翻转身(皮朝上),淋全伸皮为止。这时把猪搬离沸水锅,用净白布抹干水分,趁热将兑好的甜酒汁浇摸在猪全身头尾各部。

4. 食用前3小时,用一大缸垫放炉灰渣半缸,放入木炭烧旺,把猪放在炭火上烤(腹朝下),高度为距离火缸30厘米左右,烤至八成熟时,将猪搬离炭火,用竹扦将腹部内排骨及前后腿全部划开(切勿划破皮面),用净白布在猪皮面按干水分。

5. 食用前1小时,把炭火烧旺,扒成两头(即工字火),先烤后臀呈金黄色,再烤头部及前身,然后烤中部,边烤边刷香油,烤至猪全身酥透都呈金黄色时,再刷香油,用刀划断绳,将烤好的猪连叉放在特大长盘内,再抽出叉子,用刀把猪身的酥皮上划成4厘米长、3厘米宽的长方块,片离猪身,放在原处,上桌时每人随上一碟荷叶央、双麻饼,一碗葱花、清鸡汤,一碟葱酱,即成。

【特点】 香酥脆嫩,营养丰富,是我国高贵名菜。

注:①猪要选用肥的,不肥的猪,烤出米皮不酥脆。

蜜汁火方

【原料】 主料:火腿膀一个(约750克)。

调料:冰糖250克,白糖100克,玫瑰糖2克。

【制 法】

1.火腿膀初步加工见"火方生蹄筋",上笼蒸到八成烂时,滗去火方原汁,放入白糖、清水,上笼蒸烂透。

2.食用时取出火方,滗去汁,翻扑盘内,同时用一净锅放入水100克,将冰糖、玫瑰糖溶化过箩筛去渣,将糖水倒入洗净的锅内,用湿淀粉调稀勾芡,浇盖火方上即成。

【特点】 玻璃汁亮,香甜酥烂。

油爆肚尖花

【原料】 主料:猪肚尖头4个。

配料:净冬笋50克,水发香菇50克,大红椒50克,鸡蛋1个。

调料:猪油500克(实耗150克),料酒25克,味精1.5克,盐8克,香油15克,汤少许,葱10克;姜10克;湿淀粉40克。

【制 法】

1.整个猪肚子用刀剥下一层最厚的肚尖头,片去两面油和筋,用清水洗净,在光的一面用刀斜剞十字交叉花刀,切成约3厘米大的斜方块。

2.冬笋、红椒去带去籽,香菇去带,都切成与肚尖大小相同的块。姜切小片。葱切段。

3.用汤、味精、香油、湿淀粉兑成汁,加入葱段。

4.食用时,将肚尖花用盐拌匀,再用蛋清、淀粉浆好。

5.将猪油烧沸,下入肚尖花,用瓢推炒,待肚尖散开卷起时,即倒入漏勺沥油;锅内留50克油,下入冬笋、姜片,红椒、香菇,加盐煸炒一下,再倒入肚尖花,随倒入兑好的汁,簸炒几下,装入盘内即成。

【特点】 嫩脆香,味鲜美。

注:①此菜炒时动作要快,火要旺,油要沸。

鸭掌汤泡肚

【原料】 主料:猪肚尖头3个,鸭掌12个。

配料:口蘑20克,豆苗500克。

调料:料酒25克,清鸡汤1000克,普汤500克,盐15电,味精2.5克,胡椒粉1.5克,鸡油15克。

【制 法】

1.猪肚尖头初步加工见"油爆肚尖花",用直刀在光的一而制一字刀,再横剞斜刀片三刀一断,成鱼鳃形,再切成5厘米长、2厘米宽的片,用少许碱腌约半小时,再用清水漂去碱味。

2.口蘑加工法见"芙蓉鸡片"。鸭掌初步加工见"香卤鸭掌",加工后再蒸八成烂。豆苗摘苞洗净。葱白切段。

3.锅内放入清鸡汤、口蘑、盐、味精,烧开调好味,撇去泡沫,再放入豆苗苞,装入汤WF内,放胡椒粉、鸡油。

4.锅内放入普汤烧开,下入肚尖花,加料酒、盐氽一下,即用漏勺捞出,装入盘内,拌上胡椒粉,随同口蘑鸡汤上桌,将盘中肚尖花倒入口蘑鸡汤内即成。

【特点】 肚尖脆嫩,汤清鲜美。

红白肚尖

【原料】 主料:猪腰子300克,猪肚尖头2个。

配料:净冬笋50克,水发香菇25克,大红椒50克。

调料:猪油500克(实耗100克),料酒25克,盐5克,酱油15克,味精1.5克,胡椒粉0.5克,香油15克,葱10克,

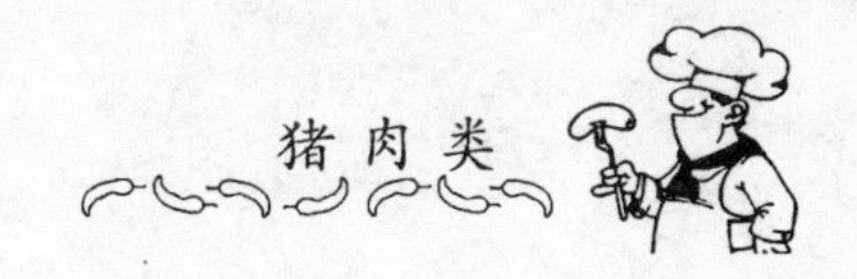

姜 10 克,湿淀粉 40 克。

【制　法】

1. 猪腰撕去表而的皮膜,用刀一片两边,剔去腰臊洗净,在表面斜剞十字花刀(深度为腰的三分之二),再切成3厘米大斜方块,用盘装上,用盐拌匀,加湿淀粉浆好。

2. 猪肚尖剔去油筋,剞刀深度和切块大小与猪腰相同,用盐拌匀,加湿淀粉浆好。

3. 冬笋切滚刀片。香菇去带,大的改块。大红椒去蒂去籽切块。姜切小片。葱切段。用酱油、香油、味精、少许汤、湿淀粉兑成汁。

4. 将猪油烧沸,先下入腰花,继下入肚尖花,炒到八成熟时,倒入漏勺沥油;锅内留 50 克油,下入冬笋、红椒、香菇、姜片,加盐煸炒,随倒入腰花、肚尖、葱段,烹料酒,随即冲人兑汁,翻炒几下,装入盘内即成。

【特点】　滑脆嫩,味鲜香。

韭花肚尖丝

【原料】　主料:猪肚尖头 2 个(重约 300 克)。

配料:韭花 500 克,鲜红椒 50 克,鸡蛋 1 个。

调料:猪油 500 克(实耗 100 克),料酒 10 克,盐 10 克,味精 1.5 克,干淀粉 15 克,湿淀粉 10 克,汤 50 克,香油 15 克。

【制　法】

1. 猪肚尖剔去油筋,洗净,片成 0.3 厘米厚的片,再切成 5 厘米长的丝,用蛋清、适量的盐和干淀粉调匀浆好,拌上一点香油。

2. 韭花摘去老梗洗净,红椒去蒂去籽洗净,都切成与肚尖丝一样长的丝。用汤、味精、香油、湿淀粉兑成汁。

3. 锅烧热,放入猪油烧到五成热时,下入肚尖丝,用筷子拨散滑熟,倒入漏勺沥油;锅内留 50 克油,下入红椒丝、韭花,加盐炒一下,倒入滑熟的肚尖丝,烹料酒,随后倒入兑汁簸炒几下,装入盘内即成。

【特点】　色彩鲜艳,脆嫩鲜香,味美爽口。

注:亦可用绿豆芽摘去根和花作配料,叫“银芽肚尖丝”。

五元蒸肚片

【原料】　主料:猪肚子 1000 克。

配料:荔枝、桂圆、红枣各 12 粒,发好莲子 50 克,枸杞 10 克。

调料:猪油 50 克,料酒 50 克,盐 50 克,醋 50 克,冰糖 50 克,鸡汤 500 克,胡椒粉 5 克,葱 15 克,姜 15 克。

【制　法】

1. 猪肚用刀割去油脂杂质,刮去表面的涎液洗一遍,放入沸水锅内氽过(视白膜皮用手一推即掉),捞出,放入冷水内刮去白膜皮,用盐、醋各 50 克揉搓,用清水冲洗干净,再放入冷水锅上烧开,除去异味,切成 5 厘米长、2 厘米宽的条,装入绿釉钵内,放入猪油、盐、冰糖、鸡汤、胡椒粉、拍破的葱姜、料酒,上笼蒸到八成烂取出,去掉葱姜。

2. 荔枝、桂圆剥去壳,枸杞都洗一遍,红枣洗净蒸发剥去皮,同莲子一起放入肚片内,上笼蒸烂透取出,撒胡椒粉,原钵托盘上桌即成。

【特点】　软烂浓香,甜咸适口。

玉带肚尖卷

【原料】　主料:猪肚尖头 400 克。

配料:子油姜 50 克,净冬笋 50 克,水发冬菇 50 克,鸡蛋 2 个,蘑菇 50 克,红萝卜 150 克。

调料:猪油 500 克(实耗 100 克),料酒 25 克,盐 5 克,味精 1.5 克,胡椒粉 1 克,葱 50 克,干淀粉 25 克,汤少许,香油 15 克。

【制　法】

1. 冬菇去蒂洗净,冬笋和子油姜都

切成丝。葱白切成5厘米长的段(葱青作捆扎之用)。红萝卜切成树叶形。蘑菇切成片。鸡蛋去黄用清,加入适量的盐、干淀粉调制成浆。

2. 将肚尖头剔去油和筋,切成5厘米宽的块,再片成5厘米长的薄片,先用斜刀剞一字花刀,成鱼鳃形,用蛋清浆好,将剞刀的一面朝下,摊放木板上。将冬笋、冬菇、子油姜丝各放三根在肚尖的一端卷成筒,然后用葱青捆扎,切去两头伸出部分,用余下蛋清浆上。用汤、盐、味精、香油、湿淀粉兑成汁。

3. 食用时,锅烧热放入猪油烧到六成热时,下入肚尖卷,滑至八成熟倒入漏勺沥油;锅内留50克油,下入红萝卜片、蘑菇片,加盐炒一下,倒入滑熟肚尖卷,烹料酒,随即冲下兑汁,翻炒几下,放香油,装盘即成。

【特点】 滑嫩香脆、味鲜可口。

钩吊香腰

【原料】 主料:鲜猪腰子1000克。

配料:网油250克,香菜250克。

调料:料酒50克,盐5克,酱油10克,白糖15克,辣椒油25克,味精1.5克,花椒子20粒,葱15克,姜15克。

【制 法】

1. 网油洗净晾干。香菜摘洗干净。葱、姜拍破。

2. 猪腰子撕去皮膜洗净,抹干水分,在腰子两面直剞上一字花刀,用葱、姜、花椒子、料酒、盐、酱油、白糖、味精腌约半小时取出(腌腰原汁保留待用),包上一层网油。

3. 烤炉内烧红木炭,将炉烤红,把腰子钩在小钩上,挂进烤炉,烤到八成熟时取出,在腌腰原汁内浸上原汁,再挂进烤炉内,烤到熟透为止。

4. 食用时,取出香腰,切成1厘米厚的片,摆入盘内,淋辣椒香油,拼香菜即成。

【特点】 香酥味鲜,下酒佳肴。

酸辣腰花

【原料】 主料:鲜猪腰子600克。

配料:泡菜100克,净冬笋50克,水发香菇50克,小红椒25克,大蒜50克。

调料:猪油500克(实耗100克),料酒25克,盐5克,酱油25克,味精1.5克,香油25克,湿淀粉50克。

【制 法】

1. 猪腰撕去皮膜,片成两半,再片去腰臊洗净,在表面斜剞一字花刀,翻过来再斜剞一字花刀(即蓑衣花刀,两面深度为三分之二),切成长宽为3厘米的斜方块,装入盘内,用盐拌匀,加湿淀粉浆好。

2. 泡菜、冬笋、去蒂香菇洗净,红椒去蒂去籽洗净,都切成末。大蒜摘洗净切成花。

3. 将猪油烧沸,下入腰花,炒到八成热时,即倒入漏勺沥油;锅内留50克油,下入冬笋、泡菜、香菇、红椒、大蒜炒一下,烹料酒,加入盐、酱油、味精,用湿淀粉调稀勾芡,随即倒入滑熟的腰花,簸炒几下,淋香油,装盘即成。

【特点】 酸辣鲜香,酒饭均宜。

注:猪肝、猪心亦町按此法制作。

面包贴腰片

【原料】 主料:猪腰子400克。

配料:咸面包150克,鸡蛋4个,熟火腿15克,净香菜叶50两,蕃茄酱100克。

调料:花生油1000克(实耗100克),料酒25克,盐5克,味精1.5克,胡椒粉1克,香油15克,葱15克,姜15克,花椒子20粒,干淀粉30克。

【制 法】

1. 猪腰先撕去表面皮膜,片成两半,再剔去腰臊,片成5厘米长、3厘米宽的薄片,用拍破的葱姜、料酒、花椒子、盐腌约1小时,去掉葱姜、花椒子,用净白布按干水分,再用味精、胡椒粉拌匀。火腿切末。香菜叶洗净。

2. 面包切与腰片大小相同的薄片，摆开放木板上。

3. 鸡蛋去黄用清，装入深盘内，用筷子打起发泡成雪花糊，加入干淀粉搅匀，把腰片逐片裹上雪花糊，贴在面包上，再按上火腿末、香菜叶。

4. 将花生油烧到六成热，把贴好的腰片逐个铲入油锅内（面包片朝下），用温火炸熟酥透，呈金黄色即捞出，淋香油装长盘，两头拼蕃茄酱即成。

【特点】 焦脆香酥，味鲜可口。

软炸腰花

【原料】 主料：猪腰子400克。

配料：鸡蛋4个，香菜100克。

调料：花生油1000克（实耗100克）料酒50克，盐5克，味精1.5克，胡椒粉1克，香油25克，花椒粉0.5克，花椒子20粒，葱15克，姜15克，干淀粉30克。

【制　法】

1. 猪腰撕去表面皮膜，片成两半，再剔去腰臊，在皮面剞十字花刀，深度为三分之二，切成横直约3厘米斜方块，用拍破的葱姜、花椒子、料酒、盐腌约20分钟，去掉葱、姜、花椒子，用净布按干汁水，用味精、胡椒粉拌匀。

2. 鸡蛋去黄用清，装入大深盘，用筷子打成雪花蛋糊，调人干淀粉搅匀。香菜摘洗干净。

3. 将花生油烧到六成热，把腰花逐个裹上雪花糊，下入油锅炸全表面的糊凝固时即捞出，锅内的油再烧热时下入腰花重炸一次，外焦内熟，倒入漏勺沥油；锅内放花椒粉、香油，倒入炸好的腰花，簸几下装入盘内，边上拼香菜即成。

【特点】 外焦内嫩，香酥味鲜。

凤尾腰花

【原料】 主料：猪腰500克。

配料：净冬笋50克，水发香菇50克，红椒50克。

调料：猪油500克（实耗100克），盐5克，酱油25克，味精1.5克，料酒25克，胡椒粉0.5克，香油15克，葱10克，湿淀粉30克。

【制　法】

1，猪腰撕去皮膜，片成两半，剔去腰臊，先用斜刀剞一字花刀，再用直刀切（前刀尖向下，后刀跟稍提起），每三刀切断，成约1厘米宽的带花条形，用盐、淀粉浆好。

2. 冬笋、香菇都切条。红椒去蒂去籽切条。葱切段。用酱油、汤、味精，湿淀粉兑成汁。

3. 将猪油烧沸，下入腰花，用瓢炒到八成熟时即成风尾形，倒入漏勺沥油；锅内留50克油，下入冬笋、红椒、香菇，加盐煸炒，倒入滑熟腰花，烹料酒，随即倒入兑汁翻炒几下，放入胡椒粉、香油，装入盘内即成。

【特点】 脆嫩味鲜，酒饭皆宜。

网油腰卷

【原料】 主料：猪腰300克。

配料：网油250克，猪肉150克（肥瘦各半），削皮荸荠100克，鸡蛋2个，香菜150克。

调料：花生油1000克（实耗50克），料酒25克，盐5克，味精1.5克，白糖5克，胡椒粉0.5克，花椒粉0.5克，香油15克，面粉15克，干淀粉40克，姜15克，葱15克。

【制　法】

1. 猪腰撕去皮膜，片成两半，剔去腰臊，片成3毫米厚的片，再切成丝。猪肉、荸荠都切成丝。葱、姜切末。香菜摘洗干净。

2. 用鸡蛋、面粉、干淀粉加入适量的水调制成糊，放入腰丝、肉丝、荸荠丝、葱姜末、料酒、盐、白糖、味精、胡椒粉搅拌成馅。

3. 网油洗净，晾干水分，平铺木板上，修改成长方形，撒上干淀粉，把拌好的腰馅放在网油的一端，滚成2厘米大的圆筒，卷成一筒后，将网油切断，再卷另一筒，卷完为止，装入盘内，上笼蒸10分钟取出晾凉，切成3厘米长的段。

4. 食用时，锅烧沸油，把腰卷滚上一层干淀粉，下入油锅，炸焦酥呈金黄色滗去油，撒花椒粉，香油，簸儿下装入盘内，拼香菜即成。

【特点】 外焦内嫩，色香味美。

网油猪肝球

【原料】 主料：猪肝250克。

配料：网油250克，肥膘肉100克，削皮荸荠100克，鸡蛋2个，面粉25克，包菜250克。

调料：花生油1000克（实耗50克），料酒25克，味精1.5克，盐4克，白糖50克，醋15克，香油15克，花椒粉0.5克，葱10克，姜10克，蕃茄酱50克，干淀粉35克。

【制 法】

1. 网油洗净，用竹竿晾干水分。用鸡蛋、面粉、淀粉加入适量的水，调成蛋糊。包菜洗净去掉梗茎，切成丝，用少许盐腌上。

2. 猪肝洗净，切成0.7厘米见方小颗；肥膘肉点熟剁成米；姜切末；葱白切花；荸荠拍破剁碎，加入盐、味精、料酒和三分之二的鸡蛋糊搅拌成馅。

3. 将网油平铺木板上修改整齐成30厘米见方块，撒上干淀粉，把猪肝馅放在网油上的一端，向前滚成3厘米大的筒形，用绳每3厘米长打一小结，上笼蒸熟取出稍凉，在节端处切断，放入余下的鸡蛋糊内。

4. 将花生油烧到七成热时，用筷于挟上糊的猪肝球逐个下入油锅，炸至焦酥呈金黄色，滗去油，撒花椒粉，淋香油，装入盘内；间时把包菜丝挤干水分，加入蕃茄汁和糖醋拌匀，拼边即成。

【特点】 焦酥香，味鲜美。

炸灌小肠

【原料】 主料：猪小肠400克。

配料：猪肉150克（肥瘦各半），糯米150克，水发香菇50克，金钩15克，削皮荸荠100克。

调料：花生油1000克（实耗100克），料酒50克，盐50克，醋50克，味精15克，胡椒粉1克，五香粉0.5克，香油15克，葱15克，姜15克，面粉25克，淀粉25克，花椒粉0.5克。

【制 法】

1. 猪小肠两面刮洗干净，用盐酣揉搓，用清水漂洗干净至除去腥臭味为止。

2. 糯米淘洗干净，用开水泡10分钟后，用冷水过凉捞出。猪肉、香菇、金钩（泡发）、荸荠都切成小颗，葱姜切成末，放在一起，再加入盐、五香粉、胡椒粉、味精搅拌成馅，用漏斗灌入小肠内（每3厘米打一小结），上笼蒸半小时，取出晾凉，在节端处切断。用鸡蛋、淀粉、面粉调制成糊。

3. 将花生油烧沸，把泄肠上糊，逐个下入油锅炸全焦酥呈金黄色，滗去油，撒化椒粉、香油，装入盘内即成。

【特点】 焦脆香酥，味鲜可口。

烧大肥肠

【原料】

土料：猪肥肠头1000克。

配料：净冬笋100克，大蒜50克，干朝天椒5个，桂皮10克。

调料：猪油100克，料酒50克，盐50克，醋50克，酱油50克，白糖25克，味精1.5克，汤1000克，葱15克，姜15克，湿淀粉15克，香油15克。

【制 法】

1. 将肥肠用剪刀剪开，摘去肥油，用刀刮去内外涎液，用盐、醋揉搓，用温水

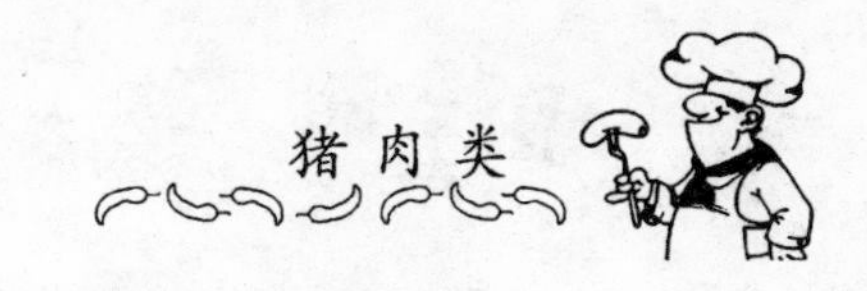

洗净污物，下入开水锅内氽过捞出，再用盐、醋揉搓，清洗两遍，除去异味，然后下入冷水锅内，放入料酒、拍破的葱、姜，用小火炖到七成烂捞出，切成4厘米长、3厘米宽的斜块。

2. 将猪油烧沸，下入肥肠、葱、姜，爆出香味，烹料酒，加入酱油、盐、白糖、干朝天椒、桂皮、汤烧开，倒入沙锅内，用小火煨烂。

3. 冬笋切与肥肠一样人的片。大蒜切成斜段。

4. 食用时，将猪油烧沸，下入冬笋煸炒，同时将肥肠内的干朝天椒、桂皮、葱、姜挑出不要，再将肥肠倒入锅内，加入味精、大蒜，用湿淀粉调稀勾芡，放香油，装入盘内即成。

【特点】 柔软酥香，味道鲜美。

奶汤银肺

【原料】 主料：猪肺2副(气管、肺叶不破)。

配料：小白菜500克。

调料：奶汤1000克，料酒50克，盐10克，味精2.5克，胡椒粉1克，鸡油15克，葱15克，姜15克。

【制　法】

1. 把肺的气管套在自来水龙头上，冲净肺叶中的血液，使它无一点红色，全成白色，倒去水分，放入冷水锅内烧开氽过捞出洗净，再放入开水锅白煮到五成烂时捞出，剔除肺小管，片成5厘米长、3厘米宽的片，用碗装上，放入料酒、拍破的葱、姜、盐、汤，上笼蒸烂。

2. 小白菜去边叶留小苞，用开水氽过，用冷水过凉。

3. 食用时，将锅放入奶汤和白肺，加入盐、味精，烧开撇去泡味，调好味，下入小白菜苞，放胡椒粉，装入汤WF内，放鸡油即成。

【特点】 奶白汤浓，味道鲜美。

冬菇烧猪脑髓

【原料】 主料：猪脑髓500克。

配料：水发冬菇100克，嫩菠菜250克。

调料：料酒25克，猪油100克，葱15克，姜15克，盐5克，酱油25克，味精1.5克，湿淀粉25克，胡椒粉0.5克，汤100克。

【制　法】

1. 猪脑髓用清水泡上，撕去表面薄膜，放入料酒、盐、葱、姜，上笼蒸熟取出，改成3厘米大的块，上笼蒸热。

2. 冬菇去蒂洗净。菠菜摘洗干净。余下葱切段。

3. 将猪油烧沸，下入菠菜加盐炒一下装盘；再将猪油烧到六成热时，下入冬菇煸炒，放入酱油、味精、汤、脑髓焖入味，用湿淀粉调稀勾芡，放葱花、胡椒粉，淋香油，装入盘内，用菠菜围边即成。

【特点】 软嫩鲜香，适宜老人。

炸黄雀脑髓

【原料】 主料：猪脑髓400克。

配料：鸡蛋2个，香菜150克。

调料：花生油1000克(实耗100克)，料酒25克，味精1.5克，盐5克，胡椒粉0.5克，花椒粉0.5克，香油15克，葱15克，姜15克，面粉25克，湿淀粉25克。

【制　法】

1. 猪脑髓初步加工(见“冬菇烧猪脑髓”)后，改成3厘米大的块，撒上味精、胡椒粉。香菜摘洗干净。

2. 用鸡蛋、面粉、淀粉和适量的水调制成糊，下入脑髓上糊。

3. 将花生油烧沸，用筷子挟上糊猪脑髓逐块下入油锅内，炸成焦酥呈金黄色，滗去油，撒花椒粉、香油，装入盘内，拼香菜即成。

【特点】 焦脆，香酥，味美。

走油猪蹄

【原料】 主料：肥人猪蹄4只（重约2公斤）。

调料：植物油1000克（实耗100克），料酒50克，甜酒汁50克，葱15克，姜15克，八角10克，桂皮10克，酱油50克，盐10克，香醋50克，味精1.5克，胡椒粉0.5克，香油15克，辣椒油100克。

【制　法】

1. 猪蹄先用夹钳去长毛，再用火烧去残存的绒毛，用温水浸泡10分钟，然后用刀刮去黑壳皮，剁去爪尖，用清水洗净，再用冷水锅煮过捞出洗一遍，放入汤锅煮到五成烂时捞出，抹干水分，摸上甜酒汁。

2. 将油烧沸，把猪蹄下入油锅炸成金黄色、皮起泡时捞出，再放入汤锅浸泡10分钟后捞出，去净骨，改成6厘米长、3厘米宽的块，放入有垫底轿的沙钵内，加入桂皮、八角、拍破的葱、姜、料酒、盐、酱油、醋、汤，用小火煨约半小时左右至酥烂为止。

3. 食用时，去掉葱、姜、八角、桂皮，加入味精，收浓汁，放葱花、胡椒粉、香油，装入盘内，随上辣椒油二小碟即成。

【特点】 肥而不腻，味浓鲜香。

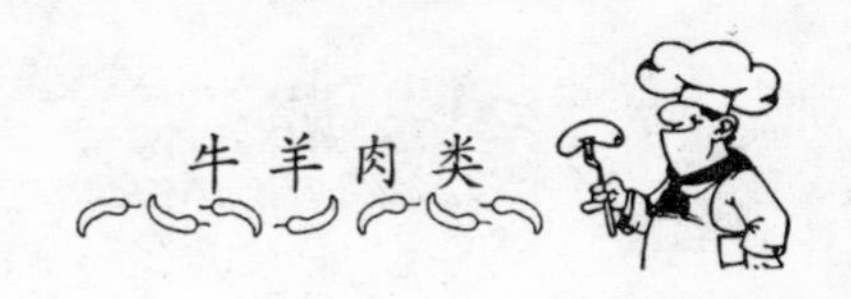

牛羊肉类

冬笋牛肉丝

【原料】 主料:瘦牛肉400克(选用牛尾两侧的最好)。

配料:净冬笋100克,大蒜50克,小红辣椒25克。

调料:花生油150克,料酒25克,盐10克,味精1.5克,汤100克,湿淀粉25克,香油15克。

【制 法】

1. 将牛肉剔去筋,片成薄片,再切成细丝,用料酒、盐和湿淀粉浆好,拌上一点香油。

2. 小红辣椒去蒂去籽洗净。冬笋、大蒜都切成丝。

3. 锅烧热后放入花生油,待油烧到五成热时下入牛肉丝,用筷子拨散滑熟,装入盘内待用。

4. 将花生油烧到六成热时,下入冬笋和红辣椒丝,加盐煸炒,再放入大蒜丝、味精和汤,用湿淀粉调稀勾芡,倒入牛肉丝,翻炒几下,放香油,装入盘内即成。

【特点】 香脆嫩鲜,下酒佳肴。

注:羊肉亦可按此法制作。

干煸牛肉丝

【原料】 主料:瘦牛肉400克。

配料:嫩芹菜500克。

调料:花生油150克,料酒25克,味精1.5克,豆瓣酱50克,盐8克,花椒粉1克,辣椒粉1克,醋3克,香油15克。

【制 法】

1. 牛肉剔去筋,先片成薄片,再切成6厘米长的丝。芹菜摘去筋和叶,切成5厘米长的段。姜切成丝。

2. 花生油烧到六成热时,下入牛肉丝,用瓢不断煸炒,待水分已干成黑红色时,加入豆瓣酱、辣椒粉和花椒粉煸出香味,烹料酒,下入芹菜炒一下,然后放盐、味精和醋翻炒几下,放上香油,装入盘内即成。

【特点】 麻辣鲜香,下酒佳肴。

滑熘牛里脊

【原料】 主料:牛里脊肉400克。

配料:净冬笋50克,红辣椒50克,大葱250克,鸡蛋1个。

调料:猪油500克(实耗150克),料酒25克,盐8克,味精1.5克,汤100克,香油15克,湿淀粉25克。

【制 法】

1. 牛里脊剔去筋,切成5厘米长、3厘米宽的薄片,取料酒和1.5克盐将牛肉片拌匀,再用蛋清和湿淀粉浆好,拌上一点香油。

2. 冬笋切薄片。红辣椒去蒂去籽切块。大葱撕去外皮,切成5厘米长的段,大的改开。将汤、味精和湿淀粉兑成汁。

3. 将一净锅烧热,放入猪油烧到五成热时下入牛里脊片,用筷子拨散滑熟,随即倒入漏勺沥油;锅内留50克油,下入冬笋和红椒,加盐煸炒,再下入大葱炒熟,倒入滑熟牛里脊片,然后冲下兑汁,翻炒几下,放香油,装入盘内即成。

【特点】 滑嫩香脆,味道鲜美。

注:羊里脊肉亦可按此法制作。

煎烹牛里脊

【原料】 主料:牛里脊肉1000克。

配料:元葱头150克,鸡蛋1个。

调料:花生油250克(实耗150克),料酒50克,盐5克,辣酱油50克,白糖5克,味精1.5克,胡椒粉1克,葱15克,姜15克,湿淀粉40克,香油25克。

【制 法】

1. 将牛里脊的筋剔去,拍松成1厘米厚的片,两面各剞斜一字花刀。元葱切去蒂,撕去外皮洗净,切成米状。葱和姜捣烂用料酒取汁。

2. 牛里脊用葱姜酒汁、盐、白糖腌一下,再用鸡蛋和湿淀粉调匀浆好。

3. 用辣酱油、味精、少许汤和香油兑成汁。

4. 锅内放入花生油烧到七成热时,将锅端离火位,把牛里脊一片一片地摆入锅内,再将锅放回火上,随煎随将锅不停地转动,煎黄一面后,翻边煎另一面,煎至九成熟时,倒入漏勺沥油;锅内留50克油,下入元葱米炒一下,倒入煎熟的牛里脊片,随即倒入兑汁,翻簸几下,装入盘内即成。

【特点】 酥香鲜嫩,味道可口。

注:①煎牛里脊时,要注意掌握火候,既要熟透又要嫩。

锅贴牛肉

【原料】 主料:瘦牛肉500克。

配料:猪肥膘肉500克,削皮荸荠100克,鸡蛋2个,香菜叶50克。

调料:料酒25克,盐4克,白糖3克,味精1.5克,香油15克,仡椒粉1克,葱15克,姜15克,干淀粉30克。

【制 法】

1. 牛肉剔去筋切薄片,再捶剁成细泥;荸荠拍烂剁碎;取150克肥膘肉剁成米状;葱、姜捣烂用料酒取汁,加入鸡蛋、淀粉、料酒、味精、白糖、盐和香油,搅拌成馅。

2. 肥膘肉下入汤锅煮熟(切勿煮烂),取出晾凉,切成直径3厘米、0.3厘米厚的圆片,共计24片。用一干净白布抹干肥膘片上的水分,两面粘上干淀粉,逐个放入平锅内,把牛肉馅贴在肥膘片上,用刀按平,再贴上香菜叶。

3. 食用时,将平锅上火,要不断转动,用温火煎至肥膘油分排出、外焦酥内熟呈金黄色时把油滗尽,撒花椒粉,淋香油,摆入盘内即成。

【特点】 外焦内嫩,香酥味美。

注:羊肉亦可按此法制作。

焦炸牛肉

【原料】 主料:牛胸肉750克。

配料:鸡蛋1个,香菜150克。

调料:料酒25克,花生油1000克(实耗100克),桂皮、八角各10克,盐5克,味精1.5克,香油15克,糖3克,花椒子20粒,花椒粉1克,葱15克,姜15克,湿淀粉25克。

【制 法】

1. 牛肉用冷水洗净,切成长方条,用清水泡半小时左右,捞出后下入开水锅内白煮透(断生为准),然后切成4厘米长、3厘米宽、0.6厘米厚的片,用盘装上,放入料酒、葱、姜、盐、糖、桂皮、八角、花椒子,上笼蒸到八成烂,取出牛肉片后沥去汁,撒上味精拌匀。

2. 鸡蛋打散后加入淀粉和适量的水调制成糊,下入牛肉拌匀。香菜摘洗干净。

3. 将仡生油烧沸,把裹上糊的牛肉片逐片下入油锅炸之(注意切勿粘连一起),炸至酥脆呈金黄色时滗去油,撒花椒粉,淋香油,装入盘内即成。

【特点】 酥脆香鲜,下酒佳肴。

芙蓉牛肉排

【原料】 主料:牛里脊肉300克。

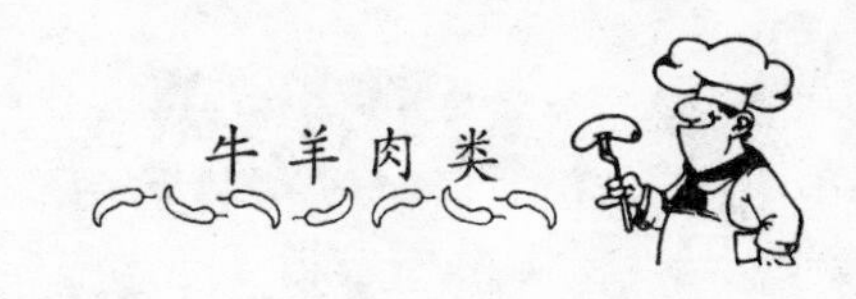

配料:面包200克,削皮荸荠100克,鸡蛋4个,熟瘦火腿25克,香菜100克。

调料:花生油1000克(实耗100克),料酒25克,盐5克,白糖5克,胡椒粉0.5克,味精1.5克,葱10免,姜10克,干淀粉40克,香油25克。

【制　法】

1. 火腿切成末。荸荠剁成米状。葱、姜捣烂用料酒取汁。香菜摘叶洗净。

2. 牛里脊剔去筋,用刀和刀背捶剁成细泥,放入1个鸡蛋以及荸荠米、葱姜酒汁、味精、盐、白糖、胡椒粉、干淀粉和香油,搅拌成馅。

3. 鸡蛋打开去黄厢清,用筷子打起发泡,放入适量的干淀粉,搅匀成雪花蛋糊。

4. 面包切成5厘米长、3厘米宽、3毫米厚的片,摊在木板上。将牛肉馅铺满在面包上,再铺上一层雪花蛋糊,一端贴上香菜叶,另一端按上火腿末。

5. 食用时,待花生油烧到六成热时,将锅端离火位,把牛肉排逐个下入油锅,再把锅端回火上,炸至面包呈金黄色时,牛肉馅已熟,翻炸一下即捞出,摆入盘内,淋香油即成。

【特点】　焦脆香酥,鲜美可口。

煎焖牛肉饼

【原料】　主料:牛里脊肉500克。

配料:鸡蛋2个,削皮荸荠100克,金钩25克,元葱头50克。

调料:花生油500克(实耗150克),料酒50克,白糖3克,盐8克,味精1.5克,辣椒油3克,香油15克,汤200克,葱15克,姜15克,湿淀粉40克。

【制　法】

1. 牛里脊肉剔去筋切成薄片,再捶剁成细泥。荸荠拍烂剁成米状。金钩泡发剁成末。葱、姜捣烂用料酒取汁。

2. 牛肉泥加入鸡蛋、湿淀粉、荸荠米、金钩末、葱姜酒汁、味精、盐,搅拌成馅。

3. 用平锅烧沸油,把牛肉馅挤成人丸子下入油锅煎,用铲压扁成饼,煎至金黄色,翻过来煎另一面,待七成熟时(时间太长则不嫩),滗去油(锅内留50克油),下入葱头米稍炒几下,再放入辣椒油和汤焖一下收汁,放香油,装入盘内即成。

【特点】　饼肉嫩,味鲜香。

注:羊肉亦可按此法制作。

炒细牛百页

【原料】　主料:生牛百页1000克。

配料:净冬笋100克,小红辣椒25克,韭黄100克。

调料:猪油150克,料酒25克,盐10克,味精2.5克,白醋2.5克,鸡汤150克,香油15克,湿淀粉15克。

【制　法】

1. 先将牛百页划成二三块放入桶内,倒入开水烫泡(水以浸没过牛百页为准。冬季用开水,夏季用八成开的水),用木棍不停地搅动,将其搅开,使全部烫到。过5分钟左右,视黑膜衣一推即脱便捞出(如烫的时间过久,黑膜不易推掉),放入冷水内一页一页地将黑膜推擦刮洗尽,撕去油筋,再放入冷水锅煮开捞出。捞出后,还需用清水洗一遍,然后放入冷水锅烧开,煮到七成烂时捞出,切成细丝(越细越好,丝的长度视牛百页而定)。再将牛百页下人冷水烧开氽过,沥干水分。

2. 将猪油烧到六成热时,下入冬笋丝和牛百页煸炒出香味,烹料酒,放入红辣椒丝、盐、味精和韭黄炒一下,加入汤,用湿淀粉调稀勾芡,放入醋、香油,翻炒几下,装入盘内即成。

【特点】　香辣脆鲜,下酒佳肴。

注:牛百页是牛身上的三杰之一,制作精细,切配讲究,细如发丝,白如银丝,色泽鲜艳,具有脆嫩、香辣、微酸的特点,

极为爽口,为我省独其一格的风味。

鸡汁牛蹄筋

【原料】 主料:生牛蹄筋1000克。

配料:小白菜1000克。

调料:猪油100克,料酒50克,盐10克,味精1.5克,胡椒粉0.5克、鸡汤500克,鸡油15克,葱15克,姜15克。

【制　法】

1. 牛蹄筋用清水漂去血水,放入冷水锅煮过捞出,洗净后下入冷水锅,在旺火上烧开再移用小火焖煮,煮到八成烂时捞出并剔去杂质,切成5厘米长、2厘米大的条。

2. 小白菜摘去边叶留小苞,洗净。葱、姜要拍破。

3. 猪油烧至六成热时,下入葱、姜煸炒,再下入牛蹄筋、料酒、盐、鸡汤,烧开后倒入垫有底轿沙钵内,用小火煨10分钟使其烂透入味。

4. 另将猪油烧到六成热,下入白菜苞,加盐炒熟,倒入煨好的牛蹄筋,去掉葱和姜,加入味精、胡椒粉收浓汁,装入深盘,淋鸡油即成。

【特点】 汁浓柔软,味鲜可口。

荷叶粉蒸牛肉

【原料】 主料:无筋瘦牛肉500克。

配料:糯米25克,大米25克,八角0.5克,鲜荷叶2张(如无鲜荷叶,可改用青菜叶或干荷叶)。

调料:花生油100克,料酒50克,酱油25克,盐5克,糖3克,辣椒油10克,香油10克,葱10克,姜10克。

【制　法】

1. 糯米、火米加八角用锅炒黄,磨成细粉。葱切花。姜切末。

2. 牛肉切成5厘米长、3厘米宽的薄片,用上列调料和姜末腌约20分钟,然后放入米粉拌匀(注意不能太稀或太干)。

3. 在一小蒸笼里垫上荷叶,把拌好的牛肉摆到笼内,上面盖荷叶,在沸水旺火上蒸熟(一熟就行,时间不要过长)取出,撒葱花,淋香油,原笼上桌即可。

【特点】 香辣鲜嫩,酒饭均宜。

注:猪瘦肉和羊肉都可按此法制作。

药制牛鞭

【原料】 主料:黄牛鞭2根。

配料:枸杞、党参、淮药、附片15克,荔枝、桂圆、红枣各10粒。

调料:猪油100克,料酒50克,盐15克,冰糖50克,鸡汤1000克,胡椒粉1.5克,醋25克,姜15克,葱15克。

【制　法】

1. 荔枝、桂圆都剥壳洗一遍。红枣蒸熟去皮。葱、姜拍破。

2. 牛鞭用温水洗一遍,放入冷水锅内煮2小时,捞出剖开后刮去尿道里的白膜及杂质,切成5厘米长的段,再切2厘米大的条,用5克盐和25克醋揉搓,用清水冲洗干净后放到冷水小烧开煮过,再洗去臊腥气味,然后放入绿釉钵内,加入料酒、葱、姜、鸡汤、盐和冰糖,上笼蒸到八成烂取出,去掉葱、姜,再加入上列药料、配料以及猪油,上笼蒸酥烂为止。食用时,放胡椒粉即成。

【特点】 甜咸汁浓,滋补清润。

原蒸五元牛肉

【原料】 主料:肥肋条牛肉1000克。

配料:荔枝12克,桂圆12粒,红枣12粒,去芯湘白莲50克,枸杞15克。

调料:料酒50克,盐12克,味精1克,桂皮15克,蜂蜜50克,胡椒粉1.5克,葱15克,姜15克,干小红椒5克。

【制　法】

1. 葱和姜拍破。荔枝和桂圆剥去壳洗一遍。红枣蒸发剥去皮,莲子和枸杞洗一遍。

2. 将牛肉砍成4厘米长、3厘米宽、2厘米厚的片,用冷水泡1小时,连水倒入锅内用温火烧开，撇去泡沫(要随起随撇，直到牛肉熟透，不见泡沫为止)，然后装入汤罐内，放入料酒、拍破葱姜、桂皮、干红椒、盐，上笼蒸3小时取出，去掉桂皮、红椒、葱和姜，加入荔枝、莲子、桂圆、红枣、蜂蜜、枸杞蒸1小时(蒸烂透为止)。

3. 食用时，将五元牛肉取出，加入胡椒粉即成。

【特点】 牛肉酥烂，原汁原味，甜咸鲜香，营养丰富。

酸辣牛肚花

【原料】 主料：牛肚500克。

配料：泡菜100克，水发香菇25克，小红椒30克，大蒜50克，冬笋30克。

调料：猪油750克(实耗100克)，料酒25克，盐10克，酱油15克，味精2克，湿淀粉40克，香油15克。

【制　法】

1. 将牛肚清洗干净，下入冷水锅煮过，再换清水煮八成烂，捞出，斜剞十字交叉花刀，切成3厘米的斜方块，用少许碱腌1小时，再用温水冲漂几遍至无碱味，用少许盐腌一下，挤干水分。

2. 香菇去蒂洗净，小红辣椒去籽和泡菜都切末。大蒜摘洗净切成仡。

3. 食用时，锅内放油烧到七成热，将牛肚仡用适量的干淀粉拌匀，下入油锅爆一下，倒入漏勺沥油；锅内留50克油，下入泡菜末、红辣末、冬笋末、香菇末、大蒜花炒一下，烹料酒，放入酱油、盐、味精，用湿淀粉调稀勾芡，随即倒入牛肚花裹上汁，放香油，装入盘内即成。

【特点】 酸辣鲜香，味道可口。

酥炸金钱牛肉夹

【原料】 主料：熟上脑牛肉500克。

配料：猪肥膘肉100克，水发金钩50克，鸡蛋清4个，香菜50克，面粉20克。

调料：花生油1000克(实耗100克)，料酒20克，精盐8克，味精1克，白糖5克，花椒粉1克，葱15克，姜15克，八角2个，干淀粉20克，香油10克。

【制　法】

1. 葱和姜一半切成米，一半拍破。金钩和火腿都切成米状。香菜摘洗干净。

2. 将牛肉切成直径5厘米大、4毫米厚的圆片(计20片)，用碗装上，放入拍破葱姜、料酒、八角、盐，上笼蒸八成烂，取出晾凉。

3. 将肥膘肉剁成细茸，放入金钩、葱白花、姜米、花椒粉、精盐、味精、白糖、香油，搅拌成馅。

4. 把牛肉片摊放在木板上，逐片铺满一层葱椒油馅，再盖一片牛肉，即成牛肉央。将鸡蛋清装入深边盘内，用筷子打起发泡，放入适量干淀粉和面粉调成雪花糊。

5. 锅内放入油烧到五成热时，将牛肉夹逐片裹上雪花糊，下入油锅，在表面上按些火腿米和香菜叶，用温火炸至底部呈金黄色，表面淋油炸熟捞出，整齐摆入盘中即成。

【特点】 色彩美观，香酥味美。

九味牛百页

【原料】 主料：初加工生牛百页1250克。

配料：香菜150克。

调料：香油150克，料酒25克，精盐15克，味精2克，白糖5克，香醋15克，花椒粉2克，辣椒油10克，葱15克，姜15克，蒜子15克，普汤200克。

【制　法】

1. 将牛百页下入冷水锅烧开煮过捞出，用清水洗净，再下入冷水锅内烧开，移用小火煮到七成烂时端离火口，放入少许碱，泡至柔软松脆时，用清水冲漂至无碱味，捞出，切成8厘米长、1厘米宽的条(梳子形)待用。

2. 葱和姜切成米。蒜子拍烂剁成

泥。香油烧沸淋在花椒粉上，加入蒜泥、葱姜末、盐、味精、白糖、香醋、辣椒油，兑成调味汁。

3. 食用时，将牛百页下入汤锅，加入料酒、盐烧开余过，倒入漏勺沥干水分，装入盘内，边上拼香菜，随上两小碗九味调料，由客人自舀汁拌食即成。

【特点】 色泽洁白，柔软松脆，多味香鲜，别有风味。

原蒸五元牛蹄筋

【原料】 主料：鲜生牛蹄筋1000克。

配料：红枣，荔枝、桂圆各12粒，湘白莲20克，枸杞子12克。

调料：鸡油]5克，料酒25克，精盐10克，蜂蜜50克，胡椒粉2克，鸡汤600克，葱15克，姜15克。

【制 法】

1. 葱和姜拍破。红枣洗净，蒸熟剥去皮。荔枝、桂圆剥去壳洗一遍。

2. 将牛蹄筋清洗，下入开水锅余过，再用清水洗净，下入冷水锅内，在旺火上烧开，移用小火焖煮到八成烂捞出，剔去杂质，切成5厘米长的段，再切成1厘米大的条，装入汤能内，放入料酒、葱姜、盐、蜂蜜、胡椒粉、鸡汤和原汤、荔枝、桂圆、红枣、莲子、枸杞、鸡油，上笼蒸至软糯取出，去掉葱姜。

3. 食用前20分钟，将五元牛蹄上笼蒸热取出，撒胡椒粉即成。

【特点】 牛筋软糯，甜咸浓香，清润滋补，营养丰富。

蚝油熘牛里脊

【原料】 主料：牛里脊肉500克。

配料：净熟冬笋100克，红辣椒50克，鸡蛋清1个。

调料：花生油600克(实耗100克)，蚝油15克，料酒15克，精盐10克，味精1克，清汤50克，葱10克，姜10克，蒜子15克，干淀粉10克，湿淀粉15克。

【制 法】

1. 红椒去蒂去籽洗净和冬笋都切成菱形片。蒜子去皮洗净切成片。葱切成1厘米长的段。姜切成小方片。

2. 将牛里脊的筋剔去，切成6厘米长、4厘米宽、6毫米厚的薄片，放入苏打水内浸泡10分钟，捞入清水内，洗去苏打味，挤干水分，用鸡蛋清、适量的盐和干淀粉调匀浆好。用蚝油、清汤、味精、湿淀粉、葱段兑成汁。

3. 锅内放入油烧到六成热，将牛里脊片下入油锅，用筷子滑散至九成熟，倒入漏勺沥油；锅内留50克油，下入冬笋、红椒、姜、蒜片加盐炒一下，随即倒入滑熟牛里脊片，烹料酒和兑汁，翻簸几下，装入盘内即成。

【特点】 蚝油浓鲜，牛肉滑嫩，香辣味美。

红煨八宝蜂窝肚

【原料】 主料：加工蜂窝牛肚750克。

配料：猪五花肉500克，水发冬菇50克，水发金钩25克，净生冬笋50克，蒸发干贝25克，熟火腿25克，蒸发莲子25克，小白菜苞12个。

调料：猪油100克，料酒20克，精盐8克，酱油50克，味精1克，胡椒粉1克，白糖5克，葱15克，姜15克，湿淀粉50克，香油10克。

【制 法】

1. 葱和姜拍破。将五花肉一半切成块，下入开水锅余过，捞出，用清水洗净血沫。将白菜苞洗净。

2. 将蜂窝牛肚清洗干净，下入冷水锅烧开煮过捞出，放入垫有底折沙锅内，加入五花肉、葱和姜、适量的料酒、酱油、白糖、水(水以没过蜂窝肚为准)，在旺火上烧开，移用小火煨到八成烂，取出稍凉，放在砧板上(蜂窝面朝下)，剞成4厘米大的斜方块(深度为四分之三，四分之

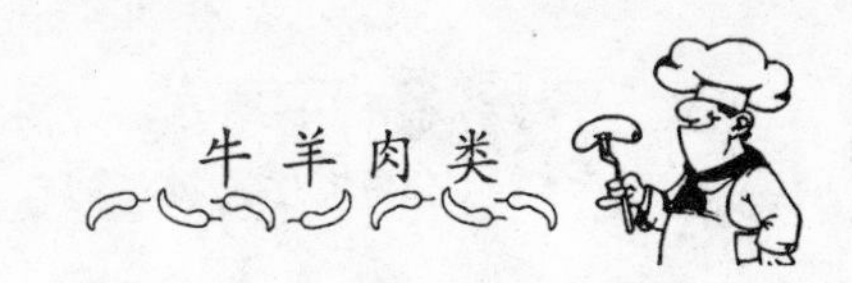

一连着)，扣入碗内，放入原汤。

3. 将余下五花肉和冬笋、冬菇、金钩、火腿都切成6毫米的方丁，下入六成熟油锅煸炒出香味，烹料酒，放入盐、酱油、味精，用湿淀粉勾芡，加入莲子、干贝、胡椒粉拌匀成馅，装入蜂窝肚内，上笼蒸1小时。

4. 食用时，取出八宝蜂窝肚，滗出原汁，翻扑盘内，同时将白菜苞下入油锅加盐炒入味，拼在蜂窝肚的周围，然后将原汁倒入锅内烧开，用湿淀粉勾芡，浇在八宝蜂窝肚上，淋香油即成。

【特点】 色泽红亮，酥烂浓香。

蒜子煨羊肉

【原料】 主料：肋条羊肉1500克。

配料：大蒜子100克，香菜150克，干小红辣椒5只，桂皮15克。

调料：猪油150克，料酒50克，酱油25克，盐8克，味精1.5克，胡椒粉1克，香油15克，葱15克，姜15克。

【制　法】

1. 蒜子剥去皮。香菜摘洗干净。葱、姜要拍破。

2. 将羊肉剔去骨，烙去残存的毛，用温水浸泡并刮洗干净，下入冷水锅煮过捞出，用清水洗净血沫，放入垫有底轿沙钵内，加入白酒、桂皮、干红辣椒、葱、姜和适量的水，盖上盖，在旺火上烧开，移用小火煨到七成烂时取出，切成5厘米长、1.5厘米宽的条，下入油锅爆出香味，烹料酒，放入酱油、盐和羊肉原汤，加入大蒜子，用小火煨烂。

3. 食用时，将羊肉倒入锅内，去掉葱、姜、桂皮和干红椒，加入味精、胡椒粉，收浓汁，放香油，装入深盘内，拼上香菜即成。

【特点】 酥烂浓香，味鲜可口。

家常羊肉

【原料】 主料：羊肉1500克。

配料：大蒜50克，桂皮15克，干小红辣椒6只，香菜150克。

调料：猪油二两，白酒五钱，料酒五钱，盐二钱，豆瓣辣酱100克，香油15克，葱15克，姜15克，味精1.5克。

【制　法】

1. 葱、姜拍破。大蒜切成斜段。豆瓣酱剁碎。香菜摘洗干净。

2. 羊肉剔去骨，烙去残存的毛，用温水浸泡并刮洗干净，下入冷水锅内白煮过捞出，用清水洗净血沫，放入垫有底轿沙钵内，加入白酒、桂皮、干红椒和适量的水，盖上盖，在旺火上烧开，移用小火煨七成烂时取出，切成5厘米长1.5厘米宽的条，下入油锅爆出香味，烹料酒，加入豆瓣辣酱炒一下，倒入装有原汤沙钵内，用小火煨到烂透汁浓为止，去掉桂皮、干红椒、葱姜。

3. 食用时，将羊肉上火，加入味精和大蒜烧开，调好味，装入汤慨内，淋香油，随上香菜，装碟即成。

【特点】 酥烂香辣，汤汁浓厚，味道鲜美，家常风味。

焦酥羊肉

【原料】 主料：肋条羊肉1000克。

配料：鸡蛋2个，面粉100克，香菜100克，桂皮10克。

调料：花生油1000克(实耗100克)，料酒50克，盐5克，味精1.5克，白糖5克，香油25克，葱15克，姜15克，湿淀粉50克，花椒子20粒，花椒粉0.5克。

【制　法】

1. 羊肉去净骨，烙去残存的毛后用温水泡上，刮洗下净，放入冷水锅煮熟，捞出来再清洗一遍，装入盆内(皮朝下)，放入盐、糖、拍破的葱姜以及桂皮、料酒，上笼蒸烂后取出晾凉。扯下羊肉皮切成5厘米长、2厘米宽的条，将肉切成丝，拌入味精、盐和胡椒粉。

2. 用鸡蛋、面粉、淀粉和适量的水调

制成糊，放入羊肉丝，拌匀成馅(留下四分之一的鸡蛋糊待用)。香菜摘洗干净。

3. 将一平盘摸上油，放入鸡蛋糊，把羊肉皮均匀摆(皮面朝下)，再将羊肉馅放在羊皮上按平。

4. 花生油烧沸后，用铁铲把羊肉推下油锅，边炸边按薄，炸到表面凝固时，翻过边炸至呈浅黄色。

5. 食用时，重炸酥透呈金黄色捞出，切成条摆入盘内，淋花椒香油，拼香菜即成。

【特点】 焦香松酥，下酒佳肴。

葱熘羊里脊

【原料】 主料：羊里脊肉 500 克。

配料：大葱 500 克，净冬笋 50 克，鸡蛋 1 个。

调料：猪油 500 克(实耗 100 克)，料酒 25 克，盐 5 克，酱油 25 克，味精 1.5 克，湿淀粉 40 克，汤 50 克，香油 25 克。

【制 法】

1. 羊里脊剔去筋，洗净后切成 5 厘米长、3 厘米的薄片。大葱剥去皮洗净，切成 1.5 厘米厚的斜段。冬笋切成同羊肉一样大小的薄片。鸡蛋去黄留清。

2. 在羊里脊片中放入料酒和 3 克盐，拌匀后加入蛋清和 25 克湿淀粉浆好，拌上一些油。用酱油、味精、湿淀粉、香油和少许汤兑成汁。

3. 食用时，将猪油烧至六成热时，下入浆好的羊肉片，用瓢推动炒散，即倒在漏勺里沥油；锅内留 50 克油，下入冬笋片和大葱加盐煸炒，随即倒入滑熟的羊肉片，冲下兑汁簸炒几下，淋香油，装盘即成。

【特点】 嫩香脆，味鲜美。

注：猪、牛里脊亦可按此法制作。

九味烹羊里脊

【原料】 主料：羊里脊肉(或上脑肉)700 克。

配料：鸡蛋清 2 个，香菜 150 克。

调料：花生油 1000 克(实耗 100 克)，料酒 20 克，精盐 8 克，味精 1 克，白糖 15 克，米醋 10 克，红辣椒酱 20 克，花椒粉 5 克，葱 15 克，姜 15 克，蒜子 15 克，湿淀粉 50 克，香油 15 克。

【制 法】

1. 将羊里脊肉横切成 3 厘米厚的块，用刀拍一下，再用刀背捶松，放入料酒和适量的盐腌上，然后用鸡蛋清、湿淀粉调匀浆好。

2. 葱切成花。姜切成米。蒜子剥去皮，拍破剁成米。香菜摘洗干净。用汤、味精、白糖、盐、醋、辣椒酱、湿淀粉、香油兑成汁。

3. 食用时，锅内放入油烧到七成热，将羊里脊肉下入油锅炸一下捞出，待油锅水分烧干后，再下入羊里脊重炸至香酥透，倒入漏，勺沥油；锅留底油，下入姜米、蒜米、花椒粉炒出麻香味，倒入炸酥的羊里脊片和兑汁，翻簸几下，装入盘内，周围拼香菜即成。

【特点】 色泽红亮，麻辣酥香，多味鲜美。

注：猪、牛里脊亦可按此法制作。

酸辣菊花羊肉

【原料】 主料：净后腿羊肉 300 克，八成烂羊肉皮 400 克。

配料：猪肥膘肉 50 克，削皮荸荠 50 克，鸡蛋清 2 个，红辣椒 30 克，香菜 100 克。

调料：猪油 60 克，料酒 15 克，精盐 10 免，味精 1 克，胡椒粉 1 克，米醋 10 克，辣椒油 10 克，清汤 150 克，蒜子 15 克，葱 15 克，姜 15 克，干淀粉 10 克，湿淀粉 25 克，香油 15 克。

【制 法】

1. 葱和姜捣烂，用料酒和少许水取汁。红辣椒去蒂去籽切成米。荸荠剁成米。蒜子剥去皮剁成细茸(越细越好)。

香菜摘洗干净。姜切成米。

2. 将羊肉和猪肥膘肉用绞肉机连续绞三遍成细茸，放入葱姜酒汁、鸡蛋清、荸荠米、胡椒粉、适量的盐、味精、湿淀粉搅拌成羊肉茸料。用汤、辣椒油、醋和余下的盐、味精、湿淀粉兑成汁。

3. 将羊肉皮下入开水锅氽过，捞出后抹干水分，摸上甜酒原汁，下入七成熟油锅炸至羊肉皮起泡呈金黄色，捞入开水内浸泡一下取出，切成3厘米长的丝。

4. 备小碟12个，摸点油，把羊肉茸料挤成直径3厘米的丸子，放入小碟内，稍按平，撒点干淀粉，再把羊皮丝均匀地摆放羊肉茸的一圈，中心放点红椒、姜米作花芯，即成菊花羊肉。

5. 食用前10分钟，将菊花羊肉上笼蒸熟取出，分两行摆在长腰盘内，同时锅内放入油烧到七成热，下入蒜茸炒一下，随后倒入兑汁烧歼，加入香油，浇在菊花羊肉上，香菜拼在两边即成。

【特点】 形似菊花，色泽美观，酸辣香鲜、味美可口。

原蒸五元羊肉

【原料】 主料：带皮肋条羊肉1000克。

配料：荔枝、桂圆、红枣各12粒，白莲30克，枸杞15克。

调料：猪油60克，曲酒30克，料酒15克，精盐10克，味精1克，清汤500克，胡椒粉2克，葱15克，姜15克，蒜子25克，蜂蜜50克，小干红椒6个，桂皮15克，鸡油10克。

【制　法】

1. 葱和姜拍破。蒜子剥去皮。红枣洗一遍，上笼蒸发剥去皮。荔枝和桂圆剥去壳洗一遍。

2. 将羊肉骨剔去，烙去残存的毛，用温水浸泡并刮洗干净，下入冷水锅煮过捞出，用清水洗净血沫，放入有垫底AAA沙锅内，加入葱姜、曲酒，桂皮、干红椒，水（水以没过羊肉为准），盖上盖，在旺火上烧开，撇去泡沫，移用小火煨到八成烂取出，稍凉，切成4厘米长、3厘米宽的块，下入油锅煸出香味，烹料酒，装入汤能内，放入荔枝，桂圆、红枣、莲了、拘杞、大蒜子、蜂蜜、胡椒粉、盐、味精、清汤和原汤，上笼蒸至酥烂浓香取出，放鸡油即成。

【特点】 色泽红亮，羊肉酥烂，浓香咸甜，原汁原味，滋补珍品。

注：狗肉亦叮按此法制作。

原蒸火方羊方

【原料】 主料：火腿膀1个（即火腿肘，重约500克）。羊腿肉1块（重约750克）。

配料：青菜苞12个。

调料：料酒50克，盐5克，味精1.5克，鸡汤1000克，胡椒粉1.5克，葱15克，姜15克，鸡油15克。

【制　法】

1. 火腿膀用温水放点碱刷洗一遍，再用温水清洗干净，放入汤锅内点约1小时捞出。用小摄子将皮面上的残存的毛挟尽，用刀剔去杂质，在瘦的一而剁上十字花刀（深度为三分之二），用汤WF装上（皮朝下），加入料酒、水，上笼蒸1小时取出，滗去头道水，再换上鸡汤，加拍破葱姜上笼蒸烂为准。

2. 羊腿肉剔去骨，烙去残存的毛，放入温水中浸泡后，刮洗干净，下入冷水锅内烧开煮熟捞出，洗净血沫，除去腥臊味，放在砧板上（皮朝下）在肉的一面制上4厘米长、2厘米宽的条（深度三分之二），装入火腿膀一起蒸烂透。

3. 食用时，取出火方羊方，去掉葱姜，加入胡椒粉、味精调好味；同时锅内放入普汤，下入青菜苞，烧开氽过捞出，放入火方羊方内，淋鸡油即成。

【特点】 醇香酥烂，汤清味鲜。

蒜子煨羊方

【原料】 主料:肋条羊肉1250克(选用四方的一块)。

配料:蒜子150克,小干红椒5只,香菜100克。

调料:猪油100克,曲酒50克,盐15克,味精2克,豆瓣辣酱50克,酱油少许,桂皮15克,葱15克,姜15克,湿淀粉25克,甜酒汁50克,香油15克。

【制 法】

1. 蒜子切去蒂,剥去皮下入油锅炸熟待用。葱和姜拍破。豆瓣酱剁碎。

2. 羊肉剔去骨,烙去残存的毛,用温水浸泡,刮洗干净。下入冷水锅煮过捞出,用清水洗净血沫,放在垫有底蒳的砂钵里,加入曲酒、桂皮、葱姜,干红椒和适量的水,盖上盖,在旺火上烧开,移用小火煨全六成烂捞出,皮朝下剞十字花刀,翻过身,皮朝上,将羊肉切成3厘米的四方块(深度为三分之二),皮面摸上甜酒水,下入油锅炸呈黄色,仍放在砂钵内,皮朝下,加盐、豆瓣辣酱、酱油,上火煨至汁浓酥烂,加入蒜子煒一下。

3. 食用时,连底折取出羊方,去掉桂皮、葱、姜和干红椒,翻扑盘内,蒜子围在边上,将羊肉汁用湿淀粉调稀勾芡,放香油浇盖蒜子羊方是,拼香菜即成。

【特点】 酥烂香辣,汁浓味鲜。

清汤羊首

【原料】 主料:羊头一个(2500克左右)。

配料:熟火腿100克,竹荪20克,小白菜1000克。

调料:料酒50克,盐15克,味精2.5克,清鸡汤1000克,胡椒粉1.5克,葱25克,姜25克,鸡油15克。

【制 法】

1. 火腿切成片。竹荪用温水洗一遍,再用温水泡发,切成5厘米长的段、2厘米宽的条,用凉水泡上。小白菜摘去边叶,留苞,洗净用开水氽过,用冷水过凉。葱、姜拍破。

2. 羊头挟去残存的毛,再放在火上燎过,用温水浸泡并刮洗干净,剥下羊头皮和肉,下入冷水锅煮过捞出,洗净血沫再装入沙锅内,加入料酒、葱、姜、桂皮和水(水以没过羊头肉为准),在旺火上烧开后移用小火炖,将羊头炖到八成烂时取出来装入汤WF内,加入清鸡汤、料酒、火腿片、味精、葱、姜、盐,上笼蒸至烂透为止。

3. 食用时,将汤、竹荪、白菜苞和盐放入锅中烧开,倒入漏勺沥干水分。取出羊首,去掉葱姜,加入竹荪、白菜苞、胡椒粉和鸡油即成。

【特点】 酥烂汤清,味道鲜美,营养丰富。

红煨羊肚片

【原料】 主料:生羊肚子1500克。

配料:净冬笋100克,水发香菇100克,大蒜50克,桂皮10克,干朝天椒10克。

调料:猪油150克,料酒50克,盐5克,酱油25克,味精1.5克,汤500克,香油25克。

【制 法】

1. 羊肚用八成开水烫一下,刮去黑皮洗净,放入冷水锅中煮到七成烂,捞出后再洗净,切成5厘米长、3厘米宽的块。

2. 冬笋切成3毫米的片。香菇去蒂,人的改块。火蒜成斜段。葱、姜拍破。

3. 将猪油烧沸,下入冬笋、羊肚片和香菇煸炒,放入料酒、酱油、盐、桂皮、干朝天椒和汤,烧开后装入垫有底的沙钵内,用小火煨烂。

4. 食用时,去掉沙钵里的葱、姜、桂皮、干朝天椒,倒入锅内,收浓汁,加味精和大蒜,用湿淀粉调稀勾芡,放香油,装

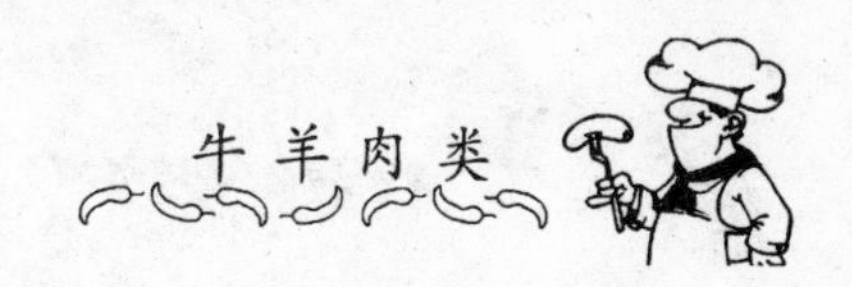

入盘内,另下香菜即成。

【特点】 香辣酥烂,味鲜可口。

麻辣羊肚丝

【原料】 主料:生羊肚子 1500 克。

配料:净冬笋 100 克,鲜红辣椒 50 克,大蒜 50 克。

调料:猪油 150 克,料酒 25 克,盐 10 克,味精 1.5 克,花椒粉 0.5 克,香醋 15 克,汤 100 克,香油 15 克,湿淀粉 25 克。

【制　法】

1. 羊肚子加工的方法见“红煨羊肚片”,要切成 5 厘米长的丝。将冬笋和红辣椒(去蒂去籽)洗干净,都切成 5 厘米长的丝。大蒜摘洗干净切成丝。

2. 将猪油烧沸,下入羊肚丝煸炒出香味,烹料酒,加入冬笋丝、红辣椒丝、花椒粉和盐,炒一下再放入汤、味精、大蒜丝,用温淀粉调稀勾芡,滴几点香醋,淋香油,装入盘内即成。

【特点】 麻辣鲜香,下酒佳肴。

酸辣羊蹄花

【原料】 主料:羊蹄 2500 克。

配料:香菜 100 克,桂皮 10 克,干朝天椒 10 克,泡菜 100 克,大蒜 25 克,小红辣椒 15 克。

调料:猪油 100 克,料酒 50 克,盐 5 克,酱油 25 克,味精 2.5 克,胡椒粉 1 克,香油 15 克,葱 15 克,姜 15 克。

【制　法】

1. 羊蹄放在火上烧去残毛,用温水泡上刮洗干净,剁去爪尖,放入冷水锅内煮过捞出,再用清水洗净,下入垫有底箅的沙锅内,放入水(以没过羊蹄为准)、料酒、盐、酱油、桂皮、干椒和拍破的葱、姜,在旺火上烧开,撇去泡沫,移用小火煨到七成烂时捞出,稍冷,把骨拆去,切成 6 厘米长、3 厘米宽的块,扣入碗内(皮朝下),放入原汤,再上笼蒸烂。

2. 泡菜切成米。大蒜切成花。小鲜红辣椒切成米。香菜洗净。

3. 食用时,将猪油烧到六成热时下入泡菜和大蒜炒一下;同时,取出羊蹄花翻扑在盘内,把汁滗入锅中,加味精,收浓汁,撒胡椒粉和香油浇盖在羊蹄花上,拼香菜即成。

【特点】 软烂柔润,汁浓味鲜。

药制龟羊汤

【原料】 主料:龟肉 1000 克,羊肉 750 克。

配料:枸杞、党参、附片、黄芪各 15 克,荔枝、桂圆、红枣各 12 粒。

调料:猪油 100 克,料酒 50 克,盐 15 克,冰糖 50 克,胡椒粉 1 克,味精 1.5 克,姜片 15 克,葱 20 克。

【制　法】

1. 龟肉用八成开水烫一下捞出,剥去粗皮和内脏,剁去脚爪,砍成 3 厘米大的块,洗净沥干水分。以上药料用清水洗一遍。荔枝、桂圆剥去壳。红枣洗净,加水上笼蒸 15 分钟取出,撕去皮。葱姜要拍破。

2. 羊肉去净骨,烙去残毛,刮洗干净后下入冷水锅内煮熟捞出,用清水洗一遍,切成 5 厘米长、3 厘米宽的条。

3. 将猪油烧到六成热,下入葱、姜煸炒,随即下入龟、羊肉煸炒,烹料酒,煸干水分(除去腥膻味),放清水 1000 克以及上列调料、药料,装入绿釉钵内,上笼蒸约八成烂时再加入荔枝、桂圆、红枣,然后蒸烂。

4. 食用时,去掉龟羊汤内的葱、姜,放入胡椒粉,原钵托盘上桌即成。

【特点】 酥烂滋补,营养丰富。

山珍海味类

红煨熊掌

【原料】 主料:发好熊掌一对(即前后掌各一只)。

配料:肥母鸡肉 1000 克,猪肘肉 1000 克,金钩 25 克,干贝 25 克,小白菜苞 16 个。

调料:猪油 50 克,料酒 150 克,盐 15 克,酱油 50 克,味精 1.5 克,胡椒粉 1 克,葱 50 克,姜 50 克,普汤 1500 克,鸡油 15 克,香油 15 克。

【制 法】

1. 熊掌初步加工见"干货原料发料实例",再清洗干净,放在竹垫底轿上,再盖底轿,放入冷水锅内烧开煮过,用冷水凉透(连续 2 次,除去腥膻味为止),然后用清水漂上。

2. 干贝掰去老筋,与金钩一起洗一遍。葱、姜拍破。小白菜苞洗净。

3. 肘肉刮洗干净,鸡肉均砍成人块,下入开水锅余过捞出,用清水洗去血沫,放入垫有底轿的沙锅内,加入金钩、干贝、料酒、葱、姜和清水 2500 克,盖上盖,在旺火上烧开,撇去泡沫,移用小火煨至酥烂,煮成 1250 克浓汤,过箩筛待用。

4. 锅内放入普汤、料酒和葱、姜,再将底轿上的熊掌放入烧开余过,除去腥膻异味。

5. 将沙锅垫好底荞,放入熊掌(掌心向上),倒入煨好的浓汤,用小火煨到熊掌酥烂时,加入适量的盐和酱油,再煨入味。食用时,取出熊掌装入深盘中,浓汤内加入味精和胡椒粉,收浓汁,调好味,放入香油,浇盖在熊掌上;另外在锅内放入猪油,待油烧到六成热时,下入白菜苞,加盐炒入味,拼在熊掌周围,淋鸡油即成。

【特点】 掌肉酥烂,柔糯鲜香,营养丰富,名贵大菜。

注:熊掌亦可用清蒸、白汁等方法制作。

沙锅熊掌

【原料】 主料:发好熊掌一对(前后掌各一只)。

配料:熟火腿 100 克,干贝 25 克,口蘑 15 克,小白菜 1500 克,肥母鸡肉 1000 克,猪排骨 1000 克。

调料:料酒 150 克,盐 15 克,鸡汤 1000 克,味精 2.5 克,胡椒粉 1.5 克,葱 100 克,姜 100 克。

【制 法】

1. 鸡肉、排骨砍成大块,放入开水锅内煮过后捞出,洗净血沫。干贝掰去老筋洗一遍,用碗装上。火腿切成片,放在干贝一起,加入鸡汤、料酒,上笼蒸发。口蘑加工的方法见"芙蓉鸡片"。小白菜摘去边叶留小苞,洗净后下入开水锅中余过,用冷水过凉。葱、姜拍破待用。

2. 将熊掌放在垫底 AAA 上,面上再盖垫底 AAA,放入冷水锅内烧开余过,用冷水凉透(连续 2 次,直至无腥膻味为止)。再用清汤、料酒、葱、姜各 50 克在旺火上烧开,移用小火煨约 15 分钟,连垫 AAA 底取出,再将熊掌放入沙锅内,加入鸡肉、排骨、葱、姜、料酒和水(水以没过食物为准)，在旺火上烧开，撇去泡沫，移用微火煨约3小时，煨至熊掌烂透为止。

3. 食用前10分钟，取出鸡肉、排骨，挑去葱、姜，原汤过箩筛，将装有熊掌的沙锅放在火上，加入干贝、火腿、口蘑和适量的盐，煨透入味，再加入白菜苞、味精、胡椒粉，调好味，随同烧红木炭的火炉上桌，煮得滚开即成。

【特点】 软糯烂，汤浓香，味鲜美，清润滋补，营养丰富。

火夹熊掌

【原料】 主料：发好熊掌一对(即前后掌各一只)。

配料：熟火腿250克，干贝25克，金钩25克，肥母鸡肉1000克，猪肘肉500克，小白菜苞12个。

调料：猪油100克，料酒150克，盐15克，味精2兔，胡椒粉2.5克，葱50克，姜50克，普汤1000克，鸡油25克。

【制　法】

1. 将熊掌清洗干净，改成6厘米长、4厘米宽、7毫米厚的片，放在垫有竹底AAA的砂锅内，再盖上底AAA，放入冷水烧开煮过，将开水倒掉，换用冷水透凉，连续2次，除去腥膻味为止，然后用清水漂上。干贝掰去老筋和金钩洗一遍。

2. 肘肉刮洗干净，鸡肉砍成块，下入开水锅余过捞出，用清水洗净血沫，放入垫底AAA砂锅内，加入干贝、金钩、拍破葱姜、料酒和清水2500克，在旺火烧开，撇去泡沫，移用小火煨至酥烂，煮成浓汤1000克左右。

3. 火腿切成5厘米长、3厘米宽、3毫米厚的片。白菜苞清洗干净。

4. 锅内放入普汤、料酒、葱姜、熊掌烧开煮过捞出，一片熊掌夹一片火腿，扣放在底AAA上，再盖上底AAA，放入浓汤砂锅内，用小火煨2小时，煨至柔软浓香为止。

5. 食用时，将熊掌上火，加入盐、味精、胡椒粉烧开成浓汁；同时锅内放入油烧到六成热，下入白菜苞加盐炒入味，用盘装上，将火夹熊掌取出，翻扑盘内，将浓汁浇在火夹熊掌上，周围拼白菜苞，淋鸡油即成。

【特点】 熊掌柔软，汁浓醇香，味道鲜美，营养丰富。

红煨鹿筋

【原料】 主料：发好的鹿筋4根。

配料：肥母鸡肉1000克，猪肘肉1000克，干贝25克，金钩25克，小白菜苞1500克。

调料：料酒100克，盐5克，酱油25克，味精2.5克，胡椒粉1克，猪油50克，普汤1500克，葱100克，姜100克，香油15克，鸡油15克。

【制　法】

1. 鹿筋初步加工(方法见“干货原料发料”实例)后再清洗干净，用刀改成6厘米长的段，放入冷水锅内烧开，然后用冷水过凉。需连续进行2次，除去异味后，用冷水漂上。

2. 葱、姜拍破。小白菜摘去边叶，将小苞洗净。

3. 用鸡肉、肘肉、金钩、干贝煨成浓汤(加工方法见“红煨熊掌”)

4. 锅内放入普汤、料酒和葱、姜，将鹿筋在锅中煮过，除去腥味后捞出，然后放入垫有底AAA的砂锅内，倒入煨好的浓汤，用小火煨到酥烂，加入适量的盐和酱油煨入味。

5. 锅内放入猪油烧到六成热，下入白菜苞加盐炒入味，装在盘子的周围。同时，在煨好的鹿筋中加入味精和胡椒粉，收浓汁，加入香油并调好味，装入白菜苞的中间，淋鸡油即成。

【特点】色泽红亮，柔糯鲜香，营养丰富，滋补佳品。

注：鹿冲(即鹿鞭)亦可按此法制作还可以用清纯，白煨等办法烹制。

火方鹿筋

【原料】 主料:发好的鹿筋一副(二根),火腿膀1只(重约500克)。

配料:肥母鸡肉1000克,猪肘肉500克,小白菜1500克。

调料:料酒100克,盐10克,普汤1000克,胡椒粉1克,葱15克,姜15克,鸡油15克。

【制　法】

1. 鸡肉和肘肉剁成人块,下入开水锅内煮过捞出,洗净血沐。葱白切成段,余下的葱和姜一起拍破。小白菜摘去边叶,将小苞洗净后下入开水锅氽过,用冷水过凉。

2. 火腿膀加工的方法见"火方生蹄筋"。

3. 鹿筋剔去杂质,用刀改成6厘米长的段,入的一切两开,放入冷水锅内烧开,捞出后用冷水过凉。锅内放入普汤、料酒、葱、姜、鹿筋烧开煮过,以除异味,然后装入汤WF内,加入鸡肉、肘肉、葱、姜、料酒、盐和清汤,上笼蒸到鹿筋软烂取出,去掉葱、姜、鸡肉、肘肉,将火方放入汤内,调好味,再上笼蒸1小时。

4. 食用时,锅内放入普汤,下入白菜苞和盐,烧开后将白菜苞捞出,取出火方鹿筋,放入白菜苞、味精、胡椒粉、葱段和鸡油即成。

【特点】 软糯清润,醇香味鲜,营养丰富,宴会人菜。

绣球鱼翅

【原料】 主料:水发鱼翅750克。

配料:鸽蛋12个,削皮荸荠50克,鸡柳条肉100克,虾仁100克,肥膘肉50克,肥母鸡肉500克,肘肉500克,鸡蛋清2个,熟瘦火腿25克,蒸发干贝50克,小白菜苞12个,香菜50克。

调料:猪油100克,料酒100克,盐10克,味精2克,胡椒粉1克,葱25克,姜25克,湿淀粉50克,清鸡汤500克,普汤500克。

【制　法】

1. 将鸡肉和肘肉砍成大块,下入开水锅氽过捞出,洗净血沫。火腿切成丝。荸荠剁成米状。小白菜苞洗净。葱和姜一半拍破,一半捣烂用料酒取汁。香菜摘洗干净。

2. 虾仁洗净,和剔去筋的鸡柳条肉、肥膘肉合在一起,放在垫有生肉皮的砧板上,用刀刃和刀背捶剁成细茸,装入碗内,放入鸡蛋清、适量的盐、湿淀粉,搅起劲,再加入葱姜酒汁,味精、荸荠米、胡椒粉,搅拌均匀成三合馅。

3. 将鱼翅的沙质用清水细心地清洗干净,放在底WF上,面上再盖底WF,放在沙锅内,放入清水,上火烧开氽过,把开水倒掉,换人冷水至鱼翅冷透,将水倒掉,再换冷水烧开,连续2次到无异味为止;再放入普汤、料酒,烧开氽过,将汤倒掉,然后放入料酒、葱、姜、鸡肉、肘肉、鸡汤,在旺火上烧开,撇去泡沫后用小火煨2小时至鱼翅软糯为准取出。鱼翅原汤,撇去浮油,保留待用。鱼翅用盘装上,用筷子拔散晾凉待用,再放入火腿丝、干贝拌匀。

4. 将三合馅挤成3厘米大的圆球(计20个),逐个放在鱼翅上,使每个圆球都沾满鱼翅,放在摸油的盘中,上笼蒸10分钟即熟,扣入碗中。

5. 鸽蛋磕在摸油的小调羹内,表面撒火腿末和香菜叶。

6. 食用前10分钟,将绣球鱼翅和鸽蛋上笼蒸熟取出,鱼翅翻扑盘中,鸽蛋拼在周围;同时锅内放入油烧沸,下入白菜苞,加盐炒入味,亦拼在鱼翅周围;锅洗净,倒入煨鱼翅的原汤、盐、味精,烧开调好味,用湿淀粉调稀勾芡,撒上胡椒粉,浇盖在鱼翅上,淋鸡油而成。

【特点】 鱼翅柔软,汁浓醇香,味道鲜美,为宴会人菜。

奶汤鱼翅

【原料】 主料:水发鱼翅1500克。

配料:肥母鸡肉1000克,猪五花肉1000克,干贝50克,小白菜2000克。

调料:料酒150克,盐15克,味精2.5克,普汤1000克,奶汤1000克,胡椒粉1克,鸡油25克,葱50克,姜50克。

【制　法】

1. 将鸡肉和五花肉砍成大块,下入开水锅内煮一下捞出,用清水洗净血沫。干贝剥去边上老筋,洗一遍,放入拍破的葱、姜、料酒和适量的水,上笼蒸发。

2. 将鱼翅的沙质和腐坏部分除去,用清水细心地洗2次,清洗干净后把鱼翅排扣在盘内,再推入竹底WF上,上面再盖底WF,放入砂锅内用重物压紧(以免冲动鱼翅,否则影响质量),加入料酒和清水,在旺火上烧开,再把开水倒掉,换上冷水,至鱼翅冷透后,将冷水倒掉,使海腥味吐出,再换冷水上火烧开(连续2次,到无异味时为止)。然后,将汤、料酒和拍破的葱姜放进去,上火氽煮后,连底WF取出鱼翅,这道汤倒掉不要。

3. 沙锅内放底轿,加入拍破的葱姜和五花肉,将盛有鱼翅的底轿放在五花肉上,再把鸡肉放在鱼翅上,然后用重物压紧,加放料酒、清水(水以没过鱼翅为准),在旺火上烧开后撇去泡沫,盖上盖,移用小火煨三四小时(煨至用筷子挟住鱼翅中间,两头便下垂时即可)。煨好后,取出鸡肉、五花肉(作其它用途),去掉葱、姜,将原汤过箩筛,再加入奶汤、干贝汤和适量的盐,在旺火上烧开,使鱼翅入味。

4. 小白菜摘去边叶留小苞,下入开水锅氽过,用冷水过凉。

5. 食用时,将鱼翅放在火上收成浓汤,然后连底WF一起取出,将鱼翅翻扑在盘中。奶汤内加入味精和胡椒粉,调好味再下入白菜苞烧开,装入汤盛内,然后将鱼翅下入奶汤内,放鸡油即成。

【特点】 鱼翅软糯,奶汤浓厚,味极鲜美,营养丰富

注:①红煨鱼翅,亦按此法制作,将奶汤换用红浓鸡汤,煨入味。

组庵玉结鱼翅

【原料】 主料:水发玉结鱼翅2000克。

配料:干贝50克,肥母鸡一只(重2000克左右),猪肘肉1000克。

调料:料酒150克,盐15克,味精2.5克,鸡汤1000克,胡椒粉1克,葱50克,姜50克,鸡油25克。

【制　法】

1. 将鸡宰杀去净毛,开膛去内脏,洗净,砍成大块;猪肘肉刮洗干净后砍成块,一起下入开水锅内煮过捞出,用清水洗净血沫。葱、姜要拍破。干贝掰去边上老筋,洗净后放入葱、姜、料酒和水,上笼蒸发待用。

2. 将鱼翅的沙质和腐坏部分除去,用清水细心地清洗干净,再用干净白稀布包好(以免将翅苞弄散,影响质量),放入垫有底WF的沙锅内,加入料酒和清水,在火上烧开后,用冷水将鱼翅凉透,再把冷水倒掉,使海腥异味吐出,然后,再换清水烧开,待鱼翅无异味时,换用鸡汤,加入料酒和葱、姜,在旺火上烧开后移用小火煨约半小时。从沙锅内取出鱼翅,这道汤倒掉不要,然后将葱、姜和猪肘肉放入沙锅,再放入鱼翅、鸡块、干贝汤、料酒和适量的水,用盘盖上,用小火煨4小时左右,煨至鱼翅浓香、柔软、烂透(用筷子挟翅针的中间,两头下垂即可),然后去掉鸡肉、肘肉和葱姜。

3. 食用时,将鱼翅上火,加入味精、胡椒粉,调好味,收成醇香汁浓,取出鱼翅,解开白布,装入大深盘内,将浓汁浇盖在鱼翅上,淋鸡油即成。

【特点】 清润滋补，柔软浓香，味道鲜美，宴会人菜。

注：谭延闿，字组庵，系清末翰林，喜尝美味佳肴，雇有私人厨师为他做菜。他十分欣赏私人厨师曹进臣所做的鱼翅，故称“组庵鱼翅”。无论自己请客或别人清他吃饭，都要按他的要求制出鱼翅等菜，后来人们称为组庵大菜。

蟹黄鱼翅

【原料】 主料：水发鱼翅1250克。

配料：蟹肉200克，蟹黄100克，猪五花肉500克，鸡肉500克。

调料：猪油150克，料酒100克，盐15克，味精2.5克，胡椒粉1克，葱25克，姜25克，湿淀粉50克，香油25克。

【制　法】

1. 煨鱼翅加工的方法见“奶汤鱼翅”。鱼翅煨好后，用碗扣好，放入鸡汤和盐，上笼蒸1小时，使鱼翅软透入味。

2. 在锅内放入猪油烧到六成热，下入姜米和蟹肉炒一下，烹料酒，同时将鱼翅取出。原汤滗入锅内，加入味精、鸡汤、适量的盐、葱花、胡椒粉，调好味，用湿淀粉调稀勾芡，先取一半放入鱼翅中，然后将鱼翅翻扑在深盘内，再将一半浇盖在鱼翅上面。

3. 将锅内放入猪油，待油烧到六成热时，下入蟹黄、姜米、葱花，炒到金黄色油汁烹起时，加入香油浇盖在蟹肉鱼翅上即成。

【特点】 色泽金黄，味极鲜美，宴会大菜。

金钱鱼翅

【原料】 主料：水发鱼翅750克。

配料：虾仁150克，鸡柳肉100克，猪肥膘肉50克，鸡蛋2个，熟瘦火腿50克，小白菜苞16个。

调料：猪油150克，料酒50克，盐10克，味精2.5克，鸡汤1500克，葱50克，姜50克，胡椒粉1克，湿淀粉50克，鸡油15克。

【制　法】

1. 葱、姜一半拍破，一半捣烂用料酒取汁。火腿切成米。小白菜苞洗净。鸡蛋去黄留清。

2. 鱼翅放入清水内，将沙质和腐坏部分清除干净，下入冷水锅内烧开，用冷水透凉(连续两次，除去海腥异味为止)，然后捞出挤干水分，装入碗内，放入料酒、葱、姜、猪油和鸡汤，上笼蒸至软烂时捞出，把鱼翅拆散，用净白布按干水分。

3. 将虾仁、鸡柳肉和肥膘肉一起放在垫有生肉皮的砧板上，用刀和刀背捶剁成细茸(无筋无粒)后装到碗巾，加入蛋清、葱姜酒汁，适量的盐、味精、湿淀粉、鸡汤，搅拌成三合馅。

4. 在长方形的平瓷盘中摸油，将三合馅挤成3厘米大的丸子，按扁成金钱形，把鱼翅贴在上面，撒上火腿末。

5. 食用前8分钟，将金钱鱼翅蒸熟取出摆在盘中，同时在锅内放入猪油烧到六成热，下入白菜苞加盐炒入味拼边。另外，在锅内放入鸡汤、盐、味精、胡椒粉，用湿淀粉调稀勾芡，浇盖在鱼翅上即成。

【特点】 柔软滑嫩，味道鲜美。

鸡茸鱼翅

【原料】 主料：水发鱼翅1000克。

配料：生鸡脯肉150克，猪肥膘肉50克，猪五花肉500克，鸡蛋5个，熟瘦火腿25克。

调料：猪油150克，料酒50克，盐10克，味精2.5克，鸡汤750克，胡椒粉1克，葱25克，姜25克，湿淀粉50克，鸡油15克。

【制　法】

1. 五花肉刮洗干净，切成大块，下入开水锅氽过，捞出，洗净血沫。火腿切成末。葱白切成花，余下葱和姜拍破。

2. 鱼翅初步加工的方法见“奶汤鱼翅”。鱼翅除去异味后，扣入钵内，将50克猪油烧沸，淋在鱼翅上，再放入葱、姜、五花肉和鸡汤，上笼蒸3小时左右，蒸至鱼翅柔软、酥烂时取出，去掉五花肉和葱、姜。

3. 将鸡脯肉和肥膘肉剔去筋，均切成薄片，放在垫有大生肉皮的砧板上，用刀背捶成细茸，再用刀反复排剁(要求无筋无粒)，放入冷汤解散，加入蛋清和适量的盐、味精、鸡汤、胡椒粉、湿淀粉搅匀成鸡茸汁。

4. 食用前半小时，将鱼翅加入适量的盐蒸热。

5. 食用时，在锅内放入猪油，待油烧到六成热便倒入兑好的鸡茸汁，用瓢不断推动(以免粘锅烧糊)炒熟。另外，将鱼翅取出，滗去汤，将炒熟的一半鸡茸放入鱼翅内，然后翻扑在大深盘中；另一半鸡茸盖在鱼翅上面，用筷子挟松，使鸡茸渗透鱼翅，撒火腿末、葱花，放鸡油即成。

【特点】 柔软香嫩，味道鲜美，宴会大菜。

红煨鱼唇

【原料】 主料：水发鱼唇1000克。

配料：水发厚冬菇50克，小白菜2000克。

调料：猪油150克，料酒100克，盐10克，酱油50克，糖10克，味精2.5克，红浓鸡汤500克，普汤500克，胡椒粉1克，葱25克，姜25克，香油25克，湿淀粉25克。

【制　法】

1. 冬菇去蒂洗净，大的切开。小白菜摘去边叶，将小苞洗净。葱白切成段，余下的葱和姜要拍破。

2. 将鱼唇放在温水巾洗净沙和杂质，再切成5厘米长、3厘米宽、6毫米厚的长方块，下入冷水锅内，加入料酒烧开捞出，用冷水过凉，连续进行两次，除去异味和胶质后再用开水泡上。

3. 锅内放入普汤、葱、姜、料酒和酱油，再下入鱼唇，用小火煨10分钟，倒入漏勺沥干水分。

4. 将猪油烧到六成热时，下入鱼唇煸一下，加入红浓鸡汤烧开，倒入沙钵内，煨至烂透入味为止。

5. 食用时，再将猪油烧到六成热时下入白菜苞，加盐炒入味后摆在盘子周围；鱼唇内加入味精和胡椒粉，调好味，用湿淀粉调稀勾芡，放葱段和香油，将红煨鱼唇装在菜苞中间即成。

【特点】 红润柔软，味道鲜美，宴会大菜。

注：鱼皮亦可按此法制作。

奶汤玉结鱼皮

【原料】 主料：水发玉结鱼皮1000克。

配料：小白菜1500克。

调料：猪油50克，料酒50克，普汤500克，奶汤1250克，葱25克，姜25克，盐15克，味精2克，胡椒粉1克，鸡油15克。

【制　法】

1. 玉结鱼皮切成5厘米长、3厘米宽的长方块，用温水洗净沙质和腐肉，下入冷水锅烧开，捞出后放入冷水内过凉，连续2次，除去腥味为止。

2. 小白菜摘去边叶留小苞，洗净，下入开水锅汆过，用冷水过凉。葱、姜要拍破。

3. 食用前15分钟，将猪油烧到六成热，下入葱、姜和鱼皮煸炒，烹料酒，加入盐和普汤烧开，倒入漏勺沥干水分，去掉葱、姜。把锅洗干净，放入奶汤、鱼皮和盐，烧开后再移用小火煨10分钟。食用时，加入味精、白菜苞烧开，撇去泡沫，撒上胡椒粉并调好味，然后装入汤WF内，淋鸡油即成。

【特点】 柔糯浓厚，味道鲜美，宴会

大菜。

注:奶汤玉结鱼唇亦按此法制作。

红煨土鲍鱼

【原料】 主料:水发上鲍鱼600克。

配料:肥母鸡肉500克,猪五花肉500克,小白菜苞16个。

调料:猪油100克,料酒50克,酱油25克,盐5克,冰糖10克,味精2.5克,胡椒粉1克,葱15克,姜15克,湿淀粉25克,香油15克,普汤500克。

【制　法】

1. 鲍鱼放入清水内摘去裙边,除净沙质,在两面剞斜纹交叉花刀,再斜片成条(大的切成3条,小的2条),放入冷水锅中烧开后捞出。在锅内放入普汤、料酒,烧开时将鲍鱼在里面氽过,然后倒入漏勺中沥干水分。葱白切成段,余下葱和姜拍破。白菜苞洗净。

2. 鸡肉和五花肉均剁成块,下入开水锅煮过,捞出洗净,放入沙锅内,再放入鲍鱼、葱、姜、料酒、冰糖、酱油和清水,用盘盖好,在旺火上烧开,撇去泡沫后移用小火煨2小时左右,煨至柔软酥烂,将鸡肉、五花肉取出,挑去葱、姜。

3. 食用时,将猪油烧到六成热,下入白菜苞加盐煸炒,用盘装上。另外将猪油烧到六成热,倒入煨好的鲍鱼,加入味精调好味,用湿淀粉调稀勾芡,撒胡椒粉、葱段和香油,装入盘内,周围拼白菜苞即成。

【特点】 香酥浓厚,味道鲜美,宴会人菜。

奶汤竹荪鲍鱼

【原料】 主料:罐头鲍鱼一听。

配料:竹荪25克,小白菜1500克。

调料:盐10克,味精2.5克,奶汤1000克,胡椒粉1克,鸡油15克。

【制　法】

1. 鲍鱼摘去裙边,洗净沙质(原汁澄清用碗装上),用刀将鲍鱼切成薄片,放入原汁内泡上。

2. 竹荪先用温水洗一遍,再用温水泡发,洗净泥沙后切成5厘米长的段,小的一切两开,大的切成三四条,将竹荪在开水中过后用冷水漂上。小白菜摘去边叶留小苞,洗净,下入开水锅氽过,用冷水过凉。

3. 食用时,将奶汤倒入锅内,加入盐、味精、鲍鱼原汁、竹荪、白菜苞,烧开并调好味,再将鲍鱼在汤中烫过捞出,放入汤WF内,撒胡椒粉和鸡油,再将奶汤、竹荪、菜苞装入汤WF内即成。

【特点】 鲍鱼嫩,汤浓厚,味鲜美。

鸡茸鲍鱼

【原料】 主料:罐头鲍鱼1个。

配料:鸡脯肉150克,肥膘肉50克,鸡蛋4个,豆苗苞50克,熟瘦火腿25克。

调料:猪油150克,料酒25克,盐10克,味精2.5克,鸡汤600克,胡椒粉1克,鸡油15克,葱15克,姜15克,湿淀粉75克。

【制　法】

1. 鲍鱼摘去裙边,洗净沙质(原汁澄清保留待用),切成薄片(或片成薄片),用原汁泡上。

2. 火腿切成米。豆苗苞洗净。葱白切成花,余卜的葱和姜捣烂,用料酒取汁。

3. 鸡脯肉和肥膘肉去筋,切成薄片,放在垫有人生肉皮的砧板上,用刀和刀背捶剁成细茸(无筋无粒),用葱姜酒汁和冷鸡汤斛散,再加入鸡蛋清、适量的盐、味精、湿淀粉、胡椒粉、鸡汤和鲍鱼原汁,搅匀成鸡茸汁。

4. 食用时,在锅中放入猪油,待油烧到六成热时,倒入兑好的鸡茸汁,用炒瓢不停翻动(以免粘锅烧糊)炒熟,同时将鲍鱼捞出,与豆苗苞一齐下入鸡茸内炒匀,装入盘内,撒火腿米和葱花,淋鸡油即成。

【特点】色泽鲜艳,香嫩鲜美。

鸡汁龙 眼鲍鱼

【原料】 主料:水发鲍鱼500克(选用4厘米长、3厘米宽的)。

配料:虾仁150克,肥母鸡肉500克,猪五花肉500克,生盐蛋黄10个,发菜5克,鸡蛋清2个,熟瘦火腿50克,猪肥膘肉50克,削皮荸荠50克,小白菜苞12个。

调料:猪油100克,料酒50克,盐10克,味精1.5克,胡椒粉1.5克,白糖少许,鸡汤500克,普汤500克,葱50克,姜50克,干淀粉20克,湿淀粉50克,鸡油15克。

【制 法】

1. 葱和姜一半拍破,一半捣烂用料酒取汁。火腿切成小尖三角片。发菜洗净,水发后切碎。白菜苞洗净。盐蛋黄一切两边。

2. 将鲍鱼裙边摘去,洗净沙质,下入冷水锅内烧开,捞出,用开水泡上。

3. 虾茸馅制法与菊花鱼肚相同。

4. 鸡肉和五花肉砍成块,下入开水锅中氽过捞出,洗净血沫,装入垫竹底AAA的砂锅内,放入拍破葱姜、料酒、鲍鱼和水(水以没过为准),盖上盖,在旺火烧开,撇去泡沫,移用小火煨4小时,煨至鲍鱼浓香酥烂取出,稍凉后,片去凸的部分,两面用直刀剞蓑衣花刀,用净白布按干水分,摊放平盘内(片的一面朝上),逐个撒上干淀粉,再铺上一层虾茸馅,按上一边盐蛋黄、火腿片,周围用发菜做成眼圈。

5. 食用时,将龙眼鲍鱼上笼蒸热取出,装放盘中,同时将白菜苞下入油锅加盐炒入味,拼在周围,锅内放入煨鲍鱼原汤、盐、味精、胡椒粉烧开,调好味,用湿淀粉调稀勾芡,浇在龙眼鲍鱼上,淋鸡油即成。

【特点】 形似龙眼,色彩美观,柔软浓香,味道鲜美。

注:海参、鱼肚、鱼皮也可按此法制作。

鸡汁煨整鲍鱼

【原料】 主料:水发鲍鱼750克(选用中号均匀的)。

配料:红萝卜250克,青菜苞12个,肥母鸡肉500克,有皮五花肉500克。

调料:猪油50克,料酒100克,盐15克,味精1.5克,白糖少许,胡椒粉1.5克,葱25克,姜25克,鸡油15克,湿淀粉15克。

【制 法】

1. 将鲍鱼裙边摘去,洗净沙质,在一面用直刀斜剞一字花刀,翻过来也照样剞一字花刀,下入冷水锅烧开后捞出。葱姜拍破。

2. 将五仡肉、鸡肉砍成块,下入开水锅氽过捞出,洗净血沫,放入垫有AAA的砂锅内,再放入葱姜、鲍鱼、料酒和适量的水,盖上盖,用旺火烧开,移用微火煨约4小时,煨至酥烂、汁浓为止,去掉鸡肉,猪肉和姜葱。

3. 红萝卜削成圆球,下入水油锅焖烂。青菜苞下入开水锅氽过,用冷水过凉待用。

4. 食用时,将煨好鲍鱼的砂锅上火烧开,加入盐、味精、胡椒粉调好味,用湿淀粉调稀勾芡,摆入深盘内;同时锅内放入猪油50克,下入红萝卜球、青菜苞,加盐焖入味捞出,拼在鲍鱼周围,淋鸡油即成。

【特点】 鲍鱼酥烂,汁浓醇香,味道鲜美,为宴会大菜。

鸡汁金鱼鲍

【原料】 主料:水发鲍鱼20个(选用4厘米长、3厘米宽左右的)。

配料:制好虾茸料200克,绿色青豆

40 粒，熟瘦火腿 20 克，红灯笼椒 20 克，小青菜苞 16 个。

调料：猪油 100 克，精油 50 克，精盐 8 克，味精 2 克，胡椒粉 2 克，鸡汤 500 克，葱 15 克，姜 15 克，干淀粉 25 克，湿淀粉 20 克，鸡油 75 克。

【制　法】

1. 将鲍鱼上的裙边摘去，洗净泥沙，剔去硬的部分，在圆的一端用直刀切成 3 毫米厚的片（四分之三切断），用少许碱腌约 3 小时，再用开水连续冲几遍，至发透无碱味为止。葱和姜拍破。青菜苞洗净。火腿切成米状。

2. 锅内放入 50 克油烧到七成热时，下入葱姜煸炒，放入鸡汤、鲍鱼、料酒烧开，移用小火煮 10 分钟后加入盐、味精入味，倒入漏勺沥干，再用净白布按干水分，拌上胡椒粉。

3. 备 20 片小调羹，摸上油，把虾茸料铺满调羹的一层，将鲍鱼尖的一端粘点干淀粉，放在虾茸料上，将切片圆的一端推开成金鱼尾形，放在调羹柄上，再盖一层虾茸料，做成金鱼身，按两粒青豆做眼睛，用红灯笼椒花做嘴、鳍，贴在鱼身上即成金鱼鲍鱼，头朝里摆在大盘内。

4. 食用前 10 分钟，将金鱼鲍鱼上笼蒸熟取出，同时将青菜苞下入油锅加上盐炒入味，拼在金鱼鲍鱼的空行处；锅内放入猪油烧到六成热时，加入鸡汤、盐、味精烧开，调好味，用湿淀粉调稀勾芡，浇盖在金鱼鲍鱼上，淋鸡油即成。

【特点】　形似金鱼，色泽鲜艳，柔软浓香，味道鲜美。为宴会大菜。

菊花鸭掌鲍鱼

【原料】　主料：水发鲍鱼 20 个（选用 4 厘米长的）。

配料：去骨、筋人白鸭掌 10 个，熟瘦火腿 100 克，蛋松 20 克，小白菜苞 12 个，肥母鸡肉 500 克，有皮肘肉 500 克，香菜 50 克，制好虾茸料 150 克。

调料：猪油 100 克，料酒 30 克，精盐 10 克，味精 1 克，胡椒粉 2 克，白糖少许，葱 15 克，姜 15 克，湿淀粉 20 克，鸡油 15 克。

【制　法】

1. 葱和姜拍破。火腿切成 2 厘米长、1 厘米宽的斜条，再在其一端切开四分之三的薄片（切断），四分之一连着（不切断）。小白菜苞洗净。香菜摘叶洗净。肥母鸡肉和肘肉都切成块，下入开水锅煮过，用清水洗净血沫，装入垫底 AAA 沙锅内。

2. 将鲍鱼裙边摘去，洗净砂质，在圆的一端切成片（三分之二切断，尖的一端三分之一连着），下入冷水锅烧开，倒入漏勺沥干水分。锅内放入 50 克油烧到七成热，下入葱姜煸炒，再下入鲍鱼，烹料酒，装入放有鸡和肉块的沙锅内，放入水（水以没过鲍鱼为准），用盘盖上，在旺火上烧开，撇去泡沫，移用微火煨 2 小时至酥烂汁浓香为止，去掉葱和姜，取出鸡和肉块（作其他用途）。

3. 将鸭掌下入汤锅煮到柔软捞出，用净白布按干水分，粘上干淀粉，逐个酿满虾茸料，放在平盘内，把火腿推开成菊花瓣，贴在虾茸料上，中间放一小撮蛋松作花蕊，边上按香菜叶即成菊花鸭掌。

4. 食用前 10 分钟，把煨好的鲍鱼放在火上，加入味精、适量的盐和胡椒粉收浓汁，同时将菊花鸭掌上笼蒸熟取出，将白菜苞下入油锅加盐炒入味和菊花鸭掌相间地拼在盘的周围。取出鲍鱼整齐地装放盘中，浇上原汁，淋鸡油即成。

【特点】　鲍鱼浓香，鸭掌滑软，别有风味。

清汤虾球鲍鱼

【原料】　主料：水发鲍鱼 20 个（选用 4 厘米长的）。

配料中：明虾仁 20 只（重 200 克左右），鸡蛋清 4 个，小白菜苞 20 个。

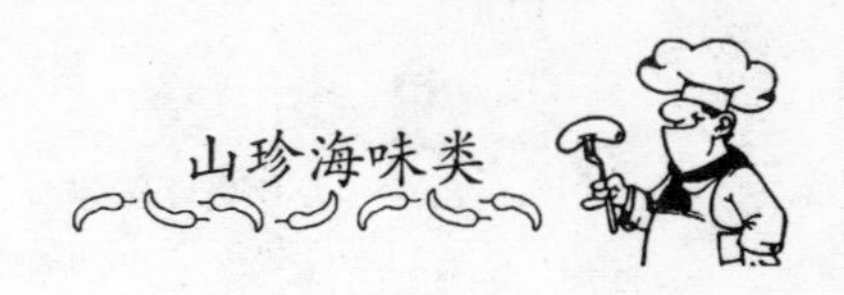

调料：猪油 1000 克(实耗 100 克)，料酒 30 克，精盐 10 克，味精 2 克，鸡汤 1000 克，胡椒粉 2 克，葱 20 克，姜 20 克，干淀粉 25 克，鸡油 20 克。

【制　法】

1. 葱和姜一半捣烂用料酒和少许水取汁，余下葱和姜拍破。小白菜苞洗净，下入开水锅氽过，用冷水过凉待用。

2. 将鲍鱼上的裙边摘去洗净泥沙，在圆的一端用直刀切成薄片(四分之三切断，四分之一连着)，用开水连续冲漂两遍。

3. 将鸡蛋清 3 个装入深边盘内，用筷子打起发泡，放入干淀粉调制成雪花糊。明虾仁由背部片开，挑去虾线，用葱姜酒汁、适量盐和味精腌一下，用鸡蛋清一个和干淀粉调匀浆好，做成圆球形，逐个裹上花糊，下入五成熟的油锅，用温火浸炸熟(切勿粘连一起和炸呈黄色)，待表面凝固时捞出，用温水氽过捞人汤 WF 内，放入鸡汤、盐，上笼蒸 1 小时取出。

4. 食用前 20 分钟，将滑虾球上笼蒸热；同时锅内放入油烧到六成热，下入葱姜煸炒，再下入鲍鱼、鸡汤、料酒烧开，移用小火闷 15 分钟，下入白菜苞、盐氽热，倒入漏勺沥干水分，取出滑虾球，将鲍鱼、小白菜苞放入滑虾球内，撒胡椒粉，放鸡油即成。

【特点】 鲍鱼鲜香，虾球滑嫩。汤清鲜美。为宴会大菜。

翡翠鲍鱼

【原料】 主料：水发鲍鱼 12 个(选用 4 厘米宽、5 厘米长的)。

配料：虾仁 150 克，猪肥膘肉 40 克，熟瘦火腿 50 克，鸡蛋清 2 个。菠菜 250 克，小白菜苞 12 个。

调料：猪油 100 克，料酒 20 克，精盐 10克，味精 1 克，胡椒粉 2 克，奶汤 200 克，鲜汤 250 克，白糖 2 克，葱 25 克，姜 25 克，干淀粉 20 克，湿淀粉 30 克，鸡油 25 克。

【制　法】

1. 葱和姜一半拍破，一半捣烂用料酒和少许水取汁。火腿切成菱形小片。菠菜摘叶洗净，用少许盐揉出绿汁。小白菜苞洗净。

2. 虾仁洗净，沥干水分，和肥膘肉一起用刀背和刀刃捶剁成细茸(越细越好)，放入葱姜酒汁、鸡蛋清、白糖、菠菜汁和适量的盐、味精、胡椒粉、湿淀粉，搅拌成绿色虾茸料。

3. 将鲍鱼裙边摘去，在面的一边剞十字交叉花刀，下入冷水锅烧开氽过。锅内放入 50 克油，烧到六成热，下入拍破葱姜煸炒，随下入鲍鱼、鲜汤、料酒煮 10 分钟捞出，用净白布按干水分，拌入胡椒粉、味精待用。

4. 备 12 个小蝶，摸上油，将绿色虾茸料铺一层在小碟内，再把鲍鱼底部粘上干淀粉，摆放虾茸料上，周围按上火腿片，即成翡翠鲍鱼。

5. 食用前 8 分钟，将翡翠鲍鱼上笼蒸熟取出，分两行摆放长腰盘内；同时将白菜苞下入油锅加盐炒入味，拼在两行鲍鱼中间。锅内放入奶汤、盐、味精调好味，用湿淀粉调稀勾芡，加入鸡油，浇在翡翠鲍鱼和白菜苞上即成。

【特点】 色彩美观，鲍鱼醇香，虾茸鲜嫩，汁浓味美。

红荔鲍鱼

【原料】 主料：水发中号鲍鱼 20 个(重 750 克左右)。

配料：熟瘦火腿 100 克，制好虾茸料 100 克，肥母鸡肉 500 克，有皮肘肉 500 克，小白菜苞 12 个。

调料：猪油 100 克，料酒 30 克，精盐 12 克，味精 1 克，胡椒粉 2 克，白糖少许，葱 15 克，姜 15 克，湿淀粉 20 克，鸡油 15 克。

【制　法】

1. 葱和姜拍破。火腿切成末。肥母

鸡肉和肘肉都切成块,下入开水锅煮过,用清水洗净血沫,装入垫底 AAA 的沙锅中。小白菜苞洗净。

2. 将鲍鱼裙边摘去洗净沙质,在圆的一端切成片(三分之二切断,尖的一端连着),下入冷水锅烧开,倒入漏勺沥干水分。锅内放入 50 克油烧到七成热,下入葱姜煸,再下入鲍鱼,烹料酒,装入放有鸡和肉块的沙锅内,放入水(水以没过鲍鱼为准),用盖盖上,放在旺火上烧开,撇去泡沫,移用微火煨 2 小时,煨至酥烂汁浓香为止,去掉葱姜,取出鸡和肘肉(作其他用途)。

3. 火腿末撒在净白布上,将虾茸料挤成直径 3 厘米大的丸,滚粘上火腿末,做成红荔枝形,摆放摸油的平盘中。

4. 食用前 15 分钟,把煨好的鲍鱼放在火上,加入味精、适量的盐和胡椒粉,收成浓汁;同时,将红荔枝虾丸上笼蒸熟取出,白菜苞下入油锅加盐炒入味,与红荔虾丸相间地拼在盘的周围。取出鲍鱼,整齐地装放在盘中,并浇上原汁,淋鸡油即成。

【特点】 色泽美观,鲍鱼浓香,红荔滑嫩,味道鲜美。

红煨海鳖裙

【原料】 主料:水发鳖裙(即海鳖的软边)1000 克。

配料:水发冬菇 50 克,小白菜 2000 克。

调料:猪油 150 克,料酒 50 克,盐 10 克,酱油 25 克,味精 2.5 克,普汤 500 克,胡椒粉 1 克,红浓鸡汤 500 克,葱 15 克,姜 15 克,香油 15 克。

【制　法】

1. 将鳖裙边皮面上的黑膜刮尽,切去腐坏部分,洗净沙质,切成 5 厘米长、3 厘米宽的长方块,下入冷水锅内,加料酒烧开后捞出,用冷水过凉,要连续进行 2 次,除去异味后用开水泡上。

2. 冬菇去蒂洗净。葱白切成段,余下的葱和姜拍破。小白菜摘去边叶,将小苞洗净。

3. 将猪油烧沸,下入葱、姜煸炒,随即下入鳖裙,烹料酒,加入酱油、盐和汤,烧开后移用小火煨 10 分钟,除去腥味,倒入漏勺沥勺干水分;再将猪油烧沸,下入鳖裙、冬菇煸一下,烹料酒,放入红浓鸡汤和白糖,烧开后倒入垫有底 AAA 的沙锅内,用小火煨约半小时(烂透为止)。

4. 食用时,将猪油烧到六成热,下入白菜苞,加盐炒入味,然后摆在盘子的周围;将鳖裙倒入锅内,加入味精和胡椒粉,调好味,用湿淀粉调稀勾芡,放葱段和香油,装在白菜苞中间即成。

【特点】 软糯润滑,香浓味美。

清汤鱼肚

【原料】 主料:油发鱼肚 150 克。

配料:口蘑 150 克,熟火腿 50 克,熟鸡肉 100 克,面粉 25 克。

调料:料酒 25 克,盐 15 克,味精 1.5 克,胡椒粉 1 克,普汤 250 克,鸡汤 1000 克,葱 10 克,鸡油 10 克。

【制　法】

1. 鱼肚用开水浸泡,再用重物压上,使鱼肚完全浸在水中,待其吸足了水分、开始发软时捞出,用刀片成 3 厘米、2.5 厘米宽的片,放入面粉轻轻抓洗,再用温水反复挤出油质,冲洗干净,然后放入冷水锅内烧开氽过,捞出后用冷水漂上。

2. 口蘑加工的方法见“芙蓉鸡片”。鸡肉片成片,火腿切成薄片,均装入碗内并加入汤,上笼蒸 10 分钟取出。葱切成段。

3. 锅内放入普汤、料酒和盐,下入鱼肚烧开氽过,然后倒在漏勺中沥干水分,放入汤趣内,撒胡椒粉和葱段,放鸡油。另外在锅内放入鸡汤、鸡火片、盐、味精,烧开并调好味,撇去泡沫,装入汤 WF 内即成。

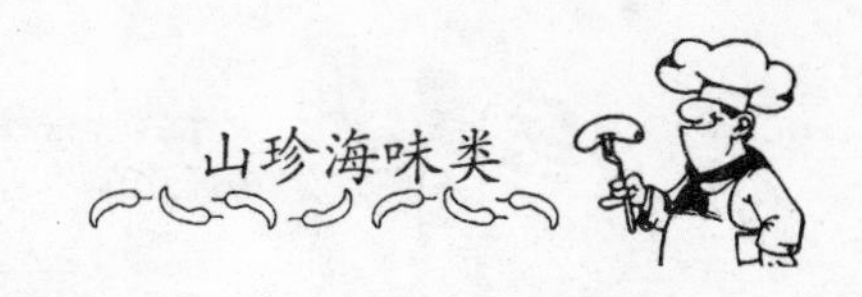

【特点】 汤清柔软,味美可口。

注:红烧鱼肚亦可按此法制作,清鸡汤换朋红浓鸡汤,用湿淀粉调稀勾芡。

虾仁鱼肚

【原料】 主料:油发鱼肚125克。

配料:虾仁100克,熟火腿50克,熟鸡肉50克,水发冬菇50克。

调料:猪油100克,料酒25克,盐15克,味精1.5克,胡椒粉1克,普汤250克,鸡汤1000克,葱10克,湿淀粉50克,鸡油15克,干淀粉10克。

【制　法】

1. 鱼HL加工见“清汤鱼肚”。火腿、鸡肉、冬菇均切成虾仁一样大小的颗粒,装在碗内并加入汤,上笼蒸10分钟。

2. 虾仁洗净,沥干水分,用蛋清、干淀粉和适量的盐调匀浆好。葱切

3. 食用时,在锅内放入普汤、鱼肚、料酒、盐烧开氽过,然后倒在漏勺中沥干水分。将猪油烧到五成热时,下入虾仁用筷子拨散滑熟,捞出。锅内留50克油,倒入鸡汤,再下入鱼肚、蒸好的配料以及虾仁、味精、盐,烧开并调好味,用湿淀粉调稀勾芡,放胡椒粉和葱段,装入汤WF内后放鸡油即成。

【特点】 色彩鲜艳,味道浓鲜。

蟹黄鱼肚

【原料】 主料:油发鱼肚125克。

配料:蟹黄100克,蟹肉150克。

调料:猪油150克,料酒50克,盐15克,味精2克,胡椒粉0.5克,普汤250克,鸡汤750克,葱15克,姜15克,湿淀粉50克。

【制　法】

1. 鱼肚加工的方法见“清汤鱼肚”。葱切成花。姜切成米。

2. 锅内放入普汤、鱼肚、料酒和盐,烧开氽过,然后倒在漏勺中沥干水分。

3. 将猪油烧六成热时,下入姜米、蟹肉煸炒,烹料酒,放入鸡汤、盐、味精、鱼肚,调好味,用湿淀粉调稀勾芡,加入葱花和胡椒粉,装入汤磕内。

4. 再将猪油烧六成热,下入姜米、蟹黄,烹料酒,炒至金黄色油汁烹起时,放葱花和香油,浇盖在蟹肉鱼肚上即成。

【特点】 金黄色亮,柔软浓鲜,味道可口。

荷花鱼肚

【原料】 主料:油发鱼肚100克。

配料:虾仁200克,鸡蛋2个,熟瘦火腿,青豆25克,青菜苞16个。

调料:料酒50克,盐15克,味精2.5克,胡椒粉1克,普汤250克,清鸡汤1000克,葱10克,姜10克,鸡油25克。

【制　法】

1. 鱼肚用开水浸泡,再用重物压上,使鱼肚完全浸在水中,待其吸足了水分发软时捞出,挤干水分,片成大片。在温水中放一点碱,将鱼肚的油质洗去,再用温水冲去碱味,然后用凉水漂洗一遍,捞出后挤干水分。在锅内放入普汤、鱼肚、料酒和盐,烧开氽过,倒入漏勺沥干水分,然后用净白布将水分按干,切成2厘米长的菱形块(或用花瓣模型刀压切)。火腿切成小菱形片。青菜苞用开水氽过,捞出后用冷水过凉。将葱、姜捣烂,用料酒取汁。

2. 虾仁洗净,用刀拍烂再捶剁成细茸,加入葱姜酒汁、鸡蛋清、冷汤和适量的盐,搅拌成馅。

3. 将20个小蝶摸上油,将鱼肚在碟内摆成花瓣形,把虾馅酿在鱼肚上,再按上火腿片,中间按上几粒青豆,即成荷花形。

4. 食用前5分钟,将酿好鱼肚上笼蒸熟取出,同时锅内放入清鸡汤、盐、味精和青菜苞烧开,调好味并撇去泡沫,装入汤WF内,随下入荷花鱼肚,撒胡椒粉、鸡油即成。

【特点】 形似荷花，色彩鲜艳，清爽味美。

绣球鱼肚

【原料】 主料：油发鱼肚 120 克。

配料：虾仁 200 克，猪肥膘肉 50 克，削皮荸荠 50 克，蒸发干贝 50 克，熟瘦火腿 50 克，小白菜苞 16 个，鸡蛋清 1 个。

调料：猪油 100 克，料酒 40 克，精盐 10 克，味精 2 克，胡椒粉 1 克，白糖 2 克，鸡汤 250 克，普汤 250 克，葱 25 克，姜 25 克，湿淀粉 60 克，鸡油 15 克。

【制 法】

1. 鱼肚用开水浸泡，再用重物压上，使鱼肚完全浸在水中，待其吸足水分，开始发软时捞出，片成 3 毫米厚的人片，放入面粉轻轻抓洗，再用温水反复挤出油质，冲洗干净，然后下入冷水锅内烧开，捞人冷水漂洗几遍待用。

2. 葱和姜一半拍破，一半捣烂用料酒和少许水取汁。荸荠拍烂剁成米。火腿切成丝。干贝搓散成丝。小白菜苞洗净。

3. 锅内放入 30 克油，烧到六成热，下入葱姜煸炒，加入普汤、鱼肚、料酒、盐烧开氽过，捞出挤干水分，切成细丝。

4. 虾仁和肥膘制成虾茸，放入葱姜酒汁、适量的盐和鸡汤搅上劲，加入味精、鸡蛋清、胡椒粉、白糖、荸荠米、湿淀粉拌匀成虾茸料。

5. 鱼肚丝和火腿丝、干贝丝拌匀，撒在净白布上，将虾茸料挤成直径 3 厘米大的丸子(计 20 个)，放在鱼肚火腿干贝丝上，逐个粘裹滚成绣球，放在摸油的盘内，上笼蒸熟取出，分 3 行摆放入盘内，同时将白菜苞下入油锅加盐炒入味，拼在绣球鱼肚的空行处。锅内放入油烧到六成热，放入鸡汤、盐、味精烧开，调好味，用湿淀粉调稀勾流汁芡，浇盖在绣球鱼肚和白菜苞上，放胡椒粉、鸡油即成。

【特点】 形似绣球，色泽美观，柔软滑嫩，味道鲜美。

珊瑚鱼肚羹

【原料】 主料：油发鱼肚 100 克。

配料：活桂鱼肉 400 克，熟咸蛋黄 5 个。

调料：猪油 100 克，料酒 30 克，精盐 10 克，味精 1 克，鸡汤 600 克，胡椒粉 1 克，葱 20 克，姜 20 克，湿淀粉 50 克，鸡油 30 克。

【制 法】

1. 葱一半切成花，姜一半切成末，余下葱和姜拍破。咸蛋黄切成小颗。

2. 鱼肚用开水浸泡，再用重物压上，使鱼肚完全浸没在水中，待其吸足水分、开始发软时捞出，改切成 5 厘米长、1 厘米大的见方条，用面粉轻轻抓一抓，再用温水反复抓洗，挤出油质，冲洗几遍，直至无油质为止，然后放入冷水锅烧开氽过，捞出后用冷水漂上。

3. 将桂鱼肉洗净，装入盘内，放入拍破的葱姜、料酒上笼蒸熟取出，随即挑去刺和皮，将鱼肉摘成小块。

4. 食用时，锅内放入普汤、料酒和适量的盐、鱼肚烧开煮过，倒入漏勺沥干水分；锅内放入油烧七成热，下入姜末、葱花炒一下，随下入鱼羹，烹料酒，加入鸡汤、盐、味精、鱼肚、胡椒粉调好味，用湿淀粉调稀勾流芡汁，装入汤 WF 内。另用锅放入鸡油、咸蛋黄颗炒一下，浇在鱼羹鱼肚上即成。

【特点】 色彩美观，鱼羹浓鲜，鱼肚柔软，味道鲜美。

菊花鱼肚

【原料】 主料：油发鱼肚 125 克。

配料：熟瘦火腿 200 克，虾仁 150 克，猪肥膘肉 50 克，削皮荸荠 50 克，鸡蛋清 2 个，青菜苞 12 个，蛋松 10 克，香菜 50 克。

调料：猪油 100 克，料酒 50 克，盐 15 克，味精 1.5 克，白糖少许，胡椒粉 1 克，

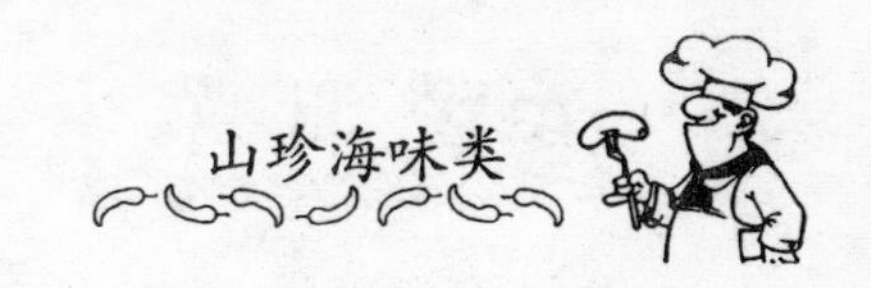

鸡汤 500 克，普汤 500 克，葱 15 克，姜 15 克，干淀粉 20 克，湿淀粉 50 克，鸡油 15 克。

【制　法】

1. 鱼肚用开水浸泡，再用重物上，使鱼肚完全浸在水中，待其吸足了水分发软时，用刀片成人薄片，用少许碱轻轻抓洗，再用温水反复挤去油质，冲洗干净，然后放入冷水锅烧开氽过，捞出用冷水透凉，用冷水漂上。

2. 火腿切成小象眼片。荸荠剁成米状。青菜苞洗净。香菜摘叶洗净。葱和姜捣烂用料酒取汁。

3. 虾仁洗净，和肥膘肉一起用绞肉机绞成细茸，放入冷鸡汤、葱姜酒汁、鸡蛋清、荸荠米、适量的盐、味精、白糖、胡椒粉、湿淀粉，搅拌成虾茸馅。

4. 将鱼肚捞出，挤干水分，放入普汤锅内，加入料酒、盐烧开氽过，倒入漏勺沥干，再用净白布按干水分，摊在砧板上，撒上干淀粉，铺满一层虾仁馅，切成 4 厘米大斜方块（计 20 块），逐个按上火腿片作花瓣，中间放一小撮蛋松作花芯，边上按上香菜叶，即成菊花图案。

5. 食用时，将菊花鱼肚上笼蒸 5 分钟即熟，取出，摆放盘内；同时将青菜苞下入油锅，加盐炒入味，拼在周围。锅内放入油烧到六成热，放入鸡汤、盐、味精烧开，用湿淀粉调稀勾芡，浇在菊花鱼肚上，淋鸡油即成。

【特点】　色彩美观，柔软鲜嫩，味美可口。

如意鱼肚

【原料】　主料：油发鱼肚 125 克。

配料：虾仁 15 克，熟瘦火腿 50 克，猪肥膘肉 50 克，削皮荸荠 50 克，青菜叶 200 克，小白菜苞 12 个。

调料：猪油 100 克，料酒 50 克，盐 15 克，味精 1.5 克，白糖少许，胡椒粉 1 克，鸡汤 500 克，普汤 500 克，葱 15 克，姜 15 克，干淀粉 20 克，湿淀粉 50 克，鸡油 15 克。

【制　法】

1. 葱和姜捣烂用料酒取汁。荸荠剁成米状。火腿切成米。白菜苞洗净。青菜叶洗净，按干水分，切成丝下入油锅炸焦（注意切勿炸黄），剁碎。

2. 鱼肚半成品加工和虾茸馅制法与“菊花鱼肚”相同。

3. 锅内放入普汤、鱼肚、盐、料酒浇开氽过，倒入漏勺沥干，用净白布按干水分，修拼成 13 厘米见方块，摊放木板上，撒点干淀粉，铺满一层虾仁馅，然后将火腿米、青菜松末各放一端，由两端向中间卷拢，在合拢处用干淀粉粘合，放在抹油的盘内，上笼蒸 10 分钟即熟取出，晾凉后切成 1 厘米厚的片（计 20 片），分 3 行摆放盘中。

4. 食用时，将如意鱼肚上笼蒸热取出，同时将白菜苞下入油锅加盐炒入味，拼在鱼肚空行内；锅内放鸡汤、盐、味精烧开，用湿淀粉调稀勾芡，浇在如意鱼肚上，淋鸡油即成。

【特点】　色彩鲜艳，松软鲜嫩，味美可口。

三鲜鱼脆

【原料】　主料：发好的鱼脆 300 克。

配料：熟火腿 50 克，熟鸡皮 100 克，干贝 25 克，豆苗 250 克。

调料：料酒 25 克，盐 15 克，味精 1.5 克，普汤 250 克，清鸡汤 1000 克，胡椒粉 1.5 克，鸡油 25 克。

【制　法】

1. 将鱼脆片成约 3 厘米长、1.5 厘米宽的长方薄片，用开水泡上。

2. 火腿、鸡皮均切成同鱼脆一样大小的片，用碗装上并加入少许汤，上笼蒸烂。干贝掰去老筋，加入料酒和少许水，上笼蒸发。豆苗摘苞洗净。

3. 食用时，锅内放入普汤、鱼脆、料

酒和少许盐，烧开氽过，捞出后装入汤WF内，撒入胡椒粉。

4. 锅内放入清鸡汤、蒸好的火腿鸡皮片、干贝、盐和味精，烧开并调好味，撇去泡沫后再下入豆苗苞，然后装入汤WF内，淋鸡油即成。

【特点】 脆嫩鲜香，汤清味美。

虾蛋烧海参

【原料】 主料：水发海参1000克。

配料：水发冬菇50克，鲜虾蛋50克。

调料：猪油150克，料酒50克，盐5克，酱油50克，红浓鸡汤500克，普汤250克，味精2.5克，胡椒粉1克，姜15克，葱15克，湿淀粉25克，香油15克。

【制　法】

1. 海参除去腹膜，洗净，改成6厘米长、3厘米宽、1厘米厚的块，下入冷水锅内烧开氽过，捞出后用开水泡上。

2. 冬菇切去蒂，洗净。葱白切成段，余下的葱和姜拍破。

3. 将鲜虾蛋装入白瓷碗内，用清水冲洗，拣去虾脚、虾须和杂质，倒入另一个白瓷碗内，使沙质沉淀，反复二至三次，去尽沙质后便滗去水，放大葱、姜和料酒，上笼蒸熟。

4. 食用时，将猪油25克烧沸，下入海参炒一下，烹料酒，放酱油、盐和普汤烧开氽过，用漏勺沥干水分。

5. 再将猪油烧到六成热时，下入冬菇、海参煸炒，烹料酒，加入红浓鸡汤、虾蛋和味精，调好味，用湿淀粉调稀勾芡，撒胡椒粉和葱段，放香油即成。

【特点】 柔软滑糯，浓厚味鲜。

芙蓉海参

【原料】 主料：水发海参800克。

配料：生鸡柳条肉150克，肥膘肉50克，鸡蛋6个，熟瘦火腿15克，青菜苞16个。

调料：猪油150克，料酒25克，盐15克，味精1.5克，普汤250克，鸡汤500克，胡椒粉1克，葱10克，湿淀粉50克，鸡油15克。

【制　法】

1. 海参加工见“虾蛋烧海参”。火腿切成末。葱切成花。青菜苞用开水氽过，捞出后用冷水过凉。

2. 鸡柳条肉和肥膘肉均剔去筋，放在垫有大生肉皮的砧板上，用刀背捶成细茸，再用刀反复排剁（无筋无粒）后，放入冷汤内解散，加入鸡蛋清4个搅匀成鸡茸汁。用筷子将鸡蛋清2个打起发泡，成雪花糊。

3. 食用时，将猪油烧六成热，下入海参炒一下，烹料酒，加盐和汤烧开氽过，然后倒入漏勺中沥干水分。将冷鸡汤、盐、味精、胡椒粉以及适量的湿淀粉兑入鸡茸汁内搅匀。另外，将猪油烧六成热，倒入兑好的鸡茸汁，用瓢炒熟，再下入海参、青菜苞、雪花蛋糊，炒熟（炒时要不断推动，以免粘锅烧糊）并装入盘内，撒火腿末、葱花，淋上鸡油即成。

【特点】 色彩鲜艳，柔软鲜嫩，宴会大菜。

注：鲜鲍鱼、鱿鱼、鱼肚等亦可按此法制作。

绣球海参

【原料】 主料：水发海参750克（选用稍硬点的）。

配料：熟瘦火腿50克，干贝50克，虾仁100克，鸡脯肉100克，鸡蛋2个，肥膘肉50克。

调料：猪油100克，料酒50克，盐10克，味精1.5克，普汤250克，鸡汤500克，胡椒粉1克，葱15克，姜10克，鸡油15克。

【制　法】

1. 士贝掰去老筋，洗净沙质，加入料酒和少许水，上笼蒸发，取出后搓散成丝。火煺切成细丝。葱白切成段，余下葱和姜捣烂用料酒取汁。

2. 虾仁洗净后沥干水分，鸡脯肉、肥膘肉均剔去筋，切成薄片，放在垫有大生肉皮的砧板上，用刀和刀背捶剁成细茸(无筋无粒)，用碗装上，加入鸡蛋清、葱姜酒汁、味精、鸡汤、湿淀粉和适量的盐，搅拌成三合馅。

3. 海参清去腹膜，洗净后片成3毫米厚的片，再切成3厘米长的丝，放入冷水锅内烧开捞出。锅内放入普汤、盐、料酒，烧开后将海参氽过，倒入漏勺中沥干，再用净白布按干水分，加入火腿丝、干贝丝，拌匀，摊在白布上，将三合馅挤成3厘米大的丸子，放在海参丝及配料上，滚成绣球，放入摸匕油的平盘内。

4. 食用前10分钟，将绣球海参上笼蒸熟，取出后装入深盘内。同时，将猪油烧到六成热，放入鸡汤、味精和盐，烧开并调好味，用湿淀粉调稀勾芡，放入葱段、胡椒粉，将汁浇盖在绣球海参上即成。

【特点】 形似绣球，柔软嫩，味鲜美，宴会大菜。

杂瓣海参

【原料】 主料：水发海参500克。

配料：猪肉200克(瘦七肥三)，鸡蛋3个，熟鸡肉50克，火腿50克，水发口蘑50克，净冬笋50克，小白菜苞16个。

调料：猪油50克，料酒25克，盐15克，味精1.5克，普汤半斤，鸡汤750克。胡椒粉1克，葱10克，湿淀粉40克，鸡油10克。

【制　法】

1. 海参清去腹膜，洗净后斜片成4厘米长、3厘米宽的薄片，下入冷水锅烧开，捞出，用开水泡上。

2. 鸡肉、火腿、口蘑、冬笋均切成薄片，装入碗内并加少许汤，上笼蒸10分钟取出。白菜苞洗净，在开水中氽过捞出，用冷水过凉。葱切成段。

3. 猪肉去皮去筋，捶剁成细茸，加入1个鸡蛋和适量的盐、湿淀粉，搅拌成馅。

4. 将2个鸡蛋打散，加入适量的盐、水和湿淀粉搅匀，将小铁瓢放在火上烧热抹油，用调羹舀入蛋液烫成小圆蛋皮，挟入肉馅，用筷子收拢成烧卖形，放入抹油的盘内，如此弄完为止。再将余下的肉馅挤成直径2厘米大的丸子，放入蛋包烧卖一起，上笼蒸熟后取出。

5. 食用前10分钟，将各种配料上笼蒸热。锅内加入普汤、料酒、盐，烧开时将海参捞出，放入汤中氽过，然后倒入漏勺中沥干水分，连同各种配料一起放入汤WF内，撒人胡椒粉、葱段。另外，在锅内放入鸡汤、白菜苞、盐和味精，烧开并调好味，撇去泡沫，加入装有海参的汤WF内，放鸡油即成。

【特点】 原料丰富，色彩美观，汤清柔软，味鲜爽口。

蟹黄海参

【原料】 主料：水发海参750克。

配料：蟹黄100克，蟹肉150克。

调料：猪油150克，料酒50克，盐15克，味精1.5克，胡椒粉0.5克，葱15克，姜15克，湿淀粉50克，普汤250克，鸡汤750克。

【制　法】

1. 将海参清去腹膜，洗净后切成4厘米长、6毫米见方的条，放入冷水锅烧开，捞出用开水泡上。葱切成花。姜切成米。

2. 锅内放入普汤、料酒和盐，烧开后将海参氽过，然后倒入漏勺中沥干水分。

3. 将猪油烧到六成热时，下入姜米和蟹肉炒一下，烹料酒，加入鸡汤、盐、味精、海参、胡椒粉和葱花，烧开后调好味，用湿淀粉调稀勾芡，装入汤WF内。

4. 再将猪油烧到六成热，下入姜米、蟹黄炒一下，烹料酒，加入葱花，待炒到金黄色油汁烹起时，浇盖在蟹肉海参上即成。

【特点】 色彩金黄，柔软汁浓，味道鲜美。

攒丝海参

【原料】 主料：水发海参750克。

配料：熟火腿50克，熟鸡肉50克，水发冬菇50克，熟冬笋50克，鸡蛋皮50克，大红椒100克，黄瓜、四月豆、绿豆芽、韭白各100克。

调料：料酒50克，冷鸡汤100克，味精2.5克，盐10克，普汤200克，香油25克，酱油15克。

【制 法】

1. 海参清去腹膜，洗净后切成4厘米长、3厘米宽、3毫米厚的薄片，下入冷水锅中烧开捞出，再用汤、料酒和盐烧开余过，倒在漏勺中沥干水分，装入盘内晾凉。

2. 冬菇去蒂洗净，冬笋切成火薄片，均下入烧沸的香油中，加入适量的盐和味精炒入味。

3. 黄瓜去籽后切成薄片，用盐腌上。大红辣椒去蒂去籽，四月豆撕去筋，豆芽摘去根和芽，韭白摘洗净，以上蔬菜，分别下入开水锅内余熟，拌上盐、香油入味，连同火腿、鸡肉、冬菇、冬笋、鸡蛋皮均切成5厘米长的丝(要求大小长短整齐)，分别摆入盘子的周围。在海参中放入香油、味精、酱油，拌匀并调好味，放在盘子中间即成。

【特点】 五光十色，海参柔软，清爽味鲜，夏季佳肴。

注：鱿鱼片、鱼肚亦可按此法制作。

太狮海参

【原料】 主料：水发乌元参1000克。

配料：去骨生嫩鸡肉250克，猪肥膘肉100克，熟火腿50克，水发金钩50克，水发冬菇50克，净冬笋50克，鸡蛋2个，小白菜1500克。

调料：猪油150克，料酒50克，盐10克，酱油25克，味精2.5克，白糖2克，胡椒粉1克，湿淀粉50克，葱15克，姜15克，鸡汤500克，香油15克，普汤500克。

【制 法】

1. 将乌元参抠去腹内壁膜，洗净后下入冷水锅内烧开余过，捞出来用冷水过凉，沥干水分，再用普汤加入料酒、盐、酱油烧开余过，倒入漏勺沥干后用刀在海参腹内腔壁刷上距离3厘米宽的斜十字花刀(不要剞的太深，只要使它摊开就行)，然后扣入碗内(面朝下)。葱一半切花，余下的葱与姜一起拍破。小白菜摘苞洗净。

2. 将鸡肉、火腿、金钩、冬菇、冬笋都切成黄豆大的粒，加入鸡蛋、盐、味精、胡椒粉、料酒、白糖和湿淀粉搅拌成馅，做成大狮子头1个。

3. 将猪油烧沸，下入狮子头，煎成香酥呈金黄色捞出，放入海参内，加入鸡汤、葱和姜，用一张白绵纸封严(以免汽水渗入，影响质量)，上笼蒸至太狮海参柔软酥烂为止。

4. 食用时，取出太狮海参，揭开纸，去掉葱、姜，将原汤滗入锅内，加入味精和胡椒粉调好味，用湿淀粉调稀勾芡，一半汁放入太狮海参内，然后翻扑深盘内；另一半汁烧盖在海参上，撒葱花，淋香油。另外，在锅内放入猪油烧到六成热，下入白菜苞，加盐煸炒一下，摆在盘子周围即成。

【特点】 柔软浓厚，醇香味美，宴会大菜。

干贝海参

【原料】 主料：水发海参750克。

配料：熟鸡肉50克，干贝50克，熟火腿50克，水发冬菇50克。

调料：猪油100克，料酒50克，盐15克，味精1.5克，胡椒粉1克，普汤250克，鸡汤750克，葱15克，姜15克，湿淀粉 40 克，鸡油 15 克。

【制　法】

1. 海参清去腹膜，洗净后切成 5 厘米长、1 厘米宽的条，放入冷水锅烧开捞出，用开水泡上。

2. 将干贝上的老筋(在干贝上有一小块的颜色与大部分不同，即是)掰去洗净沙质，加入料酒、拍破葱、姜和少许水，上笼蒸发，搓散成丝。冬菇去蒂洗净，和火腿、鸡肉均切成丝，用碗装上并加入汤，上笼蒸 10 分钟取出。

3. 食用时，将海参捞出，沥干水分，下入锅内放入普汤、料酒、盐，烧开氽过，然后倒在漏勺中沥干。锅内的猪油烧到六成热时，下入海参炒一下，烹料酒，加入鸡汤、味精、盐、胡椒粉和各种配料一起烩合，调好味，用湿淀粉调稀勾流芡，撒卜葱段，装入汤 WF 内，淋上鸡油即成。

【特点】　海参柔软，汤汁浓厚，味鲜可口。

虾仁海参

【原料】　主料：水发海参 750 克。

配料：虾仁 100 克，熟火腿 50 克，熟鸡肉 50 克，水发冬菇 50 克，鸡蛋 1 个。

调料：猪油 100 克，料酒 25 克，盐 15 克，普汤 250 克，鸡汤 750 克，味精 1.5 克，胡椒粉 1 克，葱 10 克，干淀粉 10 克，湿淀粉 40 克，鸡油 15 克。

【制　法】

1. 海参清去腹膜，洗净后斜片成 1 厘米厚、3 厘米见方的片，放入冷水锅内烧开，捞出用开水泡上。

2. 虾仁洗净，按干水分，用蛋清、盐和干淀粉调匀浆好。冬菇去蒂洗净，和火腿、鸡肉均切虾仁一样大小的方片用碗装上，放少许汤，上笼蒸 10 分钟取出。

3. 锅内放入汤、料酒、盐，烧开后将海参氽过，倒入漏勺中沥干水分。锅内放入猪油烧到五成热时，下入虾仁滑熟，倒入漏勺沥油。锅内留 100 克油，下入海参炒一下，烹料酒，加入鸡汤、盐、味精以及蒸好的配料、虾仁、胡椒粉，烧开并调好味，用湿淀粉调稀勾流芡，放葱段，装入汤盛内，淋上鸡油即成。

【特点】　软糯浓香，味道鲜美。

海味大蒸盆

【原料】　主料：水发海参 500 克，水发鱼肚：300 克，水发鱿鱼 500 克，肥母鸡 1 只(1750 克左右)，北京鸭 1 只(2000 克左右)，猪肘子 1 个(1500 克左右)。

配料：鲜鸡蛋 12 个，熟火腿 150 克，水发冬菇 100 克，净冬笋 300 克(或玉兰亦可)，小白菜苞 20 个。

调料：料酒 100 克，盐 50 克，味精 5 在，胡椒粉 2.5 克，普汤 500 克，葱 25 克，姜 25 克。

【制　法】

1. 海参清去腹膜，洗净后斜片成 4 厘米长、3 厘米宽的薄片，放入冷水锅烧开捞出，用开水泡上。鱼肚用温水洗净，切成 4 厘米长、3 厘米宽的片，下入冷水锅烧开，捞出用冷水漂上。鱿鱼片用开水冲漂二三次，除去碱味。

2. 鸡、鸭宰杀去净毛，开膛去内脏，洗净；猪肘子用火烙去毛，泡入温水中，用刀刮洗干净，都放入开水锅中煮熟捞出，用清水洗净血沫，然后放入蒸盆内，加入拍破的葱、姜以及料酒、盐、水(水以没过食物为准)，上笼蒸烂取出，去掉葱、姜。

3. 火腿、冬笋均切成 5 厘米长的薄片，冬菇去带洗净，一起装入碗内上笼蒸 10 分钟。小白菜苞用开水氽过，用冷水过凉。鸡蛋下入冷水锅中煮熟，剥去壳，用碗装上。

4. 食用前 1 小时，将鸡蛋放入盛有鸡、鸭、肘肉的蒸盆内，上笼蒸热。

5. 食用时，锅内放入普汤、盐、料酒、海参、鱼肚、鱿鱼片、白菜苞，烧开氽过，然后倒入漏勺沥干水分；同时取出蒸盆，加入味精、胡椒粉，调好味，然后将海参、鱼肚、鱿鱼、火腿、冬菇、冬笋、白菜苞分别整齐摆在装着鸡、鸭、肘肉、鸡蛋的蒸盆上面即成。

【特点】 品种多样，五味调和，汤鲜味美。

奶汤海三味

【原料】 主料：水发海参 300 克，水发鱼肚 300 克，水发鱿鱼片。

配料：小白菜 1500 克。

调料：料酒 25 克，盐 15 克，味精 2.5 克，胡椒粉 1 克，普汤 500 克，奶汤 1000 克，鸡油 15 克。

【制　法】

1. 海参、鱼肚、鱿鱼片加工的方法见“海味人蒸盆”。小白菜摘去边叶，将小苞在开水中汆过，用冷水过凉。

2. 锅内放入普汤、盐、料酒、海参、鱼肚、鱿鱼片，烧开汆过，倒入漏勺沥干水分后，装入汤 WF 内，放胡椒粉。将锅内放入奶汤、白菜苞、盐、味精，烧开并调好味，倒入海三味内，放鸡油即成。

【特点】 柔软浓厚，汤鲜味美。

虾仁海参锅巴

【原料】 主料：水发乌元参 600 克。

配料：鲜虾仁 150 克，熟瘦火腿 50 丸，水发去带冬菇 50 兜，锅巴 200 克，鸡蛋清 1 个。

调料：猪油 1000 克(实耗 130 克)，精盐 10 克，味精 1 克，料酒 15 克，胡椒粉 1 克，鸡汤 400 克，葱 15 克，干淀粉 10 克，湿淀粉 30 克，鸡油 10 克。

【制　法】

1. 将海参腹内薄膜清洗干净，切成人指甲人的薄片，下入冷水锅烧开后捞入开水内泡上。火腿和冬菇也切成海参一样大的片。葱切成段。

2. 将虾仁洗净，用净白布按干水分，用鸡蛋清和适量的干淀粉、盐调匀成浆，把虾仁浆好。

3. 食用时，将海参下入油锅炒一下，烹料酒，放入普汤、适量的盐烧开，倒入漏勺沥干水分；锅洗净烧热，放入油烧到五成热，下入虾仁，用筷子拨散滑熟，倒入漏勺沥油。锅留底油，下入海参、鸡汤、火腿、冬菇、盐、味精、胡椒粉烧开，调好味，再下入虾仁、鸡油，用湿淀粉调稀勾流汁芡，装入汤 WF 内。另用锅放入油，烧到七成热，下入锅巴炸至酥香松脆呈金黄色，捞入另一个汤 WF 内。一手端虾仁海参羹，一手端炸锅巴，先将锅巴放桌上，立即把虾仁海参羹倒在锅巴上，即发出劈拍劈拍响声，有声有色即成。

【特点】 海参柔软，虾仁滑嫩，锅巴酥脆，别有风味。

三丝海参

【原料】 主料：水发乌元参 700 克。

配料：净鸡脯肉 150 克，熟瘦火腿 50 克，水发冬菇 50 克，鸡蛋清 1 个。

调料：猪油 500 克(实耗 100 克)，料酒 25 克，精盐 10 克，味精 1 克，胡椒粉 1 克，鸡汤 250 克，葱 15 克，姜 10 克，干淀粉 10 克，湿淀粉 15 克，鸡油 15 克。

【制　法】

1. 葱切成 3 厘米长的段。姜切成细丝。冬菇去蒂洗净，和火腿均切成丝。

2. 将海参腹内薄膜清去，切成 4 毫米见方的丝，下入冷水锅烧开捞出，用开水泡上。

3. 将鸡脯肉的筋去掉，切成细丝，用鸡蛋清和适量的盐、干淀粉调成浆，把鸡丝浆好。

4. 食用时，锅内放入普汤、海参、料酒、盐烧开煮过，倒入漏勺沥干水分。另用锅放入油烧到五成热时，下入鸡丝用筷子拨散滑八成熟，倒入漏勺沥油；锅内留 50 克油，下入姜丝、冬菇丝，火腿丝炒一下，烹料酒，放入鸡汤、盐、味精、胡椒粉、海参丝烧开，调好味，用湿淀粉调稀

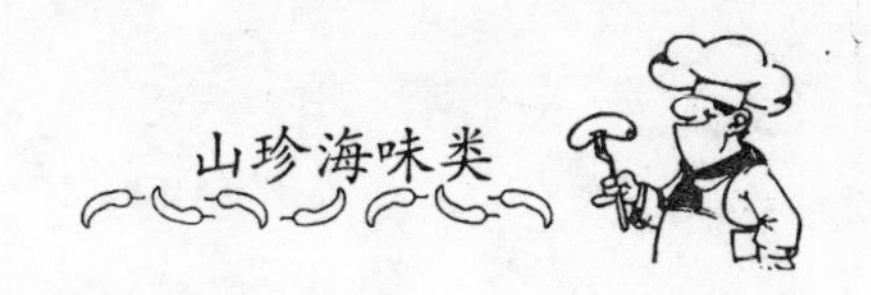

勾欠,加入葱段、鸡油,装入盘内即成。

【特点】 海参糯软,鸡丝滑嫩,火腿醇香,鲜香味美。

凉拌辣味海参

【原料】 主料:水发乌元参800克。

配料:水发去蒂冬菇100克(选用直径3厘米大的),嫩丝瓜300克,大西红柿2个,大蒜仁20克。

调料:香油100克,料酒20克,精盐10克,酱油5克,味精2克,白糖2克,胡椒粉1克,辣椒油5克,普汤200克,冷鸡汤100克,葱15克,姜15克。

【制 法】

1. 将海参清去腹膜洗净,片成6厘米长、3厘米宽、6毫米厚的片,下冷水锅内烧开捞出,再用普汤、料酒、适量的盐烧开氽过,除去海腥味,倒入漏勺沥干水分,装入盘内晾凉后,放入冰箱冷藏室内。

2. 将冬菇下入汤锅,加少许盐烧开,捞出晾凉。西红柿用开水烫一下,剥去皮,切开成6瓣,剔去部分瓤和籽。丝瓜刮去粗皮(注意要保存青嫩皮),切开成4条,去掉部分瓤,再切成5厘米长、3厘米宽的长方块,下入开水锅氽过,捞出装入盘内,放点香油拌匀晾凉。大蒜仁拍破,放入少许盐捣成泥,放入香油和凉开水拌匀。

3. 将香油放入锅内烧至六成热时,下入拍破葱姜煸出香味,去掉葱姜,用碗装上,加入鸡汤、酱油、味精、白糖、辣椒油、胡椒粉兑成汁。

4. 食用时,将海参取出,放入冬菇,丝瓜青、蒜泥和兑好的调味汁拌匀,先将西红柿瓣摆放盘边一圈,再将凉拌海参放在盘中即成。

【特点】 色泽美观,海参柔软,清爽味鲜,夏令名菜。

鹑蛋龙眼海参

【原料】 主料:水发整海参750克(选用直径5厘米大的),鹑蛋12个。

配料:虾茸馅150克,红樱桃6粒,小白菜苞12个。

调料:猪油100克,料酒50克,盐15克,味精1.5克,鸡汤250克,普汤500克,胡椒粉1克,湿淀粉30克,干淀粉少许,葱15克,姜15克。

【制 法】

1. 葱和姜拍破。白菜苞洗净。

2. 将海参切成2厘米厚的筒(计12筒),抠净肠杂,清洗干净,下入冷水锅内烧开氽过,用冷水过凉,连续两遍,使海腥味吐净。锅内放入普汤、料酒、葱、姜、盐、海参烧开氽过,倒入漏勺沥干,再用白净布按干水分,在海参筒内抹上干淀粉,放在摸油的盘内,将虾馅填人海参的一半,再磕入鹑蛋1个,按上半粒樱桃。

3. 食用前15分钟,将龙眼海参上笼蒸熟取出;同时锅内放油烧沸,下入白菜苞,加盐炒入味,拼在海参周围。锅洗净放入油烧六成热,放入鸡汤、味精、胡椒粉、适量的盐,烧开调好味,用湿淀粉调稀勾芡,浇盖在龙眼海参上,淋鸡油即成。

【特点】 形似龙眼,海参软糯,虾馅鲜嫩,鹑蛋营养,味道鲜美。

明珠海参

【原料】 主料:水发海参750克。

配料:虾仁100克,猪肥膘肉40克,鸡蛋清2个,青菜苞12个,熟瘦火腿50克。

调料:清鸡汤1000克,普汤500克,料酒50克,盐15克,味精1.5克,胡椒粉1克,葱10克,姜10克,湿淀粉少许,鸡油15克。

【制 法】

1. 葱和姜捣烂,用料酒取汁。火腿切薄片,用碗装上,上笼蒸一下取出。青菜苞用开水氽过捞出,用冷水过凉。

2. 海参清洗干净,片成5厘米长、3

厘米宽的薄片，下入冷水锅烧开氽过，捞出用开水泡上。

3. 虾仁洗净和肥膘肉一起，放在垫有生肉皮的砧板上，用刀刃和刀背捶剁成细茸（越茸越好），放入葱姜酒汁、适量冷鸡汤、盐搅起上劲，加入鸡蛋清，味精、胡椒粉搅匀，挤成直径2厘米大的丸子下入冷水锅烧开氽熟，装入汤WF内。

4. 锅内放入普汤、料酒、海参、盐，烧开氽过，倒入漏勺沥干水分，装入虾丸内，加进胡椒粉。同时，锅内放入清鸡汤、盐、味精、火腿片、青菜苞烧开，调好味，撇去泡沫，舀入海参虾丸内，淋鸡油即成。

【特点】 海参滑糯，虾丸鲜嫩，汤清味美。

菊花鱿鱼

【原料】 主料：干鱿鱼300克。

配料：虾茸馅100克，红辣椒20克，泡菜10克，蒜子10克，蛋松10克，小白菜苞12个。

调料：猪油1000克（实耗100克），料酒30克，盐10克，味精2克，鸡汤20克，辣椒油5克，米醋5克，葱10克，姜10克，干淀粉15克，湿淀粉10克，鸡油10克。

【制　法】

1. 葱和姜捣烂，用料酒取汁。红椒、蒜子、泡菜都切成米状。白菜苞洗净。

2. 将鱿鱼用冷水浸泡1小时，洗一遍，再用碱浸泡3小时，清洗干净，切成5厘米宽、5厘米长的块，在有透明条的一面，用直刀法斜剞四分之一的十字交叉花刀，翻过边在四分之三的宽度上，用斜刀法剞一字花刀（深度为三分之二），再切丝，用清水冲漂至无碱味为止，下入开水内烫一下，待卷缩成菊花形即捞入冷水内过凉，沥干水分，放入葱姜酒汁，盐腌一下，按干水分，拌上干淀粉，摆放盘内。将虾茸馅填入菊花鱿鱼卷中心，按上蛋松和红椒米，摆放有柄漏板上。用鸡汤、盐、味精、醋、湿淀粉兑成汁。

3. 锅内放入油烧到六成热，下入白菜苞、盐炒入味，摆在盘的周围。将锅洗净放入油烧六成热，下入菊花鱿鱼滑熟取出，摆在盘中，锅内留50克油，下入红椒米、泡椒米、蒜米炒一下，倒入兑汁，加入辣椒油，浇盖在菊花鱿鱼上，淋鸡油即成。

【特点】 形似菊花，色彩鲜艳，酸辣滑嫩，美味可口。

白汁鱿鱼片

【原料】 主料：水发鱿鱼750克。

配料：熟火腿100克，水发冬菇50克，熟鸡皮50克，小白菜1000克。

调料：猪油150克，料酒50克，盐15克，味精2.5克，普汤500克，鸡汤250克，胡椒粉1.5克，葱10克，湿淀粉50克，鸡油15克。

【制　法】

1. 鱿鱼改成5厘米长、4厘米宽的块，用开水冲漂两遍，至无碱味为止。

2. 火腿切成4厘米长、3厘米宽的薄片。冬菇去带洗净，大的切开。熟鸡皮切成片。小白菜摘去边叶，将小苞洗净。葱切段。

3. 食用时，锅内放入普汤、料酒和盐5克，下入鱿鱼烧开氽过，倒入漏勺沥干水分。锅内放入猪油烧到六成热，下入白菜苞、冬菇，加盐煸炒，再下入火腿、熟鸡皮、鸡汤、盐和味精，烧开调好味，用湿淀粉调稀勾稠芡；然后倒入鱿鱼片烧入味，撒胡椒粉、葱段，推匀装入盘内，淋鸡油即成。

【特点】 色彩美观，鲜嫩味美。

注：鱿鱼发得很嫩，下锅时不宜过早，在锅中停留的时间不能过长，否则缩筋变老，影响质量。

锅巴鱿鱼片

【原料】 主料：水发鱿鱼片750克。

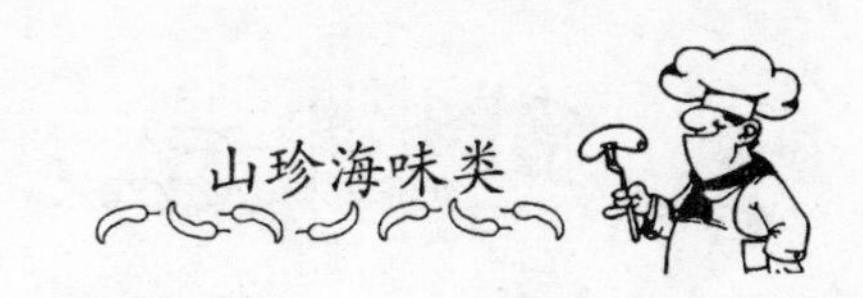

配料：水发冬菇50克，大米锅巴200克，葱15克。

调料：猪油1000克（实耗150克），料酒25克，酱油25克，盐5克，味精1.5克，胡椒粉1克，普汤250克，红浓鸡汤500克，湿淀粉40克，香油15克。葱15克。

【制　法】

1. 将鱿鱼片清洗干净，用开水冲洗2～3次，使其碱味去掉、胀发。

2. 用手将锅巴掰成3厘米大的块。冬菇去蒂洗净，大的改块。葱切成段。

3. 食用时，锅内放入普汤、料酒、适量的酱油和盐，将鱿鱼片烧开汆过，再倒入漏勺中沥干水分。锅内放入猪油烧到六成热，下入冬菇炒一下，加入红浓鸡汤和味精，调好味，用湿淀粉调稀勾芡，下入鱿鱼片烧入味，撒胡椒粉和葱段，放香油，装入汤碗内。另外，在锅内放入猪油烧到七成热，下入锅巴炸焦酥成金黄色，倒入漏勺沥油，装入深盘内。食用时，一手端炸锅巴，一手端鱿鱼片，先将锅巴放在桌上，立即将鱿鱼片倒在锅巴上，即闻劈拍响声，有声有色即成。

【特点】　鱿鱼滑嫩，锅巴酥脆，香浓味美，别有风味。

注：烧鱿鱼和炸锅巴要配合好，做到鱿鱼烧好，锅巴已炸酥透；否则锅巴不酥脆，浇上不响，而且垫牙。

酸辣鱿鱼片

【原料】　主料：水发鱿鱼片1000克。

配料：泡菜50克，水发香菇50克，冬笋50克，猪肉50克，干红辣椒末1克，大蒜25克。

调料：猪油150克，料酒25克，盐5克，酱油50克，味精1.5克，红浓鸡汤250克，普汤250克，湿淀粉30克，香油15克。

【制　法】

1. 鱿鱼片加工见“锅巴鱿鱼片”。

2. 猪肉剁成细末。冬菇去蒂洗净，与泡菜、冬笋一起切成小米粒。大蒜切成花。

3. 在锅内放入普汤、料酒和酱油25克，再下入鱿鱼片烧开汆过，倒入漏勺沥干水分。待猪油在锅中烧到六成热时，下入猪肉、冬笋、冬菇、泡菜和干红辣椒末，炒出香味，加入盐、酱油、味精、红浓鸡汤和大蒜花，调好味，用湿淀粉调稀勾稠芡，然后下入鱿鱼烧入味，放香油，装入盘内即成。

【特点】　酸辣鲜香，味道可口。

清汤鱿鱼片

【原料】　主料：水发鱿鱼片1000克。

配料：口蘑20克，熟火腿50克，熟鸡皮50克，豆苗500克。

调料：清鸡汤1000克，料酒25克，盐15克，胡椒粉1克，普汤250克，葱10克，鸡油15克。

【制　法】

1. 将鱿鱼片清洗干净，用开水冲漂二三次，使其碱味去掉并完全胀发。

2. 口蘑加工的方法见“清汤鱼肚”。火腿、鸡皮均切成4厘米长、3厘米宽的薄片，装入碗内并加少许汤，上笼蒸10分钟取出。豆苗摘苞洗净。葱切段。

3. 食用时，锅内放入普汤、料酒、盐，将鱿鱼片烧开汆过，倒入漏勺沥干水分，装入汤WF内，放入胡椒粉和葱段。另外，在锅内放入清鸡汤、口蘑、盐和味精，烧开并调好味，再放入豆苗苞，撇去泡沫，装入汤WF内，淋鸡油即成。

【特点】　鱿鱼亮似玻璃，汤清如镜，清爽鲜美。

酸辣荔枝鱿鱼

【原料】　主料：嫩子鱿鱼300克。

配料：猪肉50克，水发香菇50克，泡菜50克，净冬笋25克，小红辣椒15克，大蒜25克。

调料：猪油1000克（实耗150克），料酒25克，盐5克，酱油25克，鸡汤150克，味精2.5克，香油15克，湿淀粉15克，干淀粉15克。

【制　法】

1. 鱿鱼撕去须（作其它用途），用冷水浸泡1小时，清洗干净后，在有透明条的一面斜剞0.6厘米宽十字交叉花刀（深度为三分之二），再改成3厘米宽斜方块，用少许碱腌1小时后，用清水冲漂二三次，除去碱味。

2. 猪肉、香菇、泡菜、冬笋和红辣椒切成小末状。大蒜切成花。

3. 食用时，捞出鱿鱼装入碗内，放入少许盐和料酒拌腌一下，挤干水分，拌上干淀粉。将猪油烧沸，下入浆好的鱿鱼，爆一下即倒在漏勺中沥油（即成荔枝形）。锅内留100克油，下入猪肉、冬笋、泡菜、冬菇和红辣椒末煸炒，放入盐、酱油、味精、鸡汤、大蒜花，用湿淀粉调稀勾芡，然后下入鱿鱼烧入味，放香油，装入盘内即成。

【特点】　酸辣香鲜，味道可口。

注：烹制时，火要旺，鱿鱼在油锅中爆得卷缩时，要迅速倒入漏勺中沥油，否则不嫩不脆。

汤泡鱿鱼卷

【原料】　主料：嫩子鱿鱼300克。

配料：蘑菇100克，豆苗500克。

调料：清鸡汤1000克，普汤500克，盐15克，料酒25克，味精1.5克，胡椒粉1克，葱10克，鸡油10克，碱少许。

【制　法】

1. 鱿鱼撕去须（作其他用途），用冷水浸泡1小时后清洗干净，在有透明软条一面用反刀斜剞十字交叉花刀（深度为四分之三），改成4厘米的斜方块，用少许碱和水腌约1小时，再用清水冲漂二三次，除去碱味。

2. 蘑菇切成片。豆苗摘苞洗净。葱白切成段。

3. 在锅内放入清鸡汤、蘑菇、盐和味精，烧开，调好味，撇去泡沫，加入豆苗苞和葱段，然后装入汤WF内，淋上鸡油。另外，在锅内放入普汤、盐，烧开时下入鱿鱼氽熟，待卷缩时捞出，装入盘内，拌上胡椒粉。随即将蘑菇鸡汤端上桌，再把鱿鱼卷倒入蘑菇汤内即成。

【特点】　鱿鱼香嫩，汤清味美。

注：氽鱿鱼卷时，汤要多，要大开，一熟即捞，否则不嫩。

麦穗鱿鱼卷

【原料】　主料：嫩子鱿鱼300克。

配料：水发冬菇50克，净冬笋50克，嫩丝瓜250克，碱15克。

调料：猪油1000克（实耗100克），料酒25克，盐10克，味精2.5克，鸡汤150克，葱10克，干淀粉15克，湿淀粉15克，胡椒粉1克，香油25克。

【制　法】

1. 鱿鱼撕去须（作其他用途），用冷水浸泡1小时后清洗干净，视鱿鱼直线剞一字花刀，再横斜剞一字花刀，切成5厘米长的方块，用碱腌约2小时，再用清水冲漂二三次，除去碱味。

2. 冬菇去蒂洗净，大的切开。丝瓜刮去粗皮（注意保存青嫩皮），切开剔去瓤，丝瓜和冬笋都切4厘米长、2厘米宽的薄片。葱切段。

3. 食用时，捞出鱿鱼装入碗内，放入少许盐和料酒，腌一下就挤干水分，拌上干淀粉浆好。将鸡汤、味精、香油和湿淀粉兑成汁。

4. 将猪油烧沸，下入鱿鱼爆一下，便倒在漏勺中沥油（即成麦穗形）；锅内留50克油，下入冬笋、冬菇和丝瓜青，加盐炒入味，随后倒鱿鱼卷，冲下兑汁，撒上胡椒粉和葱段并簸炒几下，装入盘内即成。

【特点】　脆嫩香，味鲜美。

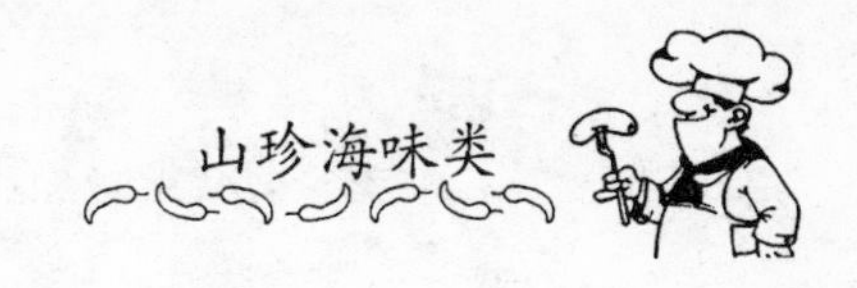

注:①亦可用酸辣配料来烹制,叫“酸辣麦穗鱿鱼卷”。

如意鱿鱼卷

【原料】 主料:嫩子鱿鱼250克。

配料:鸡茸料150克,大红泡辣椒50克,小白菜苞12个。

调料:猪油1000克(实耗120克),料酒50克,盐15克,胡椒粉1克,味精2克,鸡汤200克,葱15克,姜15克,干淀粉25克,湿淀粉15克,鸡油15克。

【制　法】

1. 将鱿鱼须撕去(可作其他用途),用冷水浸泡1小时,洗一遍,再用少许碱浸泡2小时后,清洗干净,切成13厘米长的块,用斜刀斜剞十字交叉花刀,再切1厘米宽的条,用清水冲漂去碱味为止,下入开水内烫一下,待卷缩即捞出,再用冷水过凉,沥干水分,放入葱姜酒汁、少许盐,腌一下,挤干水分,拌点干淀粉,摆放盘内,将鸡茸料挤在两端圆圈内,按上小圆红椒片,即成如意形。

2. 用鸡汤、味精、盐、湿淀粉兑成汁。

3. 锅内放油烧沸,下入白菜苞加盐煸炒入味,用盘装上;锅洗净烧热,放入油烧六成热,将鱿鱼卷下入油锅滑熟,倒入漏勺沥油;锅内留50克油,倒入兑汁烧开,同时将如意鱿鱼卷摆放盘中,拼白菜苞,将汁浇盖在如意鱿鱼卷上,撒胡椒粉,淋鸡油即成。

【特点】 形似如意,色彩鲜艳,滑嫩鲜香,味美可口。

金鱼戏莲

【原料】 主料:干鱿鱼200克。

配料:鲜红椒50克,泡菜25克,肉末50克,水发香菇25克,香菜25克,青豆15克,虾料子100克,鸡蛋清3个。

调料:精盐5克,味精1克,干淀粉50克,蒜瓣15克,醋15克,芝麻油10克,熟猪油750克(实耗150克)。

【制　法】

1. 将干鱿鱼去须,用碱水发好,漂洗干净,在正面的一边剞十字花刀,另一边切0.3厘米粗的丝,不要切断,再切成4厘米宽的片,即成金鱼形,置于盘中,加0.5克精盐、25克干淀粉拌匀。将鲜红椒、泡菜、蒜瓣、水发香菇切成米粒丁。用味精、25克干淀粉、醋、清水10克兑成汁。

2. 将鸡蛋清搅匀,拌入虾料子中。取小酒杯12个,逐个抹上熟猪油,将鸡蛋清、虾料子放入杯内,周围镶入5粒青豆,中间再镶一粒青豆,上笼蒸2分钟即成莲蓬,保湿待用。

3. 炒锅置旺火上,放入熟猪油烧至八成热,下鱿鱼块滑溜至剞刀处卷起即捞出。锅内留50克油,放入鲜红椒、泡菜、蒜瓣、水发香菇、肉末、4.5克精盐煸炒入味,下入鱿鱼卷炒匀,倒入兑汁,持锅颠几下,淋芝麻油,出锅。用筷子将鱿鱼的头朝一个方向摆在盘子的一边,再将制好的莲蓬摆在盘子的另一边,周围拼香菜即成。

【特点】 酸辣突出,鱿鱼脆嫩,莲蓬滑润。

金鱼戏水

【原料】 主料:嫩子鱿鱼300克。

配料:竹荪15克,香菜100克(或青菜苞12个)。

调料:料酒25克,盐15克,味精2克,清鸡汤1200克,普汤800克,胡椒粉2克,鸡油15克,葱15克,姜15克。

【制　法】

1. 鱿鱼撕去须,用冷水浸泡1小时,清洗下净,用少许碱和水泡2小时后,将整块鱿鱼切去尾的部分,再切成10厘米宽的三角形,在尖的部分斜刀剞十字交叉花刀,宽的部分切开成四条,斜刀剞一字花刀,再切成丝,用冷水冲漂二三次,除去碱味为止。

2. 竹荪用温水洗一遍，再用温水泡胀透，洗净泥沙，切成4厘米长的段，小的切开成二: 条，大的切成三四条，下入开水锅氽过，用冷水漂上。香菜摘叶洗净。葱白切花，余下葱和姜拍破。

3. 锅内放入清鸡汤、竹荪、盐、味精烧开，调好味，撇去泡沫，将香菜叶、葱花放入汤旋内，再将鸡汤舀入汤 WF 内，淋鸡油。

4. 锅内放入普汤、料酒、拍破葱姜、盐烧开，下入鱿鱼，待卷缩时即捞出，撒上胡椒粉拌匀，装入盘内；一手端竹荪香菜汤，一手端鱿鱼卷，先将竹荪鸡汤放上桌，再将鱿鱼卷倒入竹荪鸡汤内即成。

【特点】 形似金鱼，鱿鱼香嫩，汤清味美。

注：氽鱿鱼卷时，汤要多，要大开，动作要快，否则不嫩，影响质量。

滚龙鱿鱼卷

【原料】 主料：嫩子鱿鱼300克。

配料：嫩丝瓜500克(选用直径2厘米大的)，红辣椒60克。

调料：猪油1000克(实耗100克)，料酒50克，盐15克，味精1.5克，鸡汤150克，葱10克，姜10克，湿淀粉15克，干淀粉25克，香油15克。

【制　法】

1. 将鱿鱼须撕去，用冷水和少许碱浸泡2小时，清洗干净，切成12厘米长的块，用斜刀剞十字交义花刀，再切1厘米宽的条，用清水冲漂至无碱味为止，用拍破葱姜、料酒腌一下，沥干水分。

2. 丝瓜刮去粗皮(应保存青嫩皮)，切去两端的带；红辣椒去蒂去籽，都在圆筒面上两边剞一字花刀，切成4厘米长的筒。用鸡汤、盐、味精、香油、湿淀粉兑成汁。

3. 锅内放油烧七成热时，将鱿鱼拌上适量盐和干淀粉，下入油锅爆一下，倒入漏勺沥油(即成滚龙身形)；锅内留50克油，下入红辣椒加盐炒入味，再下入丝瓜炒一下，随即倒入鱿鱼卷，冲下兑汁，簸炒儿下，装入盘内即成。

【特点】 色泽美观、滑嫩鲜香，味美可口。

虾酿鱿鱼卷

【原料】 主料：嫩子鱿鱼300克。

配料：嫩丝瓜300克，大红辣椒50克，虾茸馅100克。

调料：猪油1000克(实耗100克)，料酒25克，盐10克，味精1.5克，胡椒粉少许，鸡汤150克，葱10克，干淀粉25克，湿淀粉15克，香油15克。

【制　法】

1. 鱿鱼撕去须，用冷水浸泡1小时后清洗干净，用斜刀剞十字交叉花刀，切成3厘米长、3厘米宽的块，用少量碱约腌2小时，用冷水冲漂二三次，除去碱味为止，下入开水锅内氽过即捞出，用冷水过凉，沥干水分，内外粘上少许干淀粉，将虾茸馅酿在鱿鱼卷内。

2. 葱切成段。丝瓜刮去粗皮(注意保存青嫩皮)，切开成四条剔去内瓤。红辣椒去蒂去籽洗净，都切成与鱿鱼卷筒大小、长短相同的条。用汤、味精、胡椒粉、湿淀粉、香油、葱段兑成汁。

3. 食用时，锅内放入油烧到六成热时，下入酿鱿鱼卷滑熟，倒入漏勺沥油；锅内留50克油，下入红椒、丝瓜加盐炒一下，倒入滑熟的鱿鱼卷，烹料酒，即冲下兑汁，翻炒几下装入盘内即成。

【特点】 色彩鲜艳，滑嫩鲜香，味道鲜美。

攒丝鱿鱼卷

【原料】 主料：嫩子鱿鱼200克。

配料：熟瘦火腿10克，盐水熟鸡肉50克，水发去带冬菇50克，鸡蛋皮1张，熟净冬笋50克，大红、青椒各50克，韭白

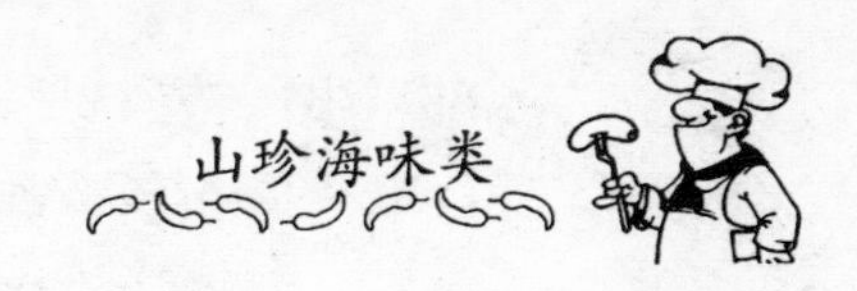

50克，银芽50克，黄瓜青50克，去皮蒜子30克。

调料：料酒30克，冷鸡汤100克，味精2克，精盐10克，普汤200克，辣椒油10克，米醋2克，香油50克。

【制　法】

1. 先将鱿鱼用冷水浸泡1小时，清洗干净，再用少许碱水腌约2小时，用刀剞成麦穗花刀，再切3厘米大的块，用清水冲漂二三次，除去碱味为止，捞出下入开水锅余过，倒入漏勺沥干水分，用料酒、盐拌，装盘晾凉。蒜子切去蒂，拍烂剁成细泥。

2. 将冬菇去蒂，冬笋切成火薄片，都下入烧沸香油锅内，加入适量的盐、味精炒入味。大红、青椒去蒂去籽。豆芽摘去根和芽。韭白摘洗净。以上各种蔬菜分别下入开水锅内余熟，分别拌上盐、香油入味，连同火腿、鸡肉、冬菇、冬笋、鸡蛋皮都切成5厘米长的丝，(要求粗细、长短整齐)，将各种丝配好色彩，分别整齐地摆放盘的周围。用辣椒油、味精、盐、米醋、蒜泥、香油兑成调味汁。

3. 食用时，将调味汁倒入鱿鱼卷内，拌匀，装在摆放各种丝的盘中间即成。

【特点】　五光十色，鱿鱼酸辣，清淡爽口，夏令佳肴。

玉带鱿鱼卷

【原料】　主料：嫩子鱿鱼300克。

配料：水发去蒂冬菇50克，净熟冬笋50克，熟瘦火腿50克，大红椒50克，小白菜苞12个。

调料：猪油750克(实耗100克)，料酒15克，精盐8克，味精1克，胡椒粉1克，鸡汤50克，葱50克，干淀粉10克，湿淀粉15克，香油10克。

【制　法】

1. 大红椒下人开水锅烫一下捞出，腌少许盐，和冬菇、冬笋、火腿都切成5厘米长的丝。葱白切成5厘米长的段。葱青烫一下，作玉带捆鱿鱼卷用。小白菜苞洗净。

2. 将鱿鱼用冷水浸泡1小时，洗一遍，用少许碱浸泡2小时后，清洗干净，用斜刀法剞十字交义花刀，再切成5厘米宽、3厘米长的块(计20块)，用清水漂去碱味，下入开水锅内烫一下，待卷缩即捞人冷水内过凉，用少许盐和料酒腌一下，挤干水分，拌上干淀粉。将切成丝的火腿、冬菇、冬笋、红椒和葱白段各2根放入鱿鱼卷内，用葱青捆扎，切去两头伸出部分(如此卷完为止)，装入盘内。用鸡汤、盐、味精、胡椒粉、湿淀粉、香油兑成汁。

3. 食用时，将白菜苞下入油锅加盐炒入味。另用锅放入油烧到七成热时，下入玉带鱿鱼卷爆一下，即倒入漏勺沥油；锅留少许底油，复倒入鱿鱼卷，烹料酒和兑汁，翻簸几下，分两行摆入长盘中，将白菜苞拼在玉带鱿鱼卷的空行处和两边即成。

【特点】　色泽美观，鱿鱼滑嫩，配料香脆，味道鲜美。

海螺锅巴

【原料】　主料：水发海螺750克，大米锅巴200克。

配料：蘑菇50克，熟鸡肉100克，净熟冬笋50克。

调料：猪油1000克(实耗150克)，料酒50克，盐15克，酱油25克，味精1.5克，红浓鸡汤500克，普汤250克，胡椒粉1.5克，葱10克，湿淀粉50克，香油15克。

【制　法】

1. 将海螺挑去残存的壳，清洗干净，用开水冲漂二三遍，使其碱味去掉，涨发透。

2. 将锅巴掰成3厘米大的块。蘑菇、冬笋、鸡肉都切成薄片。葱切成段。

3. 食用时，锅内放入普汤、料酒、适量的盐和酱油、海螺烧开余过，倒入漏勺沥干水分。锅内放入猪油烧到六成热，下入冬笋、蘑菇、鸡片炒一下，加入酱油、红浓鸡汤、味精，调好味，用湿淀粉调稀勾芡，下入海螺、胡椒粉、葱段、香油，装入碗内；另外用锅放入油烧到七成热时，下入锅巴炸焦脆呈金黄色，倒入漏勺沥油，装入深盘内。这时一手端炸锅巴，一手端海螺，先将锅巴放在桌上，立即将海螺倒在锅巴上，即闻吱吱喳喳响声，有声有色即成。

【特点】 海螺滑嫩，锅巴酥脆，浓香味美，别有风味。

注：烧海螺和炸锅巴要紧密配合好，做到海螺烧好，锅巴炸酥透。如锅巴不酥脆，浇上海螺不响，而且吃起来粘牙。

芙蓉海螺

【原料】 主料：水发海螺750克。

配料：鸡柳条肉150克，猪肥膘肉150克，鸡蛋清5个，熟瘦火腿15克。

调料：猪油150克，料酒25克，盐15克，味精1.5克，普汤250克，凉鸡汤500克，胡椒粉1克，葱10克，湿淀粉50克，鸡油15克。

【制　法】

1. 海螺初步加工与“海螺锅巴”相同。火腿切成米。葱切成花。

2. 鸡柳条肉和肥膘肉制成鸡茸（与“鸡茸猴头菌”相同）。鸡蛋清2个，用筷子打起发泡成雪花状。

3. 食用时，锅内放入普汤、海螺、料酒、盐烧开氽过，倒入漏勺沥干水分。同时将鸡汤、味精、胡椒粉、适量的盐、湿淀粉兑入鸡茸汁内搅匀；另用锅放入油烧到六成热时，倒入兑好的鸡茸汁，用瓢不停地推动（以免粘锅烧糊），炒熟，随下入雪花糊、海螺炒熟炒匀，装入盘内，撒火腿米、葱花，淋鸡油即成。

【特点】 色彩鲜艳，海螺滑嫩，味道鲜美。

三元绣球干贝

【原料】 主料：干贝50克。

配料：净鱼肉150克，猪肥膘肉50克，鸡蛋清2个，熟瘦火腿30克，净冬笋25克，红萝卜150克，白萝卜150克，莴笋头250克。

调料：猪油500克（实耗100克），料酒25克，盐10克，味精1.5克，胡椒粉1克，葱10克，姜10克，湿淀粉50克，鸡汤150克，鸡油15克。

【制　法】

1. 葱和姜捣烂，用料酒取汁。火腿和冬笋切成细丝。将干贝掰去老筋，洗一遍、放入料酒、水上笼蒸发。将红萝卜、白萝卜、莴笋都刮去皮，削成2厘米火的圆球（即成三元），下入油锅用小火浸炸烂，加入少许盐、汤焖入味。

2. 将鱼肉和肥膘肉用绞肉机绞成细茸，放入适量的盐和水搅上劲，加入味精、胡椒粉、湿淀粉搅拌成鱼茸料。

3. 将干贝搓散和火腿丝、冬笋丝拌匀，撒在白布上，再将鱼茸料挤成2厘米大的丸子，放在干贝、火腿、冬笋丝上，滚粘成绣球形，装入摸油的盘内，上笼蒸熟取出；同时锅内放入油、汤、盐、味精、胡椒粉、三元，用湿淀粉调稀勾芡，将三元拼在周围，汁浇盖在干贝绣球上即成。

【特点】 色彩美观，干贝鲜香，鱼丸柔嫩。

芙蓉干贝

【原料】 主料：干贝100克。

配料：鸡柳条肉100克，猪肥膘肉50克，鸡蛋5个，熟瘦火腿15克，小白菜苞10个。

调料：猪油150克，料酒25克，盐10克，味精1.5克，胡椒粉1.5克，鸡汤200克，葱15克，姜15克，湿淀粉40克，鸡油15克。

【制　法】

1. 将干贝边上白色老筋摘去，洗一

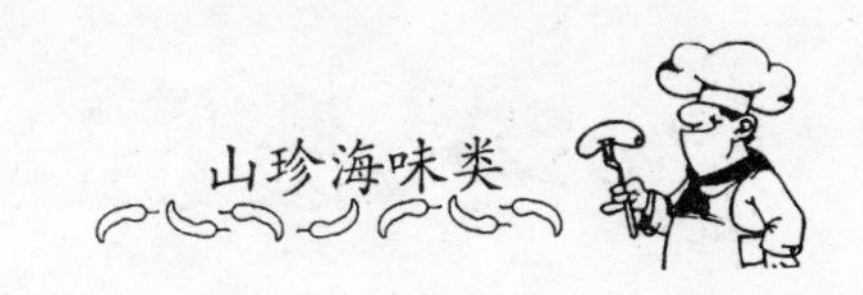

遍，放入料酒、拍破葱姜、适量的水上笼蒸发取出，去掉葱姜。火腿切成米。小白菜苞洗净。

2. 鸡柳条肉和肥膘肉除去筋，放在垫有大张生肉皮的砧板上，用刀刃和刀背捶剁成细茸（无筋无粒）用冷鸡汤解散，加入3个鸡蛋清、适量的湿淀粉、盐、味精、胡椒粉，鸡汤和干贝原汤，搅匀兑成汁。鸡蛋去黄用清，用筷子打起发泡成雪花状。

3. 锅内放入25克油烧到六成热，下入白菜苞加盐炒熟，用盘装上。将锅洗净，放入油烧到六成热时，下入兑好的鸡茸汁（要不停地推动，以免粘锅烧糊），待熟时，下入干贝，继下入雪花蛋泡炒熟，装入盘中，周围拼白菜苞，面上撒火腿米，淋鸡油即成。

【特点】 色彩鲜艳，干贝鲜香，鸡茸滑嫩。

联珠整干贝

【原料】 主料：大干贝150克。

配料：红萝卜30克，白菜苞12个。

调料：猪油500克（实耗100克），料酒50克，盐8克，味精1.5克，姜15克，葱15克，湿淀粉20克，胡椒粉1.5克，鸡汤150克，鸡油15克。

【制　法】

1. 葱白切成段，余下的葱和姜拍破。

2. 将干贝的老筋掰去，洗净沙质，扣入碗内，放入葱姜、料酒和水（水以没过为准），上笼蒸发后取出。

3. 将红萝卜刮去皮，削成直径3厘米大的圆球，用小火焖炸八成烂，倒入漏勺沥干油后复倒入锅内，放入鸡汤和盐焖入味。

4. 食用时，将干贝蒸热取出，去掉葱姜，滗出原汤，翻扑盘内，把红萝卜珠拼在干贝的周围；同时锅内放油，下入白菜苞加盐炒入味，拼在红萝卜珠的空处。锅内放入鸡汤、干贝原汤、胡椒粉、味精，调好味，用湿淀粉调稀勾芡，浇盖在联珠干贝上，淋鸡油即成。

【特点】 色彩美观，丁贝鲜香，清爽味美。

红梅鲜贝

【原料】 主料：小嫩鲜贝60个。

配料：虾仁120克，猪肥膘肉30克，鸡蛋清2个，小红辣椒50克，蛋松10克，小白菜苞12个。

调料：猪油60克，料酒20克，精盐10克，味精1克，胡椒粉1克，泡打粉1克，鸡汤300克，葱20克，姜20克，干淀粉15克，湿淀粉30克，鸡油15克。

【制　法】

1. 葱和姜捣烂，用料酒和少许水取汁。小红辣椒横切成薄圆圈，用清水冲去籽和辣味。小白菜苞洗净。

2. 虾仁制成虾茸料（与“珊瑚虾饼”用料及制法相同）。

3. 将鲜贝清洗净，用净白布按干水分，用鸡蛋清一个、适量的盐、味精、泡打粉、干淀粉调匀浆好。

4. 备小碟12个，摸上油，将虾茸料铺一层在小碟内，每个碟内虾茸料上按5个鲜贝，每个鲜贝贴上一个红椒圈，中心按一点蛋松作花芯，成为梅花形状。

5. 食用前6分钟，将梅花鲜贝上笼蒸熟取出，分两行摆放长腰盘内，同时将白菜苞下入油锅加盐炒入味，拼在梅花鲜贝中间空处；锅内放入鸡汤、盐、味精，调好味烧开，用湿淀粉调稀勾芡，浇在梅花鲜贝和白菜苞上即成。

【特点】 形似梅花，色彩美观，鲜贝滑嫩，味美可口。

九味金钱鲜贝

【原料】 主料：大鲜贝500克。

配料：鸡蛋清2个，小红辣椒10克，香菜15克。

调料：猪油500克（实耗100克），料

酒20克，精盐6克，味精1克，白糖10克，米醋5克，辣椒酱10克，鸡汤100克，蒜子10克，葱10克，姜10克，花椒粉1克，香油10克，干淀粉10克，湿淀粉15克。

【制　法】

1. 葱和姜切成米。蒜子拍烂剁成泥。红辣椒切成米。香菜摘洗干净。

2. 将鲜贝洗净，用净白布按干水分，将鸡蛋清、适量的盐、干淀粉调匀，把鲜贝浆好。用鸡汤、红辣椒酱、醋、盐、白糖、湿淀粉、香油兑成汁。

3. 锅内放入油烧到六成热时，将鲜贝下入油锅滑熟，倒入漏勺沥油；锅内留50克油，下入花椒粉、姜米、蒜泥，红椒米煸炒出香辣味，将滑熟的鲜贝复倒入锅内，烹料酒，随即冲下兑汁，翻簸几下，装在盘内，拼香菜即成。

【特点】　色泽红亮，滑嫩柔软，多味香鲜。

原煨整猴头菇

【原料】　主料：干猴头菇10个（选用直径3厘米大的）。

配料：肥母鸡肉500克，猪肘肉500克，小白菜苞12个。

调料：猪油50克，料酒50克，盐10克，白糖少许，味精1.5克，胡椒粉15克，湿淀粉25克，鸡油25克，葱15克，姜15克。

【制　法】

1. 将猴头菇用温水泡发胀透捞出，用刀削去根部的泥沙（有绒毛的地方不要削去），用清水洗净。葱和姜拍破。

2. 鸡肉和肘肉砍成块，下入开水锅内煮过捞出，洗净血沫，放在垫底AAA砂钵内，再放入拍破的葱姜、猴头菇、料酒、白糖、盐、水（水以没过猴头菌就可），在旺火上烧开，撇去泡沫，移用小火煨2小时，煨至柔软浓香为止，取出（猴头菇）稍凉，放在砧板上，有绒毛的朝下，直刀剞十字交叉花刀（深度为三分之二），保持猴头形，扣入碗内，放入原汁。

3. 食用前20分钟，将猴头菇上笼蒸热取出，滗出原汁，翻扑盘内；同时锅内放入油烧六成热，将白菜苞下入油锅，加盐煸炒入味，（揭开碗）拼在猴头菇周围，将原汤倒入锅内收浓汁，加入味精、胡椒粉，用湿淀粉调稀勾芡，浇盖在猴头菇上，淋鸡油即成。

【特点】　柔软浓香，味道鲜美，营养丰富。

注：猴头菌皮外有黄色的绒毛，形似猴子头，营养丰富，有防癌的作用。

三鲜猴头菇

【原料】　主料：猴头菇100克。

配料：鸡蛋清3个，熟火腿50克，熟鸡鸡皮50克，净熟冬笋50克，小白菜苞12个。

调料：猪油1000克（实耗100克），料酒25克，盐10克，味精1.5克，胡椒粉1克，鸡汤500克，葱15克，姜15克，干淀粉25克，湿淀粉15克，鸡油15克。

【制　法】

1. 火腿、冬笋都切成薄片，鸡皮改成块都装入碗内，加汤，上笼蒸半小时取出。葱和姜拍破。

2. 将猴头菇用温水浸泡，涨透后捞出，用刀削去根部的粗皮（有绒毛的地方不要削去），用清水洗净泥沙。然后顺着猴头的毛片成薄片，挤干水分，用鸡蛋清、适量的干淀粉和盐调制成浆，把猴头菇浆好，逐片下入油锅炸一下捞出，用碗装上，加入鸡汤、葱和姜，上笼蒸1小时取出，去掉葱姜。

3. 食用前10分钟，将猴头菇蒸热取出；同时锅内放油烧到六成热，下入白菜苞加盐炒入味，用盘装上。锅内放入50克油烧热，倒入配料和猴头菇，加入味精、胡椒粉，用湿淀粉调稀勾芡，装入盘内，周围拼白菜苞，淋鸡油即成。

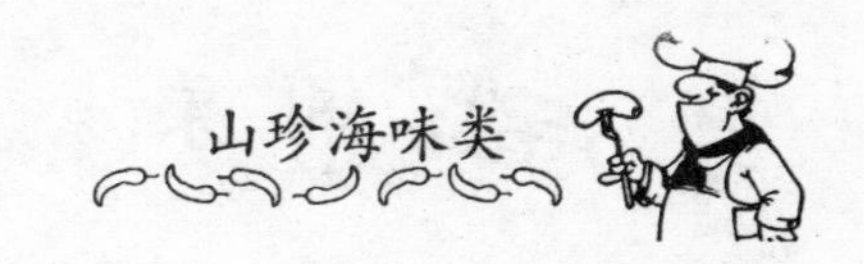

【特点】 滑软浓香,味道鲜美。

鸡汁猴头菇

【原料】 主料:干猴头菇100克。

配料:熟火腿50克,熟鸡皮50克,净冬笋50克,小白菜1000克,鸡蛋3个。

调料:猪油100克,料酒25克,盐10克,白糖2克,味精1.5克,鸡汤500克,胡椒粉1克,干淀粉30克,湿淀粉15克,葱15克,鸡油15克。

【制 法】

1. 猴头菇用温水泡上,涨透后捞出,用刀削去根部的皮(有绒毛的地方不要削去),用清水洗净泥沙,然后顺着猴头菇的毛片成大薄片。

2. 火腿切成薄片,鸡皮改成片,冬笋切成树叶形的薄片,一起放入碗内,加鸡汤上笼蒸20分钟。小白菜摘去边叶留苞,洗净。葱切段。

3. 将猴头菇片下入开水锅内氽过捞出,用干净白布按干水分。鸡蛋去黄用清,加入适量的盐和干淀粉调制成糊,将猴头菇浆好。

4. 猪油烧到六成热时,下入猴头菇滑熟捞出,扣入碗内,放入适量的盐,味精、料酒、鸡汤和胡椒粉,上笼蒸15分钟取出,滗出原汤,翻扑盘中。

5. 将猪油烧沸,下入白菜苞,加盐煸炒入味后拼在猴头菇周围。另外,将原汤倒入锅内,加入蒸好的配料,调好味,用湿淀粉调稀勾芡,放胡椒粉和葱段,揭开碗,将汁浇在猴头菇上即成。

【特点】 香嫩汁浓,味鲜可口。

虾酿猴头菇

【原料】 主料:水发猴头菇12个(选用直径3厘米大的)。

配料:虾仁150克,猪肥膘肉50克,削皮荸荠50克,鸡蛋清2个,白菜苞12个,猪五花肉250克。

调料:猪油100克,料酒50克,盐12克,味精1.5克,鸡汤500克,白糖少许,胡椒粉1克,葱30克,姜30克,干淀粉15克,湿淀粉50克,鸡油15克。

【制 法】

1. 葱和姜一半拍破,一半捣烂用料酒取汁。五花肉切成片,氽熟洗净。白菜苞洗净。虾茸馅制法与“菊花鱼肚”相同。

2. 用刀削去猴头菇根部杂质泥沙(有毛的地方不要削去),用清水洗净,再下入开水锅中氽过捞出,挤干水分,装入碗内,放入拍破葱姜、料酒、白糖、盐、鸡汤、五花肉,上笼蒸2小时,蒸至柔软鲜香为准取出,凉后片去根的部分,剞上十字花刀,用净白布按干油脂水分,摊放甲盘内(有毛的一面朝下),然后将虾茸馅酿在猴头菇上待用。

3. 食用时。将酿猴头菇上笼蒸6分钟即熟取出,摆放盘中(有毛的一面朝上);同时将白菜苞下入油锅加盐炒入味,拼在周围。锅内放入煨猴头菇原汤、盐、味精、胡椒粉烧开,用湿淀粉调稀勾芡,浇在猴头菇上,淋鸡油即成。

【特点】 醇香浓鲜,柔软味美,营养丰富。

云腿滑熘猴头菇

【原料】 主料:熟瘦火腿150克,干猴头菇100克。

配料:鸡蛋清4个,小白菜苞12个,肥母鸡肉250克,猪五花肉250克。

调料:猪油1000克(实耗100克),料酒25克,盐8克,味精1克,胡椒粉1克,白糖少许,葱15克,姜15克,干淀粉25克,湿淀粉20克,鸡汤250克,鸡油15克。

【制 法】

1. 将肥鸡肉砍成块,五花肉切成块,下入开水锅内氽过捞出,洗净血沫。火腿切成5厘米长、2厘米宽的薄片。葱和姜拍破。小白菜苞洗净。

2. 猴头菇用温水浸发透，削去根上的杂质（有绒毛的地方不要削去），顺毛片成1厘米厚的长方片，下入开水锅内氽过捞出，装入有垫竹底AAA的砂钵内，放入鸡块、五花肉块、料酒、葱、姜和水（水以没过为准），盖上盖，在旺火上烧开，移用小火煨至柔软、醇香，取出猴头菇晾凉，挤干水分，放入胡椒粉、适量盐和味精拌匀。

3. 将鸡蛋清用筷子打起发泡，放入适量的干淀粉调制成雪花糊。

4. 锅内放入油烧到五成热时，将猴头菇逐片裹上雪花糊，下入油锅滑熟（应保存本色）捞出；锅内留50克油，下入白菜苞加盐炒入味，加入火腿片、鸡汤、味精，用湿淀粉调稀勾流汁芡，然后倒入滑好的猴头菇裹上汁芡，将火腿片、猴头菇相间排列3行摆入盘内，小白菜苞拼在火夹猴头菇的相间空处，淋鸡油即成。

【特点】 色彩美观，滑嫩柔软，味道鲜美。

红煨海蜇头

【原料】 主料：海蜇头750克。

配料：鸡肉500克，猪五花肉500克，水发冬菇50克，小白菜1500克。

调料：猪油50克，料酒50克，盐5克，酱油25克，白糖2克，味精1.5克，胡椒粉0.5克，香油15克，葱15克，姜15克，湿淀粉15克。

【制　法】

1. 海蜇头用凉水泡上，用手抓搓几下，再用清水洗尽沙质，然后放到开水锅内烫一下捞出，用凉水冲洗，浸泡在水中待用。冬菇去蒂洗净。小白菜摘去边叶留苞，洗净。葱白切段，余下的葱和姜拍破。

2. 鸡肉和五花肉砍成块，放入开水锅内氽过捞出，用清水洗一遍后放入垫有底轿的沙钵内，加拍破的葱、姜以及料酒、盐、酱油、白糖和适量的水，在旺火上烧开后移用小火煨至五成烂时，再放入海蜇头和冬菇煨约1小时，待煨至软烂时，将鸡肉和五花肉取出（作其他用途），去掉葱、姜。

3. 食用时，将猪油烧沸，下入白菜苞加盐煸炒，炒熟后装入盘内。另外，将煨好的海蜇头倒入锅内，加入味精、胡椒粉调味，用湿淀粉调稀勾芡，放胡椒粉、葱段和香油，装入盘内，周围拼白菜苞即成。

【特点】 软糯浓厚，味鲜可口。

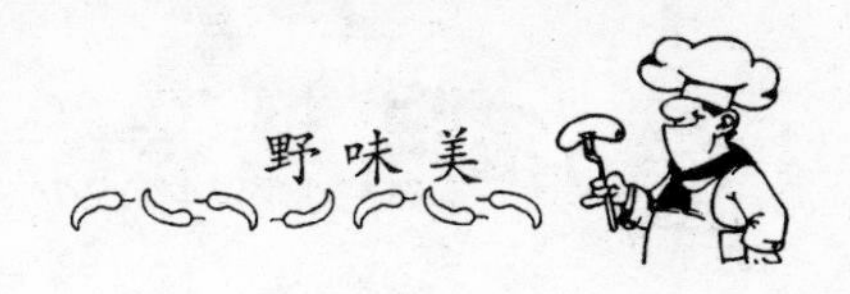

野 味 美

洞庭野鸭

【原料】 主料:新鲜野鸭 1 只(重 2000 克左右)。

配料:净冬笋 250 克,地菜 1000 克。

调料:花生油 150 克,料酒 50 克,盐 5 克,酱油 25 克,白糖 5 克,味精 2.5 克,胡椒粉 1 克,桂皮 10 克,葱 15 克,姜 15 克,汤 500 克,湿淀粉 25 克,香油 15 克。

【制　法】

1. 冬笋用刀滚切成块。地菜摘洗干净。葱白切成段,余下的葱和姜拍破。

2. 野鸭干拔净粗毛,剁去头和脚爪,放在火上烧尽绒毛,用温水泡上刮洗干净,由背脊骨开膛去内脏(枪伤处要仔细剔去枪子和腐坏部分),去净骨,剁成 4 厘米大的方块,放入冷水锅内煮熟捞出,清洗 2 遍,以除血腥异味,然后用漏勺沥干水分。

3. 将花生油烧沸,放入葱、姜煸炒,随下入野鸭块煸出香味,烹料酒,再下入冬笋块以及盐、酱油和汤,烧开后装入沙锅内,用小火煨 1 小时左右,至酥烂为止。

4. 食用时,再将猪油烧到六成热时,下入地菜加盐炒一下,用来拼边;然后将野鸭和冬笋倒入锅内,加入味精和胡椒粉,用湿淀粉调稀勾芡,放香油,装入盘内即成。

【特点】 酥烂香鲜,别有风味。

注:秋末冬初季节,天气渐冷,野鸭飞到湖南省洞庭湖一带的芦苇里生息。这个时候野鸭的肉最肥,营养丰富,味美异常。

熘野鸭脯片

【原料】 主料:野鸭脯肉 400 克。

配料:净冬笋 50 克,水发冬菇 50 克,豆苗 250 克,鸡蛋 1 个。

调料:猪油 500 克(实耗 100 克),料酒 100 克,盐 10 克,味精 2.5 克,胡椒粉 0.5 克,汤 100 克,葱 15 克,姜 10 克,湿淀粉 30 克,香油 15 克。

【制　法】

1. 冬笋切成薄片。冬菇去蒂改成块。豆苗摘苞洗净。葱白切段、余下的葱和姜捣烂用料酒取汁。鸡蛋去黄留清。

2. 野鸭脯剔去筋,片成 5 厘米长、3 厘米宽的薄片,用葱姜酒汁、蛋清、盐和湿淀粉调匀浆好,拌上一点香油。用汤、味精和湿淀粉兑成汁。

3. 猪油烧到五成热时,下入野鸭脯片,用筷子拨散滑熟,倒入漏勺沥油;锅内留 50 克油,下入冬笋和冬菇,加盐炒一下,继下入豆苗苞、葱段和野鸭脯片,倒入兑汁,簸炒几下,放香油和胡椒粉,装入盘内即成。

【特点】 滑嫩香脆,味道鲜美。

炒腊野鸭条

【原料】 主料:腊野鸭 500 克。

配料:净冬笋 100 克,小红辣椒 50 克,大蒜 50 克。

调料:猪油 100 克,盐 5 克,料酒 25 克,味精 1.5 克,姜 5 克,香油 15 克。

【制　法】

1. 腊野鸭洗净后放入盘内,上笼蒸

熟,取出后去净骨,切成5厘米长、6毫米大的条。

2. 冬笋切成宽韭菜叶形的丝。小红辣椒去带去籽切成丝。大蒜切成斜段。姜切丝。

3. 将猪油烧沸,下入冬笋丝、姜丝、腊野鸭条,炒出香味后烹料酒,再下入红椒丝和大蒜炒一下,加入盐、味精、香油炒匀,装入盘内即成。

【特点】 香辣脆,味鲜美,适宜下酒。

韭黄熘野鸡丝

【原料】 主料:野鸡脯肉400克。

配料:韭黄500克,鸡蛋1个。

调料:猪油500克(实耗100克),料酒25克,盐8克,味精2.5克,胡椒粉0.5克,葱10克,姜10克,湿淀粉30克,香油15克。

【制 法】

1. 韭黄一根一根地撕去皮,切成4厘米长,洗净并沥干水分。葱、姜捣烂,用料酒取汁。鸡蛋去黄留清。

2. 将野鸡脯肉剔去筋,片成5厘米长的片,再切成3毫米粗的丝,用葱姜酒汁、盐、蛋清、湿淀粉调匀浆好,拌上一点香油。

3.锅烧热,放入猪油烧到五成热时,下入野鸡丝,用筷子拨散滑熟,倒入漏勺沥油;锅内留50克油,下入韭黄,加盐炒一下,再加入味精、胡椒粉和汤,用湿淀粉调稀勾芡,将滑熟的野鸡丝倒进来翻炒几下,放香油,装入盘内即成。

【特点】 滑嫩鲜香,味道可口。

锅烧野鸡片

【原料】 主料:野鸡1只(重约1500克)。

配料:千张皮250克,香菜250克。

调料:猪油150克,料酒50克,盐15克,味精2.5克,胡椒粉1克,香油100克,酱油50克,葱15克,姜15克,汤500克,辣椒油50克。

燃料:木炭500克。

【制 法】

1. 葱白切成段,余下的葱和姜捣烂用料酒取汁。香菜摘洗干净。

2. 野鸡剥去皮,取出脯肉和腿肉,剔去筋后斜片成5厘米长、3厘米宽的薄片,用碗装上,然后放入葱姜酒汁以及盐1.5克、味精1克、香油25克,拌匀后摆到盘子中。

3. 千张皮切成6厘米长的细丝,用开水泡上,放入少许碱,待稍软时即换清水冲漂2次(去碱味),然后放入锅内,加入汤和盐并烧开汆一下,捞出沥干水分,装入盘中。

4. 葱白段和香菜各装一碟。味精、胡椒粉、盐合装一碟。酱油、辣椒油、香油分别各装一小碗。

5. 用一火炉将木炭烧红,火上放铝锅,再放入猪油烧沸,随同野鸡片、千张皮、香菜和调料上桌,由客人自炒而食,别具风味。

【特点】 嫩软香,味鲜美。

酸辣狗肉

【原料】 主料:新鲜狗肉1500克。

配料:泡菜100克,冬笋50克,干红辣椒15克,大蒜50克,香菜200克,干朝天椒5只。

调料:猪油100克,料酒50克,盐5克,酱油50克,味精2.5克,胡椒粉1克,桂皮25克,葱15克,姜15克,香油15克,湿淀粉25克,香醋15克。

【制 法】

1. 狗肉去净骨,烙去残存的毛,用温水浸泡并刮洗干净,下入冷水锅煮过捞出,用清水洗二:遍(除去血腥味)后放入沙锅内,加入拍破的葱、姜以及桂皮、干红辣椒、料酒和水(水以没过为准),焖煮至五成烂时取出(原汤保存),切成5厘米

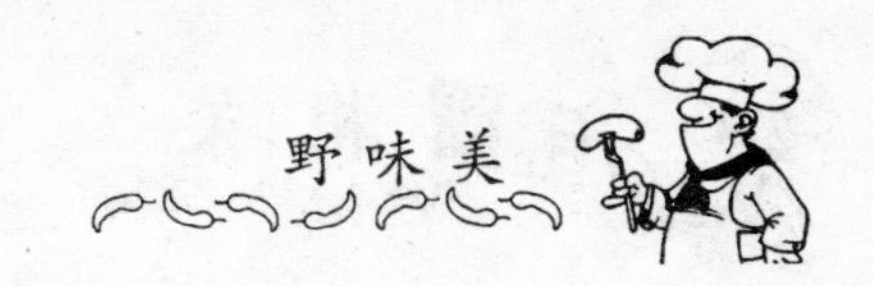

长、2厘米宽的条。将猪油烧沸，下入狗肉爆出香味，烹料酒，加入酱油、盐和原汤，烧开后倒在沙锅内，用小火煨至酥烂。

2. 冬笋、泡菜、小红辣椒均切成米状。大蒜切成花。香菜摘洗干净。

3. 食用时，将狗肉上火收干汁，捞出装入盘内。另外，将猪油烧沸，下入冬笋、泡菜和红辣椒煸炒，倒入狗肉原汤，放入味精、大蒜花，用湿淀粉调稀勾芡，放香油和醋，然后浇盖在狗肉上，周围拼香菜即成。

【特点】 肉香酥烂，浓厚味鲜。

家常狗肉

【原料】 主料：鲜狗肉1500克。

配料：净冬笋100克，大蒜100克，干红辣椒6只，香菜200克。

调料：猪油三两，白酒五钱，盐二钱，酱油五钱，辣椒油25克，味精1.5克，桂皮15克，葱15克，姜15克，香油15克。

【制　法】

1. 狗肉去净骨，烙去毛，用温水浸泡并刮洗干净，再下入冷水锅中烧开，捞出后用清水洗去血沫，放到砂锅内，加入拍破的葱、姜以及桂皮、干红辣椒、白酒和水(水以没过狗肉为准)，点到六成烂时取出狗肉，切成5厘米长、2厘米宽的条(原汤保留待用)。

2. 香菜摘洗干净，用盘装上，大蒜切成2厘米长的斜段。

3. 将猪油烧沸，下入狗肉煸炒出香味，烹白酒，加入辣椒油、酱油、盐和原汤，然后装入砂钵内用小火煨烂，收浓汁，放入蒜、香油，装入汤WF内并另上香菜即成。

【特点】 香酥辣，汤浓厚，味道鲜美。

沙锅炖狗肉

【原料】 主料：新鲜狗肉1500克。

配料：净冬笋50克，水发冬菇50克，嫩豆腐8片，芽白叶250克，香菜250克，大蒜50克。

调料：猪油150克，料酒50克，盐15克，味精2.5克，鸡汤1000克，胡椒粉1克，桂皮25克，葱15克，姜15克，干朝天椒6只。

【制　法】

1. 狗肉加工的方法见“酸辣狗肉”。将油烧沸，下入拍肉爆出香味，烹料酒，加入拍破的葱姜、桂皮、干朝天椒以及原汤、鸡汤和盐，烧开后倒入沙锅内，用小火炖至狗肉烂透。

2. 冬笋切成薄片。冬菇去蒂，大的要改块。豆腐切成2厘米厚块。香菜摘洗净。芽白改块洗净。

3. 食用时，将砂锅狗肉放在旺火上烧开，去掉葱、姜、干朝天椒、桂皮，加入冬笋片、冬菇、豆腐、味精和盐，烧开后调好味，放入胡椒粉和大蒜，连同火炉上桌，另上芽白、香菜各一盘即成。

【特点】 酥烂浓厚，滚热味鲜、冬季时菜。

注：狗肉是寒冬腊月的特色佳肴，如用砂锅置泥炉上炖煮，加入豆腐、冬笋等配料，边煮边吃边下料，津津有味，常食不厌，不仅具有浓厚、香鲜、滚热的风味，而且营养丰富，有清润滋补的功能，以致流传“不愿进朝当驸马，只要蒸钵炉子咕咕嘎”的说法。

冬笋炒腊狗肉

【原料】 主料：腊狗肉500克。

配料：净冬笋250克，小红辣椒25克，大蒜50克。

调料：猪油100克，料酒50克，盐5克，汤250克，味精1.5克，香油15克。

【制　法】

1. 将腊狗肉洗净，上笼蒸熟取出，切成5厘米长、3厘米宽、6毫米厚的片。冬笋切同狗肉一样大的片。小红辣椒切成米状。

2. 将猪油烧沸，下入冬笋煸炒，再下入腊狗肉炒出香味，烹料酒，加入红辣椒、盐和汤，稍焖收干，放上香油，装入盘内即成。

【特点】 香脆咸辣，适宜下酒。

麻辣野兔丁

【原料】 主料：新鲜野兔肉1000克。

配料：红辣椒50克，大蒜50克。

调料：花生油1000克（实耗100克），料酒25克，盐5克，味精1.5克，酱油25克，香醋15克，汤50克，花椒粉0.5克，湿淀粉50克。

【制 法】

1. 兔肉洗净去掉骨和筋，用刀背捶松，切成2厘米见方的丁，用少许酱油拌匀，加湿淀粉浆好。

2. 红辣椒去蒂去籽，洗净后切成2厘米大的斜方块。大蒜切成2厘米长的斜段。用酱油，醋、味精、汤、香油和湿淀粉兑成汁。

3. 将花生油烧沸后下入兔肉，用瓢炒散即捞出，待油内的水分烧干，下入兔肉重炸焦酥呈金黄色便倒入漏勺沥油。锅内留50克油，下入红辣椒，加盐炒一下再下入花椒粉、大蒜和兔肉，烹料酒，倒入兑汁，翻炒几下，装入盘内即成。

【特点】 外焦内嫩，麻辣香鲜。

焦炸野兔片

【原料】

土料：新鲜野兔肉1000克。

配料：鸡蛋2个，面粉50克，香菜150克。

调料：花生油1000克（实耗100克），料酒25克，盐5克，味精1.5克，白糖5克，花椒粉1克，葱10克，姜10克，湿淀粉25克，香油25克，胡椒粉0.5克。

【制 法】

1. 兔肉洗净去掉骨和筋，切成5厘米长、3厘米宽、6毫米厚的片，用拍破的葱、姜以及盐、料酒、白糖、味精和胡椒粉腌1小时，然后去掉葱和姜。

2. 用鸡蛋、面粉、淀粉和适量的水调制成糊，放入兔肉上糊。香菜摘洗净。

3. 花生油烧沸后，将裹上糊的兔肉逐片下入油锅，炸成焦酥呈金黄色时滗去油，撒花椒粉，放香油，簸几下便装入盘内，周围拼上香菜即成。

【特点】 焦脆香酥，味鲜可口，适宜下酒。

油淋斑鸠

【原料】 主料：嫩斑鸠4只。

配料：鸡蛋2个，香菜150克，油炸去皮花生米100克。

调料：花生油1000克（实耗100克），料酒50克，盐5克，味精1.5克，白糖5克，花椒子20粒，花椒粉1克，葱15克，姜15克，湿淀粉50克，香油25克。

【制 法】

1. 将葱和姜拍破。香菜摘洗干净。

2. 斑鸠干拔去粗毛，再用七成开水烫一下去尽绒毛，由背脊骨开膛去内脏洗净，先取下头、翅和脚，再将腿、脯和背脊去净骨，均放在一起，用葱、姜、料酒以及花椒子、盐、白糖和味精腌1小时左右，然后去掉葱、姜和花椒子，用鸡蛋清和湿淀粉调匀，将斑鸠浆好。

3. 将花生油烧沸，下入浆好的斑鸠及头、翅和脚炸一下即捞出；待油内水分烧干时，再下入斑鸠重炸焦酥呈金黄色，滗去油，撒入花椒粉和香油，簸几下，倒入盘内。将斑鸠砍成1.5厘米宽的条，摆入盘内，再将头、翅和脚摆成原形。淋花椒香油，拼花生米和香菜即成。

【特点】 焦脆香酥，味道可口，适宜下酒。

注：嫩鸽子亦可按此法制作。

麻辣田鸡腿

【原料】 主料：大活田鸡1500克。

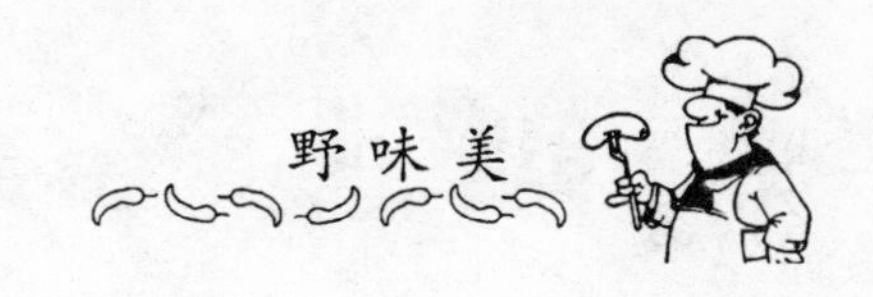

配料:小红辣椒 50 克,大蒜 50 克。

调料:花生油 1000 克(实耗 100 克),料酒 25 克,盐 10 克,酱油 25 克,醋 15 克,味精 1.5 克,花椒粉 0.5 克,湿淀粉 50 克,香油 15 克。

【制　法】

1. 用右手持刀在田鸡头部横切一刀,用左手拉着皮往下扯去,然后撕破腹部,去内脏并洗净,在背脊骨紧连后腿处斩下两腿,用刀背敲断腿骨,再将两腿砍开,用盘装上。

2. 红辣椒去蒂去籽,洗净后切成 2 厘米大的斜方块。大蒜切斜段。用酱油、醋、味精、香油、湿淀粉和少许汤兑成汁。

3. 食用时,将田鸡腿放入少许盐和酱油拌匀,再用湿淀粉浆好。另外,将花生油烧沸,下入田鸡腿炸一下即捞出,待油内水分烧干时,再下入田鸡腿重炸焦酥呈金黄色,倒入漏勺沥油。锅内留 50 克油,下入红椒后加盐炒一下,再放入花椒粉、大蒜、田鸡腿,倒入兑汁簸炒几下,装入盘内即成。

【特点】　麻辣香酥,味鲜可口,宜于下酒。

注:亦可将葱、姜、蒜和红辣椒均切成末,加花椒粉烹制,叫“椒麻田鸡腿”。

黄焖田鸡腿

【原料】　主料:大活田鸡 1500 克。

配料:小红辣椒 15 克,大蒜 50 克,紫苏 15 克。

调料:猪油 100 克,料酒 25 克,酱油 25 克,盐 10 克,味精 1.5 克,鸡汤 250 克,姜 15 克,香油 15 克,湿淀粉 15 克。

【制　法】

1. 田鸡加工的方法见“麻辣田鸡腿”。

2. 小红辣椒去蒂去籽,洗净后切成小米状。姜切成小片。大蒜切斜段。紫苏切成末。

3. 食用时,将猪油烧沸,下入姜片煸炒,再下入田鸡腿煎至呈黄色,烹料酒,加入红辣椒、酱油、盐、味精和鸡汤焖一下,然后放入大蒜、紫苏,收成浓汁、用湿淀粉调稀勾芡,放香油后装入盘内即成。

【特点】　香酥烂,味鲜美,酒饭均宜。

豆腐素菜类

麻辣豆腐

【原料】 主料:豆腐20块。

配料:猪肉100克(肥瘦各半),净冬笋50克,大蒜50克。

调料:猪油100克,豆瓣辣酱50克,盐10克,酱油25克,味精1.5克,花椒粉0.5克,湿淀粉15克,香油15克。

【制 法】

1. 猪肉剁成泥。冬笋切成米状。大蒜切成花。豆瓣酱要剁碎。

2. 豆腐切成1.5厘米大的方丁,下入开水锅氽过捞出,用开水泡上。

3. 食用时,将猪油烧沸,下入猪肉末和冬笋米煸炒干水分,继而下入花椒粉和豆瓣酱炒香,再加入盐、味精、酱油,豆腐丁以及汤稍焖入味,放大蒜花,用湿淀粉调稀勾芡,淋香油,装入盘内即成。

【特点】 麻辣鲜香,下饭便菜。

组庵豆腐

【原料】 主料:包子豆腐20片。

配料:口蘑50克,干贝50克,肥母鸡肉1000克,五花猪肉500克。

调料:料酒50克,盐15克,味精1.5克,胡椒粉1克,鸡汤500克,葱25克,姜25克,湿淀粉10克,鸡油25克,酱油10克。

【制 法】

1. 鸡肉和五花肉砍成块,在开水锅内煮过捞出,用清水洗净血沫。干贝掰去边上的老筋,洗净后放入料酒和适量的水,上笼蒸发。

2. 口蘑先在温水中洗一遍,用开水泡胀,滗出原水(原水澄清待用),再加入清水,摘去口蘑蒂上的泥沙并用清水洗净,大的口蘑要切开,然后用清水漂上。葱白切段,将余下的葱和姜拍破。

3. 豆腐片去掉表面粗皮,用箩筛过成细泥,放入料酒和盐搅匀,倒入垫放着干净白布的蒸笼内,两边留空过气,蒸约1小时取出,稍凉,切成5厘米长、3厘米宽、1厘米厚的长方块,下入冷水锅内烧开捞出,再用开水泡上。

4. 将鸡汤、盐、料酒和豆腐放入锅内烧开,捞出摆放在底上(切勿使豆腐粘连一起)。

5. 在沙锅内垫放底荕,放入葱、姜、五花肉,以及豆腐、鸡肉、干贝汤、料酒和口蘑原水,盖上盖,在旺火上烧开后移用微火煨至酥香汁浓,然后将葱、姜、鸡肉和五花肉去掉。

6. 食用时,将煨好的豆腐上火,加入口蘑、味精、盐、胡椒粉、酱油,收成浓汁后放入葱段,装到盘中淋上鸡油即成。

【特点】 色彩淡红,柔软浓香,味道鲜美。

荷包豆腐

【原料】 主料:包子豆腐6片。

配料:猪肉100克(肥三瘦七),金钩25克,熟瘦火腿15克,鸡蛋2个,豆苗250克。

调料:料酒25克,盐10克,味精1.5克,鸡汤750克,胡椒粉1克,鸡油10克,葱10克。

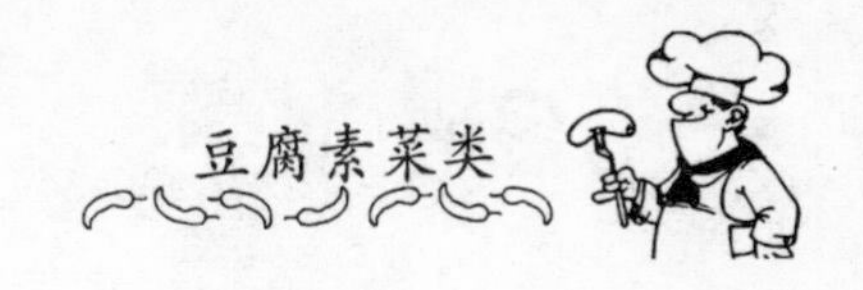

【制　法】

1. 将猪肉剁成细茸,金钩泡发切末,加入味精和胡椒粉各 0.5 克,再加上适量的盐搅拌成馅。火腿切成末。豆苗摘苞洗净。葱切成花。

2. 豆腐片去掉表面粗皮,捣烂后用细密箩筛过滤成细泥,加入鸡蛋清和适量的盐,搅拌均匀。

3. 小调羹抹上油,将豆腐泥舀入调羹的一半,将肉馅放在豆腐泥上,再盖土豆腐泥,然后撒上火腿末。

4. 食用时,将荷包豆腐上笼蒸 5 分钟便取出装入汤 WF 内。同时,将鸡汤、盐和味精放在锅中烧开,调好味后加入豆苗苞和胡椒粉,撇去泡沫再倒入装有荷包豆腐的汤 WF 内,放入葱花和鸡油即成。

【特点】　鲜嫩清爽,尤宜老人食用。

注:此菜亦可煎焖、红烩。

虾蛋一品豆腐

【原料】　主料:包子豆腐 8 片。

配料:鲜虾蛋 50 克,鸡蛋 2 个。

调料:猪油 50 克,料酒 25 克,盐 5 克,酱油 25 克,味精 1.5 克,鸡汤 100 克,胡椒粉 0.5 克,葱 15 克,姜 10 克,湿淀粉 15 克,香油 15 克。

【制　法】

1. 葱一半切花,余下葱和姜拍破。

2. 鲜虾蛋挑去须和脚以及其他杂质,洗净沙粒,沥干水分,放入料酒和拍破葱姜上笼蒸熟,取出后去掉葱姜。

3. 将豆腐进行初步加工的方法与"荷包豆腐"相同,将豆腐装入碗内上笼蒸熟(切勿蒸老),取出后滗出水分,装入深盘内。

4. 将猪油烧到六成热时,下入虾蛋炒散,烹料酒,加入酱油、味精、盐、鸡汤、胡椒粉,并用湿淀粉调稀勾芡,加入葱花和香油浇盖在一品豆腐上即成。

【特点】　香嫩鲜美,适宜老人食用。

家常豆腐

【原料】　主料:豆腐 16 块。

配料:猪肉 100 克(肥瘦各半),大蒜 50 克。

调料:猪油 100 克,料酒 25 克,盐 10 克,豆瓣辣酱 50 克,味精 1.5 克,汤 200 克,香油 15 克。

【制　法】

1. 豆腐改成 5 厘米宽对角的三角形、1 厘米厚的片,用 1 平盘装上,撒上盐腌一下,滗去水分。

2. 猪肉剁成末。大蒜切成 2 厘米的段。豆瓣辣酱要剁碎。

3. 食用时,将猪油烧沸后下入豆腐,待两面都煎黄后就取出。另外,再将油烧沸,下入猪肉末炒熟,烹料酒,加入豆瓣辣酱炒香,再加入豆腐、盐、味精和汤,焖入味,收干汁,放入大蒜和香油,装入盘内即成。

【特点】　香辣鲜嫩,便饭佳肴。

煽嫩豆腐

【原料】　主料:豆腐 16 块。

配料:鸡蛋 2 个,面粉 25 克。

调料:猪油 100 克,盐 10 克,味精 1.5 克,胡椒粉 0.5 克,鸡汤 100 克,葱 15 克,香油 15 克。

【制　法】

1. 豆腐片去粗皮,改成 5 厘米长、3 厘米宽、1 厘米厚的长方片,摊放在平盘内,撒上适量的盐,并将盘子向一边倾斜,滗去水分,然后在豆腐的两面撒上干面粉。

2. 把鸡蛋打开,装入碗内搅散,然后倒在豆腐上待用。葱切成段。

3. 将猪油烧沸,把裹上蛋液的豆腐逐片下入油锅,煎成两面黄色,然后放入鸡汤、盐、味精、胡椒粉,焖入味,加入葱段、香油,收干汁,装入盘内即成。

【特点】　豆腐香嫩,味道鲜美。

锅贴豆腐

【原料】 主料:包子豆腐10片。

配料:虾仁150克,猪肥膘肉500克,削皮荸荠50克,香菜150克,鸡蛋3个。

调料:料酒25克,盐10克,味精1.5克,胡椒粉0.5克,花椒粉0.5克,葱10克,姜10克,干湿淀粉30克。

【制 法】

1. 将豆腐表面的粗皮去掉,用箩筛过滤成细泥,加入鸡蛋清和适量的盐拌匀;在小蒸笼里摊放干净白布,两边留空通气,将豆腐泥倒入后蒸10分钟左右(注意切勿蒸老)取出,晾凉。

2. 荸荠拍烂剁成米。葱、姜捣烂,用料酒取汁。香菜摘叶洗净。

3. 虾仁洗净,沥干水分,捶剁成茸,加入荸荠米、葱姜酒汁、鸡蛋清、味精、胡椒粉、湿淀粉和适量的盐,然后搅拌成馅。

4. 肥膘肉放入汤锅内煮熟(断生为止),剔去筋,改成5厘米长、3厘米宽、3毫米厚的长方片(计24片),用干净白布按干水分,两面粘上干淀粉后摊放平锅内,将虾馅在肥膘上铺约3毫米厚,再将豆腐片成与肥膘肉大小厚薄一样的片,贴在虾馅上。

5. 把平锅放在火上(要将平锅不停地转动,使火色均匀),煎至肥膘油分排出,焦酥熟透呈金黄色时,滗去油,放花椒粉、香油,摆入盘内,周围拼香菜即成。

【特点】 色泽金黄,香酥味美。

沙锅豆腐

【原料】 主料:包子豆腐12片。

配料:猪瘦肉100克,净冬笋100克,水发香菇50克,鸡蛋2个,净大葱100克,芽白叶250克,冬苋菜250克。

调料:猪油100克,盐15克,味精2.5克,鸡汤1500克,胡椒粉0.5克。

【制 法】

1. 豆腐的加工与"锅贴豆腐"相同。

2. 猪肉、冬笋均切成薄片。香菇去蒂洗净,大的切开。大葱剖开切段。芽白叶切成块,洗净,和冬苋菜摘洗干净后,各装一盘。

3. 备一净沙锅和泥炉,在泥炉中将木炭烧红。

4. 将猪油烧到六成热时,下入冬笋、香菇煸炒,加入清汤、肉片、豆腐、大葱、盐、味精,烧开并调好味,撇去泡沫后装入沙锅内,撒入胡椒粉,随同装有烧红了木炭的泥炉上桌,另上芽白、冬苋菜即成。

【特点】 汤滚开,豆腐嫩,味鲜美,冬季时菜。

鸡啄豆腐

【原料】 主料:嫩豆腐10片。

配料:猪肉50克,净冬笋50克,水发香菇25克,金钩15克,熟瘦火腿10克,去皮熟花生米25克。

调料:猪油100克,料酒25克,酱油25克,盐5克,味精1克,葱10克,香油15克,湿淀粉15克。

【制 法】

1. 猪肉、冬笋、火腿、金钩(泡发)、香菇(去带)洗净,均切成米状。葱切成花。花生米剁碎。

2. 将猪油烧沸,下入猪肉、冬笋、香菇和金钩煸炒,烹料酒,炒出香味时装入盘内。

3. 再将猪油烧沸,下入整块豆腐,两面煎黄,再将豆腐炒碎,加入盐、酱油、味精和已炒熟的配料,炒匀后用湿淀粉调稀勾芡,放香油,装入盘内并撒上花生米、火腿末和葱花即成。

【特点】 香嫩脆鲜,适宜老年人食用。

油炸豆腐(又名臭豆腐)

【原料】 主料:精制白豆腐30块(规格为1.5厘米厚、5厘米见方的块)。

调料：植物油1000克（实耗100克），辣椒油50克，酱油50克，香油25克，味精2.5克，鸡汤100克。

【制　法】

1. 将青矾3克放入桷内，再倒入沸水用棍子搅动，然后放入豆腐，浸泡2小时后捞出冷却，放入卤水中（春、秋季浸泡2～5小时，夏季1～2小时，冬季6～10小时），主要还需看胚子的软硬；硬的可多泡一下，软的则少泡一些时间。卤好后取出，用冷开水稍洗一下，装入筛子内沥干水分（洗后的水留着继续洗，洗到水浓时倒入卤水内）。

2. 用辣椒油、酱油、香油、味精和少许汤兑成汁。

3. 将油烧沸，将卤好的豆腐逐块下入油锅内，炸约5分钟（如火大时移用小火，以炸焦透为准），成外焦内嫩时捞出，装入盘内后用筷子在每块豆腐中间捅一个眼，将兑好的辣油汁调匀一下，淋在豆腐眼内即成。

【特点】　闻起来臭，吃起来却很香，外焦内嫩，香辣味美，别有风味。

注：

①臭豆腐是湖南省传统小吃，其外焦、内嫩、香辣的独特风味，深受国内外人士的好评，许多外国朋友专程前来考察制作臭豆腐的详细过程，并对此表示了浓厚的兴趣。

②卤水的制作方法：

用冷水15公斤，放入豆豉3公斤，烧开后再煮半小时左右，然后将豆豉汁滤出。待豆豉汁冷却后，加入纯碱100克、青矾20克，香菇200克、冬笋4000克、盐750克、茅台酒150克以及豆腐脑1500克，浸泡约半个月左右（每天搅动1次），发酵后即成卤水。卤水切勿沾油，要注意清洁卫生，防止杂物混入，而且要根据四季不同气温灵活掌握，使之时刻处于发酵的状态。连续使用，隔3个月加入一次主料，做法和份量同上（但不要加青矾和碱），用时要注意经常留老卤水（越久越好）。检验卤水的正常标准是要发酵，如果不发酵、气味不正常时，就要及时挽救。其办法是将干净火砖烧红，放在卤水内，促使发酵；同时，还要按上述配方适当加一点佐料进去，使其发酵后不致变味（每次侵泡的豆腐取出后，卤水内应加入适量的盐，以保持咸淡正常）。

八宝豆腐

【原料】　主料：包子豆腐12片。

配料：熟火腿50克，干贝25克，金钩25克，水发冬菇50克，熟冬笋（或水发玉兰片）50克，熟鸡肉50克，水发黄耳50克，五花肉250克，小白菜苞12个。

调料：猪油50克，料酒50克，盐15克，味精1.5克，胡椒粉1克，鸡汤500克，普汤500克，葱25克，姜15克，鸡油15克。

【制　法】

1. 豆腐加工方法与“组庵豆腐”相同。

2. 火腿切成3厘米宽的方片。熟鸡肉片成片。冬笋切成片。冬菇去蒂洗净，大的改开。黄耳摘去根洗净，切成片。干贝掰去老筋洗净。金钩泡发。小白菜苞洗净。葱白切段，余下葱和姜拍破。五花肉切成大片，下入开水锅氽过捞出，洗净血沫。

3. 备一垫竹底轿沙钵，先放入拍破葱姜和五花肉，再把上列配料分别放在五花肉上，盖上底AAA，然后放入料酒和鸡汤，用小煨1小时左右，揭开底AAA，放入豆腐、盐煨10分钟左右至浓香为止。

4. 食用时，将八宝豆腐上火烧开取出，翻扑盘内，去掉葱、姜和五花肉。同时锅内放入猪油烧到六成热时，下入白菜苞加盐煸炒入味拼边，再将原汁收浓，加入味精、胡椒粉，用湿淀粉调稀勾芡，放葱段，浇盖在八宝豆腐上，淋鸡油即成。

【特点】 松软浓香，味道鲜美。

凤菌一品豆腐

【原料】 主料：包子豆腐8片。

配料：干贝40克，鸡蛋清4个，凤尾菇250克，虾茸料80克，熟瘦火腿10克，香菜25克。

调料：猪油100克，料酒25克，盐15克，味精2克，胡椒粉1克，鸡汤200克，葱10克，姜10克，湿淀粉10克，鸡油15克。

【制 法】

1. 将干贝老筋摘去，洗一遍，放入拍破葱姜、料酒和水(水以没过为准)，上笼蒸发取出，去掉葱和姜，搓散成丝。火腿切成米。香菜摘叶洗净。凤尾菇削去根部泥沙，洗净，下入开水锅氽过捞出，挤干水分，摊放平盘内，撒上干淀粉，将虾仁料铺在凤尾菇上，按上火腿米、香菜叶。

2. 将豆腐片去皮，捣烂过箩筛，加入蛋清2个、适量的盐、味精、胡椒粉搅匀，装入摸油和有圆圈模型的盘中，而上撒上干贝，再盖上一层用鸡汤搅匀的鸡蛋清，和酿凤尾菇一起上笼蒸熟(切勿蒸老)，取出将圆圈模型去掉，把酿凤尾菇拼在豆腐周围。锅内放入鸡汤、盐、味精烧开，用湿淀粉调稀勾芡，浇盖在凤菌一品豆腐上，淋鸡油即成。

【特点】 色彩鲜艳，豆腐软嫩，味道鲜美。

芙蓉荷包豆腐

【原料】 主料：白嫩豆腐3大块。

配料：水发金钩25克、水发冬菇25克，熟瘦火腿15克，猪肉50克，青豆25克，鸡蛋5个，小白菜苞12个。

调料：猪油1000克(实耗100克)，料酒25克，盐15克，白糖少许，味精15克，胡椒粉1克，干淀粉25克，鸡汤150克，葱10克，鸡油15克。

【制 法】

1. 葱白切成花。金钩、冬菇、猪肉都切成小米状，放入青豆、葱花、盐、料酒、味精、白糖、胡椒粉搅拌成馅。火腿切成米。白菜苞洗净。

2. 豆腐片去皮，捣烂过箩筛，放入5克盐、鸡蛋清1个搅匀，舀入摸油的20个小调羹内的一半，中间放入鲜肉馅，再盖上一半豆腐茸，上笼蒸熟(切勿久蒸，否则其质变老，影响质量)，取出即成荷包豆腐。

3. 鸡蛋4个去黄用清，用筷子打起发泡，放入适量的干淀粉调制成雪花糊。

4. 锅内放入油烧到五成热时，将荷包豆腐逐个裹上雪花糊，下入油锅用温火滑熟(要求保存本色)捞出，摆放盘中；锅内留50克油，下入白菜苞加盐炒熟入味，拼在荷包豆腐周围。锅再放入油烧热，放入鸡汤、盐、味精烧开，用湿淀粉调稀勾芡，浇在芙蓉荷包豆腐上，撒火腿米，淋鸡油即成。

【特点】 色彩鲜艳，豆腐滑嫩，味道鲜美。

白玉藏珠

【原料】 主料：嫩豆腐4大片，去皮去芯白莲50克。

配料：鸡蛋清5个，熟瘦火腿25克，白菜苞12个。

调料：猪油1000克(实耗100克)，料酒25克，味精1.5克，盐15克，胡椒粉0.5克，干淀粉30克，鸡汤300克，鸡油15克。

【制 法】

1. 莲子用温水洗一遍，用碗装上，放入开水上笼蒸发(注意切勿蒸溶不成颗粒)后取出。火腿切成米。白菜苞洗净。

2. 将豆腐表面粗皮片去，用细密箩筛过滤成细泥，放入适量的盐、味精、胡椒粉、鸡蛋清2个，搅拌均匀。

3. 备小调羹20个，抹上油，将豆腐

泥舀入调羹一半，再放上莲子4粒，然后盖一层豆腐泥，上笼蒸熟取出，晾凉待用。

4. 鸡蛋清装入带沿的盘内，用筷子打起发泡，加入适量干淀粉调制成雪花糊。

5. 食用时，锅内放入油烧到五成热时，将锅端离火位，将豆腐莲子逐个裹上雪花糊，下入油锅（切勿粘连在一起），锅放回火上，用温火炸至表面凝固（切勿炸黄，应保存白色）捞出，装入盘内；锅内留50克油，下入白菜苞加盐煸炒入味，拼在豆腐莲子的周围。锅内放入鸡汤、盐、味精用湿淀粉调稀勾芡，浇盖在豆腐莲子上，撒火腿米，淋鸡油即成。

【特点】 色自如玉，滑嫩鲜美。

宫保豆腐丁

【原料】 主料：白豆腐干子6片。

配料：去皮花生米75克，小干红椒5个，小鲜红椒25克，青大蒜50克。

调料：植物油1000克（实耗150克）料酒25克，盐12克，酱油15克，味精2克，花椒粉1克，鸡汤150克，干淀粉25克，湿淀粉15克，香油15克。

【制　法】

1. 干红椒去蒂去籽，切成2厘米长的段。鲜红椒去蒂去籽，切成2厘米大片。大蒜摘洗干净，切成2厘米长的段。花生米下入油锅炸焦捞出。

2. 将豆腐干切成2厘米大三角丁，下入放少许盐的开水锅氽过捞出，沥干水分，用盘装上。用鸡汤、酱油、味精、湿淀粉兑成汁。

3. 锅内放油烧到七成热，将豆腐丁放入少许酱油拌匀，加入干淀粉浆好，下入油锅炸酥呈金黄色，倒入漏勺沥油；锅内留75克油，下入干红椒，炸成紫红色，随即下入红椒、大蒜，加盐炒一下，倒入豆腐丁和兑汁、花生米、香油，翻簸几下，装入盘内即成。

【特点】 麻辣酥香，花生焦脆，味道鲜美。

菊花豆腐

【原料】 主料：白嫩豆腐4大片。

配料：熟瘦火腿100克，鸡蛋清2个，小白菜苞16个。

调料：猪油100克，精盐10克，味精1克，胡椒粉1克，鸡汤150克，葱白15克，干淀粉20克，湿淀粉20克，鸡油15克。

【制　法】

1. 葱白切成花。火腿切成2厘米长、1厘米宽的斜条，一端切开四分之三的薄片（切断），四分之一连着（不切断）。小白菜苞洗净。

2. 将豆腐表面粗皮片去，捣烂后，用细密箩筛过滤成细泥，放入鸡蛋清、胡椒粉、葱白花、适量的盐、味精搅拌均匀。

3. 备小碟20个，摸上油，将豆腐泥挤成3厘米大的丸子，放入小碟内，稍摸平，撒点干淀粉，将火腿推开成花瓣形，插在豆腐泥上的一圈，中心放一小撮蛋松作花芯，即成菊花形。

4. 食用前6分钟，将菊花豆腐上笼蒸熟取出，分4行摆入大盘内；同时将白菜苞下入油锅加盐炒入味，拼在菊花豆腐的空行处。另用锅放入油烧到六成热，放入鸡汤、盐、味精烧开，调好味，用湿淀粉调稀勾芡，浇盖在菊花豆腐和白菜苞上，淋鸡油即成。

【特点】 形似菊花，色彩鲜艳，滑嫩鲜香。

葵花豆腐

【原料】 主料：白豆腐3大块。

配料：鸡蛋3个，熟瘦火腿30克，瓜仁40克，小白菜苞12个，制好猪肉馅100克。

调料：猪油100克，精盐8克，味精1克，胡椒粉1克，湿淀粉25克，鸡汤300克，鸡油15克。

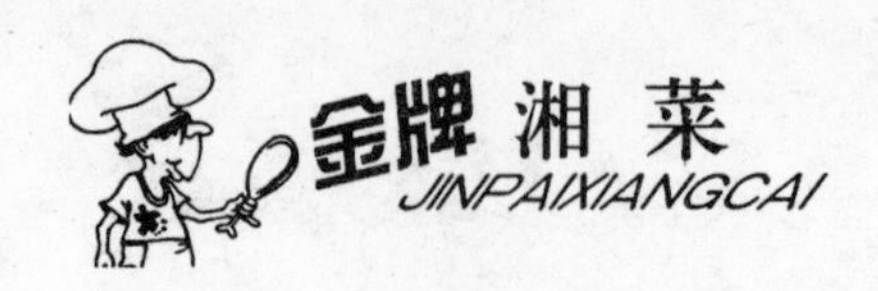

【制　法】

1. 鸡蛋磕开，蛋清、蛋黄分别用碗装上，蛋黄搅散放入适量的盐、湿淀粉和水调匀，用锅烫成蛋黄皮，再用刀切成葵花瓣（或用模型刀具压）。火腿切成米。小白菜苞洗净。

2. 将豆腐表面皮片去，用细密箩筛过滤后，放入蛋清、少许盐和味精、胡椒粉搅匀成茸。

3. 备 12 个小碟，摸上油，将豆腐茸装入小碟的一半，周围按上蛋黄花瓣，中心放上猪肉馅，再盖一层豆腐茸，表成撒火腿米，再插上瓜仁，即成葵花豆腐。

4. 食用前 8 分钟，将葵花豆腐上笼用温火蒸熟取出，分两行摆放长腰圆盘内；同时将白菜苞下入油锅放盐炒入味，拼在葵花豆腐的空行和两边。锅内放入油烧到六成热，放入鸡汤和余下的盐、味精烧开，用湿淀粉调稀勾芡，加入鸡油，浇盖在葵花豆腐和白菜苞上即成。

【特点】　形似葵花，色彩鲜艳，豆腐滑嫩，馅心鲜香。

金鱼豆腐

【原料】　主料：白豆腐 3 大块。

配料：大红萝卜 500 克，鸡蛋清 2 个，鱼茸馅 100 克，绿色青豆 24 粒，香菜 100 克。

调料：鸡汤 750 克，精盐 10 克，味精 1 克，胡椒粉 1 克，鸡油 15 克。

【制　法】

1. 将红萝卜皮刮去，按金鱼形状分别切成尾、嘴、鳍，用少许盐腌一下待用。香菜摘叶洗净。

2. 将豆腐表面皮片去，用细密箩筛过滤后放入蛋清、适量的盐和味精搅匀成茸。

3. 备中调羹 12 片，摸上油，将豆腐茸舀入调羹的一半，按上尾，中间放上鱼茸馅，再盖一层豆腐茸，按上嘴和鳍，然后在头部两边按上青豆做眼睛，即成金鱼豆腐。

4. 食用前 8 分钟，将金鱼豆腐上笼用温火蒸熟取出；同时锅内放入鸡汤、余下的盐和味精烧开，调好味，撇去泡沫，加入胡椒粉、香菜叶，舀入 12 个小汤碗内，再逐个放入金鱼豆腐，淋鸡油即成。

【特点】　形似金鱼，色彩鲜艳，豆腐滑嫩，馅心鲜香，清淡味美。

珊瑚豆腐

【原料】　主料：白豆腐 4 大块。

配料：生盐蛋黄 5 个，鸡蛋清 2 个，小白菜苞 16 个。

调料：猪油 100 克，料酒 10 克，精盐 10克，味精 1 克，胡椒粉 1 克，鸡汤 200 克，葱 10 克，湿淀粉 20 克，辣椒香油 10 克。

【制　法】

1. 盐蛋黄切成小颗。葱切成花。小白菜苞洗净。

2. 将豆腐皮片去，捣烂后用细密箩筛过滤，放入鸡蛋清、胡椒粉和适量的盐、味精搅拌均匀。

3. 备 20 个小调羹，摸上油，将豆腐泥舀入调羹内，表面均匀地按上盐蛋黄小颗。

4. 食用前 8 分钟，将珊瑚豆腐上笼蒸熟取出，分 4 行摆入盘中；同时将白菜苞下入油锅加盐炒入味，拼在珊瑚豆腐的空行处。另用锅放入油烧到六成热，放入鸡汤、盐、辣椒香油、味精烧开，用湿淀粉勾芡，浇在珊瑚豆腐和白菜苞上，淋鸡油即成。

【特点】　色泽美观，豆腐滑嫩，微辣鲜美。

三味豆腐

【原料】　主料：白豆腐 3 大块。

配料：鸡蛋 1 个，大葱 100 克。

调料：花生油 500 克（实耗 150 克），精盐 8 克，味精 2 克，白糖 2 克，番茄酱 50

克，酱油5克，红辣椒粉1克，花椒粉1克，葱、姜、蒜各10克，干淀粉15克，湿淀粉30克，鸡汤100克，香油10克。

【制　法】

1. 把豆腐分成3份：1份切成5厘米长、筷头大的条；1份切成5厘米长、3厘米宽、1厘米厚的片；1份切成1厘米大的三角丁。葱切成花。姜切成米。蒜子拍烂剁成米。鸡蛋磕在碗里搅散。用酱油、香油、适量的盐、味精、湿淀粉、葱花兑成汁。大葱摘洗干净，切成5厘米长。

2. 将豆腐条下入开水锅内氽过捞出。豆腐丁放点酱油拌匀，再裹上干淀粉，下入油锅炸焦酥呈金黄色倒入漏勺沥油。豆腐片裹上鸡蛋液，下入油锅煎至两面黄，放入葱花、姜米、番茄酱、白糖，适量的盐，用湿淀粉勾芡，装在长鱼盘中间。另用锅放入油烧全六成热，把大葱下入油锅煸炒，加鸡汤、盐、味精、豆腐条，用湿淀粉勾芡，装在盘的一端。锅内再加油烧到七成热，下入姜米，蒜泥煸炒，倒入豆腐丁，随即冲下兑汁，翻簸几下，装在盘的另一端即成。

【特点】　三色、三形、三味，鲜香味美，别有风味。

双味荷花豆腐

【原料】　主料：白豆腐干12片。

配料：鸡蛋3个，蒸发莲子50克。

调料：花生油1000克（实耗100克）精盐6克，味精2克，鸡汤150克，胡椒粉1克，白糖10克，番茄酱50克，葱10克，姜10克，面粉30克，湿淀粉50克，鸡油10克。

【制　法】

1. 葱切成花。姜切成末。鸡蛋一个磕在碗里，放入湿淀粉、面粉和水调制成糊。用番茄酱、白糖、汤、盐、湿淀粉兑成汁。

2. 豆腐3片，剔去表面的皮，再片成四毫米厚，改成荷花瓣形，摊放盘内，撒上少许盐。将余下的豆腐剔去皮捣烂过箩筛，加入鸡蛋清2个、胡椒粉和适量的盐、少许白糖、味精、湿淀粉搅拌均匀。

3. 锅内放入油，烧到六成热时，将调好的豆腐泥挤成2厘米大的丸子，下入油锅用温火浸炸熟，（注意保存本色），捞出待用。油锅内油温度升至七成热，将豆腐片裹上薄蛋糊，下入油锅炸至呈金黄色，倒入漏勺沥油；锅内留50克油，下入葱花、姜末煸香，倒入兑汁和炸好豆腐片，收上汁，摆在盘的周围。另用锅放入油烧到六成热时，再放入鸡汤、豆腐丸、莲子、盐、味精烧开，用湿淀粉调稀勾芡，装在盘中，撒葱花，淋鸡油即成。

【特点】　色彩美观，味别两样，滑嫩香鲜。

绣球豆腐丸

【原料】　主料：嫩白豆腐4大片。

配料：蒸发干贝30克，熟瘦火腿30克，净熟冬笋30克，水发去蒂香菇30克，鸡蛋清1个，小白菜苞12个。

调料：猪油100克，料酒10克，精盐10克，胡椒粉1克，味精1克，鸡汤150毫，干淀粉20克，湿淀粉20克，鸡油10克。

【制　法】

1. 将豆腐表面粗皮片去，用细密箩筛过滤成细泥，再用净白布挤干水分，用碗装上，放入鸡蛋清、料酒、适量的盐、味精、胡椒粉、干淀粉搅拌均匀。葱切成段。白菜苞洗净。

2. 将火腿、冬笋、香菇都切成细丝，干贝搓散成丝，拌在一起，撒在净白布上；将豆腐泥挤成直径2厘米大的丸子，放在拌匀的各种丝上，逐个粘裹上丝，滚成绣球，再放入摸油的平盘内，上笼蒸熟取出待用。

3. 食用前8分钟，将绣球豆腐丸上笼蒸熟取出，装入盘中；同时将白菜苞下入油锅加盐炒入味，拼在绣球豆腐丸的周围。另用锅放入油烧到六成熟，放入鸡汤、盐、味精烧开，用湿淀粉调稀勾芡，加入胡椒粉、葱段，浇盖在绣球豆腐丸和白菜苞上，淋鸡油即成。

【特点】 色彩美观，脆嫩香鲜。

脆炸荷包豆腐

【原料】 主料：白豆腐2大块。

配料：鸡蛋3个，猪肉100克（肥瘦各半），水发金钩25克，水发香菇25克，面粉100克，香菜100克。

调料：花生油1000克（实耗100克），料酒10克，精盐6克，味精2克，胡椒粉1克，湿淀粉50克，葱10克，姜10克，花椒香油10克。

【制 法】

1. 葱切成花。姜切成米。香菇去蒂，和金钩都切成末。香菜摘洗干净。鸡蛋2个，磕在碗里，放入面粉和适量的水调制成糊。

2. 猪肉剁成泥，放入料酒、葱花、姜米、金钩米、香菇末、味精、盐、胡椒粉搅拌成馅。

3. 豆腐加工成泥。舀入20个摸油小调羹内的一半，再放入鲜肉馅，然后盖一层豆腐泥，上笼蒸熟（切勿久蒸，否则其质变老，影响质量），取出晾凉待用。

4. 锅内放入油烧到七成热时，将荷包豆腐逐个裹七蛋糊下入油锅，用温火炸至焦酥呈金黄色，滗去油，淋花椒香油，翻簸几下，装入盘中，边上拼香菜即成。

【特点】 色泽金黄，焦酥香鲜。

辣味豆腐盒

【原料】 主料：白豆腐2大块。

配料：猪肉100克（肥3瘦7），水发金钩30克，水发香菇30克，熟瘦火腿20克，鸡蛋3个，面粉50克，木尔菜30克。

调料：花生油1000克（实耗100克），料酒15克，精盐8克，味精2克，胡椒粉1克，鸡汤300克，葱10克，香油10克，湿淀粉15克，辣椒油15克。

【制 法】

1. 香菇去蒂，和金钩、火腿都切成末。葱切成花。木尔菜摘洗干净。

2. 猪肉剁成细泥，放入冬菇末，金钩末，葱花、胡椒粉、适量的盐、味精、香油拌匀成馅，分成20份。鸡蛋1个磕在碗内，加入面粉、湿淀粉调制成糊。

3. 将豆腐片去表面粗皮，用细密箩筛过滤，加入鸡蛋清和适量的盐、味精搅拌均匀。备20个小碟，摸上油，将豆腐泥舀入小碟内的一半，将一份肉馅放在豆腐泥上，再盖一层豆腐泥，上笼蒸熟取出晾凉。

4. 食用时，锅内放油烧到七成热时，将豆腐盒逐个裹上蛋糊，下入油锅炸至呈黄色，倒入漏勺沥油；随后将豆腐复倒入锅内，加辣椒油、鸡汤、盐、稍焖收汁，装入盘中，撒上火腿末。同时将木尔菜下入油锅加盐炒入味，拼在豆腐盒周围即成。

【特点】 色泽金黄，柔软滑嫩，微辣香鲜，味美可口。

八宝豆腐羹

【原料】 主料：白豆腐3大片。

配料：净生鸡脯40克，虾仁40克，熟瘦火腿25克，蘑菇25克，青豆25克，蒸发干贝25克，净熟冬笋25克，鸡蛋清1个。

调料：鸡汤700克，鸡油15克，精盐10克，味精1克，胡椒粉1克，葱15克，干淀粉10克，湿淀粉20克。

【制 法】

1. 将鸡脯肉的筋剔去、切成小指头火的丁。虾仁洗净，按干水分，和鸡脯肉丁一起用鸡蛋清1个、适量的盐和干淀粉调匀浆好。火腿、蘑菇、冬笋都切成小指甲大的薄片。葱切成花。

2. 将豆腐表面的粗皮片去，切成小

指头大的丁放入汤锅加盐烧开一下,用碗装上。

3. 食用时,锅内放入鸡汤、火腿、蘑菇、冬笋、干贝、青豆、豆腐丁、盐、味精、胡椒粉烧开,调好味,撇去泡沫,用湿淀粉调稀勾流汁芡,装入汤 WF 内,锅内放入普汤烧开,撒入鸡脯丁和虾仁氽熟后捞入豆腐羹内,放葱花,淋鸡油即成。

【特点】 色彩美观,豆腐滑嫩,配料鲜香,汁浓味美。

凤菌烩干丝

【原料】 主料:鲜白凤尾菇 400 克,千张皮 300 克。

配料:熟瘦火腿 30 克,熟净冬笋 30 克。

调料:猪油 60 克,料酒 10 克,精盐 12 克,味精 1 克,胡椒粉 1 克,鸡汤 600 克,葱 10 克,湿淀粉 30 克,鸡油 15 克。

【制　法】

1. 将千张皮的厚边切去,再切成 8 厘米长的细丝,用碗装上,放入开水和适量的碱胀发至柔软时,用清水漂两遍,除去碱味,再用清水漂上。

2. 将凤尾菇根部沙泥削去,洗净,下入开水氽过,切成丝。火腿、冬笋都切成丝。葱切成段。

3. 食用时,锅内放入普汤、盐,千丝烧开氽过,用汤碗装上。另用锅放入油烧到六成热,下入冬笋丝炒一下,烹料酒,再放入鸡汤、凤尾菇丝、火腿丝、盐、味精烧开,调好味,用湿淀粉勾流汁芡,捞入干丝,放胡椒粉和葱段,装入汤 WF 内,淋鸡油即成。

【特点】 凤菌色美味鲜,干丝柔软可口。

酸辣蘑芋豆腐

【原料】 主料:蘑芋豆腐 1000 克。

配料:泡菜 50 克,猪肉 50 克,小红辣椒 25 克。青大蒜 20 克。

调料:猪油 100 克,料酒 15 克,精盐 10 克,味精 1 克,香醋 10 克,鸡汤 200 克,辣椒酱 10 克,湿淀粉 20 克,香油 10 克。

【制　法】

1. 大蒜摘洗净切成花。红辣椒去蒂去籽洗净,切成米。泡菜切成米。猪肉剁成末。

2. 蘑芋豆腐切成 5 厘米长、4 厘米宽、1 厘米厚的片,下入冷水锅烧开氽过,捞出,用开水泡上。

3. 食用时,锅内放入汤、蘑芋豆腐、适量盐煮过,倒入漏勺沥干水分。锅洗净放入油烧六成热,下入红椒米、泡菜米、猪肉末煸炒出香味,加辣椒酱、盐、味精、香醋、蘑芋豆腐、鸡汤焖入味,加入大蒜花,用湿淀粉调稀勾芡,放香油,装入盘内即成。

【特点】 色泽红润,蘑芋柔软,酸辣鲜香。

鸡丝蘑芋豆腐

【原料】 主料:蘑芋豆腐 1000 克。

配料:生鸡脯肉 150 克,熟瘦火腿 50 克,水发香菇 50 克,鸡蛋清 1 个。

调料:猪油 500 克(实耗 100 克),料酒 15 克,精盐 10 克,味精 1 克,胡椒粉 1 克,葱 15 克,鸡汤 200 克,干淀粉 10 克,湿淀粉 25 克,鸡油 15 克。

【制　法】

1. 葱切成 3 厘米长的段。香菇去蒂洗净,和火腿都切成丝。

2. 将鸡脯肉筋剔去,切成 5 厘米长的细丝,用鸡蛋清、干淀粉、适量的盐调匀浆好。

3. 将蘑芋豆腐切成 6 厘米长、1 厘米大的方条,下入冷水锅烧开氽过,用开水泡上。

4. 食用时,锅内放入油烧到五成热,将鸡丝下入油锅,用筷子拨散滑八成热,倒入漏勺沥油;锅内留 50 克油,下入香菇丝、火腿煸一下,烹料酒,放入鸡汤、盐、味精、胡椒粉、蘑芋豆腐烧开，用湿淀粉调稀勾芡，加入葱段、滑熟鸡丝、鸡油，装入盘内即成。

【特点】 蘑芋柔软，鸡丝滑嫩，鲜香味美。

素火腿

【原料】 主料：豆油皮20张。

调料：葱15克，姜15克，料酒25克，红腐乳卤100克，味精2克，五香粉1.5克，白糖少许，熟芝麻仁50克，香油25克。

【制　法】

1. 将葱和姜拍破，放入锅内加清水200克，上火熬出香味。

2. 取豆油皮4张，放入葱姜水内浸一下，用湿白布包好浸透。再将8张豆油皮撕成小块，放在葱姜水内浸一下，用盆装上。再将上列调料放入锅内烧开，倒入碎豆油皮内，用手搓拌均匀，直到豆油皮变成红色为止，再加入芝麻仁拌匀。

3. 将浸透的油皮取出，2张相对铺成圆形，另外2张铺成长形放在中间，再将拌好的碎油皮均匀地铺在4张油皮的一端，往前卷去，要卷紧，快到尽头时，将两头抄过来，再用净白布包紧（越紧越好），用绳来回捆紧，上笼蒸约2小时，取出晾凉，解去绳布，刷上香油，以免干燥。食用时，切成薄片摆入盘内即成。

【特点】 形似火腿，味道鲜美。

素　鸡

【原料】 主料：豆油皮10张。

调料：盐10克，味精2克，料酒25克，香油25克，葱10克，姜10克。

【制　法】

1. 用料酒、盐、味精、葱姜汁、水50克烧开成汁。将8张豆油皮叠在一起，放在汁内浸透取出，平铺盘上，抹上香油，切下两头尖的部分（油皮一般是半圆形）；另外2张豆油皮搭成长方形，将叠在一起的8张豆油皮放在上面，卷成筒形（压扁后约2厘米宽），俗称素鸡卷。

2. 把素鸡卷放在盘内，用物压上，上笼在沸水旺火上蒸1小时，取出晾凉，刷上香油，仍用原汁泡上，以免干燥。食用时，斜切成片摆入盘内，淋香油即成。

【特点】 色泽浅黄，味道鲜香。

素　鸭

【原料】 主料：豆油皮6张。

配料：净冬笋100克，水发冬菇50克。

调料：料酒25克，味精2克，盐2克，酱油15克，白糖少许，五香粉1克，香油50克，花生油1000克（实耗50克）。

【制　法】

1. 将冬笋煮熟切成丝，冬菇去蒂洗净切成丝，都下入烧沸香油锅内，加入适量的料酒、酱油、盐、味精炒入味，用盘装上。

2. 葱和姜捣烂用料酒取汁，加入余下部分调料兑成汁。

3. 将豆油皮放在汁内浸透，两张一叠，直的向里平铺木板上，再两张直的向外压前两张一半，又将两张压在中间，再把炒好的配料以条形放在豆油皮上，两头留一空处，向前卷去，两头抄过来，卷成5厘米宽的扁条。

4. 将卷的接口处向下放在笼布上，蒸约1小时，取出晾凉后，下入油锅炸呈金黄色捞出。食用时，斜切成条摆入盘内，淋香油即成。

【特点】 酥脆鲜香，味美可口。

素虾仁海参

【原料】 主料：生面筋200克，团粉（即蚕豆粉）300克。

配料：净冬笋50克，水发冬菇50克。

调料：植物油100克，料酒25克，盐10克，味精2克，胡椒粉1克，白糖少许，素汤（用黄豆芽炖的炀）500克，芝麻酱50

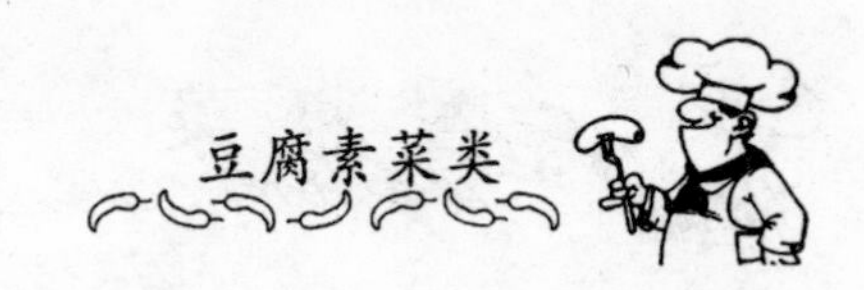

克，湿淀粉50克，香油20克。

【制　法】

1. 将冬菇用温水浸泡发透，捞出（原水澄清留用）剔去蒂，洗一遍，一半切成米状，一半和冬笋都切成1厘米大、4毫米厚的方片。

2. 将团粉搓散，用清水冲漂几遍至无异味。

3. 锅内放入冬菇原水、香菇末、芝麻酱、适量的盐、味精烧开，用团粉调稀勾成稠糊，搅土劲，装入深边盘内，待凝固后，改成3厘米大、4毫米厚的方片，即成素海参。面筋搓成同虾仁大小一样的小颗，下入沸水锅内盖上，用旺火煮熟捞出，用开水泡上。

4. 锅内放油烧到六成热，下入冬笋、冬菇煸炒一下，烹料酒，加入汤、盐、白糖、味精、胡椒粉、素海参和素虾仁烧开，调好味，用湿淀粉调稀勾流芡汁，装入汤WF内，淋香油即成。

【特点】柔软浓香，味道鲜美。

宫保素鸡丁

【原料】　主料：豆腐皮（即千张皮）700克。

配料：去皮熟花生米50克，干小红椒5个，鲜青、红辣椒各25克。

调料：植物油1000克（实耗100克），料酒25克，盐10克，酱油25克，味精2克，花椒粉少许，素汤100克，湿淀粉50克，香油20克。

【制　法】

1. 将豆腐皮切成6毫米宽的丝，放入开水内，加入适量的碱浸软后捞出，下入开水锅内煮一下，倒入净白布内包紧，用绳扎好放冷水盆内，上面用重物压上，使其冷却后将它取出，切成2厘米大的方条，再改成方颗，即成素鸡丁。

2. 干红椒去蒂，切成3毫米的段。青、红辣椒去蒂，去籽，洗净，切成2厘米的大方片，用酱油、味精、汤、香油、湿淀粉拌匀，下入七成热的油锅，炸酥呈金黄色，倒入漏勺沥油。锅内留50克油，下入干红椒炸呈紫红色，再下入青、红椒、花椒粉加盐炒一下，倒入素鸡丁，烹料酒，随即冲下兑汁，放花生米，翻簸几下，装入盘内即成。

【特点】　麻辣酥香，味美可口。

糖醋焦酥素鸭

【原料】　主料：烤大面筋泡2个（重250克）。

配料：净熟冬笋50克，水发冬菇50克，面粉75克，泡打粉少许。

调料：植物油750克（实耗100克），盐5克，白糖75克，酱油少许，香醋25克，味精1.5克，素汤150克，姜15克，湿淀粉75克，香油20克。

【制　法】

1. 姜切成丝。用面粉、泡打粉、适量的湿淀粉和水调成糊。冬菇去蒂，和冬笋都切成5厘米长的丝，下入油锅，加盐、味精炒入味，用碗装上晾凉，放入一半面糊拌匀成素鸭馅。

2. 将面筋泡用温水浸泡发，片开挤干水分，摊放平盘上，将素鸭馅放在面筋上，再盖上一片面筋，两面抹上面糊。用汤、糖、醋、酱油、湿淀粉、香油兑成汁。

3. 锅内放入油烧到六成热，将素鸭下入油锅炸焦酥呈金黄色捞出，切成5厘米长、2厘米宽的条，摆入盘内；锅内留50克油，下入姜丝炒一下，随倒入兑汁烧开，加点沸油使油汁烹起，装入小碗内。一手端素鸭块放在桌上，一手端糖醋汁倒在素鸭块上即成。

【特点】　焦脆香酥，酸甜味美。

朝珠素鸭块

【原料】　主料：豆油皮10张。

配料：水发香菇50克，净冬笋50克，红萝卜300克。

调料：植物油1000克（实耗100克），

料酒25克，盐10克，酱油15克，白糖少许，味精2克，胡椒粉1克，素汤400克，湿淀粉50克，香油15克。

【制　法】

1. 香菇剔去蒂洗净，和冬笋都切成丝，下入油锅煸一下，烹料酒，放入适量的盐、味精、白糖、素汤少许，用湿淀粉勾芡，即成素鸭馅，用盘装上晾凉。

2. 将红萝卜刮去皮，切成2厘米长的筒，削成圆珠，下入油锅用温火浸炸熟，用汤焖烂，即成朝珠。

3. 将豆油皮切成三角，用湿布浸软，将素鸭馅放在豆油皮上包成5厘米长、4厘米宽的块，用湿淀粉、面粉调成浆封口，下入油锅炸酥，扣入碗内加汤，上笼蒸热。

4. 锅内放入油烧六成热，放入汤、盐、味精、胡椒粉、朝珠烧开，用湿淀粉调稀勾芡，放香油；同时将素鸭块取出，翻扑盘内，揭去盖，朝珠拼在周围，把汁浇在朝珠鸭块上即成。

【特点】　鸭块香酥，朝珠酥烂，香浓味美。

炒素鳝丝

【原料】　主料：冬菇70克（选用约4厘米大的）。

配料：净冬笋50克，红辣椒25克。

调料：植物油1000克（实耗100克），料酒25克，盐10克，白糖少许，味精2克，姜10克，素汤200克，湿淀粉50克，香油20克。

【制　法】

1. 将冬菇用温水浸泡发，捞出（原水澄清留用）剔去蒂，用剪刀沿边剪成6厘米长、6毫米粗的丝，洗一遍，用适量的湿淀粉和盐调匀浆好，即成半成品的素鳝丝。

2. 红辣椒去蒂去籽，冬笋和姜都切成丝，用冬菇原水、糖、味精、湿淀粉、香油兑成汁。

3. 食用时，锅内放油烧五成热，将素鳝丝下入油锅滑熟捞出；锅内再放入油烧到七成热，下入素鳝丝炸至酥香，倒入漏勺沥油。锅内留50克油，下入冬笋丝、辣椒丝、姜丝、素鳝丝，加盐炒一下，烹料酒，随即倒入兑汁，装入盘内即成。

【特点】　香辣鲜脆，味美可口。

酥炸素黄雀

【原料】　主料：油豆腐300克。

配料：水发香菇50克，净冬笋50克，土豆25克，泡打粉少许，面粉50克，包菜250克。

调料：植物油1000克（实耗100克），料酒25克，盐10克，味精2克，白糖50克，胡椒粉少许，湿淀粉50克，番茄酱25克，花椒香油20克。

【制　法】

1. 将土豆削去皮，上笼蒸熟取出，压成泥。包菜切成丝，用盐腌一下后，挤干水分，加入白糖、番茄酱拌匀。香菇和冬笋都切成米状，下入油锅炒熟，烹料酒，加入盐炒入味，然后放入土豆泥、冬笋、香菇、糖、味精、胡椒粉、香油搅拌成馅。

2. 将油豆腐切开一半，由里向外翻过边，把馅填入油豆腐内。

3. 用适量的面粉、湿淀粉、泡打粉调匀成糊。

4. 锅内放油烧六成热，将填人馅的油豆腐裹上糊，下入油锅炸焦酥呈金黄色，滗去油，放花椒香油，拼番茄酱、包菜丝即成。

【特点】　焦酥鲜香，味道鲜美。

糖醋素桂鱼

【原料】　主料：水发香菇50克，净冬笋50克，油酥面50克，水油而125克，面粉70克，泡打粉1克。

调料：植物油1000克（实耗150克），料酒25克，盐10克，味精1克，酱油10克，白糖70克，醋10克，姜10克，湿淀粉

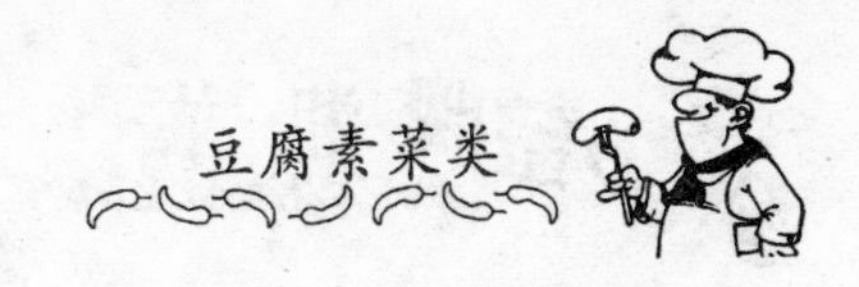

50克,香油15克。

【制 法】

1. 用面粉、泡打粉、适量的湿淀粉和水调制成糊。将香菇、冬笋和姜都切成丝,下入油锅炒香,烹料酒,加入盐、味精入味,装盘晾凉,放入面糊内拌匀成素鱼馅。

2. 水油面用手按扁,将油酥面包入,再按扁,用走槌擀成长方形,再擀开,连叠三层再擀成四方形,将素馅放在而皮上的一半,再将另一半覆盖在素馅上,做成桂鱼形。用酱油、白糖、醋、汤、湿淀粉、香油兑成汁。

3. 锅内放入油烧到六成热,下入素桂鱼炸至焦酥呈金黄色取出;锅内留50克油,倒入兑汁烧开,加点沸油,使汁烹起时,即浇盖在素桂鱼上即成。

【特点】 焦脆香酥,味美可口。

炒素虾仁

【原料】 主料:生面筋250克。

配料:青豆结250克,红番茄100克,鸡蛋清1个。

调料:花生油500克(实耗100克),料酒15克,盐7克,味精1.5克,胡椒粉1克,白糖少许,湿淀粉15克,干淀粉15克,素上汤100克,香油10克。

【制 法】

1. 将生面筋搓成虾仁大小一样的粒,下入开水锅内煮熟捞出,晾凉后,用鸡蛋清、盐、干淀粉调成浆浆好。

2. 将青豆结剥去壳,取出青豆,下入开水锅氽过捞出,用冷水过凉。番茄在开水内烫一下,剥去皮,去掉籽,切成同面筋一样大的颗。用素汤、味精、白糖、胡椒粉、湿淀粉、香油兑成汁。

3. 锅内放油烧到六成热时,将虾仁下入油锅滑一下,倒入漏勺沥油;锅内留50克油,下入青豆、番茄颗,加盐炒一下,烹料酒,随即倒入面筋粒和兑汁,翻炒几下,装入盘内即成。

【特点】 色彩美观,柔软鲜嫩,美味可口。

茄汁虎皮素卷

【原料】 主料:豆油皮10张。

配料:水发去蒂冬菇70克,净冬笋100克,水发木耳70克。

调料:植物油1000克(实耗150克),料酒25克,盐6克,味精1克,白糖50克,番茄酱100克,生姜10克,素汤250克,湿淀粉40克,香油10克。

【制 法】

1. 将冬笋、冬菇、木耳都切成丝,下入油锅炒出香味,烹料酒,放入盐、味精、少许汤,用湿淀粉调稀勾芡成馅,用盘装上晾凉。姜切成丝。

2. 将豆油皮改成12厘米火的块(计20块),每块放入馅,包成4厘米长的卷。用素汤、番茄酱、白糖、湿淀粉、香油兑成汁。

3. 锅内放油烧到六成热时,将素卷下入油锅炸焦酥呈金黄色,倒入漏勺沥油,装入盘内;锅内留50克油,下入姜丝炒一下,倒入兑汁烧开,加点沸油,待汁烹起泡时,浇盖在虎皮素卷上即成。

【特点】 焦脆松酥,甜酸味美。

熘素柴把鸭

【原料】 主料:水发冬菇100克,熟净冬笋100克,豆腐香干2片,嫩青豆角100克,火红泡椒70克。

配料:金针菜50克,小白菜苞12个。

调料:花生油600克(实耗100克),料酒25克,盐8克,酱油6克,味精1.5克,白糖少许,素上汤300克,湿淀粉30克,香油10克。

【制 法】

1. 大红椒去蒂去籽。豆角摘洗净。冬菇去带,和冬笋、豆腐干都切成5厘米长、6毫米大的方条。白菜苞洗净。

2. 将金针菜的老根摘去,用温水泡

一下，洗净捞出，摆放木板上。把冬菇、冬笋、豆腐干、豆角、红椒各2根放在金针菜上，捆扎成柴把形状，用盘装上。用素汤、盐、味精、白糖、湿淀粉、香油兑成汁。

3. 食用时，锅内放油烧六成热，将柴把素鸭下入油锅浸炸一下，倒入漏勺沥油；锅内留50克油，下入白菜莛加盐炒入味捞出，拼在盘边周围。再将柴把鸭复倒入锅内，烹料酒，随即冲下兑汁，翻动几下，装入白菜莛盘中即成。

【特点】 脆嫩鲜香，微辣味美。